高等学校规划教材·机械工程

机械制造技术基础

（第3版）

宋绪丁　主编

西北工业大学出版社

西　安

【内容简介】 本书主要阐述了机械制造的各种加工方法及工艺过程的基本问题。内容共10章，包括绪论、金属切削加工的基础知识、机床的基础知识、数字控制机床及其数字控制技术、切削加工方法、齿轮齿形的加工、机械加工精度、尺寸链、机械加工工艺过程、零件的结构工艺性和先进制造技术。

本书可作为高等院校机械类专业的教材，亦可供工程技术人员参考。

图书在版编目(CIP)数据

机械制造技术基础/宋绪丁主编；—3版. —西安：西北工业大学出版社，2011.2
(2019.1重印)

ISBN 978-7-5612-3002-2

Ⅰ.①机… Ⅱ.① 宋… Ⅲ.①机械制造工艺 Ⅳ.TH16

中国版本图书馆CIP数据核字(2011)第015815号

出版发行：西北工业大学出版社
通信地址：西安市友谊西路127号　　邮编：710072
电　　话：(029)88493844　88491757
网　　址：www.nwpup.com
印 刷 者：陕西省富平县万象印务有限公司
开　　本：787 mm×1 092 mm　　1/16
印　　张：18.25
字　　数：467千字
版　　次：2011年2月第3版　　2019年1月第5次印刷
定　　价：60.00元

前　言

本书是根据国家教育部 1995 年“关于组织实施《面向 21 世纪高等工程教学内容的课程体系改革计划》的通知”精神，结合多年教学实践经验及课程建设和改革的探索编写而成的。本书被长安大学列为 2000 年和 2010 年重点建设和改革项目的系列教材之一。本书经过十年的使用获得了很高的评价。今在原来第一版和第二版的基础上进行了部分章节内容的修改和调整，每章增加了复习思考题，并对原来版面的印刷错误进行了修改，更适应于本科专业基础课教学的需要。在本书编写过程中突出了以下特点：

(1)将“切削加工工艺学”和“机械制造工艺学”两门课程有机地结合在一起，做到了少而精，以少学时、多信息来保证教学质量。

(2)突出了机械制造基础知识和基本理论与生产实践的结合，使学生在打好坚实的理论基础的同时，提高解决实际问题的能力。

(3)充实了新技术、新工艺等内容，在一定程度上反映了本学科最新成果。随着信息技术和计算机技术的发展，数字控制机床在工业生产中得到了广泛的应用。因此，本书进一步充实了数控机床的基本理论和知识，增加了数控加工工艺基础知识及其工艺设计、数控车床和数控铣床编程、先进制造技术等内容，以满足当前机械制造工业对高级技术人才培养的要求。

本书按国家标准，在图样及描述中的尺寸，当以毫米(mm)为单位时可省略计量单位的符号或名称。

参加本书编写的有刘敏嘉(第 1 章)，张接信(绪论，第 8 章，第 10 章)，刘建柱(第 2 章，第 9 章)，张帆(第 7 章)，程博(第 3 章)，刘琼(第 4 章，第 5 章)，宋绪丁(第 2 章，第 3 章，第 6 章，第 8 章)。本书由宋绪丁主编，冯忠绪教授审阅。

在本书编写过程中，得到了长安大学教务处、图书馆教材部、工程机械学院的大力支持和帮助，谨此表示感谢。

由于编者水平有限，书中难免存在疏漏和不当之处，欢迎读者批评与指正。

编　者

2010 年 10 月

目　　录

绪论

1. 机械制造业与制造技术

机械制造业是有着悠久历史的行业，是一个国家的民族支柱产业，是国家工业体系的基础，是国民经济的重要组成部分，也是反映一个国家经济实力和科学技术水平的重要标志之一。据统计，20 世纪 90 年代，20 个工业化国家制造业所创造的财富占国民生产总值(GDP)的比例平均为 22.15%，美国财富的 68%来源于制造业，日本国内生产总值的 49%是由制造业提供的。1978 年以来，特别是进入 21 世纪后，中国制造业在改革和开放中持续快速发展，总体实力明显增强，结构不断优化，自主创新能力得到较大提高，制造业的国际地位和竞争力快速提升，在国民经济中的主导地位进一步增强。自 2001 年加入世贸组织以来，"中国制造"与世界经济的融合进一步加快，制造业成为中国参与经济全球化的主要领域。2001—2007 年工业增加值年均增长 11.5%，其中，规模以上工业增加值近 5 年来平均增速为 17%，处于世界上增长最快的国家之列。2007 年，工业增加值占国内生产总值的 43%，工业在国民经济中的主导地位进一步增强。目前，中国已经成为世界制造业的大国，但还不是制造业的强国，要成为制造业的强国，尚需我们共同的努力和奋斗。

机械制造技术是在人类长期生产实践中发展起来的一门学科，是人类加工技术经验的积累与结晶。它主要研究各种机械产品在制造过程中所涉及的加工原理、工艺过程和方法以及相应制造设备的一门工程技术。机械制造业的发展和进步，很大程度上取决于机械制造技术的水平和发展。如今，现代工业对机械制造业提出了越来越高的要求，传统的机械制造技术与精密检测、数控技术、传感技术有机结合，给机械制造领域带来了新概念、新技术、新产品，使得机械制造产品质量和生产效益大大提高，推动了机械制造技术不断向前发展。机械制造技术的发展也为其他高新技术的发展提供了先进的设备，打下了坚实的基础，提供了可靠的技术保证。从一定意义上讲，机械制造技术发展的规模和水平决定着其他产业的发展水平，甚至于影响一个国家经济独立性和工业产业自力更生的能力，因此，世界各国对机械制造技术给予高度重视。改革开放以来，我国机械工业充分利用国内外的技术资源进行技术改造，依靠科技进步，已经取得了长足的发展。但与世界先进水平相比，我国的机械制造业的产品在功能、质量等方面还有较大的差距，产品构成落后，精度保持性差，科研开发能力较薄弱，人员技术素质有待提高，以便于跟上现代机械制造业飞速发展的需要。因此，我国机械制造业必须不断增强技术力量，培养高水平的人才和提高现有人员的素质，学习和引进国外先进科学技术，使我国的机械制造技术早日赶上世界先进水平。

2. 机械制造技术的发展趋势

近些年来，随着现代科学技术的不断发展，特别是计算机技术的进一步发展，促使传统的机械制造技术与数控技术、精密检测技术的相互结合，向高精度、高效率、柔性化、集成化、智能化的方向发展，使生产效率和质量大幅度提高。纵观机械制造的渊源及发展，其发展趋势主要表现在以下几个方面。

(1) 向高速、强力切削方向发展。金属切削机床结构设计与制造水平的提高和新型刀具材料的应用，使切削加工效率大为提高。目前，数控机床的主轴转速已达到 5 000 r/min，(工业发达国家有的加工中心的主轴转速已达到 70 000 r/min，高速铣床的主轴转速已经达到 100 000 r/min)；机床进给系统采用直流或交流伺服电动机驱动、大导程滚珠丝杠螺母传动，其快进速度最高可达 60 m/min，当采用直线电动机传动装置时，快进速度可达 150～210 m/min。采用新型刀具材料如涂层硬质合金、陶瓷、立方氮化硼等，使常规切削速度提高了 5～10 倍。

(2) 向超精密及细微加工技术方向发展。各种精密、超精密加工技术，细微加工与纳米加工技术在微电子芯片、光电子芯片、微机电系统(MEMS)等尖端技术及国防装备领域中将大显身手。机械加工精度已从 20 世纪初的 1μm，提高到 0.001μm，最近已达到0.001～0.1 nm，即超精密加工。超精密加工的发展有力地推动了各种新技术的发展，已成为在国际竞争中立于不败之地的关键技术。

(3) 制造系统的自动化。为适应市场的不断变化，机电产品更新换代的频率在加快，多品种、中小批量的生产将成为今后一种主要生产类型，因此，自动制造技术将进一步向柔性化、集成化、智能化、网络化方向发展。CAD/CAPP/CAE/CAM(计算机辅助设计/计算机辅助工艺规程/计算机辅助分析/计算机辅助制造)等技术进一步地完善，提高了多品种、中小批量产品的质量、加工效率。精益制造(LP)、敏捷制造(AM)等先进制造管理模式将主导 21 世纪的制造业。

(4) 绿色制造技术。综合考虑社会、环境、资源等可持续发展因素的绿色制造(无浪费制造)技术，将朝着能源与原材料消耗最少，所产生的废弃物最少并尽可能回收利用，在产品的整个生命周期中对环境无害等方向发展，它是精益生产、柔性生产、敏捷制造的延伸和发展。

3. 本课程的目的及任务

"机械制造技术基础"是机械类各专业学生和机械工程技术人员进行制造技术教育所必修的一门以加工技术为主的综合性技术基础课程。

本课程的教学目的和任务是使学生获得机械制造方法和加工工艺的基础知识，受到制造工艺实践的基本训练，为学习其他有关课程以及将来从事生产技术工作准备好必要的基础。学完本课程后应达到以下基本要求：①根据零件图和技术要求，培养学生选择合理的加工方案和拟定机械加工工艺过程的能力；②通过加工误差的分析，使学生掌握机械零件的加工质量的控制方法，培养学生解决具体零件加工质量问题的能力；③通过尺寸链的学习，使学生掌握几何精度的分析与计算，培养学生在保证产品质量的前提下，分析产品加工的最佳经济效益的能力。

实践是培养学生独立工作能力和获得一定实验技能的重要教学环节。本课程的实践性、应用性、针对性都很强，为保证课程顺利进行，本课程应安排在实践环节——金工实习——之后讲授。通过金工实习，在了解了金属材料主要加工方法以及使用的设备、工装，并对主要切削加工方法有一定程度的基本操作技能之后，进行课堂教学，将金工实习当中获得的零散的、感性的、片面的知识进行归纳、总结、拓宽、加深和应用，最终达到本课程预期的教学目的和要求。

第1章

金属切削加工的基础知识

切削加工是用切削工具从毛坯上切除多余的材料，获得几何形状、尺寸和表面粗糙度等方面符合图纸要求的零件的加工过程。

切削加工分为钳工加工和机械加工两部分。

钳工加工一般是由工人手持工具进行的切削加工，其主要内容有划线、錾削、锯削、锉削、刮研、钻孔和铰孔、攻丝和套扣等，机械装配和修理也属钳工范围。随着加工技术的逐步发展，钳工加工的一些工作已由机械加工所代替，机械装配也在一定范围内不同程度地实现机械化、自动化。尽管如此，钳工作为切削加工的一部分仍是不可缺少的，在机械制造中仍占有独特的地位。例如，中小批量生产中各种机件上许多小螺孔的攻丝，目前仍以钳工进行较为经济方便；又如，精密机床和设备导轨面的刮研常被磨削或宽刀细刨所代替，但质量还是刮研的较好。

机械加工是通过工人操作机床进行切削加工的，其主要的加工方法有车、铣、刨、钻、磨及齿轮加工等。

在现代机械制造中，除少数零件采用精密铸造、精密锻造以及粉末冶金和工程塑压成形等方法直接获得零件外，绝大多数零件的外形、精度和表面质量还须依靠切削加工方法来保证。因此，切削加工在机械制造业中占有重要的地位。

金属切削加工虽有各种不同的形式，但它们在切削运动、切削工具及切削过程的物理实质方面却有共同的现象和规律，这些现象和规律是研究各种切削加工方法的共同基础。

1.1 切削运动和切削要素

1.1.1 零件的种类及其表面的形成

任何机器或机械装置都是由多个零件组成的。组成机械设备的零件虽然多种多样，但分析起来，主要由以下四种表面所组成，如图 1.1 所示。

(1) 圆柱面。圆柱面是以直线为母线，以圆为轨迹，且母线垂直于轨迹所在平面作旋转运动时所形成的表面，如图1.1(a)所示。

(2) 圆锥面。圆锥面是以直线为母线，以圆为轨迹，且母线与轨迹所在平面相交成一定角度作旋转运动时所形成的表面，如图 1.1(b)所示。

(3) 平面。平面是以直线为母线，以另一直线为轨迹作平移运动时所形成的表面，如图1.1(c)所示。

(4) 成形面。成形面是以曲线为母线，以圆为轨迹作旋转运动或以直线为轨迹作平移运动时所形成的表面，如图1.1(d)和图1.1(e)所示。

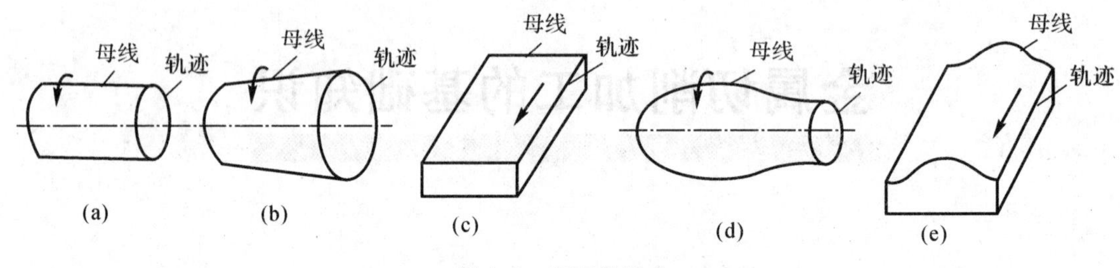

图1.1 表面的形成

上述各种表面，可分别用如图1.2所示的相应的加工方法获得。

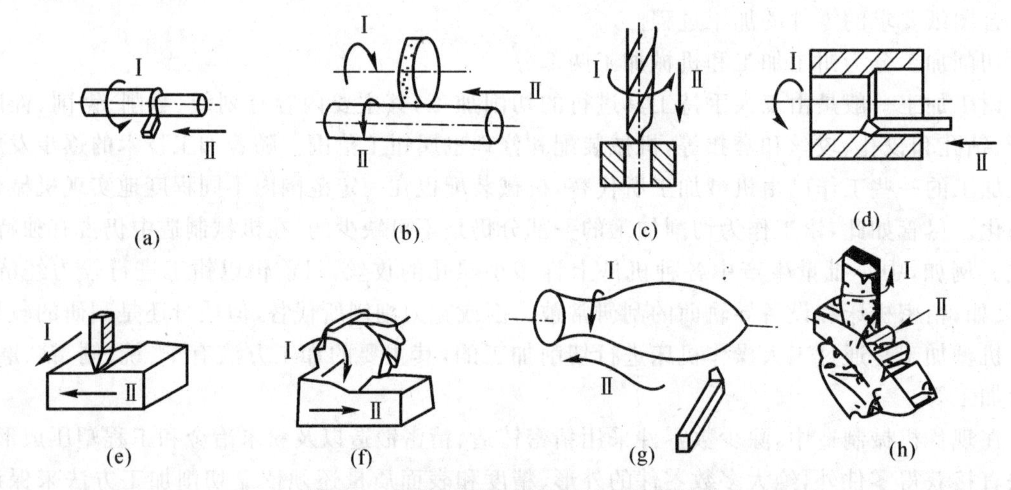

图1.2 零件不同表面加工时的切削运动

(a) 车外圆面； (b) 磨外圆面； (c) 钻孔； (d) 车床上镗孔；
(e) 刨平面； (f) 铣平面； (g) 车成形面； (h) 铣成形面

1.1.2 机床的切削运动

各种表面的形成都是母线沿轨迹运动的结果。在机床上要加工出各种表面，刀具与工件之间必须有适当的相对运动，即所谓的切削运动。切削运动分为主运动和进给运动两种。

(1) 主运动。主运动是切下切屑所需要的最基本的运动。在各种切削方法中，其主运动只有一个，且主运动的速度最高，消耗机床的功率最多，约为机床总功率的95%以上。如图1.2所示的Ⅰ表示出了各种加工方法的主运动。

(2) 进给运动。进给运动是使金属层不断投入切削，从而加工出完整表面所需的运动。进给运动可以有一个或几个，进给运动的速度低，消耗机床的功率少，约为机床总功率的5%以下。各种加工方法的进给运动如图1.2所示的Ⅱ。

1.1.3 工件上的几个表面

在切削加工过程中，随着刀具的不断切入，在工件上自然地形成了三个不断变化着的表面：待加工表面、加工表面和已加工表面，如图 1.3 所示。

待加工表面指工件即将被切除切屑的表面，随着切削过程的进行，它将逐渐减小直至全部消失。

加工表面指正在被刀刃切削的工件表面。

已加工表面指刀具从工件上切除切屑后所形成的新表面。

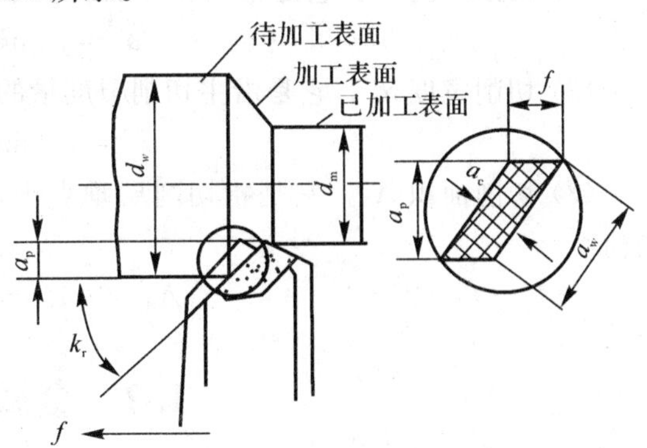

图 1.3 车削外圆时的切削要素及加工表面

1.1.4 切削用量

切削用量是指切削速度、进给量和切削深度三个要素的总称。

(1) 切削速度 v。它是指在单位时间内，工件和刀具沿主运动方向的相对位移。

若主运动为旋转运动，则以车削外圆为例，在如图 1.3 所示中，切削速度为

$$v = \frac{\pi d_w n}{1\,000 \times 60} \quad \text{m/s}$$

式中 d_w —— 待加工表面直径，mm；

n —— 工件的转速，r/min。

若主运动为往复直线运动（如刨削），常用其平均速度作为切削速度，即

$$v = \frac{2Ln_r}{1\,000 \times 60} \quad \text{m/s}$$

式中 L —— 往复直线运动的行程长度，mm；

n_r —— 主运动每分钟的往复次数，次 /min。

(2) 进给量 f。它是指在主运动的一个循环（或单位时间）内，刀具和工件之间沿进给运动方向的相对位移。如车削时，工件每转一转，刀具相对于工件沿进给运动方向移动的距离，即为进给量 f，单位为 mm/r；又如当在牛头刨床上刨平面时，工件在刀具往复一次中所移动的距离，即为进给量 f，单位为 mm/ 次。

单位时间的进给量又称进给速度 v_f，单位为 mm/s。

进给量与进给速度之间的关系为

$$v_f = fn/60 \quad \text{mm/s}$$

(3) 切削深度 a_p。它是指待加工表面与已加工表面之间的垂直距离。车削外圆时

$$a_p = \frac{d_w - d_m}{2} \quad \text{mm}$$

式中，d_m 为已加工表面直径，mm。

1.1.5 切削层的几何参数

切削层是指工件正在被刀具切削的一层金属，即两个相邻加工表面之间的那层材料。以

车削外圆为例(见图 1.3),切削层就是工件每转一转,刀具从工件上切下的那一层材料。

切削层的几何参数一般在垂直于切削速度的平面内观察和度量,它包括切削厚度、切削宽度和切削面积。

(1) 切削厚度 a_c。它是指两相邻加工表面间的垂直距离,如图 1.3 所示。车外圆时

$$a_c = f\sin k_r \quad \text{mm}$$

(2) 切削宽度 a_w。它是沿主切削刃度量的切削层尺寸,如图 1.3 所示。车外圆时

$$a_w = a_p/\sin k_r \quad \text{mm}$$

(3) 切削面积 A_0。它是指切削层垂直于切削速度截面内的面积,如图 1.3 所示。车外圆时

$$A_0 = a_c a_w = f a_p \quad \text{mm}^2$$

1.2 金属切削刀具

在切削过程中,直接完成切削工作的是刀具。无论哪种刀具,一般都由工作部分和夹持部分组成。夹持部分是用来将刀具夹持在机床上的部分,要求它能保证刀具正确的工作位置,传递所需要的运动和动力,并且夹持可靠,装卸方便。一般夹持部分选用优质碳素结构钢制成。工作部分是刀具上直接参加切削工作的部分,它必须选用专门的刀具材料制作,刀具切削性能的优劣,取决于工作部分的材料、角度和结构。

1.2.1 刀具材料

1. 基本要求

刀具材料一般是指工作部分的材料,它在高温下进行切削工作,还要承受较大的压力、摩擦、冲击和振动等,因此应具备以下基本要求:

(1) 有较高的硬度。刀具材料硬度必须高于工件材料的硬度,常温硬度一般要求在 HRC60 以上。

(2) 有足够的强度和韧性。这样可以承受切削力、冲击和振动。

(3) 有较好的耐磨性。这样可以抵抗切削过程中的磨损,维持一定的切削时间。

(4) 有较高的耐热性。即在高温下仍能保持较高硬度的性能,又称红硬性或热硬性。

(5) 有较好的工艺性。这样可以便于制造各种刀具。其工艺性包括锻、轧、焊、切削加工、磨削加工和热处理性能等。

目前尚没有一种刀具材料能全面满足上述要求,因此,必须了解各种刀具材料的性能,合理地选用刀具材料。

2. 常用的材料

目前在切削加工中常用的刀具材料有碳素工具钢、合金工具钢、高速钢和硬质合金等,其中高速钢和硬质合金是金属切削中最常用的刀具材料。各种刀具材料的特性如表 1.1 所示。

(1) 碳素工具钢与合金工具钢。碳素工具钢是含碳质量分数较高的优质钢(w_C 为 0.007~0.012),如 T10A。碳素工具钢淬火后具有较高的硬度,而且价格低廉,但这种材料的耐热性较差,当温度达到 200℃时即失去它原有的硬度,并且淬火时容易产生变形和裂纹。

合金工具钢是在碳素工具钢中加入少量的 Cr,W, Mn, Si 等合金元素所形成的刀具材料

（如 9SiCr，CrWMn 等），由于合金元素的加入，与碳素工具钢相比，热处理变形有所减小，耐热性也有所提高（达 300℃）。

这两种刀具材料因其耐热性都比较差，所以，常用于制造一些形状较简单的低速切削刀具，如锉刀、锯条、铰刀等。

表 1.1 常用刀具材料特性

种类	牌号	开始应用年代/年	物理性能					切削速度之比	相对价格（高速钢＝1）	用途
			硬度	抗弯强度 $\frac{\sigma_{bb}}{GPa}$	冲击韧性 $\frac{a_k}{kJ \cdot m^{-2}}$	耐热性 ℃	导热系数 $\frac{}{W \cdot (m \cdot ℃)^{-1}}$			
碳素工具钢	T10A	1900 以前	HRA 81～83	2.35		200	41.8	0.2～0.4	0.3	用于制造锉刀、刮刀等手工工具
合金工具钢	9SiCr	1868	HRA 80	2.35		300	41.8	0.5～0.6		用于制造薄刃刀具，如丝锥、板牙、铰刀等
高速钢	W18Cr4V	1900	HRA 82～84	3.43	0.294	600	16.8～25	1.0	1.0	用途广泛，主要用于制造钻头、铣刀、铰刀、拉刀、丝锥、齿轮刀具等
硬质合金	YG8	1923～1925	HRA 89	1.47		800～1 000	75.4	6	10	适用于铸铁、有色金属及其合金、非金属材料的粗加工和间断切削时的粗刨
硬质合金	YT15	1929～1931	HRA 91	1.13		800～1 000	33.5	6	10	适用于碳钢、合金钢连续切削时的粗车、半精车及精车，间断切削时的半精车与精车
陶瓷	AM	1954	HRA ＞92	0.39～0.49		＞1 000	4.2～21	12～14	15	适用于高速切削，可加工高硬度（淬火钢）、高精度零件

（2）高速钢。它是含有较多 W，Cr，V 等合金元素的高合金工具钢，例如 W18Cr4V，又称

锋钢或风钢。与碳素工具钢和合金工具钢相比，它具有较高的耐热性，温度达600℃时，仍能正常切削，其许用切削速度为30～50 m/min，是碳素工具钢的5～6倍，而且它的强度、韧性和工艺性能都较好，广泛用于制造中切削形状复杂的刀具，如麻花钻、铣刀、拉刀和各种齿轮加工刀具等。

(3) 硬质合金。它是以高硬度、高熔点的金属碳化物(WC，TiC)为基体，以金属Co，Ni等为黏结剂，用粉末冶金方法制成的一种合金。它的硬度高、耐磨性好、耐热性好。其许用切削速度是高速钢的6倍。但其强度和韧性比高速钢低，工艺性差。因此硬质合金常用于制造形状简单的高速切削刀片，将其焊接或机械夹固在车刀、刨刀、端铣刀、钻头等的刀体(刀杆)上使用。

国产的硬质合金一般分为两大类：一类是由WC和Co组成的钨钴类(YG类)；另一类是由WC，TiC和Co组成的钨钛钴类(YT类)。

YG类硬质合金的韧性较好，但切削韧性材料时，耐磨性较差，因此，它适用于加工铸铁、青铜等脆性材料。常用的牌号有YG3，YG6，YG8等，其中数字表示Co的质量分数。

YT类硬质合金比YG类硬度高，耐热性好，在切削韧性材料时的耐磨性较好，但韧性较差，一般适用于加工钢件。常用牌号有YT5，YT15，YT30等，其中数字表示TiC的质量分数。

3. 新型刀具材料简介

近年来，随着高硬度难加工材料的出现，给刀具材料提出了更高的要求，这就推动了新刀具材料的不断开发。

(1) 高速钢的改造。为了提高高速钢的硬度和耐磨性常采用如下措施。

1) 在高速钢中增添新的元素，如我国制成的铝高速钢，增添铝元素，使其硬度达HRC70，耐热性超过了600℃，称之为高性能高速钢或超高速钢。

2) 改进刀具制造的工艺方法，如用粉末冶金法制造的高速钢称为粉末冶金高速钢。它可消除碳化物的偏析并细化晶粒，提高材料的韧性、硬度，并减小了热处理变形，适用于制造各种高精度刀具。

(2) 硬质合金的改进。为了克服常用硬质合金材料的韧性低、脆性大、易崩刃的缺点，常采用如下措施。

1)调整化学成分，增添少量的碳化钽(TaC)、碳化铌(NbC)，使硬质合金既有高硬度又有较好的韧性。

2)改进工艺方法，即细化合金的晶粒，如超细晶粒硬质合金，硬度可达HRA90～93，抗弯强度可达2.0 GPa。

3)采用涂层刀片，即在韧性较好的硬质合金(如YG类)基本表面，涂敷5～10 μm厚的一层TiC或TiN，以提高其表层的耐磨性。

(3) 非金属刀具材料。陶瓷、天然及人造金刚石、立方氮化硼等的硬度和耐磨性比上述各种金属刀具材料高，可用于切削淬火钢、有色金属及硬质合金等材料。由于它们的脆性大，抗弯强度又极低，金刚石和立方氮化硼两种材料价格又昂贵，因此很少应用。

1.2.2 刀具的几何形状

刀具切削部分直接担负切削工作，其几何形状对加工质量和生产率都有直接影响，因此，一把好的刀具除适用的材料外，还必须具有合理的几何形状。所用的切削刀具虽然多种多样，但它们切削部分的结构要素和几何角度却有许多共同的特征，各种多齿刀具或复杂刀具，就其一个刀齿而言，都相当于一把车刀的刀头。下面以车刀为例，分析并研究刀具的几何形状。

1. 车刀切削部分的组成

车刀的切削部分由三个刀面、两个切削刃(刀刃)和一个刀尖组成，如图 1.4 所示。

(1) 前刀面(前面)。切削时，切屑流出所经过的表面称为前刀面。

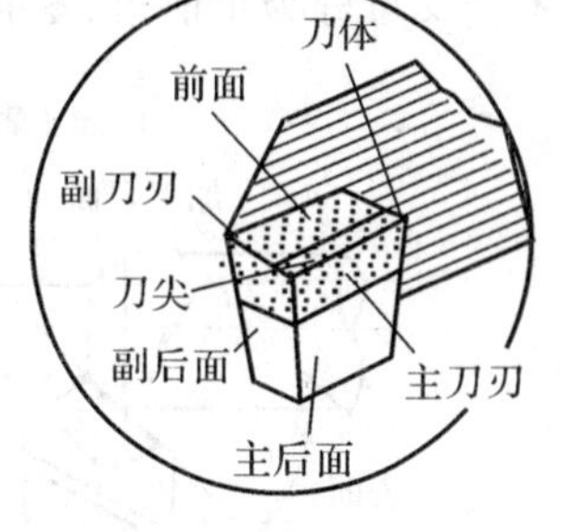

图 1.4　车刀的组成

(2) 主后刀面(主后面)。切削时，刀具上与工件的加工表面相对的表面称为主后刀面。

(3) 副后刀面(副后面)。切削时，刀具上与工件的已加工表面相对的表面称为副后刀面。

(4) 主切削刃(主刀刃)。它是前刀面和主后刀面的交线，切削时，担负着主要的切削工作。

(5) 副切削刃(副刀刃)。它是前刀面和副后刀面的交线，切削时，一般担负少量的切削工作。

(6) 刀尖。它是主切削刃和副切削刃的交点。实际上，刀尖并非绝对尖点，而是一小段过渡圆弧或一小段直线，以减小刀尖的磨损。

2. 车刀切削部分的主要角度

为了确定刀面和切削刃的空间位置，首先要建立起由三个辅助平面组成的坐标参考系。以它为基准，用角度值来反映刀面和切削刃的空间位置。

(1) 辅助平面。辅助平面包括基面、切削平面和主剖面，如图 1.5 所示。

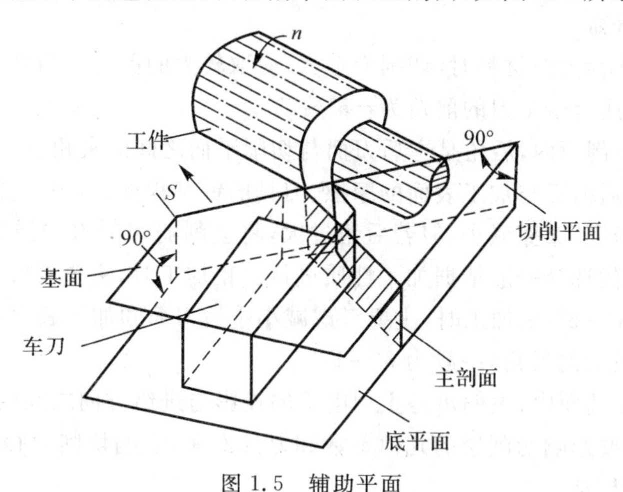

图 1.5　辅助平面

为了简化分析，假设切削时只有主运动，刀柄安装成与工件中心线相垂直，且刀尖与工件中心线等高的位置。这种假设的状态称为静止状态。在静止状态下确定的辅助平面是刀具标注角度的基准。

1) 基面。基面是过主切削刃上某一选定点，并与该点切削速度方向垂直的平面。

2) 切削平面。切削平面是过主切削刃上某一选定点，并与该点的加工表面相切的平面。

3) 主剖面。主剖面是过主切削刃上某一选定点，与主切削刃在基面上的投影相垂直的平面。

如图 1.5 所示，三个辅助平面相互垂直，构成一个空间坐标参考系。

(2) 车刀的标注角度。车刀的标注角度是指在刀具图纸上标注的角度，也是刀具制造和刃磨的依据。下面介绍车刀的几个主要标注角度，如图 1.6 所示。

1) 前角 γ_0。在主剖面内，前角是前刀面与基面之间的夹角。根据前刀面与基面相对位置的不同又可分为正前角、零前角和负前角，如图 1.7 所示。

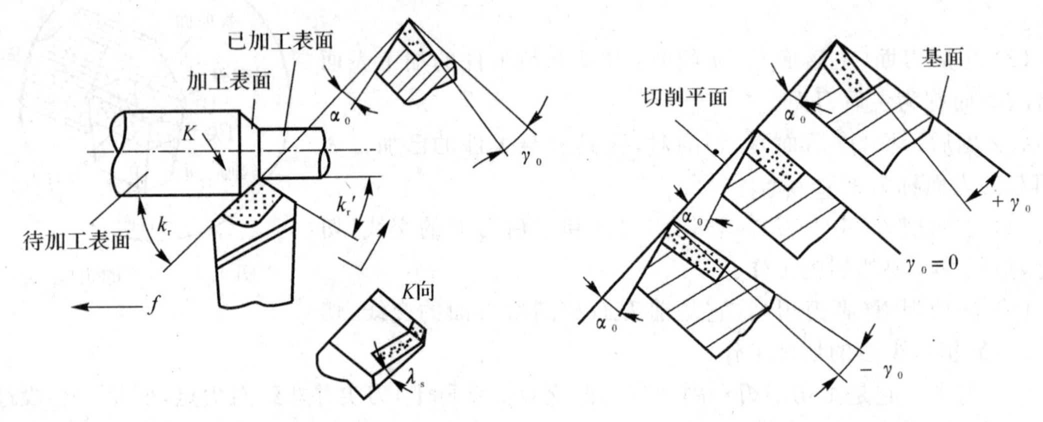

图 1.6 车刀的主要标注角度

图 1.7 前角的正与负

前角的大小对切屑变形、切削力、刀具的磨损、切削刃的强度都有直接影响。前角增大，可减小切削力，减小前刀面与切屑之间的摩擦，使切削轻快，降低切削温度，减小刀具的磨损。但前角过大时，切削刃的强度降低，导热体积减小，散热条件变差，导致切削温度升高，反而加剧刀具磨损，降低刀具寿命。

一般地，当加工塑性大的材料时，切削变形大，应取较大的前角。当加工脆性材料时，应取较小的前角。通常硬质合金车刀的前角为－5°～25°。

2) 后角 α_0。在主剖面内，后角是主后刀面与切削平面之间的夹角。

后角对刀具的主后刀面与加工表面的摩擦、刀具的锋利程度、刀刃强度有直接影响。较大的后角，可使切削刃锋利，摩擦减小，但若后角过大，将会削弱切削刃的强度，减小导热体积而增大刀具磨损。后角的选择一般依据加工性质进行。粗加工时，主要考虑刀刃的强度，应取较小的后角值，一般为 3°～6°；精加工时，主要考虑减小主后刀面和加工表面之间的摩擦，提高工件的表面质量，应取较大的后角，一般为 6°～12°。

3) 主偏角 k_r。在基面内，主偏角是主切削刃的投影与进给方向之间的夹角。

主偏角的大小主要影响切削层的几何参数和刀具寿命，影响切削力径向分力 F_Y 的大小，影响已加工表面的粗糙度。

如图 1.8 所示，当切削深度和进给量一定时，主偏角愈小，切下的切屑形状愈薄而宽，主切削刃单位长度上的负荷减轻，散热条件较好，有利于提高刀具的使用寿命。主偏角减小则切削力的径向分力 F_Y 增大，如图 1.9 所示。当加工刚性较差的工件时，为避免工件变形和振动，应选用较大的主偏角。车刀常用的主偏角有 45°，60°，75°，90°四种。

4) 副偏角 k_r'。在基面内，副偏角是副切削刃的投影与进给相反方向之间的夹角。

副偏角主要影响工件已加工表面的粗糙度，减小副偏角可减小已加工表面残留面积的高度降低表面粗糙度 R_a 的值，如图 1.10 所示。车刀的副偏角一般取 5°～15°。

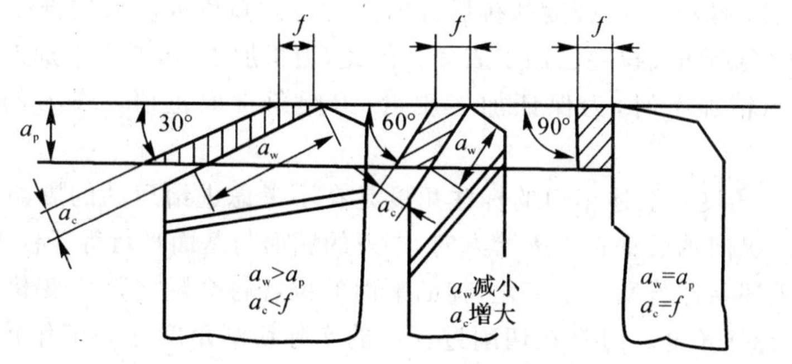

图 1.8 主偏角对切削层的影响

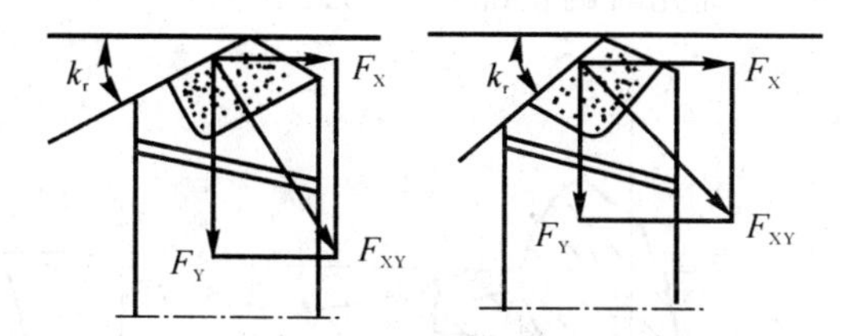

图 1.9 主偏角对切削分力的影响

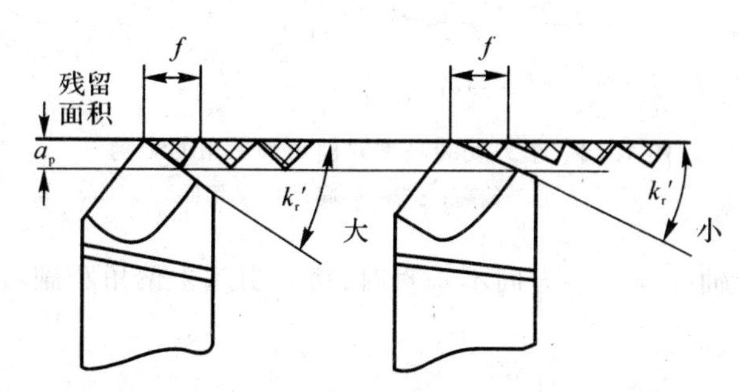

图 1.10 副偏角对残留面积的影响

5）刃倾角 λ_s。在切削平面内，刃倾角是主切削刃与基面之间的夹角。与前角类似，刃倾角也有正、负和零值之分，如图 1.11 所示。

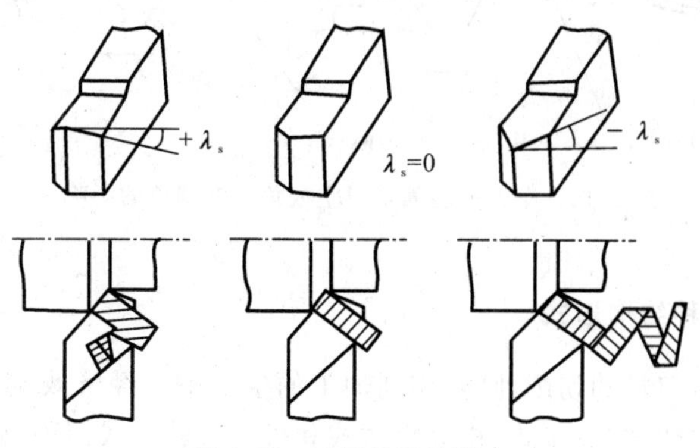

图 1.11 刃倾角及其影响

刃倾角的主要影响是刀尖的强度和排屑方向。负的刃倾角可使刀尖强度增加，但切屑排向已加工表面，可能会划伤或拉毛已加工表面。因此，当粗加工时，考虑增加刀尖的强度，刃倾角应选用较小值；当精加工时，为保证加工质量，刃倾角常取正值。车刀的刃倾角一般取$-5°\sim5°$之间。

（3）车刀的工作角度。上述车刀的标注角度是在不考虑进给运动的影响、刀尖与工件回转中心等高、刀杆的纵向轴线垂直于进给方向、车刀的底面与基面平行等条件下确定的。

实际切削时，上述条件若发生了变化，辅助平面的位置将会随之发生变化，导致刀具的实际切削角度不等于标注角度。刀具在切削过程中的实际切削角度称为工作角度。如图1.12所示，若刀尖高于工件回转中心，则工作前角 $\gamma_{0e}>\gamma_0$，而工作后角 $\alpha_{0e}<\alpha_0$；若刀尖低于工件的回转中心，则 $\gamma_{0e}<\gamma_0$，$\alpha_{0e}>\alpha_0$。镗孔时的情况正好与此相反。

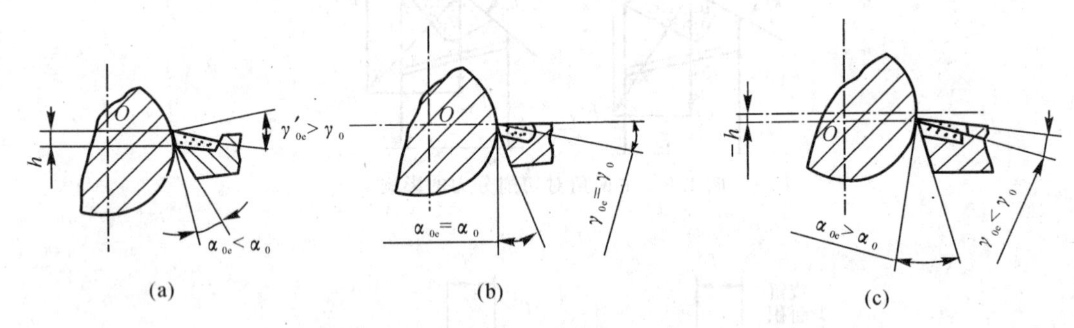

图1.12　车刀安装高度对前角和后角的影响

（a）偏高；（b）等高；（c）偏低

当车刀刀杆的纵向轴线与进给方向不垂直时，将会引起主偏角和副偏角的变化，如图1.13所示。

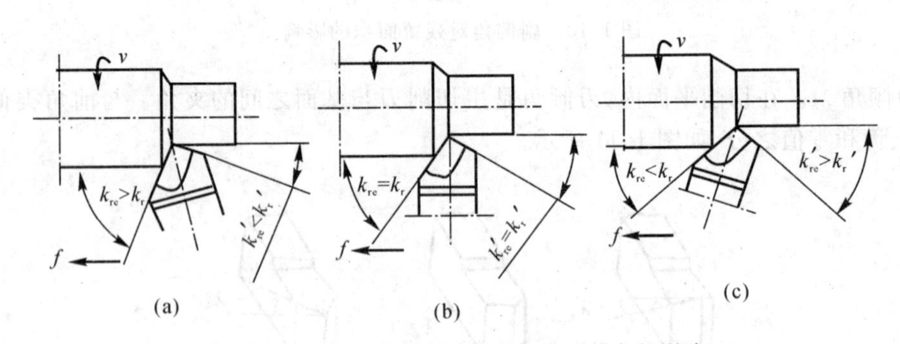

图1.13　车刀安装偏斜对主偏角和副偏角的影响

1.2.3　车刀的几种结构形式

刀具的结构形式对刀具的切削性能、切削加工的生产率和经济效益有着重要的影响。常用的车刀结构形式有整体式、焊接式、机夹重磨式和机夹可转位式四种，如表1.2所示。

表 1.2　常用车刀的结构与特点

车刀名称	结构简图	特　点
整体式		刀头、刀杆用同一种材料制成，为一整体，因此对贵重的刀具材料消耗较大
焊接式		刀头为优质刀具材料，刀杆为一般钢材，二者焊为一体，结构简单，紧凑，刚性好，刃磨方便。但硬质合金刀片在较大的焊接应力作用下，易产生裂纹
机夹重磨式		它是将刀片用机械夹固法夹紧在刀杆上，刃磨时把刀片卸下，刀杆可重复使用，节约了大量刀杆材料
机夹可转位式		它是将具有一定几何参数的正多边形刀片，用机械夹固法装夹在标准刀杆上。刀片上的一个刀刃用钝后，只须将夹紧元件松开，将刀片转位，换成另一个新刀刃便可继续使用，无须重新对刀，特别适用于自动化生产线

1.3　金属的切削过程

金属切削过程实质上是一种挤压过程。切削金属受刀具的挤压而产生变形是切削过程中的基本问题。金属切削过程中产生的积屑瘤、切削力、加工硬化和刀具磨损等物理现象，都是由切削过程的变形和摩擦所引起的。

1.3.1　切削过程及切屑种类

1. 切屑形成过程

金属的切削过程实际上与金属的挤压过程很相似。当切削塑性材料时，材料受到刀具的作用开始产生弹性变形；随着刀具的继续切入，金属内部的应力、应变继续加大，当应力达到材料的屈服点时，开始产生塑性变形；刀具再继续向前推进，应力进而达到材料的断裂强度，这时金属材料被挤裂，并沿着刀具的前刀面流出而形成切屑。

在金属切削过程中，经过塑性变形的切屑其外形与原来的切削层不同，其切屑的厚度 a_{ch} 通常都大于切削层厚度 a_c，而切屑的长度 L_{ch} 却小于切削层长度 L_c，如图 1.14 所示。这种现象称为切屑收缩，切屑的变形程度可用变形因数表示。

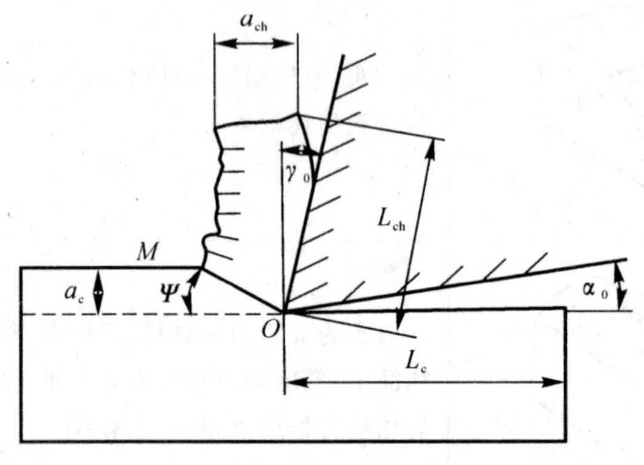

图 1.14　切屑收缩

切屑层长度 L_c 与切屑长度 L_{ch} 之比，称为变形因数(或收缩因数)ζ，即

$$\zeta=\frac{L_c}{L_{ch}}>1$$

变形因数对切削力、切削温度和表面粗糙度影响较大，当其他条件不变时，切屑变形因数愈大，切削力愈大，切削温度愈高，表面愈粗糙。

影响切屑变形因数的因素主要有刀具前角、切削速度、切削厚度、切屑与刀具之间的摩擦因数和被切材料的塑性等几个方面。增大刀具前角、提高切削速度、加大切削厚度、减小切屑与刀具之间的摩擦因数、降低被切材料的塑性都能减小切屑变形因数，因此，在切削加工中，可根据情况采取相应的措施，减小切屑变形因数，改善切削过程。例如，当切削塑性高的低碳钢时，为减小切屑变形，提高表面质量，一般在切削加工之前将材料进行正火处理，以降低其塑性，提高切削加工性。

2. 切屑的种类

当工件材料的塑性、刀具的前角或采用的切削用量等条件不同时，切屑的形状也不同，并对切削过程会产生不同的影响。

(1) 带状切屑。如图 1.15(a)所示，当采用较大的刀具前角、较高的切削速度、较小的进给量切削塑性材料时，容易得到带状切屑。带状切屑的顶面呈现毛茸状，底面光滑，而且切屑只经历弹性变形—塑性变形—切离三个变形阶段。切削过程比较平稳，切削力波动也较小，加工表面光洁，但它会缠绕在刀具或工件上损坏刀刃，刮伤工件，且清除和运输也不方便，常成为影响正常切削的关键。为此，常开出断屑槽，以使切屑折断。

(2) 节状切屑。如图 1.15(b)所示，当采用较低的切削速度、较小的刀具前角、较大的进给量切削中等硬度的钢材时，容易得到节状切屑。在形成节状切屑过程中，金属材料要经历弹性变形—塑性变形—挤裂—切离四个变形阶段。其切削力波动较大，工件表面较粗糙。

(3) 崩碎切屑。如图 1.15(c)所示，当切削铸铁和青铜等脆性材料时，易形成崩碎切屑。其一般只经历弹性变形—挤裂—切离三个变形阶段。当形成崩碎切屑时，切削热和切削力都集中在主切削刃和刀尖附近，刀尖易磨损，容易产生振动，影响工件表面质量。

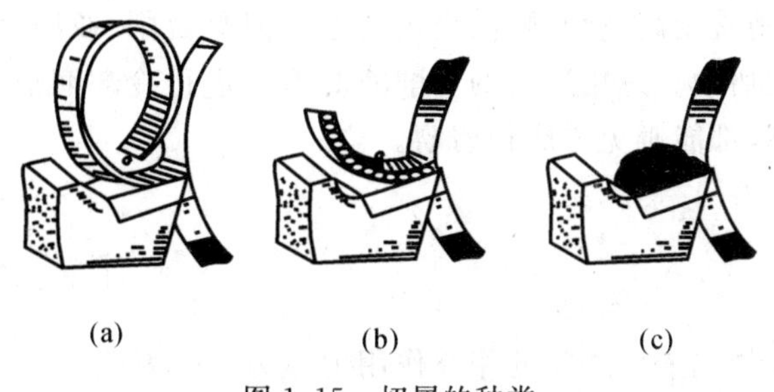

(a) (b) (c)

图 1.15 切屑的种类

1.3.2 积屑瘤

当在一定范围的切削速度下切削塑性材料时，常发现在靠近切削刃的前刀面上黏附着一小块很硬的金属，这块硬金属即为积屑瘤，或称刀瘤，如图 1.16 所示。

1. *积屑瘤的形成*

一般认为积屑瘤是被切削的金属，在切削区的高温、高压和剧烈摩擦力的作用下与刀具前刀面发生黏结而形成的。

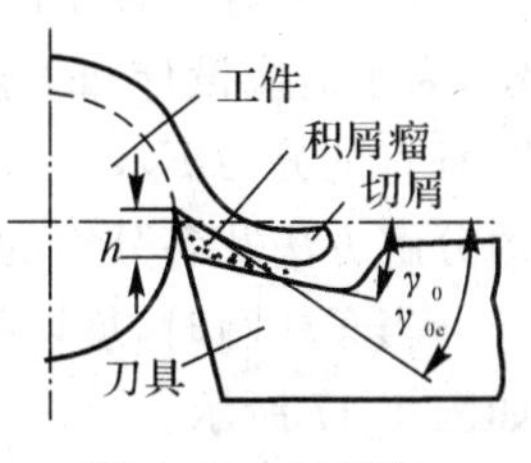

图 1.16 积屑瘤

当切屑沿着刀具的前刀面流出时，在一定的温度与压力作用下，与前刀面接触的切屑底层金属受到的摩擦阻力超过切屑本身的分子结合力时，就会有一部分金属黏附在切削刃附近的前刀面上，形成积屑瘤。积屑瘤形成后不断长大，当达到一定高度时又会破裂，并且被切屑带走或嵌附在工件表面上。上述过程是反复进行的。

2. *积屑瘤对切削加工的影响*

在形成积屑瘤的过程中，金属材料因塑性变形而被强化，因此，积屑瘤的硬度比工件材料高，能代替切削刃进行切削，从而起到保护切削刃的作用。同时，由于积屑瘤的存在，增大了刀具实际工作前角，如图 1.16 所示，使切削轻快，因此，粗加工时，积屑瘤的存在是有益的。但是积屑瘤的顶端伸出刀刃之外，而且又不断地产生和脱落，使实际切削深度和切削厚度不断变化，影响尺寸精度并会导致切削力的变化，从而引起振动。有一些积屑瘤碎片黏附在工件已加工表面上，使工件表面变得粗糙。因此，精加工时，应尽量避免产生积屑瘤。

3. *影响积屑瘤的因素*

工件材料和切削速度是影响积屑瘤的主要因素。

塑性大的材料，切削时的塑性变形较大，容易产生积屑瘤。塑性小而硬度较高的材料，产生积屑瘤的可能性以及积屑瘤的高度相对较小。切削脆性材料一般没有塑性变形，形成的崩碎切屑不流过前刀面，因此一般无积屑瘤。

当切削速度很低（$v<5$ m/min）时，切屑流动较慢，切屑底面的新鲜金属氧化充分，摩擦因数较小。又由于切削温度低，切屑分子的结合力大于切屑底面与前刀面之间的摩擦力，因而不会出现积屑瘤。当切削速度在 5～50 m/min 范围内时，切屑底面的金属与前刀面间的摩擦因数较大，同时切削温度升高，切屑分子的结合力降低，因而容易产生积屑瘤。一般钢料在 $v\approx 20$ m/min，切削温度为 300℃左右时，摩擦因数最大，积屑瘤的高度也最大。当切削速度很高（$v>50$ m/min）时，由于切削温度很高，切屑底面呈微熔状态，摩擦因数明显降低，积屑瘤也不会产生。

因此，一般精车、精铣用高速切削；而当用高速钢刀具拉削、铰削和宽刀精刨时，则采用低速切削，以避免形成积屑瘤。选用适当的切削液对刀具进行冷却润滑，对塑性较高的材料(如低碳钢)进行正火处理，都能避免形成积屑瘤。

1.3.3 切削力

1. 切削力

在切削过程中，刀具和工件之间的相互作用力称为切削力。

(1) 切削力的来源。

1) 工件材料作用于前刀面上的弹性变形和塑性变形抗力。

2) 工件材料作用于后刀面上的弹性和塑性变形抗力。

3) 切屑与前刀面及加工表面和后刀面之间的摩擦力。

(2) 切削力的分解及影响。总切削力的大小和方向不易测定，为了适应设计和工艺分析的需要，常把切削力分解成三个相互垂直的分力 F_X，F_Y，F_Z。现以车外圆为例，来说明切削力 F_r 的分解方法及各分力的作用。

当车外圆时，总切削力可分解为以下三个相互垂直的分力，如图 1.17 所示。

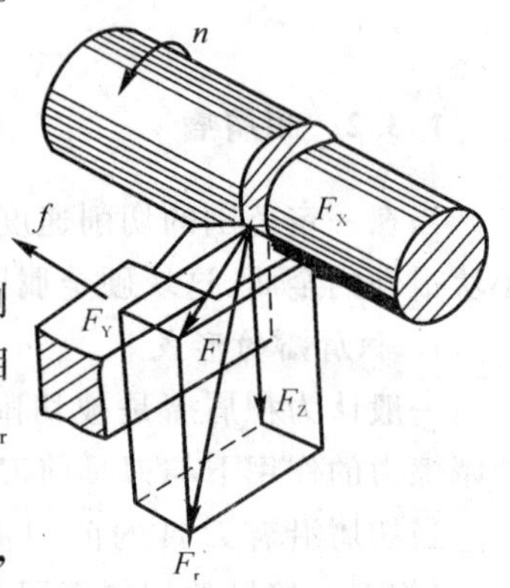

图 1.17 切削力的分解

1) 主切削力(切向力)F_Z。它是总切削力 F_r 在切削速度方向上的分力，占总切削力的 80%～90%。它消耗的功率最大，故称主切削力。此力是计算机床动力及主传动系统零件强度和刚度的主要依据。当主切削力 F_Z 过大时，可能使刀具崩刃或发生闷车现象。

2) 进给抗力(轴向力)F_X。它是总切削力 F_r 分解在进给方向上的分力。F_X 所消耗的功率仅为总功率的 1%～5%。它是设计和计算进给机构零件强度和刚度的依据。

3) 切深抗力(径向力)F_Y。它是总切削力 F_r 在切削深度方向上的分力。因为当车外圆时，刀具在这个方向上的运动速度为零，所以 F_Y 不做功。但其反作用力作用在工件上，易使工件弯曲变形，特别是车削刚性差的细长轴时，变形尤为明显，如图 1.18 所示。这不仅影响加工精度，同时还会引起振动。因此，当车削刚性较差的零件时，应设法减小或消除 F_Y 的影响。例如，车削细长轴时常采用 $k_r=90°$ 的偏刀，这就是为了减小 F_Y。

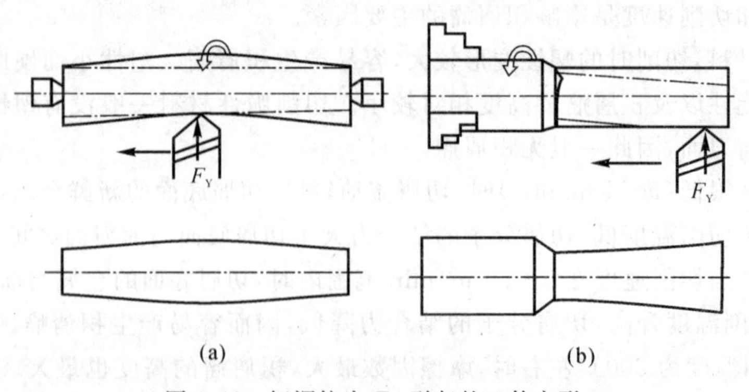

图 1.18 切深抗力 F_Y 引起的工件变形

三个切削分力相互垂直，并与总切削力 F_r 有如下关系：

$$F_r = \sqrt{F_X^2 + F_Y^2 + F_Z^2}$$

2. 切削力与切削功率的计算

由于影响切削力的因素很多，切削力的大小一般用经验公式来计算。经验公式是通过大量的实验得到的，并根据影响主切削力的各个因素，总结出各种修正系数。如果已知单位切削力 p（单位切削面积上的主切削力，N/mm^2），则主切削力 F_Z 为

$$F_Z = pA_0 = pa_p f \quad N$$

p 的数值可以从有关切削手册中查得。表 1.3 列出了几种常用材料的单位切削力。在不同的切削条件下，F_X，F_Y 相对于 F_Z 的比值可在很大的范围内变化。

$$F_X = (0.1 \sim 0.6)\ F_Z$$

$$F_Y = (0.15 \sim 0.7)\ F_Z$$

表 1.3　几种常用材料的单位切削力

材　料	牌　　号	制造、热处理状态	硬度(HB)	单位切削力 $p/(N \cdot mm^{-2})$
结构钢	45(40Cr)	热轧或正火调质	187(212) 229(285)	1 962 2 305
灰铸铁	HT200	退　　火	170	1 118
铅黄铜	HPb59—1	热　　轧	78	736
硬铝合金	LY12	淬火及时效	107	834

一般根据实际的切削条件，在资料中查出有关的修正系数和相应的比值大小，即可计算出 F_X，F_Y，F_Z。

切削功率应为三个切削分力消耗功率的总和。但当车削外圆时，F_Y 所消耗的功率等于零，F_X 所消耗的功率很小，可忽略不计，因此，可粗略地计算出切削功率 P_m 为

$$P_m = 10^{-3} F_Z v \quad kW$$

3. 影响切削力的因素

影响切削力的因素很多，但主要有以下几点。

(1) 工件材料。若工件材料的强度和硬度高，则切削时的变形抗力大，切削力就大；若材料的塑性好，则切削时的塑性变形大，切屑与前刀面的摩擦因数大，因而切削力也大。

(2) 切削用量。在切削用量中，切削深度和进给量是影响切削力的主要因素。当 a_p 和 f 增大时，切削面积 A_0 增大，因而切削力会明显地增大。实验表明，当切削深度增加一倍时，切削力也增加一倍，当进给量增加一倍时，切削力增大 75%左右。

(3) 刀具角度。刀具的前角和主偏角对切削力的影响较大。前角愈大，切削变形愈小，切削力就愈小。主偏角主要影响 F_X 和 F_Y 两个分力的大小，当增大主偏角 k_r 时，F_X 增大而 F_Y 减小。

(4) 切削液。在切削过程中，合理地选用切削液可以减小摩擦阻力，减小切削力。

1.3.4　切削热和切削温度

1. 切削热的来源与传散

在切削过程中所消耗的切削功绝大部分转变为热，这些热称为切削热。其来源主要有三

个方面，如图1.19所示。

(1) 切屑变形所产生的热，它是切削热的主要来源。

(2) 切屑与前刀面之间的摩擦所产生的热。

(3) 工件与后刀面之间的摩擦所产生的热。

随着刀具材料、工件材料、切削条件不同，三个热源的发热量也不相同。

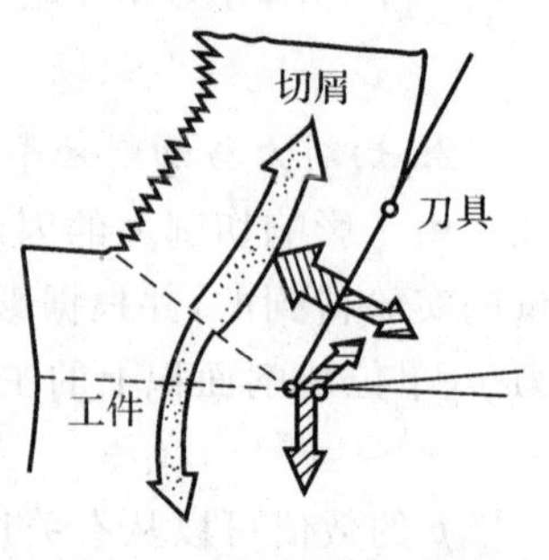

图1.19　切削热的来源

切削热产生以后，由切屑、工件、刀具及周期介质（如空气）传出。各部分传出的比例取决于工件材料、切削速度、刀具材料及几何角度等。车削时的切削热主要是由切屑传出的。用高速钢切削钢材时，约有50%～80%的切削热由切屑带走；10%～40%的热传入工件；3%～9%的热传给刀具；传给介质的热仅有1%左右。

传入刀具的热量虽不是很多，但由于刀具切削部分体积很小，因此，引起刀具温度升高（高速切削时，刀头温度可达1 000℃以上），从而加速刀具的磨损。

传入工件的热量可使工件的温度升高，引起工件材料膨胀变形，从而产生形状和尺寸误差，降低加工精度；传入切屑和介质的热量越多，对加工越有利。

因此，在切削加工中应设法减小切削热，改善散热条件，以减小高温对刀具和工件的不良影响。

2. 切削温度及其影响因素

切削温度一般是指切屑、工件与刀具接触区域的平均温度。切削温度的高低，除了用仪器测定外，还可以通过观察切屑的颜色大致估计出来。当切削碳钢时，切屑呈银白色和淡黄色，表示切削温度较低，切屑呈紫色或深蓝色，则说明切削温度很高。

切削温度的高低取决于切削热的产生与传散情况，它主要受切削用量、工件材料、刀具材料、刀具角度和冷却条件等因素的影响。

(1) 切削用量。提高切削速度，可使单位时间产生的切削热增加，从而使切削温度升高。切削速度对切削温度的影响最大。当进给量和切削深度增加时，切削力增大，摩擦也大，所以切削热也增加。在切削面积相同的条件下，增加进给量与增加切削深度相比，后者可使切削温度降低一些。当增加切削深度时，参加切削的切削刃长度增加，这将有利于切削热的传散。

(2) 工件材料。工件材料的强度和硬度愈高，切削时消耗的功愈多，产生的切削热也愈多，切削温度就愈高；材料的导热性好，切削热可以很快通过工件和切屑传出，切削温度就低。

(3) 刀具材料。导热性好的刀具材料可使切削热很快传出，从而降低切削温度。

(4) 刀具角度。增大刀具前角，可使切屑变形，切屑与前刀面的摩擦减小，从而减少切削热，降低切削温度。但前角太大时，刀具的传热条件变差，反而不利于散热，不利于降低切削温度。主偏角减小，参加切削的刀刃长度增加，有利于散热，降低切削温度。

(5) 冷却条件。使用切削液可有效地降低切削温度。

3. 切削液

(1) 切削液的作用及种类。为了降低刀具和工件的温度，不仅要减少切削热的产生，而且要改善散热条件。喷注足量的切削液可以有效地降低切削温度。使用切削液除起冷却作用外，还可以起润滑、清洗和防锈的作用。生产中常用的切削液可分为以下三种。

1) 水溶液。水溶液的主要成分是水，并在水中加入一定量的防锈剂等添加剂。它的冷却性能好，润滑性能差，呈透明状，常在磨削中使用。

2）乳化液。它是将乳化油用水稀释而成的，呈乳白色。为使油和水混合均匀，常加入一定量的乳化剂（如油酸钠皂等）。乳化液具有良好的冷却和清洗性能，并且具有一定的润滑性能，适用于粗加工及磨削。

3）切削油。切削油主要是矿物油，特殊情况下也采用动、植物油或复合油。它的润滑性能好，但冷却性能差，常用于精加工工序。

（2）切削液的选用。在生产中，通常根据加工性质、工件材料、刀具材料等选择切削液。粗加工时，要求以冷却为主，一般应选用冷却作用较好的切削液，如水溶液或低浓度的乳化液等；精加工时，主要希望提高加工质量和减少刀具磨损，一般应选用润滑作用较好的切削液，如高浓度的乳化液或切削油等。

通常当切削脆性材料（铸铁、青铜）时，为了避免崩碎切屑进入机床运动部件之间，一般不使用切削液。当低速精加工（如宽刀精刨、精铰、攻丝）时，为了提高表面质量，可用煤油作为切削液。对于有色金属的加工，为避免腐蚀工件，一般不使用含硫化油的切削液。一般钢材的加工通常选用乳化液和硫化切削油。

高速钢刀具的耐热性较差，为了提高刀具的耐用度，一般要根据加工性质和工件材料选用合适的切削液。硬质合金刀具由于耐热性和耐磨性都较好，一般不用切削液。

1.3.5 刀具的磨损和刀具的耐用度

在切削过程中，刀刃由锋利逐渐变钝以致不能正常使用，这种现象称为刀具的磨损。刀具磨损到一定程度后，必须及时重磨，否则会产生振动并使表面质量恶化。

1. *刀具的磨损形式*

实践表明，刀具正常磨损，按发生部位不同，其主要磨损形式如下：

（1）后刀面磨损。如图 1.20(a)所示，后刀面磨损后使刀刃附近形成后角接近 0°的小棱面，它的大小用其高度 V_B 表示。这种磨损一般发生在切削脆性材料或以较小的切削厚度（a_c<0.1 mm）切削塑性材料的情况下。

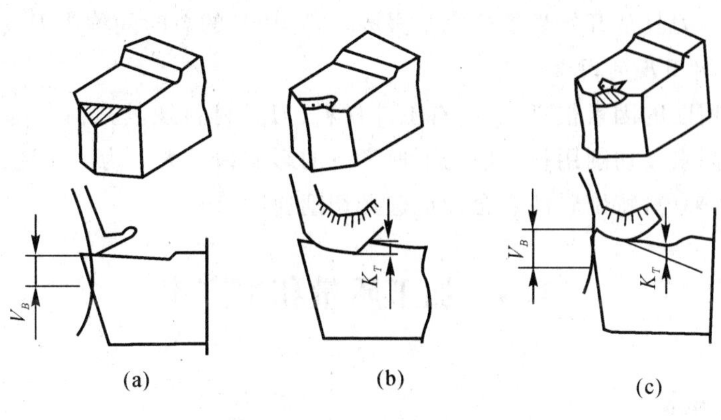

图 1.20 刀具的磨损形式

（2）前刀面磨损。如图 1.20(b)所示，磨损后在切削刃后方出现月牙洼，它的大小用月牙洼的深度 K_T 表示。这种摩损一般发生在以较大的切削厚度（a_c>0.5 mm）切削塑性材料的情况下。

(3) 前、后刀面同时磨损。如图 1.20(c)所示，这种同时磨损一般发生在以中等切削厚度(a_c=0.1～0.5 mm)切削塑性材料的情况下。

由于多种情况下后刀面都有磨损，它的磨损对加工质量的影响较大，而且测量方便，所以一般都用后刀面的磨损高度 V_B 来表示刀具的磨损程度。

2. 刀具的磨损过程

刀具的磨损过程可分为三个阶段(见图 1.21)：第Ⅰ阶段(OA 段)称为初期磨损阶段；第Ⅱ阶段(AB 段)称为正常磨损阶段；第Ⅲ阶段(BC 段)称为急剧磨损阶段。

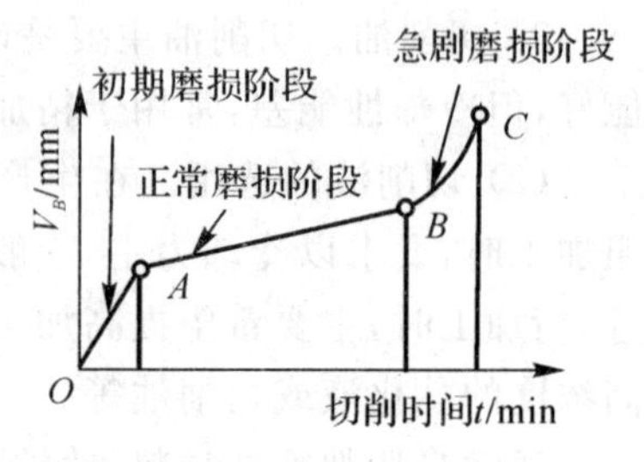

图 1.21 刀具磨损过程

在初期磨损阶段，由于刃磨后的刀具表面有微观高低不平现象，且后刀面与加工表面的实际接触面积很小，故磨损较快。在正常磨损阶段，由于刀具上微观不平的表层已被磨去，表面光洁，摩擦力小，并形成狭窄的棱面，使压强减小，故磨损较慢。刀具经过正常磨损阶段后即进入急剧磨损阶段，切削刃将急剧变钝。如继续使用，将使切削力增大，切削温度急剧上升，加工质量显著恶化。

经验表明，在刀具正常磨损阶段的后期，急剧磨损阶段之前刃磨刀具最为适宜。这样既可保证加工质量，又能提高刀具的使用寿命。

3. 刀具耐用度 T

刀具磨损的程度通常以限定后刀面的磨损高度 V_B 作为刀具磨钝的衡量标准。在实际生产中，由于不便于经常停车测量 V_B 的高度，因此，用规定刀具使用的时间作为限定刀具磨损量的衡量标准。于是提出了刀具耐用度的概念。

刀具耐用度是指刀具两次刃磨之间实际进行切削的时间，单位为 min。例如，目前硬质合金焊接车刀的耐用度通常规定为 60 min，高速钢钻头的耐用度为 80～120 min。各种刀具耐用度的数值可查阅《金属切削手册》。

一把刀具经过使用—磨钝—刃磨锋利若干个循环以后，刀具的切削部分便无法继续刃磨使用而完全报废。刀具从开始切削到完全报废，实际切削的总时间称为刀具寿命。

4. 影响刀具耐用度的因素

影响刀具耐用度的因素很多，主要有工件材料、刀具材料及其几何角度、切削用量以及是否使用切削液等因素。切削用量中以切削速度 v 的影响为最大。为了保证各种刀具所规定的耐用度，对加工者来说，特别要注意合理地选择切削速度。

1.4 加工质量和生产率

1.4.1 加工质量

零件的加工质量直接影响着产品的使用性能和使用寿命，它主要包括加工精度和表面质量两个内容。

1. 加工精度

加工精度是指零件加工以后，其尺寸、形状、相互位置等参数的实际数值与其理想数值相接近的程度。实际数值与理想数值越愈近，即加工误差愈小，则加工精度就愈高。

零件的加工精度包括尺寸精度、形状精度和位置精度。

(1) 尺寸精度。它是指零件的实际尺寸与理想尺寸相接近的程度，常用尺寸公差表示。根据国家标准 GB/T 1800.1—2009 规定，标准公差分为 20 个等级，即 IT01，IT0，IT1 至 IT18。IT 表示标准公差，阿拉伯数字表示公差等级，数字越大，公差数值越大，则尺寸精度就越低。IT01～IT13 用于配合尺寸，目前常用的配合尺寸公差为 IT5 以下；IT14～IT18 用于非配合尺寸。

(2) 形状精度。它指的是零件的实际形状与理想形状相接近的程度。形状公差有直线度、平面度、圆度、圆柱度、线轮廓度、面轮廓度六种。

(3) 位置公差。它指的是零件的表面、轴线或对称面之间的实际位置与理想位置相接近的程度。位置公差有平行度、垂直度、倾斜度、位置度、同轴度、对称度、圆跳动和全跳动八种。

通常，某种加工方法所达到的精度是指在正常操作情况下所能达到的精度，称为经济精度。当设计零件时，首先应根据零件尺寸的重要性来决定选用哪一级精度；其次还应考虑本厂的设备条件和加工费用的高低。总之，选择精度的原则是在保证能达到技术要求的前提下，选用较低的精度。

2. 表面质量

零件的表面质量包括表面粗糙度、表面层加工硬化的程度及表面残余应力的性质和大小。零件的表面质量对零件的耐磨、耐腐蚀、耐疲劳等性能，以及零件的使用寿命都有很大的影响。因此，对于高速、重载荷下工作的零件其表面质量要求都较高。

一般零件的图纸上只标注表面粗糙度的要求。表面粗糙度常用轮廓的算术平均偏差(R_a)之值来评定。零件的表面质量要求愈高，表面粗糙度的值也就愈小。但有些零件的表面，出于外观或清洁的考虑，要求光亮，而精度要求不一定高，例如，机床的手柄、面板等。

1.4.2 生产率

切削加工生产率 R_0 常用单位时间内生产零件的数量表示，即

$$R_0 = \frac{1}{t_w} \qquad 件/min$$

式中，t_w 为生产一个零件所需的总时间，min/件。

在机床上加工一个零件所用的时间包括三个部分，即

$$t_w = t_m + t_c + t_0$$

式中 t_m —— 基本工艺时间，即加工一个零件所需的总切削时间；

t_c —— 辅助时间，即为了维持切削加工所消耗在各种辅助操作上的时间，如调整机床、空移刀具、装卸或刃磨、安装工件、检验等时间；

t_0 —— 其他时间，如清扫切屑、工间休息等时间。

所以生产率 R_0 应为

$$R_0 = \frac{1}{t_m + t_c + t_0}$$

由上式可知，提高切削加工的生产率，实际就是设法减少零件加工的基本工艺时间、辅助时间及其他时间。

1.4.3 切削用量的选择

合理选择切削用量，对于保证加工质量、提高生产率和降低生产成本具有重要意义。

在切削加工中，提高切削速度、加大进给量和切削深度，都有利于提高生产率。但实际上 v，f，a_p 受工件材料、加工性质、刀具耐用度、机床动力、机床和工件刚性等因素的限制，不可能任意选用。合理选择切削用量，实质上是在一定条件下，选择 v，f，a_p 数值的最佳组合。

粗加工时，应以提高生产率为主，同时还要保证规定的刀具耐用度。实践证明，对刀具耐用度影响最大的是切削速度，其次是进给量，切深的影响最小。因此，选择切削用量的顺序应为 $a_p \to f \to v$，即在机床功率足够时，应尽可能选取较大的切深，最好一次走刀将该工序的加工余量切完。只有当余量太大，机床功率不足，刀具强度不够时，才分两次或多次走刀将余量切完。但第一次走刀的切深应尽量大些，其次根据机床—夹具—工件—刀具工艺系统的刚性，选择尽可能大的进给量，最后根据工件材料和刀具材料确定切削速度，使之在已选定的切深和进给量的基础上能达到规定的刀具耐用度。粗加工时一般选用中速切削。

精加工时，应以保证加工质量为主，同时也要考虑刀具耐用度和提高生产率。为此，其切削深度往往采用逐渐减小的切削加工方法来逐步提高加工精度。进给量的大小主要是根据表面粗糙度的要求选取，切削速度的选择应避开积屑瘤的切速区。硬质合金刀具一般采用较高的切速，高速钢刀具则采用较低的切速。一般情况下，精加工常选用较小的切深、进给量和较高的切速，这样既可保证加工质量，又可提高生产率。

切削用量数值的大小可从《切削用量手册》中查找，也可根据经验确定。

1.5 材料的切削加工性

材料的切削加工性是指材料被切削加工的难易程度。

1.5.1 衡量材料切削加工性的指标

生产中用以衡量材料切削加工性的指标主要有以下五个：

(1) 一定刀具耐用度下的切削速度 v_T。即当刀具耐用度为 T 时，切削某种材料所允许的切削速度。v_T 越高，材料的切削加工性越好，若 $T=60$ min，则 v_T 可写作 v_{60}。

(2) 相对加工性 K_r。它是指各种材料的 v_{60} 与 45 钢（正火）的 v_{60} 之比值。由于把后者的 v_{60} 作为比较的基准，故写作 $(v_{60})_j$。所以

$$K_r=\frac{v_{60}}{(v_{60})_j}$$

常用材料的相对加工性可分为八个等级，如表 1.4 所示。凡 $K_r>1$ 的材料，其切削加工性能比 45 钢（正火）好，反之较差。

表 1.4　材料相对切削加工性分级

加工性等级	名称及种类		相对加工性 K_r	代表性材料
1	很容易切削材料	一般有色金属	>3.0	5—5—5 铜铅合金，9—4 铝铜合金，铝镁合金
2	容易切削材料	易切削钢	2.5～3.0	15Cr 退火，σ_b=380～450 MPa 自动机钢，σ_b=400～500 MPa
3		较易切削钢	1.6～2.5	30 钢正火，σ_b=450～560 MPa
4	普通材料	一般钢及铸铁	1.0～1.6	45 钢，灰铸铁 2Cr13 调质，σ_b=850 MPa
5		稍难切削材料	0.65～1.0	35 号钢，σ_b=900 MPa
6	难切削材料	较难切削材料	0.5～0.65	45Cr 调质，σ_b=1 050 MPa
7		难切削材料	0.15～0.5	65Mn 调质，σ_b=950～1 000 MPa 50CrV 调质，1Cr18Ni9Ti，某些钛合金
8		很难切削材料	<0.15	某些钛合金，铸造镍基高温合金

(3) 已加工表面质量。凡较容易获得好的表面质量的材料，其切削加工性就较好。精加工时，常以此为衡量指标。

(4) 切屑控制或断屑的难易。凡切屑较容易控制或易于断屑的材料，其切削加工性较好。当在自动机床或自动线上加工时，常以此为衡量指标。

(5) 切削力。在相同切削条件下，切削力较小的材料，其切削加工性较好。在粗加工中，当机床刚性或动力不足时，常以此作为衡量指标。

在衡量材料切削加工性的几个指标中，v_T 和 K_r 最为常用，因为它们对于不同的加工条件都能适用。

1.5.2　改善材料切削加工性的途径

材料的切削加工性并非一成不变，因此在生产中，常采用一些措施来改善材料的切削加工性，使之利于提高生产率、零件表面质量和刀具耐用度。

生产中常用于改善材料切削加工性的措施主要有以下两个。

1. 调整材料的化学成分

材料的化学成分直接影响其机械性能，例如，碳钢中，随着含碳质量分数的增加，其强度和硬度提高，塑性和韧性降低，故高碳钢强度和硬度较高，切削加工性较差；低碳钢塑性和韧性较高，切削加工性却较差；中碳钢的强度、硬度、塑性和韧性都居于高碳钢和低碳钢之间，故切削加工性较好。

在钢中加入适量的硫、铅等元素，可有效地改善其切削加工性，这样的钢称为易切削钢。但只有在满足零件对材料性能要求的前提下才能这样做。

2. 采用热处理改善材料的切削加工性

化学成分相同的材料，当其金相组织不同时，机械性能就不一样，其切削加工性也不同。

因此，可通过对不同材料进行不同的热处理来改善其切削加工性。例如，对高碳钢进行球化退火，可降低硬度；对低碳钢进行正火，可降低塑性，这些热处理措施都能改善切削加工性。白口铸铁可在 910～950℃经 10～20 h 退火或正火，使其变为可锻铸铁，从而改善切削性能。

复习思考题

1. 什么是切削用量三要素？当切削加工外圆时，切削用量的数学表达式是什么？
2. 主运动和进给运动各有什么特点？
3. 金属切削刀具的材料应具备什么性能特点？试分析高速钢和硬质合金钢的性能。
4. 试分析前角、后角、主偏角、副偏角和刃倾角对切削加工过程的影响。
5. 切屑形成过程的实质是什么？为什么要了解它？
6. 试分析积屑瘤形成的条件。它对切削加工有什么影响？如何利用和控制积屑瘤？
7. 刀具耐用度的含义是什么？它和刀具寿命有何不同？
8. 试述合理选用切削用量三要素的基本原则。
9. 切削力是如何产生的？影响切削力的主要因素有哪些？
10. 切削热是如何产生、如何传散的？它对切削加工有何影响？
11. 什么是切削加工生产率？常用什么途径来提高切削加工生产率？

第 2 章

机床的基础知识

2.1 机床的分类和型号

2.1.1 机床的分类

机床的种类繁多，为了便于设计、制造、使用和管理，需要进行适当的分类。

按照 JB1838—1985 规定，机床按其工作原理、结构性能特点及使用范围划分为 12 类，如表 2.1 所示。

表 2.1 机床的基本分类及代号

类别	车床	钻床	镗床	磨床			螺纹加工机床	齿轮加工机床	铣床	刨插床	拉床	特种加工机床	锯床	其他机床
代号	C	Z	T	M	2M	3M	S	Y	X	B	L	D	G	Q
读音	车	钻	镗	磨	二磨	三磨	丝	牙	铣	刨	拉	电	割	其

机床还可按其他方法进行分类。若按使用性能来分类，则可分为万能机床、专门化机床和专用机床；若按精度来分类，则可分为普通精度机床、精密机床和高精度机床；若按它们的质量来分类，则可分为一般机床、大型机床和重型机床。

2.1.2 机床的型号

机床的型号是机床产品的代号，由汉语拼音字母和阿拉伯数字按一定规律组成，简明地表示出机床的类型、主要规格、性能和结构特征。例如，最大车削直径为 400 mm 的卧式车床，按照 JB1838—1985 规定，其型号为

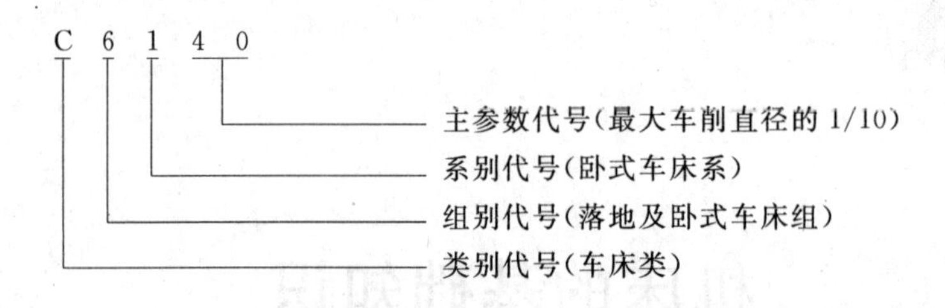

例如,最大磨削直径为 320 mm,第一次重大设计改进的高精度万能外圆磨床,其型号为

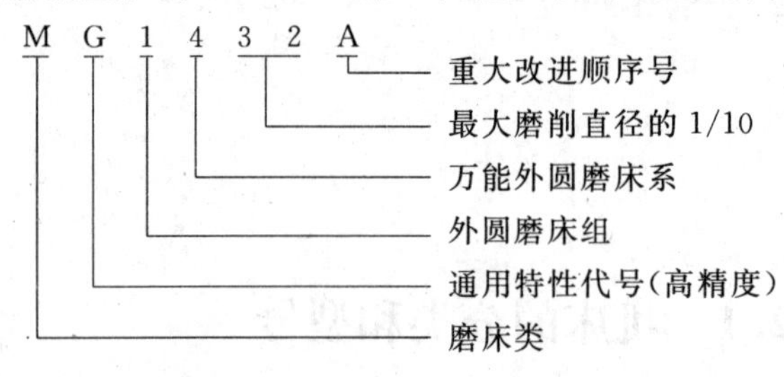

当某类型机床除有普通型号外还具有某种通用特性时,则在类别代号后加上相应的通用特性代号。通用特性代号如表 2.2 所示。

表 2.2　机床通用特性代号

通用特性	高精度	精　密	自　动	半自动	数　控	加工中心(自动换刀)	仿　形	轻　型	加重型	简　式
代号	G	M	Z	B	K	H	F	Q	C	J
读音	高	密	自	半	控	换	仿	轻	重	简

2.2　机床的机械传动

机床的传动方式可分为机械传动、液压传动、电气传动和气压传动等。因为机械传动方式工作可靠,且维修方便,所以目前在机床上应用最广。

2.2.1　机床上常用的传动副及传动关系

在机械传动中,常用的传动元件有传动带与带轮、齿轮、蜗杆蜗轮、齿轮齿条和丝杠螺母等。每一对传动元件称为传动副,各种传动副具有不同的传动特点,常用的传动副及其传动特点如表 2.3 所示。

表 2.3　常用传动副及其传动特点

传动形式	外形图	符号图	传动比	优缺点
皮带传动		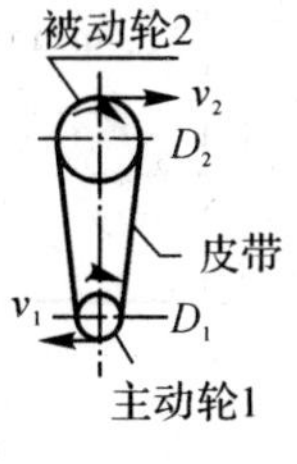 被动轮2 v_2 D_2 皮带 v_1 D_1 主动轮1	$i_{Ⅰ-Ⅱ}=\frac{n_2}{n_1}=\frac{D_1}{D_2}\varepsilon$ ε—— 皮带的滑动系数,一般取 0.98	优点:传动平稳,中心距变化范围大,结构简单,制造、维修方便,过载时皮带打滑,起到安全装置作用。 缺点:外廓尺寸大,传动比不准确,摩擦损失大,传动效率低
齿轮传动	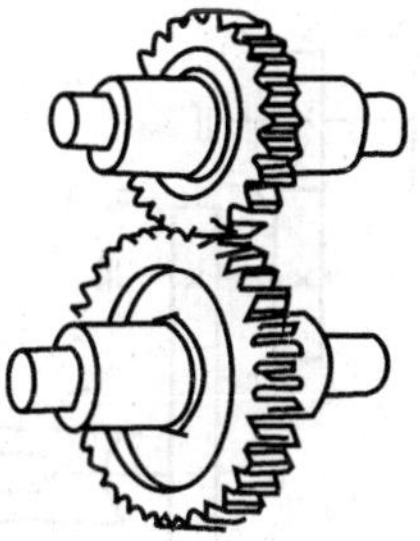	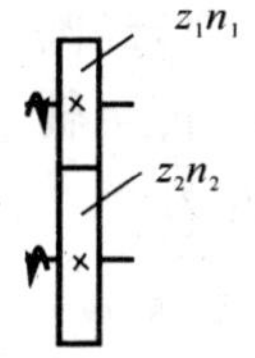 z_1n_1 z_2n_2	$i_{Ⅰ-1}=\frac{n_2}{n_1}=\frac{z_1}{z_2}$	优点:传动比准确恒定,结构紧凑,工作可靠,可传递较大的转矩且传动效率高,使用寿命长。 缺点:制造复杂,精度不高时传动不平稳,有噪声
蜗杆蜗轮传动	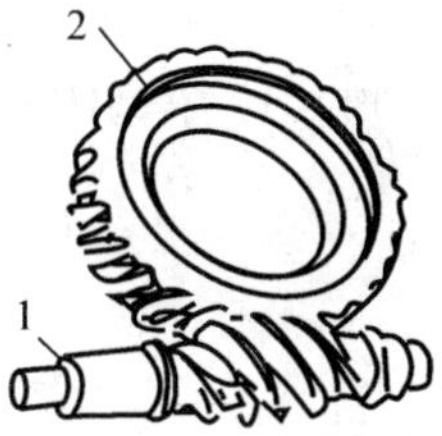 2 1	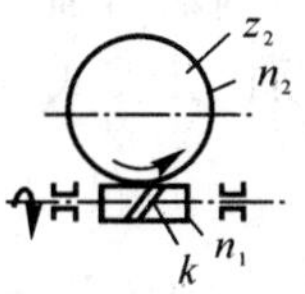 z_2 n_2 n_1 k	$i_{1-Ⅱ}=\frac{n_2}{n_1}=\frac{k}{z_2}$ k—— 蜗杆头数	优点:可获得较大的传动比,传动准确,结构紧凑,承载能力大,传动平稳,无噪声。 缺点:传动效率较低,摩擦产生的热量大,需良好的润滑条件
齿轮齿条传动		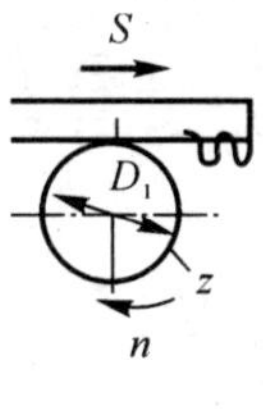 S D_1 z n	$S=n\pi D=n\pi mz$ mm/min	优点:传动效率较高,结构紧凑。 缺点:当制造精度不高时,传动不够平稳

续 表

传动形式	外 形 图	符号图	传动比	优 缺 点
丝杠螺母传动		螺母	$S = np$ mm/min p—— 导程	优点：传动平稳，无噪声，可以达到高的传动精度。 缺点：传动效率较低

2.2.2 机床传动链及其传动比

如果将基本传动方式中某些传动副按传动轴依次组合起来，就构成一个传动系统，也称传动链。

如图 2.1 所示，运动自轴 Ⅰ 输入，转速为 n_1，经皮带轮 D_1，D_2 传至轴 Ⅱ，经圆柱齿轮 z_1，z_2 传至轴 Ⅲ，经圆柱齿轮 z_3，z_4 传至轴 Ⅳ，再经蜗杆 k 及蜗轮 z_5 传至轴 Ⅴ，并把运动输出。此传动链的传动路线可表达为

$$\text{Ⅰ} — \frac{D_1}{D_2} — \text{Ⅱ} — \frac{z_1}{z_2} — \text{Ⅲ} — \frac{z_3}{z_4} — \text{Ⅳ} — \frac{k}{z_5} — \text{Ⅴ}$$

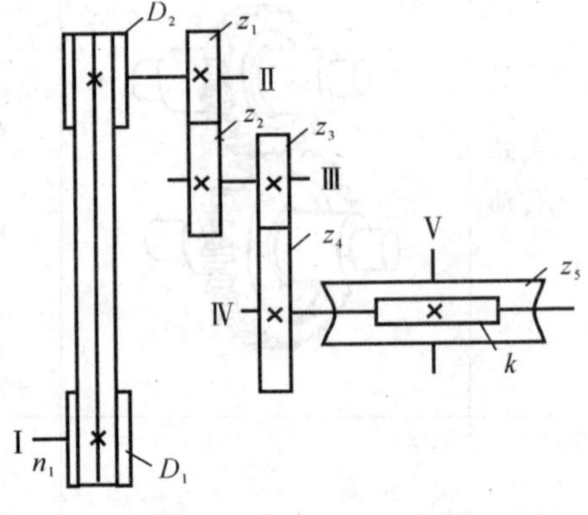

图 2.1 传动链图例

传动链的总传动比等于传动链中所有传动副传动比的乘积，所以传动链总传动比为

$$i_{\text{Ⅰ-Ⅴ}} = i_1 i_2 i_3 i_4 = \frac{n_{\text{Ⅴ}}}{n_{\text{Ⅰ}}} = \frac{D_1}{D_2}\varepsilon \frac{z_1}{z_2} \frac{z_3}{z_4} \frac{k}{z_5}$$

归纳成一般情况，若某传动链从输入轴 Ⅰ 到输出轴 K 间共由 m 个传动副组成，则其传动链的传动比计算式可写成

$$i_{\text{Ⅰ}-K} = \frac{n_K}{n_{\text{Ⅰ}}} = i_1 i_2 i_3 \cdots i_m$$

若已知主动轴 Ⅰ 的转速 $n_{\text{Ⅰ}}$，由上式可求出输出轴 K 的转速，即

$$n_K = n_L i_{\text{Ⅰ-K}} = n_{\text{Ⅰ}} i_1 i_2 i_3 \cdots i_m \qquad \text{r/mm}$$

利用此式，可确定出传动系统中任意一轴的转速，如图 2.1 所示。轴 Ⅴ 的转速为

$$n_{\text{Ⅴ}} = n_{\text{Ⅰ}} i_{\text{Ⅰ-Ⅴ}} = n_{\text{Ⅰ}} \frac{D_1}{D_2}\varepsilon \frac{z_1}{z_2} \frac{z_3}{z_4} \frac{k}{z_5} \qquad \text{r/min}$$

轴 Ⅱ 的转速为

$$n_{\text{Ⅱ}} = n_{\text{Ⅰ}} i_{\text{Ⅰ-Ⅱ}} = n_{\text{Ⅰ}} \frac{D_1}{D_2}\varepsilon \frac{z_1}{z_2} \qquad \text{r/min}$$

2.2.3　机床上常见的传动机构

1. 变速机构

变速机构用来改变从动件的旋转速度或移动速度。机床中常用塔轮、滑移齿轮、摆动齿轮、离合器及交换齿轮等来实现变速。无论哪种变速机构，都是通过改变传动比大小来实现变速的，当主动轴转速不变时，从动轴将得到各种不同的转速。表 2.4 列出了常用的四种变速机构。

表 2.4　常用变速机构

传动形式	外形图	符号图	传动比	特点
塔轮变速机构	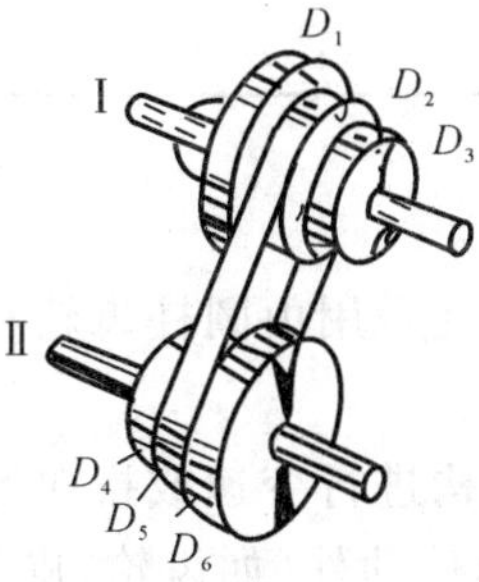	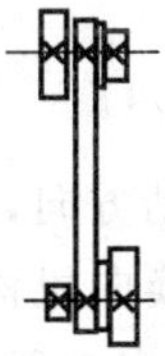	$i_{\text{I}-\text{II}}=\frac{n_{\text{II}}}{n_{\text{I}}}=\frac{D_{\text{I}}}{D_{\text{II}}}$ 所以 $i_1=\frac{D_1}{D_2}$； $i_2=\frac{D_2}{D_5}$； $i_3=\frac{D_3}{D_6}$	运动平稳，结构简单，但需要在停止转动时用手来推带换挡，使用不方便
滑移齿轮变速机构	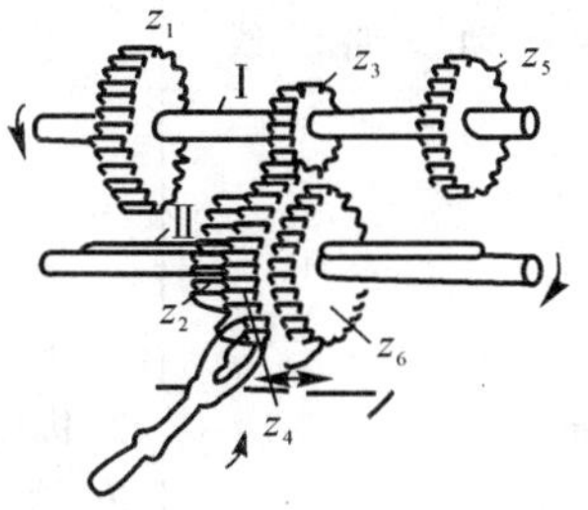	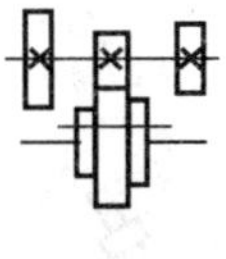	$i_{\text{I}-\text{II}}=\frac{z_{\text{I}}}{z_{\text{II}}}$ 所以 $i_1=\frac{z_1}{z_2}$； $i_2=\frac{z_3}{z_4}$； $i_3=\frac{z_5}{z_6}$	结构紧凑，传动效率高，但不能在运转中变速
离合器变速机构	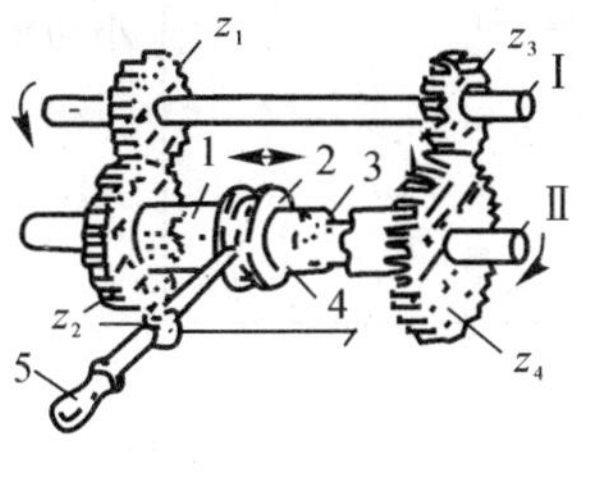	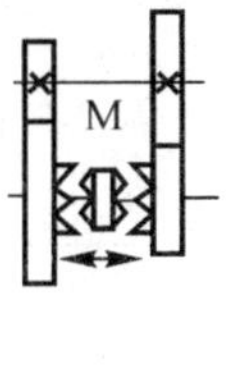	$i_{\text{I}-\text{II}}=\frac{z_{\text{I}}}{z_{\text{II}}}$ 所以 $i_1=\frac{z_1}{z_2}$； $i_2=\frac{z_3}{z_4}$	变速时齿轮无须移动，因此可以采用斜齿轮，使传动平稳。如果采用摩擦离合器，便可在运转中变速

续表

传动形式	外形图	符号图	传动比	特点
摆动齿轮变速机构	 I z_1 z_2 z_3 z_4 II z_5	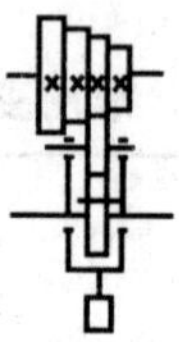	$i_{I-II}=\frac{z_I}{z_{II}}$ 所以 $i_1=\frac{z_1}{z_5}$；$i_2=\frac{z_2}{z_5}$；$i_3=\frac{z_3}{z_5}$；$i_4=\frac{z_4}{z_5}$	其外廓尺寸更小，但结构刚度低，故传递力矩不宜大

2. 换向机构

换向机构用来改变机床运动部件的运动方向，机床上广泛采用由圆柱齿轮和圆锥齿轮组成的换向机构。表 2.5 列出了常用的三种换向机构。

在上述变速机构和换向机构中，常采用离合器来操纵机构进行变速或换向等动作。离合器就是用来在机器运转过程中，使同轴线的两轴或轴上空套传动件（如齿轮、皮带轮等）随时接合和脱开的一种装置。

表 2.5　常用换向机构

机构形式	符号图	传动路线	优缺点
三星齿轮	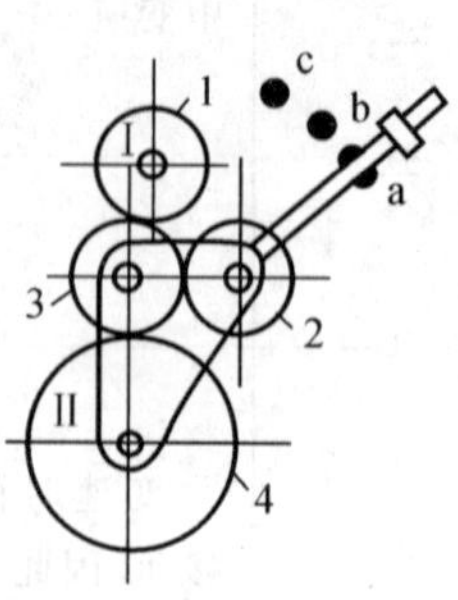 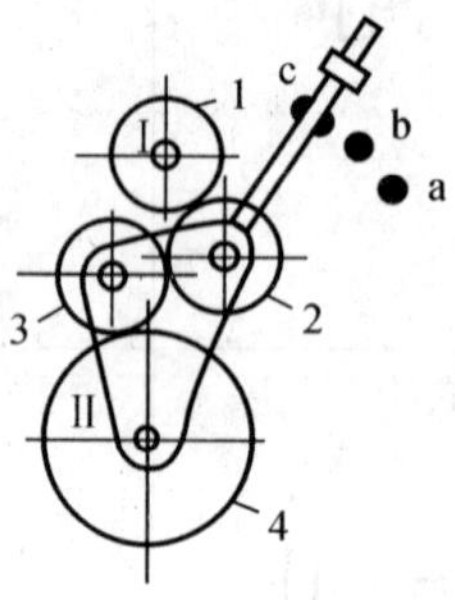 c b a 1 I 3 2 II 4　　c 1 b a I 3 2 II 4	正转 $n_I\frac{z_1}{z_3}\frac{z_3}{z_4}=n_{II}$ 反转 $n_I\frac{z_1}{z_2}\frac{z_2}{z_3}\frac{z_3}{z_4}=n_{II}$	优点：结构简单、紧凑，制造方便。缺点：结构刚性差，只能传递小功率

续表

机构形式	符号图	传动路线	优缺点
中间齿轮		正转 (a) $n_{\mathrm{I}}\ \frac{z_3}{z_4}=n_{\mathrm{II}}$ (b) $n_{\mathrm{I}}\ \frac{z_3}{z_4}=n_{\mathrm{II}}$ （离合器右合） 反转 (a) $n_{\mathrm{I}}\ \frac{z_1}{z_2'}\ \frac{z_2'}{z_2}=n_{\mathrm{II}}$ (b) $n_{\mathrm{I}}\ \frac{z_1}{z_2'}\ \frac{z_2'}{z_2}=n_{\mathrm{II}}$ （离合器左合）	优点：可传递较大的转矩，结构稳固可靠，可以快速反转。 缺点：结构较大，制造成本较高
锥齿轮	(a) (b)	正转 (a) $n_{\mathrm{I}}\ \frac{z_1}{z_3}=n_{\mathrm{II}}$ (b) $n_{\mathrm{I}}\ \frac{z_1}{z_3}=n_{\mathrm{II}}$ （离合器左合） 反转 (a) $n_{\mathrm{I}}\ \frac{z_2}{z_3}=n_{\mathrm{II}}$ (b) $n_{\mathrm{I}}\ \frac{z_2}{z_3}=n_{\mathrm{II}}$ （离合器右合）	优点：可以改变两垂直轴之间的旋转方向。 缺点：制造较难

离合器的种类很多，常用的离合器有牙嵌式离合器和摩擦式离合器，如图 2.2 所示为双向牙嵌式离合器。它是由端面带有牙齿的零件 1 和 4 及具有双面牙齿的零件 2 组成的，零件 1 和 4(可看做两个端面带有牙齿的齿轮）空套在轴 5 上，带有双面牙齿的零件 2 用导向键 3 与轴 5 连接，当 2 处在图中位置时，1 和 5 结合转动；当 2 向右移，同 4 啮合时，4 和 5 结合转动；当 2 处于中间位置时，1 和 4 都同 5 脱开。

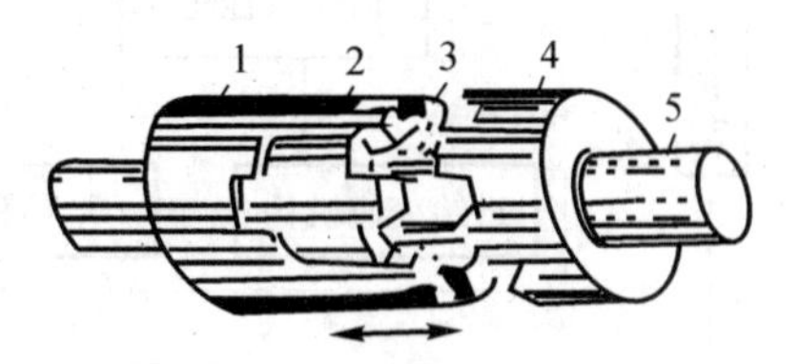

图 2.2　双向牙嵌式离合器

2.3　普通车床传动系统分析

现以应用广泛的 C6132 普通车床为例分析其传动系统。如图 2.3 所示为 C6132 型普通车床的传动系统图。为了便于分析，可用方框图表示，如图 2.4 所示。普通车床的传动是由两条传动链组成的：一条是由电动机经变速箱、皮带轮、主轴箱到主轴，称为主传动链。其任务是将电动机的运动传给主轴，并使其获得各种不同的转速，以满足不同工件直径和刀具材料以及进行不同加工工序的需要。另一条是由主轴经挂轮箱、进给箱、溜板箱到刀架，称为进给传动链。其任务是使刀架带着刀具实现机动的纵向进给、横向进给或车削螺纹，以满足不同车削加工的需要。

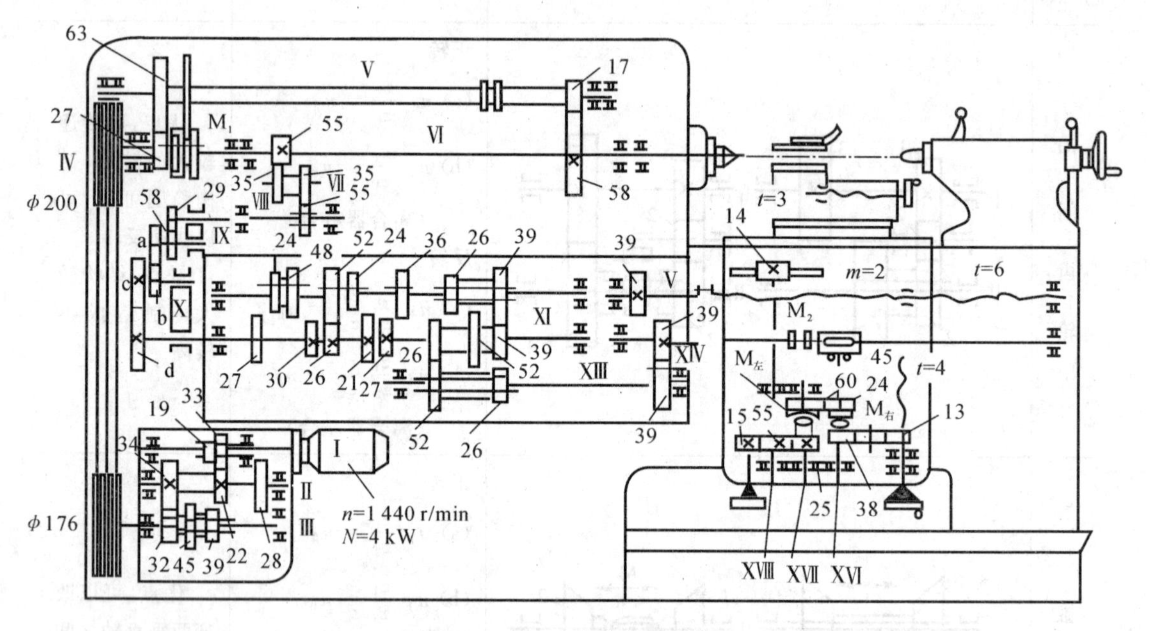

图 2.3　C6132 车床传动系统

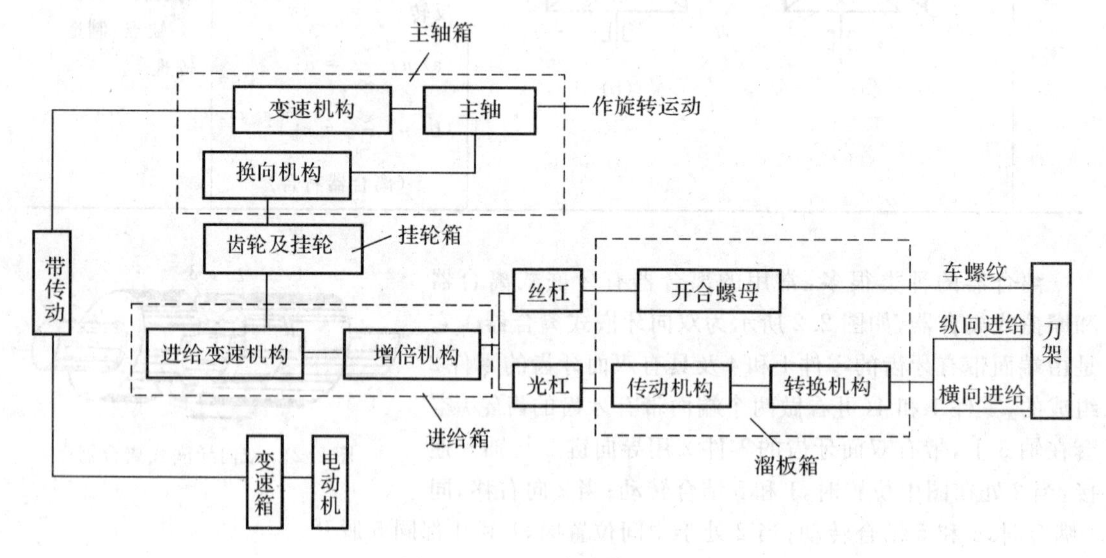

图 2.4　C6132 车床传动框图

2.3.1　主运动传动

1. 传动路线

如图 2.3 所示，电动机带动变速箱内的轴 Ⅰ 转动，移动轴 Ⅰ 上的滑动双联齿轮，可使轴 Ⅱ 获得两种转速。移动轴 Ⅲ 上的三联齿轮，可使变速箱输出轴 Ⅲ 获得六种转速。运动再经皮

带轮 $\phi 176$ 将轴 Ⅲ 的六种转速传给床头箱上的皮带轮 $\phi 200$。皮带轮 $\phi 200$ 和齿轮 27 固定在轴套 Ⅳ 上，并空套在主轴 Ⅵ 上。轴套 Ⅳ 的运动又分成两路传给主轴 Ⅵ。一路是图示位置，运动经过齿轮$\frac{27}{63}$和$\frac{17}{58}$传递给主轴，使主轴获得六种低速；另一路是通过将带有内齿轮的联轴器 M_1 向左移动，与齿轮 27 相啮合，同时齿轮 63，17 向左脱开，使主轴直接获得较高的六种转速。主运动传动链的传动路线表达式为

$$\begin{bmatrix}\text{电动机}\\ n=1\ 440\ \text{r/min}\\ N=4\ \text{kW}\end{bmatrix}-\text{Ⅰ}-\begin{Bmatrix}\frac{33}{22}\\ \frac{19}{34}\end{Bmatrix}-\text{Ⅱ}-\begin{Bmatrix}\frac{34}{32}\\ \frac{28}{39}\\ \frac{22}{45}\end{Bmatrix}-\text{Ⅲ}-\frac{\phi 176}{\phi 200}-\text{Ⅳ}-\begin{Bmatrix}\overleftarrow{M_1}\\ \frac{27}{63}-\text{Ⅴ}-\frac{17}{58}\end{Bmatrix}\text{主轴 Ⅵ}$$

2. 传动计算

根据传动路线表达式，主轴可得到 $2\times3\times2=12$ 种转速。根据传动链传动比的计算方法，主轴工作转速计算式为

$$n_{\text{Ⅵ}}=n_{\text{Ⅰ}}\,i_{\text{Ⅰ}-\text{Ⅵ}}\qquad \text{r/min}$$

即

$$n_{\text{主}}=n_{\text{电}}\,i_{\text{变}}\,i_{\text{带}}\,i_{\text{主}}\qquad \text{r/min}$$

式中 $n_{\text{电}}$ —— 电动机转速，r/min；

$i_{\text{变}}$ —— 变速箱总传动比；

$i_{\text{带}}$ —— 皮带传动比；

$i_{\text{主}}$ —— 主轴箱输入轴至主轴的传动比。

在如图 2.3 所示齿轮的啮合位置，主轴的工作转速为

$$n_{\text{主}}=1\ 440\times\left(\frac{33}{22}\times\frac{34}{32}\right)\times\left(\frac{176}{200}\times0.98\right)\times\left(\frac{27}{63}\times\frac{17}{58}\right)\approx249\quad \text{r/min}$$

当改变变速箱中滑移齿轮位置及主轴箱中离合器 M_1 的位置时，用同样方法可求出其余 11 种转速。其中

$$n_{\text{主最高}}=1\ 980\qquad \text{r/min}$$

$$n_{\text{主最低}}=45\qquad \text{r/min}$$

主轴的反转是靠电动机反转实现的。

2.3.2 进给运动传动

1. 传动路线

如图 2.3 所示，主轴的运动通过滑移齿轮变向机构$\left(\text{齿轮}\frac{55}{35}\times\frac{35}{55}\text{或}\frac{55}{55}\right)$，再经挂轮箱内的齿轮$\frac{29}{58}$及挂轮（交换齿轮）$\frac{a}{b}\cdot\frac{c}{d}$将运动传入进给箱中的轴 Ⅺ，轴 Ⅺ 的运动又通过齿轮$\frac{27}{24}$，$\frac{30}{48}$，$\frac{26}{52}$，$\frac{21}{24}$，$\frac{27}{36}$中的任意一对将运动传到轴 Ⅻ，再通过增倍机构，将运动传递到轴 XⅢ 上。改变轴 XⅢ 上的滑移齿轮 39 的位置，即可分别与丝杠上的齿轮 39 或光杠上齿轮 39 相啮合，从而将运动传给丝杠或光杠。

运动经 XV 轴传动，则经丝杠（$t=6$）与固定在溜板箱上的开合螺母配合，即可将丝杠的旋

转运动变成溜板箱及刀架的移动，完成螺纹的加工。

运动从轴 XIV 传动，则经光杠传给溜板箱内的蜗杆蜗轮并传至轴 XVI。当合上离合器 $M_{左}$ 时，运动经齿轮 $\frac{24}{60}\times\frac{25}{55}$ 传至轴 XVIII，并带动固定在该轴上小齿轮 14 传动，与齿轮 14 相啮合的齿条就带动溜板箱及刀架作纵向进给。当合上离合器 $M_{右}$ 时，运动就经齿轮 $\frac{38}{47}\times\frac{47}{13}$ 传至横向进给丝杠（$t=4$），通过固定在横溜板上的螺母，使中拖板及刀架作横向进给。

综上所述，进给运动传动链的传动路线表达式为

$$\text{主轴 VI}-\underbrace{\begin{Bmatrix}\frac{55}{55}\\[2mm]\frac{55}{35}\times\frac{35}{55}\end{Bmatrix}}_{\text{(变向机构)}}-\mathrm{VIII}-\frac{29}{58}-\mathrm{IX}-\underbrace{\frac{a}{b}\cdot\frac{c}{d}}_{\text{(挂轮)}}-\mathrm{XI}-\underbrace{\begin{Bmatrix}\frac{27}{24}\\[1mm]\frac{30}{48}\\[1mm]\frac{26}{52}\\[1mm]\frac{21}{24}\\[1mm]\frac{27}{36}\end{Bmatrix}}_{\text{(滑动齿轮)}}-\mathrm{XII}-\underbrace{\begin{Bmatrix}\frac{39}{39}\times\frac{52}{26}\\[1mm]\frac{26}{52}\times\frac{52}{26}\\[1mm]\frac{39}{39}\times\frac{26}{52}\\[1mm]\frac{26}{52}\times\frac{26}{52}\end{Bmatrix}}_{\text{(增倍齿轮)}}-\mathrm{XIII}-$$

$$\begin{cases}\frac{39}{39}-\text{丝杠}-\text{纵向进给车螺纹}\\[3mm]\frac{39}{39}-\text{光杠}-\frac{2}{45}-\mathrm{XVI}\begin{cases}\frac{24}{60}-\mathrm{XVII}-M_{左}\uparrow-\frac{25}{55}-\mathrm{XVIII}-\text{齿轮齿条}-\text{刀架纵向自动进给}\\[2mm]M_{右}\uparrow-\frac{38}{47}\times\frac{47}{13}-\text{横向进给丝杠}-\text{刀架横向自动进给}\end{cases}\end{cases}$$

2. **螺纹加工传动**

从上述传动路线可知，通过进给箱中的滑动齿轮和增倍机构，可使进给箱本身的变速级数达 $5\times4=20$ 种，加之有七组不同传动比的挂轮可根据需要任意配换，故可以车出各种不同螺距的螺纹。

在 C6132 型车床上，可以车公制、英制和模数螺纹。当车公制螺纹时，要求工件（主轴）每转一转，刀具应均匀地移动一个（被加工螺纹）导程 P 的距离。当车削各种螺纹时，按工件导程 P，从车床铭牌上即可查出各手柄位置及配换挂轮齿数。但对于铭牌上没有的螺纹或非标准螺纹的加工，则需要计算配换挂轮，以实现机床的调整。

如图 2.3 所示的啮合位置，挂轮的计算为

$$P=1_{(n_{主}=1)}\times\left(\frac{55}{35}\times\frac{35}{55}\right)\times\left(\frac{29}{28}\times\frac{a}{b}\times\frac{c}{d}\right)\times\left(\frac{26}{52}\times\frac{39}{39}\times\frac{26}{52}\times\frac{39}{39}\right)\times6$$

或
$$\frac{a}{b}\times\frac{c}{d}=\frac{56}{87}P$$

若需要加工的螺纹导程 P 已知，则可根据上式求出所需挂轮 a，b，c，d 的齿数。

丝杠的转向可通过床头箱中的变向机构控制，以车出右旋螺纹或左旋螺纹。

3. 纵向和横向进给传动计算

由传动路线表达式可看出，实现刀架机动的纵向和横向进给，是经主轴至进给箱中轴XⅢ的传动路线，与车公制螺纹时传动路线相同，因此，利用进给箱中传动链的不同传动路线，可获得加工时所需要的不同的纵向和横向进给量。

进给量的计算，可根据前述齿轮齿条及丝杠螺母传动时齿条或螺母的移动距离计算式求得。当主轴转一转时，刀具纵向或横向移动的距离便为进给量。计算为

$$f_{纵}=1_{(n_{主}=1)}\, i_{换}\, i_{挂}\, i_{进}\, i_{溜}\, \pi z m \qquad \mathrm{mm/r}$$

$$f_{横}=\underbrace{1_{(n_{主}=1)}\, i_{换}\, i_{挂}\, i_{进}\, i_{溜}}_{n_{主}=1\text{ 时，横向进给丝杠的转速}} P_{横} \qquad \mathrm{mm/r}$$

式中　$i_{溜}$—— 溜板箱总传动比；

z,m —— 分别为小齿轮的齿数($z=14$)及模数($m=2$)；

$P_{横}$ —— 横向进给丝杠的导程，$P_{横}=4$。

在如图 2.3 所示的啮合位置，如挂轮使用车公制螺纹的四个齿轮 60,65,65,45，则当离合器 $M_{左}$ 及 $M_{右}$ 分别接合时，其纵向、横向进给量分别为

$$f_{纵}=1\times\left(\frac{55}{35}\times\frac{35}{55}\right)\left(\frac{29}{58}\times\frac{60}{65}\times\frac{65}{45}\right)\times\left(\frac{26}{52}\times\frac{39}{39}\times\frac{26}{52}\times\frac{39}{39}\right)\times$$
$$\left(\frac{2}{45}\times\frac{24}{60}\times\frac{25}{55}\right)\times\pi\times2\times14=0.118\ \mathrm{mm/r}$$

$$f_{横}=1\times\left(\frac{55}{35}\times\frac{35}{55}\right)\times\left(\frac{29}{58}\times\frac{60}{65}\times\frac{65}{45}\right)\times\left(\frac{26}{52}\times\frac{39}{39}\times\frac{26}{52}\times\frac{39}{39}\right)\times$$
$$\left(\frac{2}{45}\times\frac{38}{47}\times\frac{47}{18}\right)\times4=0.087\ \mathrm{mm/r}$$

2.4　机床的液压传动

液压传动是应用液体作为工作介质，通过液压元件来传递运动和动力的。这种传动形式具有许多突出的优点，在机床上应用得日益广泛。

2.4.1　液压传动的基本知识

机床上应用液压传动的地方很多，磨床的进给运动一般采用液压传动。下面介绍一个简化了的平面磨床工作台液压系统，以此说明机床液压传动的基本知识。

1. 液压传动系统的工作原理

如图 2.5(a)所示为平面磨床工作台往复运动的液压传动系统。液压泵 3 由电动机带动旋转，并从油箱 1 中吸油，油液经滤油器 2 进入液压泵，通过液压泵来输出压力油。在图 2.5 所示的状态下，压力油经油管 16、节流阀 5、油管 17、电磁换向阀 7、油管 20，进入液压缸 10 左腔，由于液压缸 10 固定在床身上，因此，在压力油推动下，迫使液压缸左腔容积不断增大，结果使活塞连同工作台向右移动。与此同时，液压缸右腔的油，经油管 21、电磁换向阀 7、油管 19 排回油箱。

当磨床在磨削工件时，工作台必须作连续往复运动。在液压系统中，工作台的运动方向是

由电磁换向阀 7 来控制的。当工作台上的撞块 12 碰上行程开关 11 时,使电磁换向阀 7 左端的电磁铁断电而右端的电磁铁通电,将阀芯推向左端。这时,管路中的压力油将从油管 17 经电磁换向阀 7、油管 21,进入液压缸的右腔,使活塞连同工作台向左移动,同时,液压缸左腔的油,经油管 20、电磁换向阀 7、油管 19 排回油箱。在行程开关 11 的控制下,电磁换向阀左、右两端电磁铁交换通电,工作台便往复运动,磨削加工则可持续进行下去。当左、右两端电磁铁都断电时,其阀芯处于中间位置,这时,进油路及回油之间均不相通,工作台便停止不动。

磨床在磨削工件时,根据加工要求不同,工作台运动速度应能进行调整。在如图 2.5 所示的液压系统中,工作台的移动速度是通过节流阀 5 来调整的。当节流阀 5 开口开大时,进入液压缸的油液增多,工作台移动速度增大;当节流阀开口关小时,工作台移动速度减小。

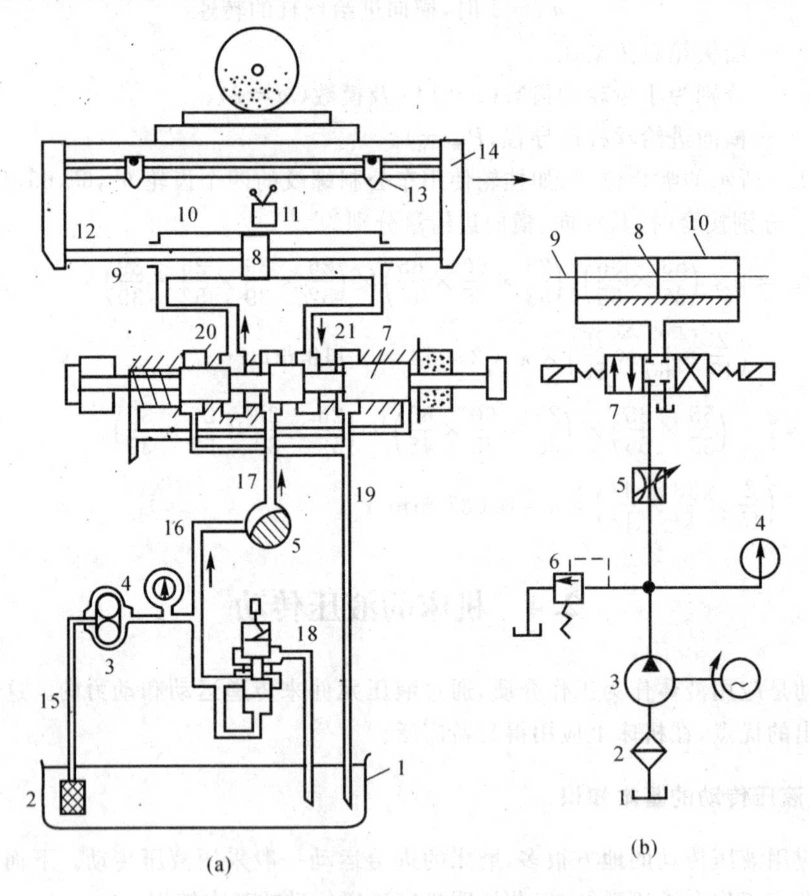

图 2.5　简单的磨床工作台液压系统原理图

1—油箱；2—滤油器；3—液压泵；4—压力表；5—节流阀；6—溢流阀；7—电磁换向阀；8—活塞；9—活塞杆；10—液压缸；11—行程开关；12,13—撞块；14—工作台；15～21—油管

磨床工作台在运动时要克服磨削力和相对运动件之间的摩擦力等阻力。要克服的阻力越大,缸中的油液压力就越高;反之,压力就越低。因此,液压系统中应有调节油液压力的元件。液压泵出口处的油液压力是由溢流阀 6 决定的。当油液的压力升高到超过溢流阀的调定压力时,溢流阀开启,油液经油管 18 排回油箱,油液的压力就不会继续升高,而稳定在调定的压力范围内。可见,溢流阀能使液压系统过载时溢流,维持系统压力近于恒定,从而起到安全保护

作用。

2. 液压传动系统的组成

一般液压传动系统主要由以下五部分组成：

(1) 动力元件(油泵)。其作用是将机械能转换成油液液压能，给液压系统提供压力油。

(2) 执行元件(液压缸或液压马达)。其作用是将液压能转换为机械能并分别输出直线运动或旋转运动。

(3) 控制元件(如溢流阀、节液阀及换向阀等)。其作用是分别控制液压系统油液的压力、流量和流动方向，以满足执行元件对力、速度和运动方向的要求。

(4) 辅助元件(如油箱、油管、滤油器、密封件等)。它们是起辅助作用的，以保证液压系统正常工作。

(5) 工作介质(在机床中是矿物油)。它是传递能量的介质。

3. 液压元件的图形符号

如图 2.5(a)所示为液压系统结构原理图，它直观性强，容易理解，但图形比较复杂，特别是当系统中元件较多时，绘制更不方便。因此，液压传动系统图一般以 GB786.1—1993 规定的液压元件图形符号来绘制。如图 2.5(b)所示为同一液压系统采用液压元件的图形符号绘制成的工作原理图。

2.4.2 液压传动特点及其在机床中的应用

1. 液压传动的特点

(1) 从结构上看。液压传动的控制、调节比较简单，操作方便，布局灵活。当液压传动与电气或气压传动相配合使用时，易于实现远距离操纵和自动控制。

(2) 从工作性能上看。液压装置能在大范围内实现无级调速，还可在液压装置运行的过程中进行调速，且调速方便，动作快速性好。又因为工作介质为液体，故运动传递平稳、均匀。但由于液压装置存在泄漏，使液压传动不能实现严格的定传动比传动，故传动效率较低。

(3) 从维护使用上看。由于液压件能自行润滑，因此，使用寿命较长，且能实现系统的过载保护。液压件易实现系列化、标准化，使液压系统的设计、制造和使用都比较方便。

2. 液压传动在机床上的应用

由于上述液压传动的特点，液压传动常应用在机床上的一些装置中。

(1) 进给运动传动装置。此项应用在机床上最为广泛，如磨床的砂轮架，车床、六角车床、自动车床的刀架或转塔刀架，磨床、铣床、刨床、组合机床的工作台进给运动。这些进给运动一般要求有较大的调速范围，且在工作中能无级调速，因此，采用液压传动是最合适的。

(2) 往复主体运动的传动装置。如龙门刨床的工作台、牛头刨床或插床的滑枕等的往复运动。这些部件一般需要作高速往复运动，并要求换向冲击小，换向时间短，能量消耗低，因此可采用液压传动来实现。

(3) 仿形装置。如车床、铣床、刨床上的仿形加工，仿形车床的仿形刀架。由于工作时要求灵敏性好，靠模接触力小，寿命长，故可采用液压伺服系统来实现。

(4) 辅助装置。如机床上的夹紧装置、变速操纵装置、工件和刀具装卸装置、工件输送装置等。它们均可采用液压传动来实现，这样有利于简化机床结构，提高机床自动化的程度。

此外，液压传动还应用在数控机床及静压支承等方面。

复习思考题

1. 金属切削机床如何分类，按照怎样的规律来编号？说明下列机床编号的含义：C6140，CK6140，MM1432，XKA6032A，Y3180E，Z535。

2. 机床常用的传动方式有哪些，其中哪种传动方式应用最广泛？

3. 试比较机床上常用的机械传动副的传动特点和应用场合。

4. 车床主要由哪几部分组成，各部分的主要作用是什么？以 C6132 车床为例，试分析其主运动系统的传动链，并计算传动级数。

5. 机床液压传动由哪几部分组成，各部分的主要作用是什么？与机械传动相比有哪些优缺点？

第3章

数字控制机床及其数字控制技术

3.1 数控机床及数控技术简介

数控(Numerical Control,NC)技术是用数字化信息(数字量及字符)发出指令并实现自动控制的技术。计算机数控(Computerized Numerical Control,CNC)是指用计算机实现部分或全部数控功能。它是现代工业生产中的一门新型的、发展十分迅速的高新技术。

数控机床是采用了数控技术的机床,或者说是装备了数控系统的机床,它集机械制造、计算机、微电子、现代控制及精密测量等多种技术于一体,实现了高度的机电一体化。国际信息联盟(IFIP)第五技术委员会,对数控机床作了如下定义:“数控机床是一种装有程序控制系统的机床。该系统能逻辑地处理具有使用号码或其他符号编码指令规定的程序。”

3.1.1 数控机床的工作原理和组成

1. 数控机床的工作原理

金属切削机床加工零件是操作者依据工程图样的要求,不断改变刀具与工件之间相对运动的参数(位置、速度等),使刀具对工件进行切削加工,最终得到所需要的合格零件。而数控机床的加工是把刀具与工件的运动坐标分割成一些最小的单位量,即最小位移量,由数控系统按照零件程序的要求,使坐标移动若干个最小位移量,从而实现刀具与工件的相对运动,完成对零件的加工。刀具沿坐标轴的相对运动是以脉冲当量δ为单位的(mm/脉冲)。

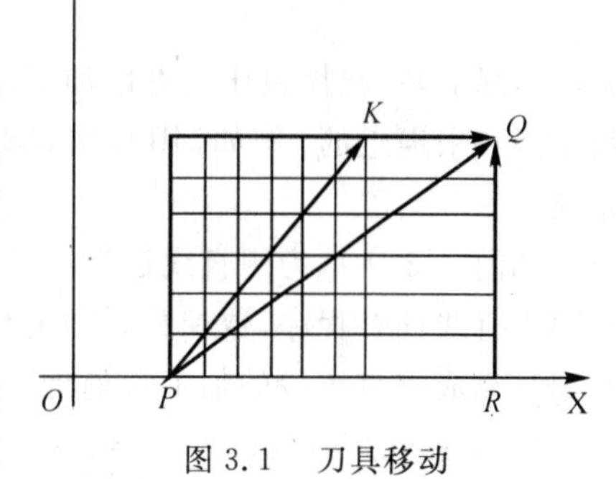

图3.1 刀具移动

例如,用钻、镗加工孔时,在一定时间内,刀具中心从P点移动到Q点,即刀具在X坐标轴、Y坐标轴移动规定量的最小单位量,它们的合成量为P点和Q点间的距离,如图3.1所示。但是,刀具轨迹没有严格控制,可以先使刀具在X坐标轴上由P点向R点移动,然后再使刀具沿Y坐标轴从R点移动到Q点。也可以沿两个坐标轴以相同的速度,使刀具移动到K点。这时,Y坐标值达到规定的位移量,然后刀具沿X坐标轴由K点移动到

Q点。这样的控制称为点到点的控制，其特点是严格控制用最小位移量表示的两点间的距离。

当走刀轨迹为直线或圆弧时，数控装置则在线段的起点和终点坐标值之间进行“数据点的密化”，求出一系列中间点的坐标值，然后按中间点的坐标值，向各坐标输出脉冲数，保证加工出需要的直线或圆弧轮廓。数控装置进行的这种“数据点的密化”称做插补，一般数控装置都具有对基本函数（如直线函数和圆函数）进行插补的功能。

对任意曲面零件的加工，必须使刀具运动的轨迹与该曲面完全吻合，这样才能加工出所需的零件。

例如，加工轮廓为任意曲线 L 的零件，如图 3.2 所示，可将曲线 L 分成 ΔL_0，ΔL_1，ΔL_2，…，ΔL_i 等线段。设切削 ΔL_i 的时间为 Δt_i，若把曲线划分的段数越多，则刀具运动的轨迹越逼近曲线 L。

在 Δt_i 时间内，刀具在 X，Y 坐标轴的位移量分别为 Δx_i 和 Δy_i，即

$$\Delta L_i = \sqrt{\Delta x_i^2 + \Delta y_i^2}$$

进给速度为

$$v_i = \sqrt{\left(\frac{\Delta x_i}{\Delta t_i}\right)^2 + \left(\frac{\Delta y_i}{\Delta t_i}\right)^2} = \sqrt{\Delta v_{x_i}^2 + \Delta v_{y_i}^2}$$

当加工直线时，ΔL_i 的斜率不变，各坐标轴速度分量的比值 $\Delta v_{y_i}/\Delta v_{x_i}$ 不变，因此进给速度 v_i 可保持常量。

当加工任意曲线时，ΔL_i 的斜率不断变化，$\Delta v_{y_i}/\Delta v_{x_i}$ 的比值也不断变化。只要能连续地自动控制两坐标方向运动速度的比值，便可实现任意曲线零件的加工。

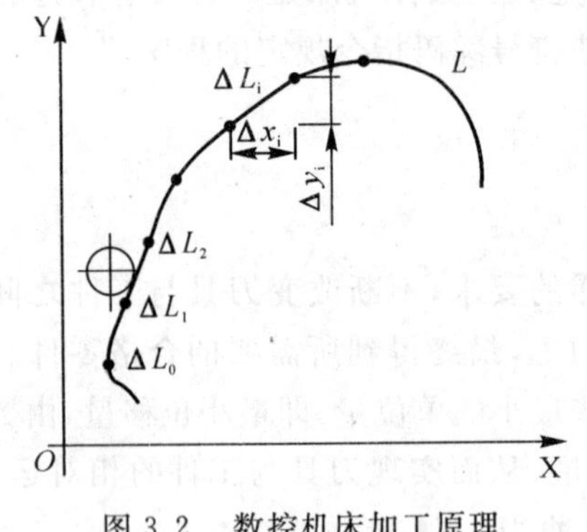

图 3.2　数控机床加工原理

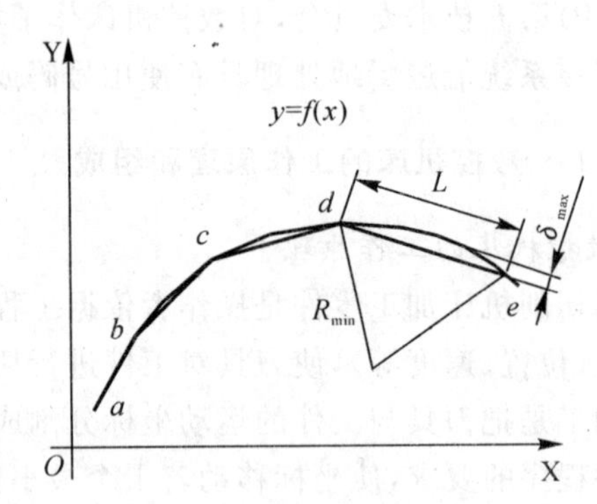

图 3.3　用直线逼近曲线

实际上，在数控机床上可以加工任意曲线的零件，它们都是由该数控装置所能处理的基本数学函数来逼近的，例如，用直线、圆等来逼近曲线。自然，逼近误差必须满足零件图样的要求。

如图 3.3 所示为用直线逼近一任意曲线的情况。只要求出节点 $a,b,c,\cdots$ 的坐标值，按节点写出直线插补程序，数控装置则进行节点间“数据点的密化”，并向各坐标轴分配脉冲数，控制刀具完成该直线段的加工。逼近误差 δ 应满足零件公差 T 的要求，即 $\delta_{\max} < T$。

2. 数控机床的组成

如图 3.4 所示，数控机床一般由输入 / 输出设备、数控装置、伺服驱动系统、位置检测及反

馈系统和机床主机组成。

(1) 输入/输出设备。将编制好的程序经输入/输出设备传送并存入数控装置内。输入/输出设备可以是光电阅读机、磁带机、软盘驱动器或是数控装置上的键盘、打印机等。

(2) 数控装置(CNC)。数控装置是数控机床的核心,它由计算机(硬件和软件)、可编程序控制器(PLC)和接口电路三部分组成。在图3.5中显示出装置工作时的内部信息流。加工时从储存器中调出零件加工程序,按程序段进行译码,将零件加工程序转换为数控装置能够接受的代码。译码后分成两路:一路是高速轨迹信息,该路信息先通过预处理(刀具补偿处理、进给速度处理),再进行插补和位置控制,由伺服驱动系统实现坐标轴的协同移动;另一路是低速辅助信息,通过可编程序控制器接收来自零件加工程序的开关功能信息(辅助功能M、主轴转速功能S、刀具功能T)、机床操作面板上的开关量信号及机床侧的开关量信号,进行逻辑处理,完成输出控制功能,实现各功能及操作方式的联锁。这一路信息即控制主运动部件的变速、换向和启停,控制刀具的选择和交换,控制冷却、润滑的启停,控制工件和机床部件的松开和夹紧,控制分度工作台的转位等功能。

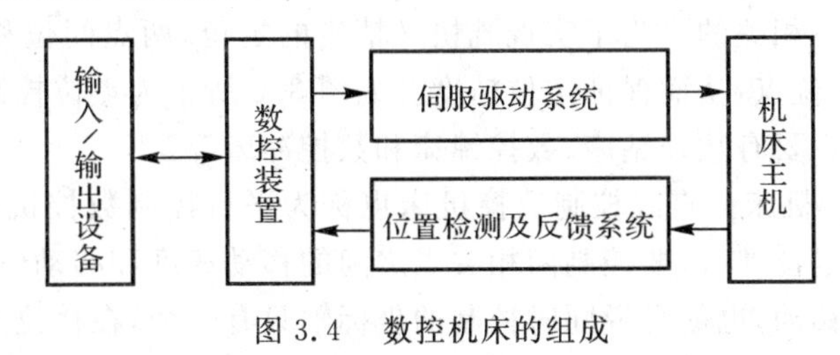

图 3.4　数控机床的组成

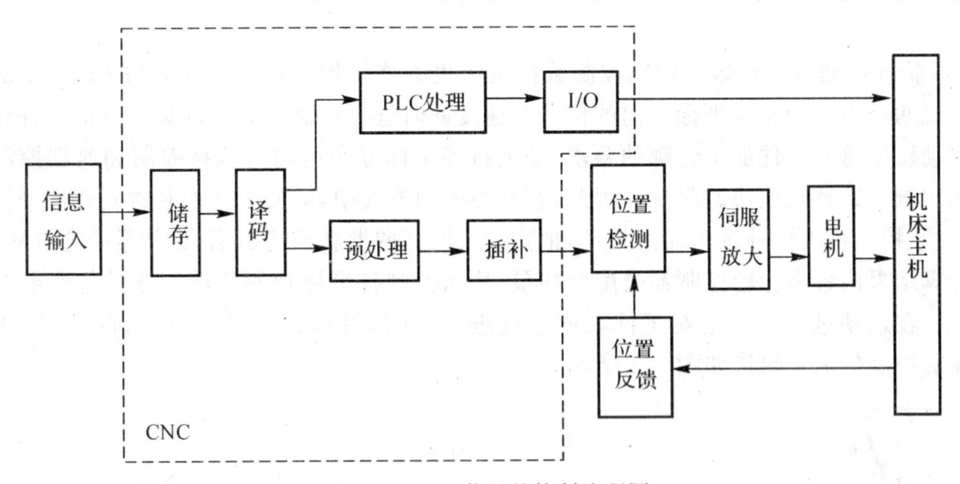

图 3.5　CNC装置的控制流程图

(3) 伺服驱动系统。伺服驱动系统接收数控装置发来的速度和位移信号,控制伺服电机的运动速度和方向。伺服驱动系统一般由伺服电路和伺服电机组成,并与机床上的机械传动部件组成数控机床的进给系统。机床上的每个作伺服进给运动的轴,都配有一套伺服驱动系统。

(4) 位置检测装置及反馈系统。它测量机床主机执行部件的实际进给位置,并把这一信息反馈至数控装置并与指令位置进行比较,将其误差转换、放大后控制伺服驱动系统,实现伺服进给运动,纠正位置误差。

(5) 机床主机。数控机床主机包括主运动部件(如主轴组件、变速箱等)、进给运动执行部件(如工作台、拖板、丝杠、导轨及其传动部件)和支承部件(如床身、立柱等),此外,还有冷却、润滑、转位和夹紧等辅助装置。对于能同时进行多道工序加工的加工中心类的数控机床,还有存放刀具的刀库、交换刀具的机械手等部件。数控机床机械部件的组成与普通机床相似,但对其传动结构要求更为简单,在精度、刚度、抗振性及其动态特性等方面要求更高,而且对其传动和变速系统要求实现自动控制。

3.1.2 数控机床的分类

数控机床的品种规格很多,分类方法也各不相同。一般可根据功能和结构,按下面四种原则进行分类。

1. 按机床运动的控制轨迹分类

(1) 点位控制数控机床。点位控制数控机床只要求控制机床的移动部件从一点移动到另一点的准确定位,对于点与点之间的运动轨迹的要求并不严格,在移动过程中不进行加工,各坐标轴之间的运动是不相关的。为了实现既快又精确的定位,两点间位移的移动一般先快速移动,然后慢速趋近定位点,从而保证定位精度。如图 3.6 所示为点位控制的加工轨迹。具有点位控制功能的机床主要有数控钻床、数控镗床和数控冲床等。

(2) 直线控制数控机床。直线控制数控机床也称为平行控制数控机床,其特点是除了控制点与点之间的准确定位外,还要控制两相关点之间的移动速度和移动轨迹,但其运动路线只是与机床坐标轴平行移动,也就是说同时控制的坐标轴只有一个,在移位的过程中刀具能以指定的进给速度进行切削。具有直线控制功能的机床主要有数控车床、数控铣床和数控磨床等。

(3) 轮廓控制数控机床。轮廓控制数控机床也称连续控制数控机床,其控制特点是能够对两个或两个以上的运动坐标方向的位移和速度同时进行控制。为了满足刀具沿工件轮廓的相对运动轨迹符合工件加工轮廓的要求,必须将各坐标方向运动的位移控制和速度控制按照规定的比例关系精确地协调起来。因此,在这类控制方式中,就要求数控装置具有插补运算功能,通过数控系统内插补运算器的处理,把直线或圆弧的形状描述出来,也就是一边计算,一边根据计算结果向各坐标轴控制器分配脉冲量,从而控制各坐标轴的联动位移量与要求的轮廓相符合。在运动过程中刀具对工件表面连续进行切削,可以进行各种直线、圆弧、曲线的加工。轮廓控制的加工轨迹如图 3.7 所示。

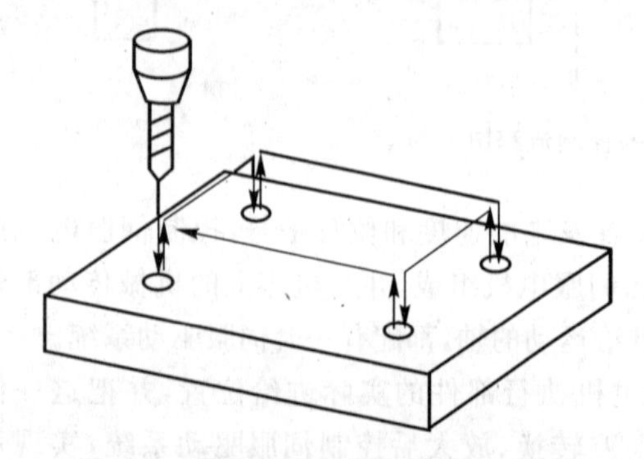

图 3.6 数控机床点位控制的加工轨迹

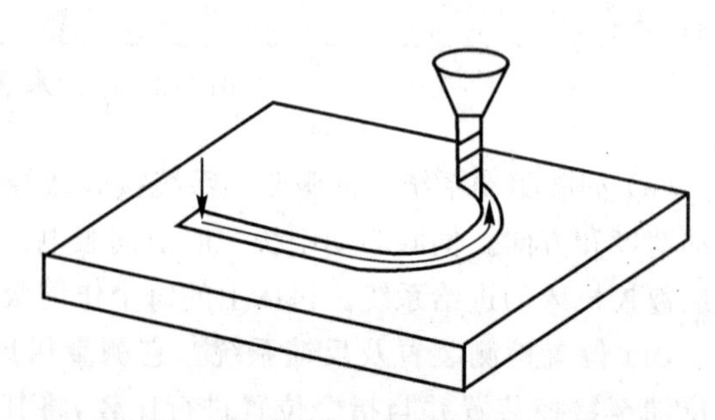

图 3.7 数控机床轮廓控制的加工轨迹

这类机床主要有数控车床、数控铣床、数控线切割机床和加工中心等，其相应的数控装置称为轮廓控制数控系统。根据它所控制的联动坐标轴数不同，又可以分为下面几种形式。

1）二轴联动。它主要用于数控车床加工旋转曲面或数控铣床加工曲线柱面。

2）二轴半联动。它主要用于三轴以上机床的控制，其中两根轴可以联动，而另外一根轴可以作周期性进给。如图 3.8 所示就是采用这种方式加工三维空间曲面的。

3）三轴联动。它一般分为两类，一类就是 X，Y，Z 三个直线坐标轴联动，比较多地用于数控铣床和加工中心等，如图 3.9 所示为用球头铣刀铣削三维空间曲面；另一类是除了同时控制 X，Y，Z 其中两个直线坐标轴外，还同时控制围绕其中某一直线坐标轴旋转的旋转坐标轴，如车削加工中心，它除了纵向（Z 轴）、横向（X 轴）两个直线坐标轴联动外，还要同时控制围绕 Z 轴旋转的主轴（C 轴）联动。

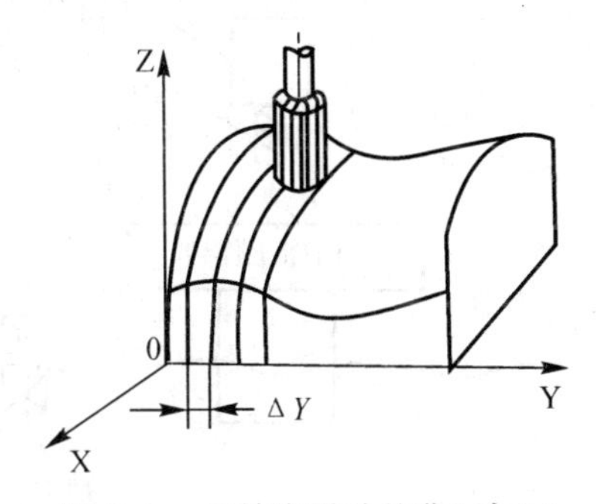

图 3.8　二轴半联动的曲面加工

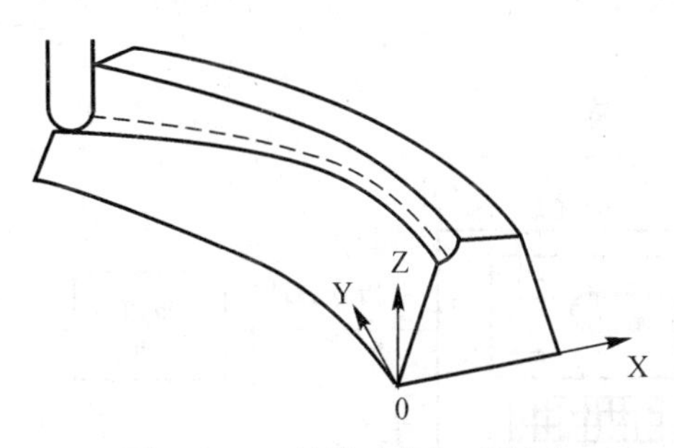

图 3.9　三轴联动的加工曲面

4）四轴联动。它同时控制 X，Y，Z 三个直线坐标轴与某一旋转坐标轴联动。如图 3.10 所示为同时控制 X，Y，Z 三个直线坐标轴与一个工作台回转轴联动的数控机床。

5）五轴联动。除同时控制 X，Y，Z 三个直线坐标轴联动外，还同时控制围绕这些直线坐标轴旋转的 A，B，C 坐标轴中的两个坐标轴，形成同时控制五个轴联动。这时刀具可以被定在空间的任意方向，如图 3.11 所示。比如控制刀具同时绕 X 轴和 Y 轴两个方向摆动，使得刀具在其切削点上始终保持与被加工的轮廓曲面成法线方向，以保证被加工曲面的光滑性，提高其加工精度和加工效率，减小被加工表面的粗糙度。

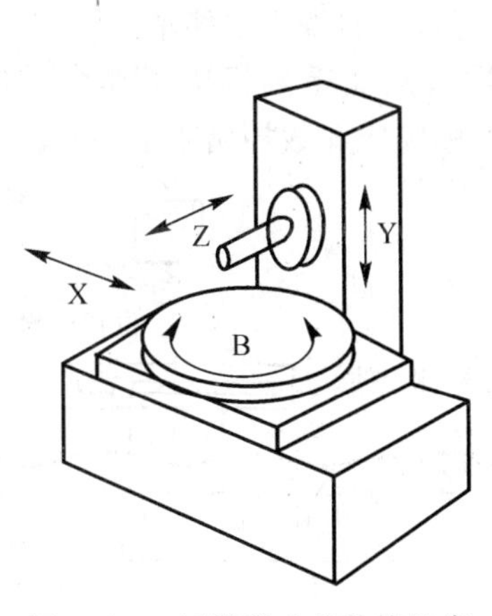

图 3.10　四轴联动的数控机床

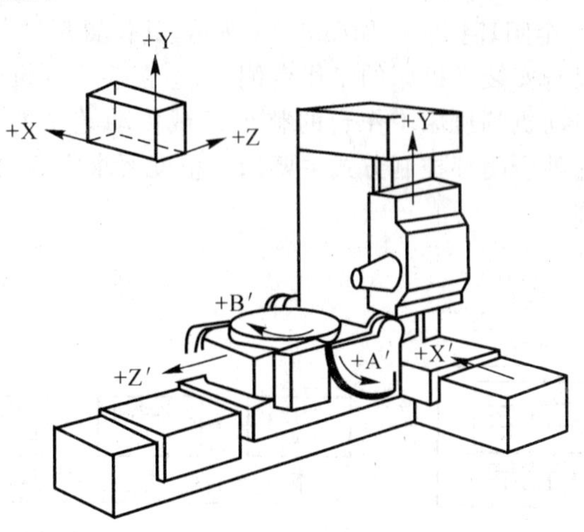

图 3.11　五轴联动的加工中心

2. 按伺服系统控制的方式进行分类

(1) 开环控制数控机床。开环控制数控机床的进给伺服驱动是开环的，即没有检测反馈装置，一般它的驱动电动机为步进电动机。步进电动机的主要特征是控制电路每变换一次指令脉冲信号，电动机就转动一个步距角，并且电动机本身就有自锁能力。

其控制系统的框图如图 3.12 所示，数控系统输出的进给指令信号通过脉冲分配器来控制驱动电路，它以变换脉冲的个数来控制坐标位移量，以变换脉冲的频率来控制位移速度，以变换脉冲的分配顺序来控制位移的方向。因此，这种控制方式的最大特点是控制方便、结构简单、价格便宜。因为数控系统发出的指令信号流是单向的，所以不存在控制系统的稳定性问题，但由于机械传动的误差不经过反馈校正，因而位移精度不高。

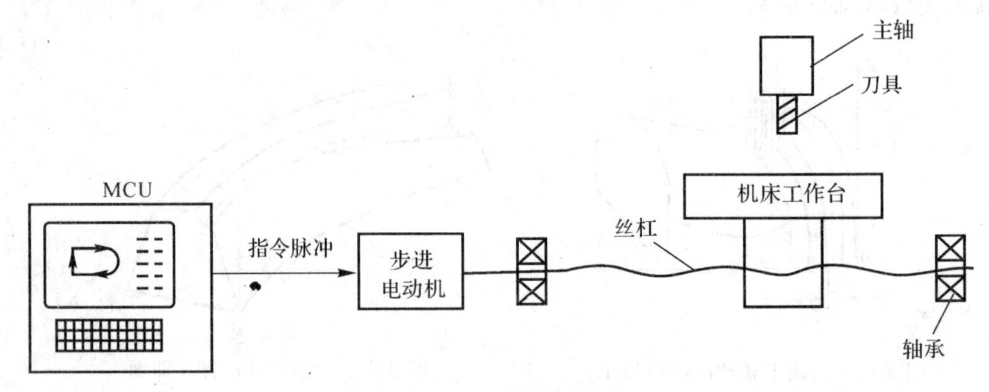

图 3.12　开环控制系统框

(2) 闭环控制数控机床。闭环控制数控机床的进给伺服驱动是按闭环反馈控制方式工作的，其驱动电动机可采用直流或交流两种伺服电动机，并需要具有位置反馈和速度反馈，在加工中随时检测移动部件的实际位移量，并及时反馈给数控系统中的比较器。它与插补运算所得到的指令信号进行比较，其差值又作为伺服驱动的控制信号，进而带动位移部件以消除位移误差。

按位置反馈检测元件的安装部位和所使用的反馈装置的不同，它又分为全闭环控制和半闭环控制两种控制方式。

1) 全闭环控制。如图 3.13 所示，其位置反馈装置采用直线位移检测元件（目前一般采用光栅尺），安装在机床的工作台侧面，即直接检测机床工作台坐标的直线位移量，并通过反馈消除从电动机到机床工作台的整个机械传动链中的传动误差，从而得到机床工作台的准确位置。这种全闭环控制方式主要用于精度要求很高的数控坐标镗床和数控精密磨床等。

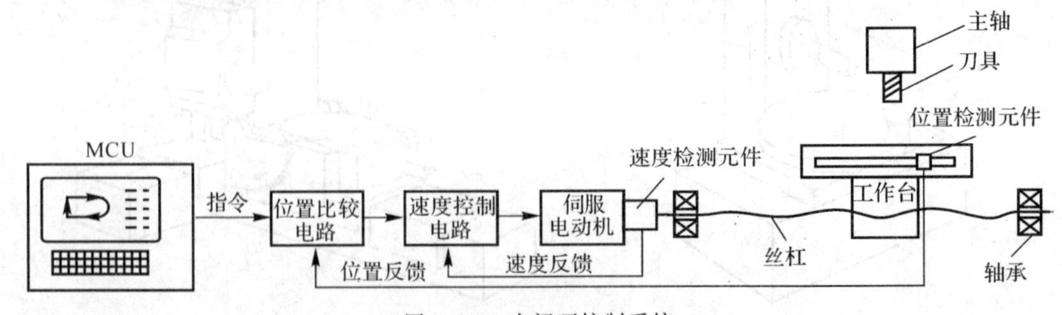

图 3.13　全闭环控制系统

2）半闭环控制。如图3.14所示，其位置反馈采用转角检测元件（目前主要采用编码器等）直接安装在伺服电动机或丝杠端部。由于大部分机械传动环节未包括在系统闭环环路内，因此可获得较稳定的控制特性。丝杠等机械传动误差不能通过反馈来随时校正，但是可以采用软件定值补偿方法适当提高其精度。目前，大部分数控机床采用半闭环控制方式。

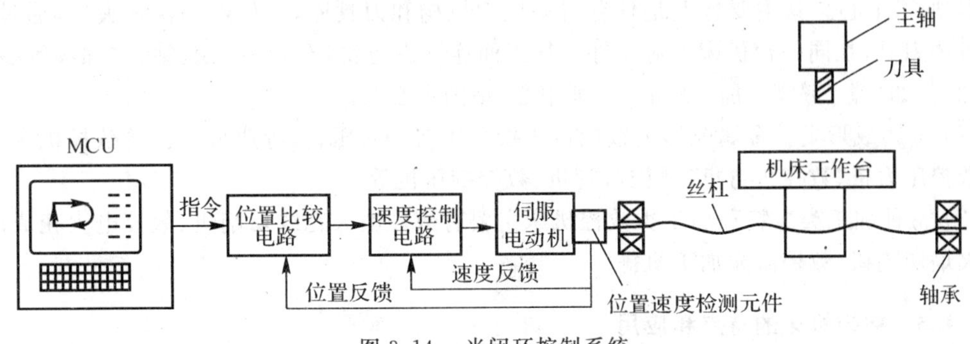

图3.14　半闭环控制系统

（3）混合控制数控机床。将上述控制方式的特点有选择地集中，可以组成混合控制的方案。如前所述，由于开环控制方式稳定性好、成本低、精度差，而全闭环稳定性差，因此，为了互相弥补，以满足某些机床的控制要求，宜采用混合控制方式。采用较多的控制方式有开环补偿型和半闭环补偿型两种方式。

3．按数控系统的功能水平分类

按数控系统的功能水平，通常把数控系统分为低、中、高三档。这种分类方式，在我国用得较多。低、中、高三档的界限是相对的，不同时期，划分标准也会不同。就目前的发展水平看，可以根据表3.1所示的一些功能及指标，将各种类型的数控系统分为低、中、高档三类。其中，中、高档一般称为全功能数控或标准型数控。经济型数控属于低档数控，是指由单片机和步进电动机组成的数控系统，或其他功能简单、价格低的数控系统。经济型数控系统主要用于车床、线切割机床以及旧机床改造等。

表3.1　数控系统不同档次的功能及指标

功　能	低　档	中　档	高　档
系统分辨率 /μm	10	1	0.1
进给速度 /(mm·min^{-1})	<15	15～24	15～100
伺服类型	开环及步进电动机	半闭环及直、交流伺服	闭环及直、交流伺服
联动轴数	2～3	2～4	≥5
通信功能	无	RS232或DNC	RS232，DND，MAP
显示功能	数码管显示	CRT：图形、人机对话	CRT：三维图形
内装PLC	无	有	功能强大的内装PLC
主CPU	8位、16位	16位、32位	32位、64位
结构	单片机或单板机	单微处理器或多微处理器	分布式多微处理器

4. 按加工工艺及机床用途分类

(1) 金属切削类。金属切削类数控机床指采用车、铣、镗、铰、钻、磨、刨等各种切削工艺的数控机床。它又可分为以下两类。

1) 普通型数控机床。如数控车床、数控铣床、数控磨床等。

2) 加工中心。其主要特点是具有自动换刀机构和刀具库,工件经一次装夹后,通过自动更换各种刀具,在同一台机床上对工件各加工面连续进行铣(车)、镗、铰、钻、攻螺纹等多种工序的加工,如(镗/铣类)加工中心、车削中心、钻削中心等。

(2) 金属成形类。金属成形类数控机床指采用挤、冲、压、拉等成形工艺的数控机床,常用的有数控压力机、数控折弯机、数控弯管机、数控旋压机等。

(3) 特种加工类。特种加工类数控机床主要有数控电火花线切割机、数控电火花成形机、数控火焰切割机、数控激光加工机等。

3.1.3 数控机床的特点和应用

1. 数控机床的特点

(1)加工精度高。数控机床是按数字形式给出的指令进行加工的。目前数控机床的脉冲当量普遍达到了 0.001,而且进给传动链的反向间隙与丝杠螺距误差等均可由数控装置进行补偿,因此,数控机床能达到很高的加工精度。对于中、小型数控机床,其定位精度普遍可达 0.03,重复定位精度为 0.01。

(2)对加工对象的适应性强。数控机床上改变加工零件时,只须重新编制程序,输入新的程序就能实现对新的零件的加工,这就为复杂结构的单件、小批量生产以及试制新产品提供了极大的便利。对那些普通手工操作的普通机床很难加工或无法加工的精密复杂零件,数控机床也能实现自动加工。

(3)自动化程度高,劳动强度低。数控机床对零件的加工是按事先编好的程序自动完成的,操作者除了安放穿孔带或操作键盘、装卸工件、对关键工序的中间检测以及观察机床运行之外,不需要进行复杂的重复性手工操作,劳动强度与紧张程度均可大为减轻,加上数控机床一般有较好的安全防护、自动排屑、自动冷却和自动润滑装置,操作者的劳动条件也大为改善。

(4) 生产效率高。零件加工所需的时间主要包括机动时间和辅助时间两部分。数控机床主轴的转速和进给量的变化范围比普通机床大,因此数控机床的每一道工序都可选用最有利的切削用量。由于数控机床的结构刚性好,因此,允许进行大切削量的强力切削,这就提高了切削效率,节省了机动时间。因为数控机床的移动部件的空行程运动速度快,所以工件的装夹时间、辅助时间比一般机床少。

数拉机床更换被加工零件时几乎不需要重新调整机床,故节省了零件安装调整时间。数控机床加工质量稳定,一般只做首件检验和工序间关键尺寸的抽样检验,因此节省了停机检验时间。当在加工中心上进行加工时,一台机床实现了多道工序的连续加工,生产效率的提高更为明显。

(5)经济效益良好。数控机床虽然价值昂贵,加工时分到每个零件上的设备折旧费高,但是在单件、小批量生产的情况下:①使用数控机床加工,可节省划线工时,减少调整、加工和检验时间,节省了直接生产费用;②使用数控机床加工零件一般不需要制作专用夹具,节省了工艺装备费用;③数控加工精度稳定,减少了废品率,使生产成本进一步下降;④数控机床可实现一机多用，节省厂房面积，节省建厂投资。因此，使用数控机床仍可获得良好的经济效益。

2. 数控机床的应用

数控机床有普通机床所不具备的许多优点。其应用范围正在不断扩大，但它并不能完全代替普通机床，也还不能以最经济的方式解决机械加工中的所有问题。数控机床最适合加工具有以下特点的零件：

(1)多品种、小批量生产的零件。

(2)形状结构比较复杂的零件。

(3)需要频繁改型的零件。

(4)价值昂贵、不允许报废的关键零件。

(5)设计制造周期短的急需零件。

(6)批量较大、精度要求较高的零件。

3.1.4 数控机床的发展趋势

目前，数控机床已经朝着高可靠性、高柔性化、高精度化、高速度化、多功能复合化、制造系统自动化方向发展。

(1)高可靠性。高效数控机床的可靠性是数控机床产品质量的一项关键性指标，数控机床能否发挥其高柔性、高速度、高效率，并获得良好的效益，关键取决于其可靠性。近些年来，已在数控机床产品中应用了可靠性技术，并取得了明显的进展。

衡量可靠性的重要量化指标是平均无故障工作时间(MTBF)。作为数控机床的大脑——数控系统——的 MTBF 值已由 20 世纪 70 年代的大于 3 000 h，80 年代的大于 10 000 h，提高到 90 年代初的大于 30 000 h。目前，日本 FANUC 公司的 CNC 系统已达到 MTBF 约为 125 个月。

(2)高柔性化。柔性化是数控机床的主要特点。它是指机床适应加工对象变化的能力。传统的自动化设备和生产线，由于是机械或刚性连接和控制的，因此当被加工对象变化时，调整困难，甚至是不可能的，有时只得全部更新、更换。数控机床的出现，开创了柔性自动化加工的新纪元，对于满足加工对象的变化，已具有很强的适应能力。目前，在进一步提高单机柔性化的同时，正努力向单元柔性化和系统柔性化发展。体现系统柔性化的柔性制造单元(Flexible Manufacture Cell，FMC)和柔性制造系统(Flexible Manufacture System，FMS)发展迅速，美国 FMC 安装的平均增长率达到 72%，日本 FMS 安装的平均增长率为 24%。

(3)高精度化。高精度化一直是数控机床技术发展追求的目标。它包括机床几何精度和机床使用的加工精度两方面，近 10 年来已经取得明显效果，普通级加工中心的定位精度已从 20 世纪 80 年代的±12 μm/300 mm，提高到 90 年代初期的±(2～5)μm/全程。Kitamura 公司的 Sonicmill—2 型立式加工中心，其主轴转速为 20 000 r/min，快进速度为 24 m/min，其定位精度为±3 μm/全程。美国 Boston Digital 公司的 Vector 系列加工中心，其主轴转速为 10 000 r/min，双向定位精度为 2 μm。

(4)高速度化。提高生产率是机床技术发展追求的基本目标之一，实现这个目标的最主要、最直接的方法就是提高切削速度和减少辅助时间。

提高主轴速度是提高切削速度的最有效的方法。近 10 年来，主轴转速已经翻了几番。20 世纪 80 年代，加工中心主轴的最高转速为 4 000～6 000 r/min；90 年代提高到 8 000～12 000

r/min；目前可达到 20 000 r/min。数控高速磨削的砂轮线速度从 50～60 m/s 提高到 100～200 m/s。

减少非切削时间主要体现在提高快速移动速度和缩短换刀时间与工作台交换时间上。目前，快速移动速度已由 10 年前的 8～12 m/min 提高到现在的 18～24 m/min，移动速度为 30～40 m/min 的机床也稳定用于生产，最高移动速度可以达到 100 m/min，因而大大减少了非切削时间。

数控机床在缩短换刀时间和工作台交换时间方面也取得了较大的进展。数控车床刀架的转位时间已经从过去的 1～3 s 减少到 0.4～0.6 s。由于加工中心的刀库换刀结构的改进，使换刀时间从 5～10 s 减少到 1～3 s。而工作台交换时间也由 12～20 s 减少到 6～10 s。

(5)制造系统自动化。自 20 世纪 80 年代中期以来，以数控机床为主体的加工自动化已从“点”(单台数控机床)发展到“线”的自动化(FMS，FML)和“面”的自动化（柔性制造车间)。结合信息管理系统的自动化，逐步形成整个工厂“体”的自动化。在国外已出现自动化工厂(FA)和计算机集成制造(CIM)工厂的雏形实体。尽管由于这种高自动化的技术还不够完备，投资过大，回收期较长，但数控机床的高自动化以及向 FMC，FMS 系统集成方向发展的趋势仍是机械制造业发展的主流。

3.2 数控加工工艺基础知识

数控加工工艺是指利用数控机床加工零件时所运用的各种方法和技术手段的总和，它是大量数控加工实践的经验总结，是逐步发展和完善起来的一门应用技术。数控加工工艺主要内容包括：

(1)选择并确定数控加工的内容。

(2)对零件图纸进行数控加工的工艺分析。

(3)零件图形的数学处理及变成尺寸设定值的确定。

(4)加工工艺方案的确定，工步和进给路线的确定。

(5)选择数控机床的类型，刀具、夹具、量具的选择和设计。

(6)切削参数的确定，加工程序的编写、校验和修改。

(7)首件试加工和现场问题处理。

(8)数控加工工艺文件的定型和归档。

3.2.1 数控机床的坐标系统和原点偏置

1. 数控机床的坐标系

数控加工是基于数字的加工，刀具和工件的相对位置必须在相应的坐标系下才能确定。数控机床的坐标系包括坐标系、坐标原点和运动方向。为使编程方便，目前国际上已统一了标准的坐标系——右手直角笛卡儿坐标系。

数控机床的坐标系采用右手直角笛卡儿坐标系，其基本坐标系为 X，Y，Z 直角坐标轴，以及相对于每个轴的旋转运动坐标轴为 A，B，C，如图 3.15 所示。

在数控加工过程中，数控机床的坐标运动指的是刀具相对于工件的运动，也就是认为刀具做进给运动，工件静止不动。

ISO—841 中对数控机床的坐标轴和运动方向均有一定的规定。一般 X 轴为水平的、平行于工件装夹平面的坐标轴，它平行于主要的切削方向，以此方向为正方向，由此确定 Y 轴和 Z 轴，进而确定 A，B，C 轴的方向。

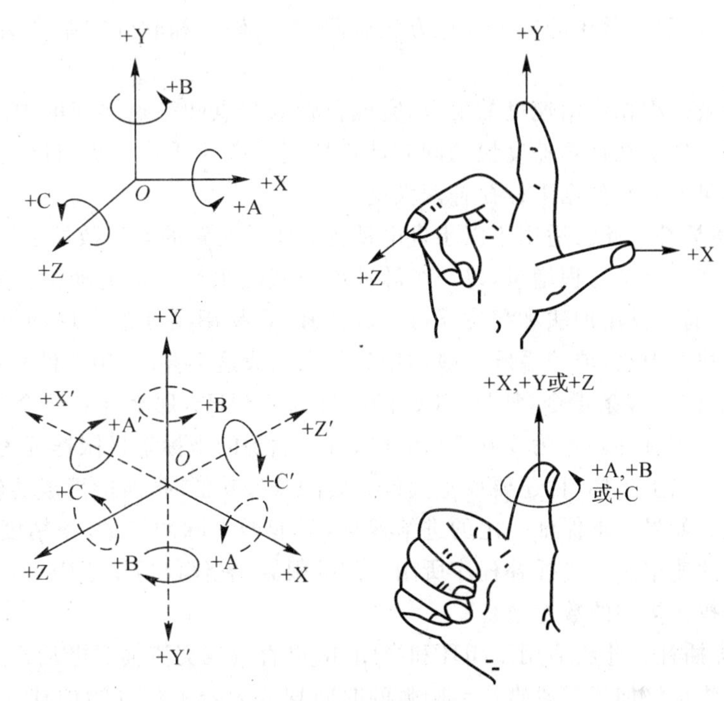

图 3.15　右手直角笛卡儿坐标系

2. 数控机床的坐标原点

(1)机床原点。数控机床的基准位置，称为机床原点或机床绝对原点，是机床制造商设置在机床上的一个物理位置，其作用是使机床与控制系统同步，建立测量机床运动坐标的起始点，亦称为机械原点。

(2)机床参考点。与机床原点相对应的还有一个机床参考点，它是机床制造商在机床上用行程开关设置的一个物理位置，与机床原点相对位置是固定的，在机床出厂之前由机床制造商精密测量确定。机床参考点一般不同于机床原点，一般来说，加工中心的参考点为机床的自动换刀位置。

(3)程序原点。对于数控编程和数控加工来说，还有一个重要的原点就是程序原点，是编程人员在数控编程过程中定义在工件上的几何基准点，有时也称为工件原点。程序原点一般用 G92 或 G54～G59(对于数控镗铣床)和 G50(对于数控车床)设置。

(4)装夹原点。装夹原点常见于带回转(摆动)工作台的数控机床或加工中心上，一般是机床工作台上的一个固定点，例如，回转中心与机床参考点的偏移量可通过测量得到，然后存入数控系统的原点偏置寄存器中，供数控系统原点偏移计算用。

3.2.2　数控系统的插补实现

在数控加工程序中，刀具怎么从起点沿运动轨迹走到终点是由数控系统的插补装置或插补软件来控制的。实际加工中，在被加工零件的轮廓曲线过于复杂的情况下，直接计算刀具运动轨迹需要的计算工作量很大，不能满足数控加工的实时控制要求。因此，在实际应用中，用一小段直线或圆弧去逼近（或称为拟合）零件轮廓曲线，即通常所说的直线和圆弧插补。在某些高性能的数控系统中，还具有抛物线、螺旋线插补功能。

在现代数控系统中，常用的插补实现方法有两种：由硬件和软件的结合实现；全部采用软件实现。

插补的任务就是根据进给速度的要求，完成在轮廓起点和终点之间的中间点的坐标值计算。人们一直努力探求在计算速度快的同时计算精度又高的插补算法，目前普遍应用的插补算法分为脉冲增量插补和数据采样插补两大类。

(1)脉冲增量插补。此法适用于以步进电动机为驱动装置的开环数控系统，其特点是每一次插补的结果仅产生一个行程增量，以一个脉冲的方式输出给步进电动机。脉冲增量插补的实现方法较简单，通常仅用加法和移位就可完成插补，容易用硬件来实现，而且用硬件实现这类运算的速度很快。但是，数控系统一般均用软件来完成这类算法，用软件实现的脉冲增量插补算法一般要执行 20 多条指令，如果 CPU 的时钟为 5 MHz，那么计算一个脉冲当量所需的时间大约为 40 μs，当脉冲当量为 0.001 mm 时，可以达到的坐标轴极限速度为 5 m/min，如果要控制两个或两个以上坐标，且还要承担其他必要的数控功能时，所能形成的轮廓插补进给速度将进一步降低。如果要求保证一定的进给速度，只能增大脉冲当量，使精度降低。因此，脉冲增量插补输出的速率主要受插补程序所用时间的限制，它仅仅适用于中等精度和中等速度，以步进电动机为执行机构的数控系统。

(2)数据采样插补。此法适用于闭环和半闭环，以直流或交流伺服电动机为执行机构的数控系统。这种方法是将加工一段直线或圆弧的时间划分为若干相等的插补周期，每经过一个插补周期就进行一次插补计算，算出在该插补周期内各坐标轴的进给量，边计算边加工，在若干次插补周期后完成一个曲线段的加工。

当采用数据采样插补时，根据加工直线或圆弧段的进给速度，计算出每一个插补周期内的插补进给量，即步长。对于曲线插补，插补步长和插补周期越短，插补精度就越高；进给速度越快，插补精度就越低。

在一个插补周期内，不仅要完成基本的插补运算，一般来说，还要留出 3/4 个插补周期进行后续程序段的插补预处理计算和完成其他数控功能，包括编程、存储、采集运行和状态数据、监视系统和机床等数控功能。因此，在计算机 CPU 的处理速度不变的情况下，通过缩短插补周期来提高插补精度和进给速度的潜力是有限的。

3.2.3 数控系统的刀具补偿

在数控铣床和数控车床加工中，二维刀具半径补偿的原理相同，但由于刀具形状和加工方法区别较大，刀具半径补偿方法有一定的区别，下面着重介绍车削加工中的刀尖半径补偿方法。

在加工零件的过程中，由于数控车床车刀的刀尖通常是一段半径很小的圆弧，而假设的刀尖点（一般是通过对刀仪测量出来的）并不是刀刃圆弧上的一点，如图 3.16 所示。因此，当车削锥面、倒角或圆弧时，可能会造成切削加工不足（不到位）或切削过量（过切）的现象。如图 3.17 所示描述了切削锥面时因切削加工不足而产生的加工误差。

因此，当使用车刀来切削加工锥面时，必须将假设的刀尖点的路径作适当的修正，以获得正确的工件尺寸，这种修正方法称为刀尖半径补偿。

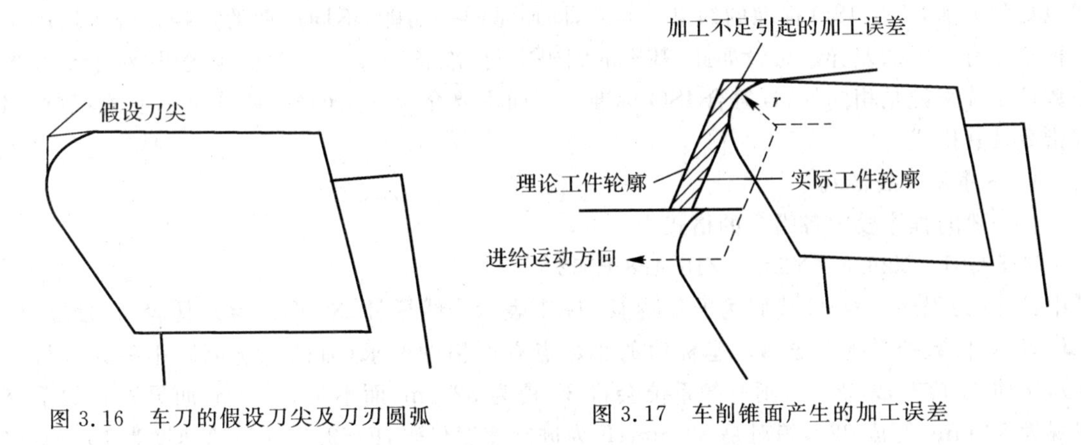

图 3.16　车刀的假设刀尖及刀刃圆弧　　　　图 3.17　车削锥面产生的加工误差

车削加工刀尖半径补偿分为左补偿(用 G41 指令)和右补偿(用 G42 指令)。顺着刀具前进方向看，刀具始终在工件左侧，则为左补偿，反之为右补偿。如图 3.18 所示描述了车削加工刀尖半径补偿方法。当采用刀尖半径补偿时，刀具运动轨迹指的不是刀尖，而是刀尖上刀刃圆弧的中心位置，这在设置程序原点时就需要考虑。

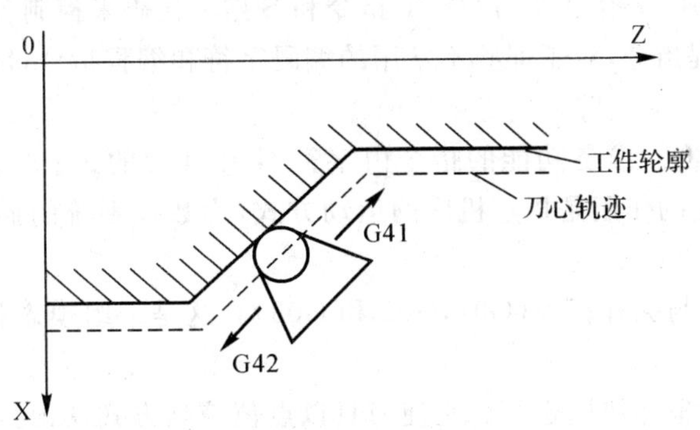

图 3.18　车削加工刀尖半径补偿

二维刀具半径补偿仅在指定的二维走刀平面内进行，走刀平面由 G17(XY 平面)和 G19(ZX 平面)指定，刀具半径或刀刃半径值则通过调用相应的刀具半径偏置寄存器号码(用 D 代码指定)来取得，对于数控车床，还可采用 T 代码来调用刀具补偿。

现代数控系统的二维刀具半径补偿不仅可以自动完成刀具中心轨迹的偏置，而且还能自动完成直线与直线转接、圆弧与圆弧转接、直线与圆弧转接等尖角过渡功能。

需要指出的是，二维刀具半径补偿计算是数控系统自动完成的，而且不同的数控系统所采用的计算方法一般来说也不相同，编程员在编制零件加工程序时不必考虑刀具半径补偿的计算方法。

3.2.4　数控系统的指令集

数控程序由一系列程序段和程序块构成。每一程序段用于描述准备功能、刀具坐标位置、工艺参数和辅助功能等。ISO 对数控机床的编码格式做了若干标准和规范。但由于新型数控系统和数控机床的不断出现，其中的很多功能实际上超出了目前国际上通用的标准，其指令格式也更加灵活，不受ISO标准的约束。此外，即使是同一功能，不同厂商的数控系统采用的指令格式也有一定的差异。尽管如此，基本的编码字符、准备功能和辅助功能代码，对于绝大多数数控系统来说是相同的，且符合ISO标准。下面主要介绍常用的(一般均是标准的)数控编程指令及其格式。

1. 程序段一般格式

在一般的程序段中各指令的格式为

N35 G01　X26.8　Y32.　Z15.428 F152.

其中：N35为程序段号；G代码为准备功能，G01表示直线插补；X，Y，Z为刀具运动的终点坐标位置，现代数控系统一般都对坐标值的小数点有严格的要求(有的系统可以用参数进行设置)，比如32应写成32.，否则有的系统会将32视为32 μm，而不是32 mm，而另外有的系统则视为32 mm，写成32.，绝对是32 mm；F为进给速度代码，F152.表示进给速度为152 mm/min，其小数点与X，Y，Z坐标的小数点同样重要。

在一个程序段中，可能出现的编码字符还有S(主轴转速功能)，T(刀具功能)，M(辅助功能)，I，J，K，H，R等。

2. 常用的编程指令

在数控加工中，常用G指令、M指令、T指令和S指令代码来控制各种加工操作。下面主要介绍一下常用的编程指令，对于那些不常用的编码字符和编程指令，应参考所使用的数控机床编程手册。

(1)准备功能指令G。准备功能的指令由字符G和其后的1～3位数字组成，常用的是G00～G150。准备功能的作用是指定机床的运动方式，为数控系统的插补计算作准备。常用的G指令有：

1)快速定位(G00)与插补指令(G01，G02和G03)。这是一组模态指令，即同时只能一个有效，缺省为G00。

a. G00或G0——坐标快速定位。它使刀具以点位控制方式从刀具当前所在点快速移到指令给出的目标位置。如G0　X0.　Y0.　Z100.使刀具快速移到(0，0，100)的位置。它只能用于快速定位，不能用于切削加工。

b. G01或G1——线性插补。它使机床沿各坐标轴方向运动，或在各坐标平面内执行具有任意斜率的直线运动，或使机床作三坐标联动，沿任意空间直线运动，也可使机床作四坐标、五坐标线性插补运动。如G01　X10.　Y20. Z20.，使刀具从当前位置沿直线运动到(10，10，20)。

c. G02或G2，G03或G3—— 圆弧插补。它使机床在各坐标平面内执行圆弧插补运动，切削出圆弧轮廓。G02为顺时针圆弧插补指令，G03为逆时针圆弧插补指令。圆弧的顺、逆方向可按如图3.19中给出的方向进行判断。使用圆弧插补指令之前，必须用平面选择指令指定圆弧插补的平面。其指令格式(举例)为G02(或G03)X20. Y20. I10. J0.，其中X，Y为圆弧的终点坐标，I，J为圆心相对于圆弧起点（由上一条指令给出)的增量坐标，如图3.20所示。

2)G17，G18，G19—— 坐标平面选择。G17指定零件进行X，Y平面上的加工，G18，G19分别为ZX，YZ平面上加工，如图3.19所示。这些指令在进行圆弧插补和二维刀具半径补偿时必须使用。这是一组模态指令，缺省为G17。

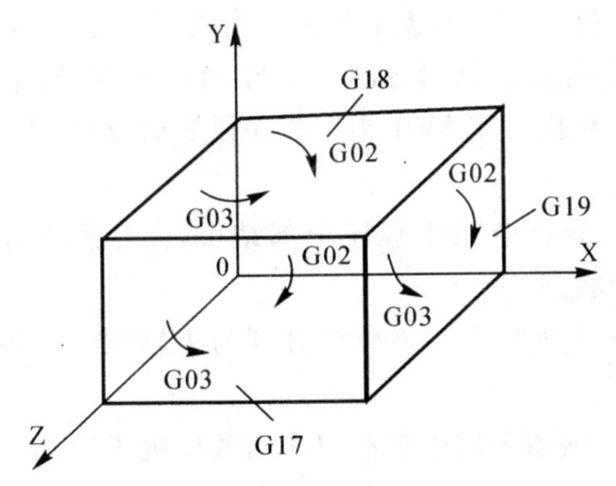

图 3.19 圆弧插补与坐标平面选择

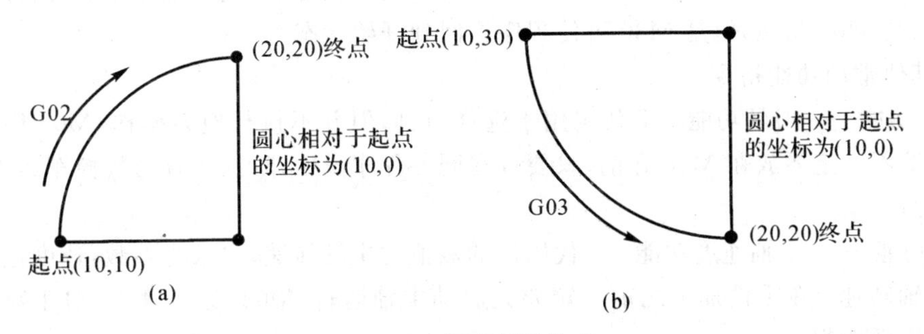

图 3.20 圆弧插补格式

(a) 顺时针圆弧插补； (b) 逆时针圆弧插补

3)G40,G41,G42——刀具半径补偿。G41 为刀具半径左补偿,G42 为刀具半径右补偿,G40 为取消刀具半径补偿。这是一组模态指令,缺省为 G40。

4)G43,G44,G49——刀具长度补偿。G43 为刀具长度正向补偿,G44 为刀具长度负向补偿,G49 为取消刀具长度补偿。这是一组模态指令,缺省为 G49。

5)G54～G59——选择程序原点 1＃～6＃。这些代码在已存储程序原点偏置量的六个工件坐标系统中选择一个,以后的各轴坐标位置都相对于所选择的工件坐标系。如果没有用 G54～G59选择程序原点,或没有用自动坐标系设定程序原点,那么数控系统默认的缺省程序原点为机床参考点。

6)G90,G91——绝对坐标及增量坐标编程。G90 表示程序段的坐标值按绝对坐标编程,G91 表示程序段的坐标值按增量坐标编程。这是一组模态指令,缺省为 G90。

7)G92(或 G50)——设定工件坐标系。按照刀具当前位置与工件原点位置的偏差设置当前刀具位置坐标,该指令的本质是建立工件坐标系。该指令只改变刀具当前位置的用户坐标,不产生任何机床运动。

8)G73～G89——固定循环加工。它们包括钻孔、攻螺纹、镗孔等循环加工功能。

(2)辅助功能指令 M。辅助功能指令亦称 M 指令,由字母 M 和其后的两位数字组成。从 M00～M99,共 100 种。这类指令主要是用于机床加工操作时的工艺性指令。常用的 M 指令有：

1)M00——程序停止。在执行完 M00 指令程序段之后,主轴停转、进给停止、冷却液关闭，程序停止。在重新按下机床控制面板上的循环启动按钮之后，继续执行下一程序段。

2)M01——计划(任选)停止。该指令的作用与M00相似，所不同的是必须在操作面板上预先按下“任选停止”按钮，在执行完M01指令程序段之后，程序停止；如果不按下“任选停止”按钮，则M01指令无效。

3)M02——程序结束。该指令用于程序全部结束，命令主轴停转、进给停止及冷却液关闭，并使数控系统处于复位状态。

4)M03,M04,M05——主轴指令。该指令分别为主轴顺时针旋转、主轴逆时针旋转及主轴停转。

5)M06——换刀指令。该指令用于具有刀库的数控机床(如加工中心)的换刀功能。

6)M08,M09——冷却液开、关。该指令打开冷却液、关闭冷却液。

7)M30——程序结束并返回。在完成程序段的所有指令后，使主轴停车、进给停止和冷却液关闭，虽与M02相似，但是M30可使程序返回到开始状态。

(3)其他常用功能指令。

1) T功能——刀具功能。T代码用于选择刀具，但并不执行换刀操作，M06用于启动换刀操作。T不一定要放在M06之前，只要放在同一程序段中即可(在有的数控车床上，T具有换刀功能)。

2)S功能—— 主轴速度功能。S代码后的数值为主轴转速，要求为整数，速度范围从1到最大的主轴转速。在零件加工之前一定要先启动主轴运转(M03或M04)。对于数控车床可以指定恒表面切削速度。

3)F功能—— 进给速度/进给率功能。在只有X,Y,Z三坐标运动的情况下，F代码后面的数值表示刀具的运动速度，单位为mm/min(对数控车床还可为mm/r)。如果运动坐标有转动坐标A,B,C中的任何一个，则F代码后的数值表示进给率，即$F=1/t$，t表示走完一个程序段所需要的时间，F的单位为1/min。当程序启动第一个G01或G02或G03功能时，必须同时启动F功能。当前F值在指定下一个F值之前保持不变。

3.3 数控加工工艺设计

在加工零件前，首先要解决数控加工工艺设计的问题，必须对所加工的零件进行工艺分析，拟订加工方案，选择合适的刀具和夹具，确定切削用量。在编程过程中，还需要进行工艺设计方面的工作，如确定对刀点等。因此，数控加工工艺设计是一项十分重要的工作。

在数控加工前，必须由编程人员把全部工艺过程、工艺参数和位移量事先编制成程序，输入数字控制系统，用程序控制机床的整个加工过程。由于整个程序是自动进行的，因此数控加工工艺设计要求得非常详细、具体，如工步的安排、各部件运动次序、位移、走刀路线、切削用量等都必须在工艺设计中考虑并正确编入加工程序中。这些工作是编程人员必须事先具体设计和安排的内容。

虽然数控机床自动化程度高，但自我调整能力差。因此，数控加工工艺设计应必须注意到加工中的每一个细节。大量实践证明，数控加工中出现差错和失误的主要原因是因为工艺设计时考虑不周或编程时粗心大意。所以，数控编程人员必须具备扎实的知识和丰富的工艺设计经验，并具有扎实严谨的工作作风。

3.3.1 数控加工内容的选择

对于适合数控加工的零件，应该进行加工内容的选择，并不一定在数控机床上完成所有加工工序，而可能只是选择其中一部分工序进行加工。因此，应对零件图进行工艺分析，选择最适合、最需要进行数控加工的工序，充分发挥数控加工的优势。选择数控加工内容时，一般按以下顺序考虑：

(1)普通机床无法加工的工序是优先选择的内容。

(2)普通机床难加工、质量难以保证的工序是重点选择内容。

(3)普通机床加工效率低、工人劳动强度大的工序，可作为一般选择内容。

下列一些加工工序不宜选择数控加工：

(1)占机调整时间长，如用粗基准定位加工第一个精基准的工序。

(2)必须使用专用夹具或工装所加工的工序。

(3)由某些特定的样板、样件、模块等为依据加工的型面轮廓。其主要原因是数据采集困难，从而增加了编程的难度。

(4)不能在工件一次装夹中完成的其他零星工序。

此外，在选择和决定数控加工工序时，还要考虑生产批量、生产周期以及生产均衡性等，做到优质、高产和高效。

3.3.2 数控加工工艺分析

对于数控加工工艺设计而言，必须从数控加工的可能性和方便性角度出发，认真、仔细地进行工艺分析。

1. 工件图尺寸的标注方法

零件用数控方法加工时，其工艺图样上的工件尺寸的标注方法应与数控加工的特点相适应。一般地，零件的设计和尺寸的标注是以零件在机器中的功用和装配是否方便作为基本依据的，如图 3.21 所示的某箱体零件的孔系尺寸标注，是以孔距作为主要标注形式的，从而满足性能及装配要求和减少累积误差。

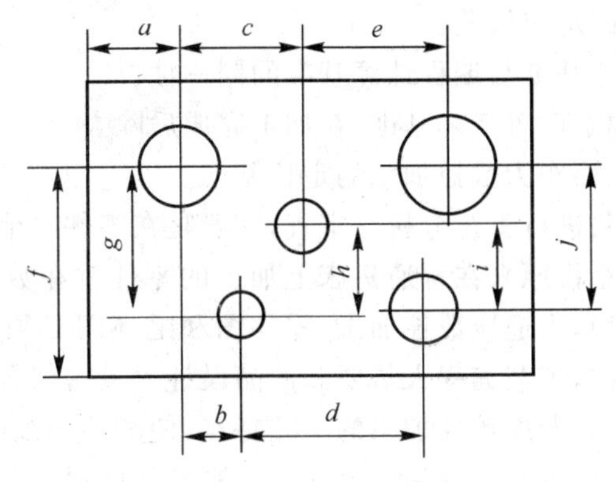

图 3.21 尺寸标注

然而，在数控加工中，以同一基准引注尺寸或直接给出坐标尺寸(见图 3.22)却是最合适的。它适应了数控加工的特点，既方便于编程，也便于尺寸之间相互协调，在保持设计、工艺、检测基准与编程原点设置的一致性方面带来了很大的方便。因此，在设计数控加工工艺时，工艺图样上的工件尺寸标注必须为集中引注或坐标式标注。

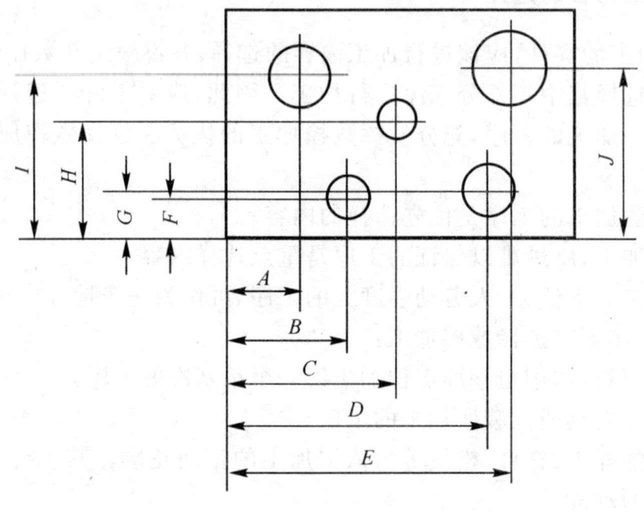

图 3.22　尺寸标注

事实上,由于数控加工精度及重复定位精度都很高,不会过多产生由于尺寸标注而引起的累积误差。

2. 构成零件轮廓的几何元素条件

构成零件轮廓的几何元素的形状与位置尺寸(如直线的位置、圈弧的半径、圆弧与直线相切还是相交等)是数控编程的重要依据。手工编程时,应根据它计算出每一个节点的坐标值,自动编程时,依据它才能对构成轮廓的所有几何元素进行定义。无论哪一种条件不明确,编程都无法进行。因此,分析零件图样时,务必仔细认真,一旦发现问题,应及时与零件设计人员协商更改设计。

3. 数控加工的定位基准

在数控加工的工艺分析中应注意工件定位基准的选择和安装等问题。应注意以下问题:

(1)遵循基准统一原则,选用统一的定位基准加工各表面,既保证了各面的位置精度,又避免减少了因重复装夹造成的定位误差。

(2)力求设计基准、工艺基准与编程计算基准的同一性。

(3)必要时在工件轮廓上设置工艺基准,在加工完成后除去。

(4)一般应选择已加工面作为数控加工的定位基准。

对拟订的数控加工对象进行工艺分析与审查,一般是在零件与毛坯图设计以后进行的,所以会遇到很多问题。特别是将原来在普通机床上加工的零件改在数控机床上加工,会遇到更多的麻烦。因为产品已定型,为适应数控加工,零件图和毛坯图必须作较大的更改,而这不仅仅是工艺部门的事情。因此,工艺编程人员要和产品设计人员密切合作,尽量在产品零件尚未定型之前进行工艺审查,充分考虑数控加工的工艺特点,使零件图纸的标注、基准、结构等适应数控加工的要求,在不影响零件使用功能的前提下,使零件的设计更多地满足数控加工工艺要求。

3.3.3　数控加工工艺路线设计

数控加工工艺路线是几道数控加工工艺的概括,不仅有数控工序的划分和安排问题,也包括与普通工序的衔接问题。

数控加工工序的划分,可按以下几个方面进行考虑。

(1)根据装夹定位划分。由于每个零件的形状不同,各表面的技术要求也不一样,因而在加工时定位方式也各不相同,因此,应将加工部位分成若干部分,每次安排其中一部分或几个部分,每一部分可用典型刀具进行加工。

(2)按所用刀具划分。为了减少换刀次数,减少空程时间,可以按刀具划分工序。在一次装夹中,用一把刀加工完成能加工的所有部位再换第二把刀加工。自动换刀数控机床中大多采用这种方法。

(3)以粗、精加工划分。由于粗加工切削余量较大,会产生较大的切削力而易使刚度较差的工件发生变形,故一般要进行校正,因此,要将粗、精加工分序进行。在划分工序中,要根据零件的结构特点与工艺性、机床性能、数控加工内容及生产条件灵活掌握,力求合理。

3.3.4 数控加工工序设计

数控加工工序设计的主要任务是进一步确定本工序的具体加工内容、切削用量、工装夹具、定位夹紧方式及刀具运动轨迹等,为编制加工工序作好准备工作。

1. 进给路线的确定和工步的顺序安排

走刀路线是刀具在加工工序中的运动轨迹,它既包括了工步的内容,也反映了工步的顺序。工步是由走刀(工作行程)所组成的,而工序又是由工步所组成的。在不引起混淆的情况下,走刀路线又称进给路线。走刀路线是编写程序的依据之一,因此,在确定走刀路线时最好画一张简图,将已经拟订好的走刀路线画上去(包括进、退刀路线),以便于编程。工步的划分和安排一般可以随走刀路线进行。在确定走刀路线时一般遵循以下原则:

(1)确定的加工路线应能保证零件的加工精度和表面质量要求。铣削工件外轮廓时一般采用立铣刀侧刃切削。刀具切入工件时,应避免沿工件外轮廓的法向切入,而应从外轮廓线延长线的切向切入,以免在工件的轮廓上切入处产生刻痕,以保证工件表面平滑过渡,如图 3.23 所示。同理,当刀具离开工件时,也应避免在工件的轮廓处直接退刀,而要沿工件轮廓延长线的切线方向逐渐离开。

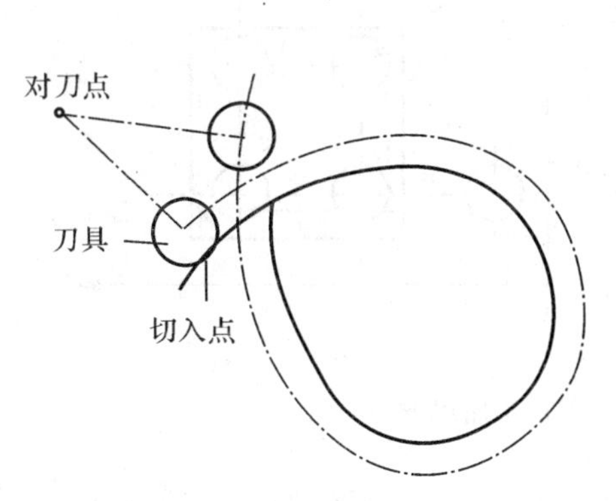

图 3.23 刀具的切入与切出

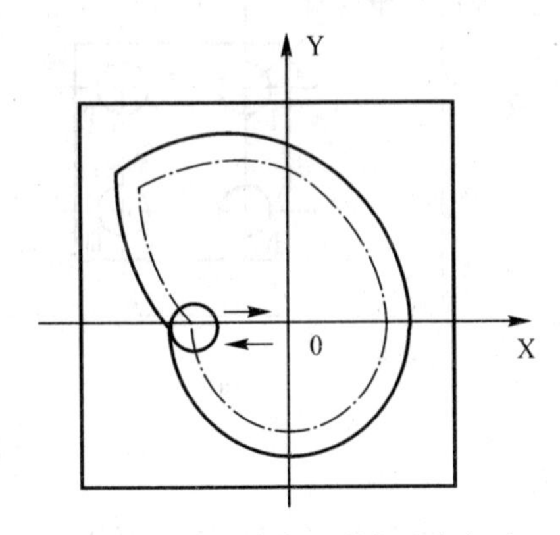

图 3.24 内轮廓加工的切入与切出

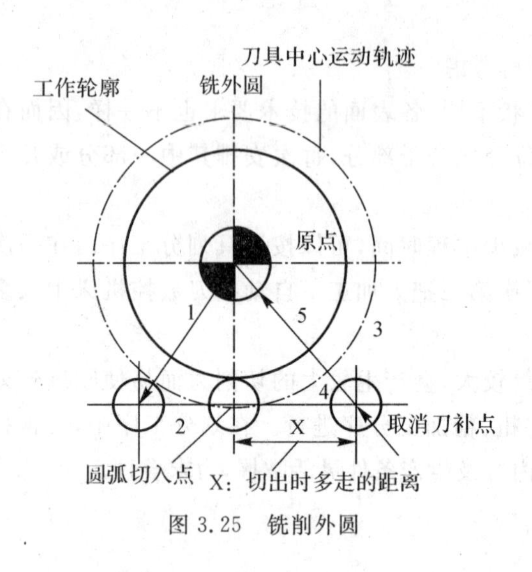

图 3.25　铣削外圆

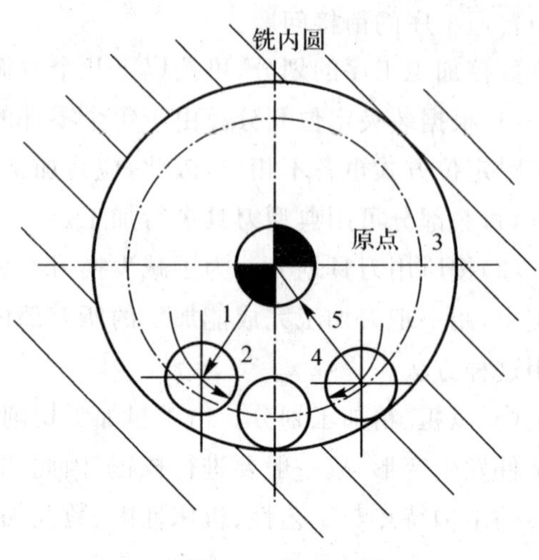

图 3.26　铣削内圆

铣削封闭的内轮廓表面，如图 3.24 所示。因内轮廓线曲线不允许外延，可用圆弧形进刀(退刀)轨迹与轮廓相切。当刀具只能沿轮廓线的法向切入和切出时，刀具切入切出点应尽量选在内轮廓面的交线处。

用圆弧插补方式铣削外整圆如图 3.25 所示。当整圆加工完毕时，不要在切点处直接退刀，要让刀具多运动一段距离，最好是沿切线方向，以免取消刀具补偿时刀具与工件表面碰撞，造成工件报废。铣削内圆弧时，也要遵守切向切入的原则，最好选择从圆弧过渡到圆弧的走刀路线，如图 3.26 所示，以提高内孔表面的加工精度和表面质量。

对于孔位置精度要求较高的零件，精镗孔系时，安排的镗孔路线一定要注意各孔的定位方向一致，即采用单向趋近定位的方法，以避免传动系统的误差或测量系统的误差对定位精度的影响。如图 3.27(a)所示，在加工孔Ⅳ时，X 方向的反向将影响Ⅲ～Ⅳ孔的孔距精度；如图 3.27(b)所示的路线，可使各孔的定位方向一致，传动系统的间隙不会影响孔的位置精度。

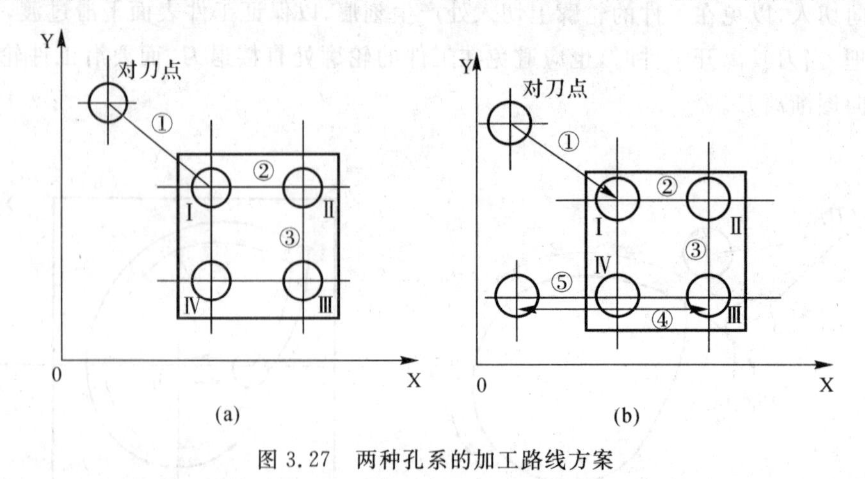

图 3.27　两种孔系的加工路线方案

此外，轮廓加工中应避免进给停顿。在加工过程中，工艺系统会发生受力变形，而进给停顿将使切削力突然减小，系统弹性变形恢复，从而造成刀具在停顿处给工件留下划痕。为了降低切削表面的粗糙度，提高加工精度，可以采用多次走刀的方法，最后一次走刀应留较小的加工余量，一般以 0.2～0.5 mm 为宜。精铣时应尽量采用顺铣，以降低被加工表面的粗糙度。

(2)为提高生产效率，当确定加工路线时，应尽量缩短加工路线，以减少刀具空行程时间。

如图 3.28 所示是正确选择钻孔加工路线的例子。按照一般习惯应先加工均布于同一圆周上的八个孔，再加工另一圆周上的孔(见图 3.28(a))。但对于点位控制的数控机床而言，这并不是最短的加工路线。

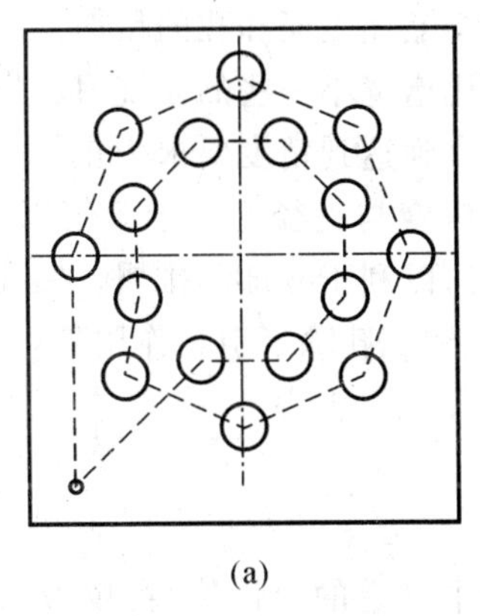

(a)

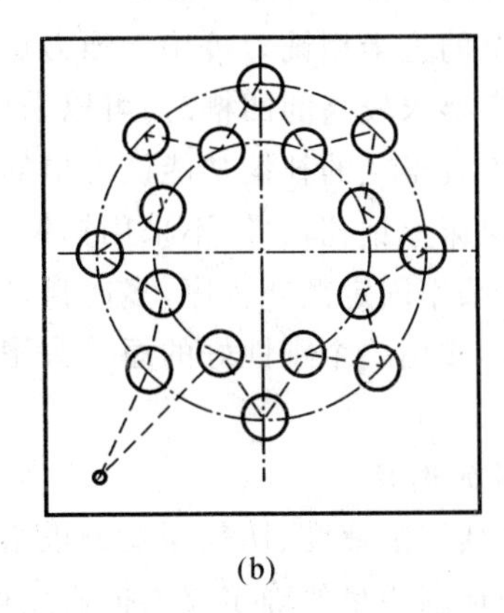

(b)

图 3.28　最短加工路线选择

(3)为了减少编程工作量，还应使数值计算简单，程序段数量少，程序简短。

2. 工件的安装与夹具的选择

当考虑工件的安装时，首先要考虑定位基准和夹紧方案，应注意以下几点：

(1)力求设计基准、工艺基准与编程计算的基准统一。

(2)尽量减少装夹次数，尽可能做到一次定位装夹后就能加工出全部待加工表面，避免采用占机人工调整方案。

夹具在数控加工中也有重要地位。根据数控加工的特点，对夹具有如下基本要求。

(1)保证夹具的坐标方向与机床的坐标方向相对固定。

(2)能协调零件与机床坐标系的尺寸。

(3)当零件加工批量较小时，尽量采用组合夹具、可调夹具及其他通用夹具。

(4)当生产批量较大时，采用专用夹具，但应力求结构简单。

(5)夹具的定位、夹紧元件和机构不能影响刀具在加工中的移动。

(6)装卸零件要方便可靠，准备时间短。有条件时，批量较大的零件应采用气动或液压夹具和多工位夹具。

3. 数控刀具的选择

数控机床具有高速、高效的特点。一般数控机床，主轴转速要比普通机床主轴转速高 1～2 倍，且主轴功率也大。因此，数控机床的刀具要求比普通机床的刀具要求要严格得多。选用刀具应注意以下几点：

(1)在数控机床上铣平面，采用镶装不重磨可转位硬质合金刀片的铣刀。一般用两次走刀，一次粗铣，一次精铣。当连续切削时，粗铣刀直径要小一点，精铣刀直径要大一些，最好能包容待加工面的整个宽度。当加工余量大且又不均匀时，刀具直径应选用小一些；否则，粗加工时会因接刀刀痕过深而影响加工质量。

(2)高速钢立铣刀多用于加工凸台和凹槽，一般不要用来加工毛坯面，因为毛坯面的硬化层和夹砂会使刀具磨损很快，而高速钢的耐热性较硬质合金差。

(3)切削余量较小，并且要求表面粗糙度低时应采用镶立方氮化硼刀片的端铣刀或镶陶瓷片的端铣刀。

(4)硬质合金的立铣刀可用于加工凹槽、窗口面、凸台面和毛坯表面。

(5)硬质合金的玉米型铣刀可用于强力切削、铣削毛坯表面和孔的粗加工。

(6)加工精度要求较高的凹槽时，可以采用直径比槽宽小一些的立铣刀。先铣槽的中间部分，然后再利用刀具半径的补偿功能铣削槽的两边，直到达到精度要求为止。

(7)在数控机床上钻孔，一般不采用钻模。当钻深度与直径比大于5倍以上的深孔时，容易折断钻头。可采用固定循环程序，多次自动进退刀，以利于冷却和排屑。钻孔前最好先用中心钻钻一中心孔，或用一个刚性好的短钻头锪沉孔。锪沉孔除了引正作用外，还可以进行孔口倒角。

4. 切削用量的选择

切削用量包括切削速度、切削深度和进给量。

数控加工中切削用量的确定要根据机床说明书中规定的允许值，再按刀具耐用度允许的切削用量复核。也可按照切削原理中的方法计算，并结合实践经验确定。

自动换刀数控机床在主轴或刀库上装刀所费时间较多，所以选择切削用量时要保证刀具加工完一个零件，或保证刀具耐用度不低于一个工作日，最少不低于半个工作日。对易损刀具可多配备几把刀具，以保证加工的连续性。

(1)切削深度 a_p(mm)主要根据机床、工件和刀具的刚性来决定。在刚性允许的情况下，可以使 a_p 与工件加工余量相等，以减少走刀次数，提高加工效率。

有时为了保证必要的加工精度和降低表面粗糙度，可留一定的精加工余量，最后进行一次精加工。数控机床的精加工余量可小于普通机床，一般取0.2～0.5 mm。

(2)切削速度 v 与主轴转速 n 的关系为

$$v=\frac{n\pi D}{1\,000}\quad \text{m/min}$$

式中 n——主轴转速，r/min；

D——工件或刀具直径，mm。

一般根据刀具耐用度来确定切削速度，由上式计算出主轴转速，再根据机床说明书选取主轴转速标准值，并填入程序单中。

(3)进给量 f(mm/min或mm/r)是数控加工的重要参数，应根据零件的加工精度和表面粗糙度的要求以及工件材料来选取。

如精铣时可取进给量为20～25 mm/min，精车时可取0.10～0.20 mm/r，最大进给量受机床刚度和进给系统性能的限制。

当选择进给量时，还应注意零件加工中的某些特殊因素。例如，在轮廓加工中选择进给量，应考虑轮廓拐角处的“超程”问题。特别是在拐角角度较大、进给速度较高时，应在接近拐角处适当降低进给速度，在拐角后逐渐升速，以保证加工精度。

以加工如图3.29所示工件为例，铣刀由 A 点运动到 B 点，再由 B 点运动到 C 点。如果进给速度过高，由于惯性的作用，在 B 点可能出现超程现象，将拐角处的金属多切去一部分。为了克服这种现象，可在接近拐角处适当降低进给速度。这时可将 AB 段分成 AA' 和 $A'B$ 两段，在 AA' 段使用正常进给速度，在 $A'B$ 段选用较低速度，低速的具体值要根据具体机床的动态特性和超程允差来决定。机床动态特性是在机床出厂时由制造厂给用户的一个“超程表”中给出的，也可由用户根据实验来确定。超程表中给出了不同进给速度的超程量。超程允差根据零件的加工精度来决定，其值可与程序编制允差相等。

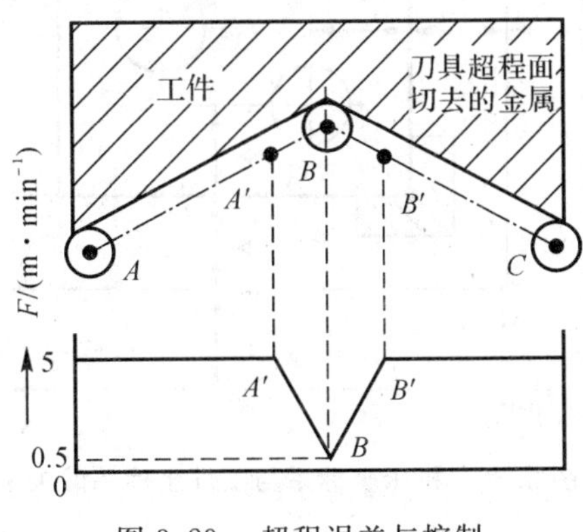

图 3.29　超程误差与控制

低速段的长度，即如图 3.29 中 $A'B$ 的长度，由机床动态特性决定。由正常进给速度到拐角处的低速度的过渡过程的时间，应小于刀具由 A' 点移动到 B 点的时间。

在加工过程中，由于切削力的作用，工艺系统产生的变形可能使刀具运动滞后，从而在拐角处可能产生“欠程”，这一问题在编程中应给予足够重视。此外，还应充分考虑切削过程的自然断屑问题，通过选择刀具几何形状和对切削用量的调整，使排屑处于最顺畅的状态，严格避免长屑。

5. 对刀点与换刀点的确定

对刀点是指在数控机床上加工零件时，刀具相对零件作切削运动的起始点。对刀点应选择在对刀方便、编程简单的地方。

对于采用增量编程坐标系统的数控机床，对刀点可选在零件孔的中心上、夹具上的专用对刀孔上或两垂直平面(定位基面)的交线(即工件零点)上，但所选的对刀点必须与零件定位基准有一定的坐标尺寸关系，这样才能确定机床坐标系与工件坐标系的关系，如图 3.30 所示。

对于采用绝对编程系统的数控机床，对刀点可选在机床坐标系的机床零点上或距机床零点有确定坐标尺寸的点上。这是因为数控装置可用指令控制自动返回参考点(即机床零点)，不需人工对刀。但当安装零件时，工件坐标系与机床坐标系必须要有确定的尺寸关系，如图 3.30 所示。

对刀时，应使刀具刀位点与对刀点重合。所谓刀位点，对于立铣刀是指刀具轴线与刀具底面的交点，对于球头铣刀是指球头铣刀的球心，对于车刀或镗刀是指刀尖。

数控车床、数控镗铣床或加工中心在加工时常须进行换刀，故编程时还要设置一个换刀点，换刀点应设在工件的外部，以避免换刀时碰伤工件。一般换刀点选择在第一个程序的起始点或机床零点上。

对具有机床零点的数控机床，当采用绝对坐标系编程时，第一个程序段就是设定对刀点的坐标值，以规定对刀点在机床坐标系的位置。当采用增量坐标系编程时，第一个程序段则是设定对刀点到工件坐标系原点（工件零点）的距离，以确定对刀点与工件坐标系间的相对位置关系。

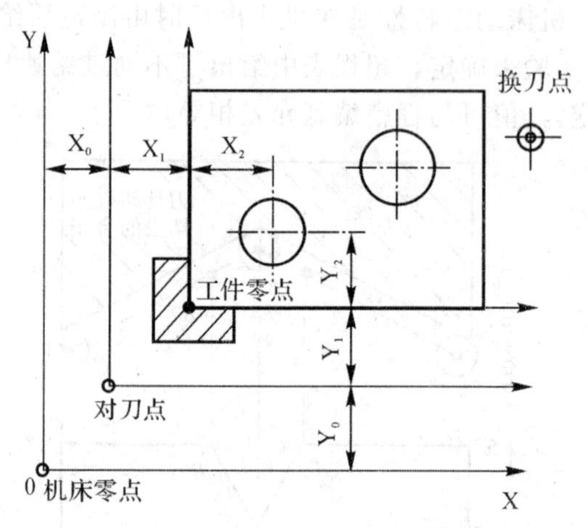

图 3.30　机床坐标系与工件坐标系的关系

6. 测量方法的确定

由于工作条件和测量要求的不同，在数控机床上有不同的测量方式。

(1)增量式测量和绝对式测量。增量式测量的特点是只测量位移增量，如果单位为0.01 mm，则每移动0.01 mm就发出一个测量信号。其特点是测量装置比较简单，任何一个对中点都可作为测量起点，在轮廓控制数控机床上都采用这种测量方式，典型的测量元件如感应同步器、光栅等。

但在增量式测量系统中，移距是靠对测量信号计数读出的，一旦计数有误，此后的测量结果就会出错。如发生某种故障（如断电、断刀等），在事故排除后，不能重新找到事故前的正确位置，这就是增量测量方式的缺点。

绝对式测量方式从原则上讲可以避免上述缺点，它的被测量的任一点的位置都由一个固定的零点算起，每一被测点都有一个相应的测量值，典型的如数码盘，对应码盘的每一个角位有一组二进位数。显然分辨率要求愈高，所需的二进位数也愈多，数码盘的结构也愈复杂。

(2)数字式测量和模拟式测量。数字式测量是将被测量用测量单位量化后以数字形式表示。以直线测量为例，只要测量单位足够小（如0.01 mm或更小），就可以将被测距离比较准确地数量化。测量信号一般是电脉冲，可以把它直接送入数控装置进行比较处理。其典型的测量装置如光栅位移测量装置。

数字式测量的特点：

1)被测量量化后转换成脉冲个数，便于显示和处理。

2)测量精度取决于测量单位，与量程基本无关（当然也有累积误差问题）。

3)测量装置比较简单，脉冲信号抗干扰能力较强。

模拟式测量是将被测量用连续的变量来表示，如用相位变化、电压变化来表示。在大量程内作精确的模拟测量在技术上有比较高的要求，在数控机床上模拟式测量主要用于小量程的测量，例如感应同步器的一个线距内信号相应变化等。

模拟式测量的特点：

1)直接测量被测量，无须量化。

2)在小量程内可以实现高精度测量。

(3)直接测量和间接测量。直接测量装置上常用光栅、感应同步器等直接来测量工作台的直线位移，其优点是直接反应工作台的直线位移，缺点是测量装置必须与机床的行程等长，这对于大型数控机床来说是一个很大的限制。

间接测量是通过和工作台直线运动相关联的回转运动间接地测量工作台的直线位移，回转测量装置有旋转变压器等。间接测量的优点是使用可靠方便，无长度限制，缺点是测量信号加入了直线运动转变为回转运动的传动链误差，从而影响了测量精度。

3.4 数控车削编程

3.4.1 数控车削编程概述

数控车削编程就是根据加工零件的图纸和工艺要求，用数控语言描述出来，编制成零件的加工程序，然后利用数控车床完成加工过程。

1. 机床坐标轴及其运动方向的定义

按照ISO标准，数控车床对系统可控制的两个坐标轴定义为X，Z轴，两个坐标轴相互垂直构成XZ平面直角坐标系，如图3.31所示。

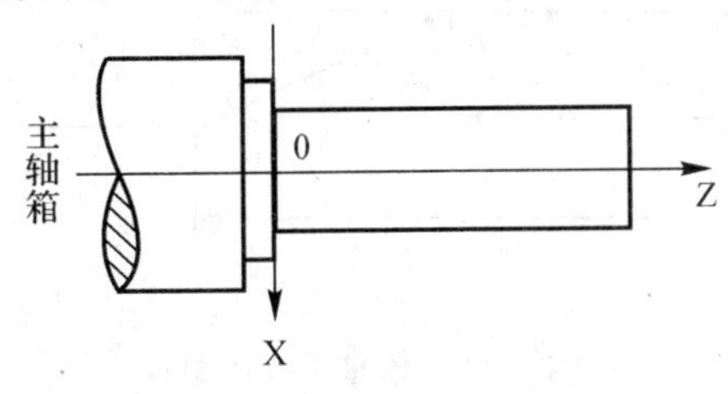

图3.31 XZ直角坐标系

X坐标轴：X坐标轴定义为与主轴旋转中心线相垂直的坐标轴，X轴正方向为刀具离开主轴旋转中心的方向。

Z坐标轴：Z坐标轴定义为与主轴旋转中心线重合的坐标轴，Z轴正方向为刀具远离主轴箱的方向。

2. 机床原点

机床原点为机床上位置固定的一点，通常数控车床的机床原点设置在X轴和Z轴的正方向大行程处，并安装相应的机床原点开关和撞块，如果机床上没有安装机床原点开关和撞块，一般不能使用机床原点功能。

3. 编程坐标

数控车床编程可采用绝对坐标(X，Z字段)、相对坐标(U，W字段)或混合坐标(X/W，Z/U字段)进行编程。对于X轴，数控车床既可使用直径编程(所有X轴方向的尺寸和参数均用直径量表示)，也可使用半径编程(所有X轴方向的尺寸和参数均用半径量表示)，一般均用直径编程。

(1)绝对坐标值。绝对坐标值是距坐标系原点的距离，也是刀具移动终点的坐标位置，如图 3.32 所示。

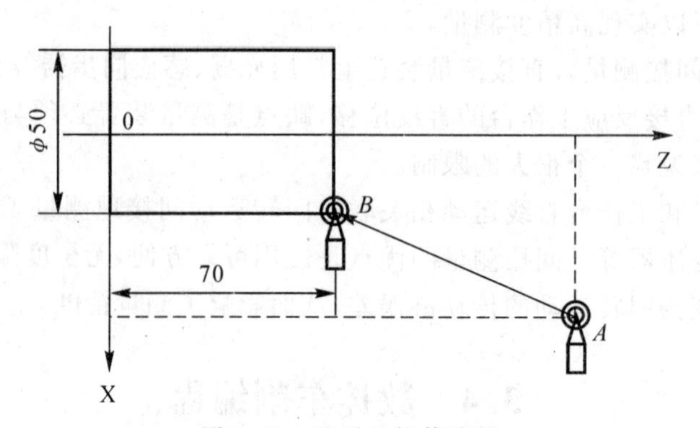

图 3.32　绝对坐标值编程

刀具从 A 点直线移动到 B 点，用 B 点坐标值表示，其指令如下：

G01　X50.　Z70.

(2)增量坐标值。增量坐标值是后一个位置相对前一个位置的距离，即刀具实际移动的距离，如图 3.33 所示。

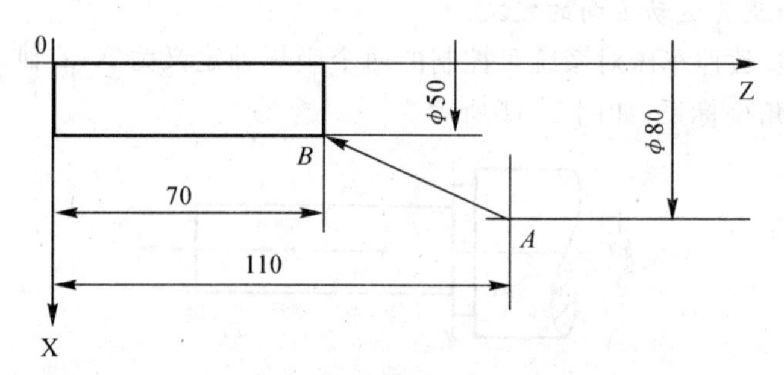

图 3.33　增量坐标值编程

刀具从 A 点直线移动到 B 点，用增量坐标表示的指令如下：

G01　U−30.　W−40.

(3)混合坐标值。根据编程中的计算方法以及编程者的习惯，系统允许绝对坐标和增量坐标混合使用。但应注意在同一个程序段中，同一坐标轴只能用一种表示方法，即可以使用 X，W 或 U，Z 表示，而不能使用 X，U 或 Z，W。刀具从图 3.33 中 A 点直线移动到 B 点，X 使用绝对坐标，Z 使用增量坐标，其指令如下：

G01　X50.　W−40.

4. 工件坐标系

工件坐标系就是以工件上某一点作为坐标原点建立的坐标系。工件坐标系的坐标轴，分别与机床的 X，Z 轴平行且方向相同。

工件坐标系一旦建立，以后编程的所有绝对坐标值都是在工件坐标系中的坐标值。一般情况下，工件坐标系的 Z 轴设定在工件的旋转中心上。

编程时根据实际情况，可选定工件上的某点作为工件坐标系原点，也即是工件图纸上的编程原点，工件坐标系原点由 G50 指令编程确定，因此工件坐标系是浮动的坐标系。

5. 参考点

参考点即是加工开始之前刀具停留的位置。为使数控机床加工出合格的工件，必须在程序开始运行之前使刀具在工件坐标系中的实际位置与编程时所确定的刀具位置一致。

参考点一旦确定，在手动与自动运行方式中，都可以使用回参考点功能使刀具回到加工起点，即使断电，参考点仍然记忆有效。但如果使用步进电机，则可能会因为步进电机重新上电产生微小误差。

在数控系统第一次通电后没有运行过任何程序的情况下，参考点自动设置为零。

3.4.2 数控车削程序结构

为使数控机床能按要求运动而编写的数控指令集合称之为数控程序。数控系统按数控程序的指令顺序使刀具沿直线、圆弧运动或使主轴启动停止、冷却液开关等，程序中的指令顺序按照工件工艺要求的顺序编制。

1. 字符

字符是构成程序的最基本的元素。数控系统字符包括英文字母、数字和一些符号。

(1)英文字母是每一个指令或数据的地址符。例如 D,E,F,G,I,K,L,M,N,P,R,S,T,U,W,X,Y,Z。

(2)数字是每个地址符的具体数据。例如 0,1,2,3,4,5,6,7,8,9。

(3)符号。如%,—,.。

%仅作为程序号开始符。

—:表示负的数据。

.:表示小数点。

地址符定义及其数据范围如表 3.2 所示。

表 3.2 地址符定义及其数据范围

地址符	功能	意义	单位	数据范围
%	工件号	加工工件的程序号		0～99(整数)
N	顺序号	程序段的顺序号		0000～9999(整数)
G	准备功能	指令执行的方式		0～99(整数)
M	辅助功能	辅助动作指令		0～99(整数)
T	刀具功能	选择刀具号及刀补号		0～89(整数)
S	主轴功能	主轴转速指令		
F	速度功能	切削进给速度	mm/min	0000～9999(整数)
X,Z	绝对坐标	X,Z 轴绝对坐标值	mm	—8000.000～8000.000
U,W	相对坐标	X,Z 轴相对坐标值	mm	—8000.000～8000.000
I,K	圆心坐标	X,Z 轴圆心相对圆弧起点坐标	mm	—8000.000～8000.000

续表

地址符	功能	意义	单位	数据范围
R	圆弧半径或固定循环锥度	圆弧半径	mm	半径 0～8000.000
E	螺纹导程	英制螺纹导程	牙/in	4～100 牙/in
D	延时时间	延时指令延时时间	0.001s	0.01～99.99
P	螺纹导程，程序段入口	螺纹导程或调用跳转指令入口		0000～9999(整数) 0.25～100(螺纹导程)
L	复合地址	指定循环次数、螺纹头数、循环包括的轮廓数		1～99

2. 字段

一个字段是由一个地址符和其后所带的数字构成的，如 N100 X12.8 W－23.45 等。

(1)每一个字段必须有一个地址符(英文字母)和数字符串。

(2)数字字符串的无效 0 可以省去。

(3)指令前导 0，可以省去。如 G01 可以写成 G1。

(4)数字的正号可以省略，但负号不能省略。

3. 顺序号

顺序号是由字符 N 后面带四位整数构成的，编辑时由系统自动产生，但可以修改，范围为 0000～9999。

4. 程序段

一个程序段由顺序号和若干字段组成，每个程序段最多可包含 255 个字符(包括字段之间的空格)。程序段的顺序号是必需的，由系统自动产生，但可以在编辑状态下修改。下边是一个完整的程序段示例：

N120 G1　X130.　W－40.　F50.　;回车

其中：1)N120　　;顺序号

2)G1　　;准备功能

3)X130.　W－40.　;运动数据

4)F50.　　;运动速度

5)回车　　;程序段结束，在屏幕上不显示，但是每个程序段都是按回车键结束

注意：

(1)程序段中每个字段之间都由空格分开，输入时系统会自动产生，但在编辑过程中无法区分时必须由操作者输入，以保证程序的完整性。

(2)字段在程序段中的位置可以任意放置。

5. 程序的构成

把实现加工过程中的一个或几个工艺动作的指令排列起来构成一个程序段，再按加工工艺顺序排列的多个程序段就构成了一个加工程序。为识别各程序段所加的编号称之为顺序号

(也可称之为行号),为识别各个不同的程序而加的编号称之为程序号(或文件号)。

每个加工程序由一个程序号和若干个程序段组成,每个程序最大有 9 999 个程序段,程序段号由字母 N 带四位整数构成,程序号由%带两位整数构成。

3.4.3 常用指令代码及功能

1. G 代码指令及其功能

G 代码指令功能定义了机床的运动方式,由字符 G 及其后边的两位数字组成。常用的 G 代码指令功能如表 3.3 所示。

表 3.3 G 代码指令功能

指令	功能	模态	编程格式	说明
G00	快速定位	初态	G00 X(U) Z(W);	
G01	直线插补	*	G01 X(U) Z(W) F;	F:5~6 000 mm/min
G02	顺圆插补	*	G02 X(U) Z(W) R F; G02 X(U) Z(W) I K F;	F:5~3 000 mm/min
G03	逆圆插补	*	G03 X(U) Z(W) R F; G03 X(U) Z(W) I K F;	F:5~3 000 mm/min
G33	螺纹切削	*	G33 X(U) Z(W) P(E) I K;	
G32	攻丝循环		G32 Z P(E) L;	
G90	外圆内圆柱面循环	*	G90 X(U) Z(W) R F;	修改进给量继续循环
G92	螺纹切削循环	*	G92 X(U) Z(W) P(E) L I K R;	
G94	外圆内圆锥面循环	*	G94 X(U) Z(W) R F;	
G74	端面钻孔循环		G74 X(U) Z(W) I K E F;	
G75	外圆内圆切槽循环		G75 X(U) Z(W) I K E F;	
G71	外圆粗车循环		G71 X I K F L;	
G72	端面粗车循环		G72 Z I K F L;	
G22	程序循环开始		G22 L;	
G80	程序循环结束		G80;	
G26	X,Z 轴回参考点		G26;	按 G00 方式移动
G27	X 轴回参考点		G27;	按 G00 方式移动
G29	Z 轴回参考点		G29;	按 G00 方式移动
G50	设置工件绝对坐标系		G50 X Z;	
G04	定时延时			
G93	系统偏置			

注:(1) 表中带 * 指令为模态指令,即在没有指定同一组中其他 G 指令的情况下一直有效。

(2) 表中指令在每个程序段内只能有一个 G04 之外的 G 代码,仅 G04 指令可以和其他 G 代码在同一个程序段内出现。

(3) 通电及时复位时系统处于 G00 状态。

2. M,S,T,F 代码指令及其功能

(1)M 代码指令的功能。

M 代码指令功能主要是用来控制机床的某些动作的开和关以及加工程序的运行顺序的,M 代码指令功能由地址符 M 后跟两位整数组成。常用 M 代码指令功能如表 3.4 所示。

表 3.4　M 代码指令功能

指令	功　能	编程格式	说　明
M00	暂停等待启动	M00	按运行键再启动
M02	程序结束回参考点	M02	
M30	程序结束回参考点,关主轴、关冷却液	M30	
M03	主轴顺时针转动	M03	
M04	主轴逆时针转动	M04	
M05	关主轴	M05	
M08	开冷却液	M08	
M09	关冷却液	M09	
M98	子程序调用	M98 P L	由 P 指定转移入口程序,由 L 指定调用次数
M99	子程序返回		

注:(1)每个程序段只能有一个 M 代码,前导 0 可以省略。

(2)当 M 指令与 G 指令在同一个程序段时按以下顺序执行。

a. M03,M04,M08 优于 G 指令执行。

b. M00,M02,M05,M09,M30 后于 G 指令执行。

c. M98,M99 只能单独在一个程序段内,不能与其他 G 指令或 M 指令共一段。

下边将着重强调一下程序转移以及子程序的调用问题。

1)M97——程序转移。

指令格式:M97 P;

其中,P 为转移到的程序段号。

M97 指令使程序从本程序段转移到 P 所指定的程序段继续执行,P 所指定的程序段号应该在本程序段内存在,当使用 M97 指令时应该注意不要形成死循环。

2)M98,M99——子程序的调用及子程序返回。

指令格式:M98 P L;

　　　　　……

　　　　　M99;

其中,P 为子程序所在的程序段号。

在子程序调用中,可形成三级嵌套,但子程序不能自身调用。子程序一般放在主程序之后，而且子程序的最后一段必须是子程序的返回指令，即 M99，执行 M99 之后，程序又返回到主程序中调用子程序段的下一段程序继续执行。例如：

```
N0050 G0 X100.              ;
N0060 M98 P0110             ;调用子程序
N0070 G01 X80. Z30. F100.   ;
N0080 M3 S500.              ;
N0090 M98 P0110             ;调用子程序
N0100 G0 U -10.             ;子程序
N0120 G1 W -100.            ;
N0130 M99                   ;子程序返回
N0140 M02                   ;
```

执行 N0060 之后，执行 N0100～N0130。

在 N0130 段执行返回主程序指令时转向执行 N0070。

在 N0090 段又执行调用子程序命令，再次执行 N0100～N0130 子程序。子程序返回后到 N0100 段执行转移指令，并转移到 N0140，程序结束。

(2)S 代码指令功能——主轴功能。

指令格式：S；

通过地址符 S 和其后的数据把代码信号送给机床，用于控制机床主轴的速度。地址符 S 后的数字表示主轴转速。

(3)T 代码功能——刀具功能。

指令格式：Tab；

其中，a 为需要的刀具号，对应四工位电动刀架上的四把刀或刀库上的刀具编号，当 a 为 0 时，表示不换刀而只是进行刀具补偿；b 为刀具补偿的数字编号（刀补号或刀偏号），当 b 为 0 时，表示撤消刀具补偿。

一般情况下，刀补号只能用于与该补号相同的刀具号，如 T11，T22，T33，T44，T55，以保证换刀补偿的正确。在某些特殊情况下，可以使用与刀具号不同的刀补号，如进行特殊的补偿或仅对一把刀进行微调等。

在有刀具补偿的情况下，回程序起点或执行 G26，G27，G29 指令时均撤消刀具补偿。

(4)F 代码功能——进给速度功能。

指令格式：F；

F 指令是决定刀具切削进给速度的功能，用 F 后边跟 4 位整数来表示，范围为 0～9999，单位为 mm/min。F 值是模态值，一旦指定 F 值，如果不改变可以不重写。刀具的实际移动速度受 F 值与进给倍率的控制，即

$$刀具实际切削速度 = F \times 进给倍率$$

对于习惯使用每转进给速度的使用者，可以根据以下的公式计算 F 值：

$$F = 每转进给量(mm/r) \times 主轴转速(r/min)$$

或

$$每转进给量(mm/r) = F(mm/min)/主轴转速(r/min)$$

3.4.4 数控车削手工编程

数控车削加工包括端面车削加工、外圆柱面车削(镗孔)加工、钻孔加工、攻螺纹加工以及复杂外形轮廓回转面的车削加工。这些加工一般在数控车床和车削加工中心上进行,其中具有复杂曲线轮廓外形回转面的车削加工一般要采用计算机辅助数控编程,而其他车削加工可以采用手工编程。下面将通过实例介绍数控车削加工手工编程的方法。

1. 数控车削加工中的基本工艺问题

(1)工件坐标系的确定及程序原点的设置。工件坐标系采用与机床运动坐标系一致的坐标方向,工件坐标系的原点(即程序原点)要选择便于测量或对刀的基准位置,同时也便于编程和计算。

(2)进刀/退刀方式。对于车削加工,进刀时采用快速走刀接近工件切削起始点附近的某个点,再改用切削进给,以减少空走刀的时间,提高加工效率。切削进给起始点的确定与工件的毛坯余量大小有关,以刀具快速走到该点时,刀尖不与工件发生碰撞为原则。车削外圆时刀具快速走到如图 3.34 所示的切削起始点,该点的 Z 坐标为 8.5,X 方向由每次的切削深度确定,如果切削深度单边为 2 mm,则该点的 X 坐标为 104.0。车削完成退刀时一般采用快速走刀的方式,应注意刀具快速离开工件时,不能与工件发生碰撞。

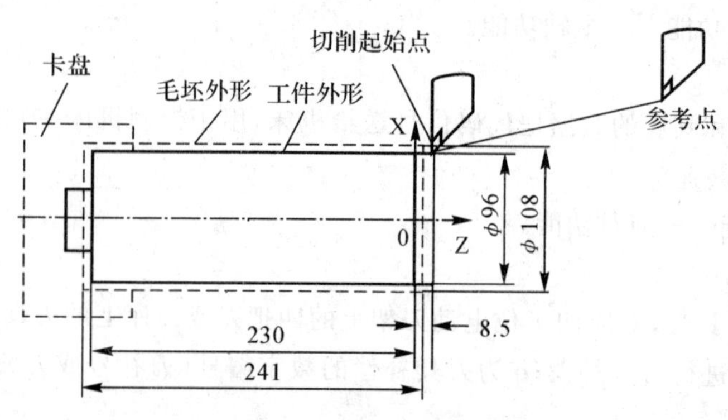

图 3.34 进刀点的确定

(3)刀尖半径补偿。在数控车削编程中为了编程方便,把刃尖看成是一尖点,在数控程序中刀具的运动轨迹即为该假想尖点的运动轨迹。实际上刀尖并不是尖的,而是具有一定的圆角半径,如图 3.34 所示,因而编程时假想的情况与实际情况不相符。考虑刀尖圆角半径的影响,在数控系统中引入了刀尖半径补偿,在数控程序编写完成后,将已知刀尖半径值输入刀具补偿表中,程序运行时数控系统会自动根据对应刀尖半径值对刀具的实际运动轨迹进行补偿。数控加工中一般都使用右转位刀片,每种刀片的刀尖圆角半径是一定的,选定了刀片的型号,对应刀片的刀尖圆角半径值即可确定。

(4)直径编程和半径编程。在数控车削加工中,X 坐标值有两种方法,即直径编程和半径编程。

1)直径编程。程序中 X 轴的坐标值即为零件图上的直径值。

2)半径编程。程序中 X 轴的坐标值即为零件图上的半径值。

数控系统缺省的编程方式为直径编程,这是由于直径编程与图样中的尺寸标注一致,可以避免尺寸换算及换算过程中可能造成的错误，因而给编程带来很大的方便。

2. 一般编程规则

(1)多指令共存。多指令共存是指在同一程序段内允许多个指令同时存在，但不是任何一个指令都能共存。

1)只能单独一段的指令有 G22,G80,G71,G72,G90,M98,M99 等。

2)同一程序段中只有 G04(延时)指令可以与其他 G 代码同时存在，而其他 G 代码不能在同一程序段中同时出现。

3)多指令共段后，执行时的顺序如下：

a. S,F 功能。

b. T 功能。

c. M 功能中的 M03,M04,M08。

d. 延时指令 G04。

e. G 功能。

f. M 功能中的 M05,M09。

g. 其他 M 功能,M00,M02,M30。

4)有些指令有互相矛盾的动作或相同的数据，在执行中将无法判断。为避免此类情况出现，将不能共段的指令分成若干组。同一组中的指令在同一程序段内只能出现一次，不同组的指令才能在同一段内出现。组划分如下：

1 组:G04 以外的全部 G 代码。

2 组:G04。

3 组:M00,M02,M30,M97,M98,M99。

4 组:M03,M04,M05。

5 组:M08,M09。

(2)指令的模态和初态。模态指令是指指令不仅在设定的程序段内起作用，而且在后续的程序段内也起作用，直到被其他适当的指令取代。利用指令的模态特性，可以不必烦琐地编写相同指令，使程序简洁，从而节省了系统内存，提高了编程效率。

1)具有模态特性的指令有 G00,G01,G02,G03,G33,G90,G92,G94,G74,G75,T 指令,S 指令,F 指令。

2)初态是指系统通电时进入加工程序的状态。一般系统初态是 G00,M05,M09。

3)不具备模态特性的指令有 G04, G26,G27, G71, G72,M00 等。不具备模态特性指令只在本程序段起作用，每次使用都必须定义。

(3)其他规则 J。

1)程序段内不允许有重复指令。

2)程序段内必需的数据不能省略。

3)程序段内不能有和指令无关的数据。

4)指令中第一位数为零时可以省略。

3. 实际应用

当实际编写数控车削程序时，应根据具体零件的结构特点确定工件原点。分析并确定其加工顺序，进行必要的计算，选择好相应的刀具，并对每把刀具进行编号，然后按数控指令的格式要求编写数控程序，以下是数控加工综合实例。

例 3.1 加工如图 3.35 所示的工件，毛坯为棒料 $\phi64\times105$ mm，1 号刀为粗车刀，2 号刀为精车刀。刀具原点距毛坯外圆及端面均为 5 mm。

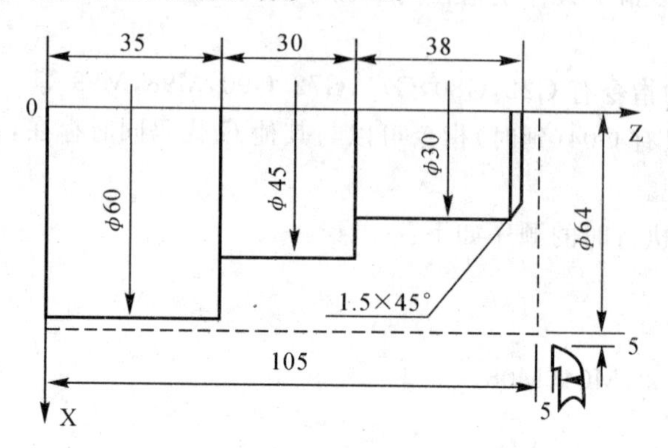

图 3.35 加工实例

解 数控程序指令如下：

N0000 G0 X74. Z110.	；设置工件坐标系
N0010 M3 S500.	；开主轴
N0020 M8	；开冷却液
N0030 T11	；换 1 号刀，执行 1 号刀补
N0040 G0 Z103. X65.	；刀具靠近工件
N0050 G1 X0. F60.	；切端面，速度为 60 mm/min
N0060 G0 W2	；刀具离开工件端面
N0070 X60.5.	；定位刀具，预留 0.5 mm 余量
N0080 G1 Z0. F60.	；车 $\phi60.5$ mm 外圆
N0090 G0 X62.	；刀具离开工件表面
N0100 Z105.	；刀具定位到工件附近
N0110 X60.5	；
N0120 G90 X56.5	；用柱面循环指令车 $\phi45$ mm 外圆
N0130 X52.5	；进刀 4 mm 再次循环
N0140 X48.5	；进刀 4 mm 再次循环
N0150 X45.5	；进刀 3 mm 再次循环
N0155	；
N0160 G90 X40.5 Z60.	；用柱面循环指令车 $\phi30$ mm 外圆
N0170 X35.5	；进刀 5 mm 再次循环
N0180 X30.5	；进刀 5 mm 再次循环
N0190 G0 X40.5 Z65.	；退刀到安全距离
N0200 T22	；换 2 号刀
N0210 S800.	；置主轴高速
N0220 T0 Z150.	；刀具定位到工件附近

```
N0230 X32.                    ;
N0240 G1 X27.                 ;进刀到倒角起点
N0250 X30. Z101.5 F60.        ;精切 1.5 mm 倒角
N0260 Z65.                    ;精切 φ30 mm 外圆
N0270 X45.                    ;
N0280 Z35.                    ;精切 φ45 mm 外圆
N0290 X60.                    ;
N0300 Z0                      ;精切 φ60 mm 外圆
N0310 G0 X74. Z110.           ;刀具回原点
N0320 M5                      ;关主轴
N0330 M9                      ;关冷却液
N0340 M2                      ;程序结束
```

例 3.2 加工如图 3.36 所示的工件，毛坯为棒料 $\phi135\times178$ mm。用 4 把刀进行加工：1 号刀：外圆粗车刀；2 号刀：外圆精车刀；3 号刀：切槽刀，宽 3 mm；4 号刀：60°螺纹车刀。精车时留加工余量，在刀偏参数 T9 中设定。

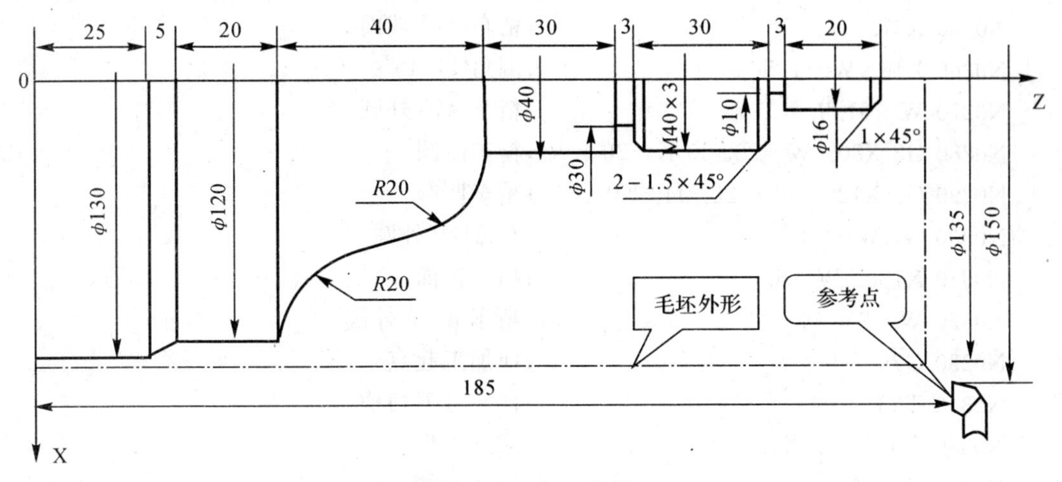

图 3.36 加工实例

解 程序编制如下：

```
N0000 G50 X150 Z185.          ;设置工件坐标系
N0010 M3 S500.                ;开主轴
N0020 M8                      ;开冷却液
N0030 T09                     ;执行刀补，留加工余量
N0040 G0 X136. Z180.          ;靠近工件
N0050 G71 X0. I4 K2.5 L10 F80. ;外圆复合循环
N0060 G1 W-4.                 ;靠近到工件端面
N0070 X16.                    ;车端面
N0080 W-23.                   ;车 φ16 外圆
N0090 X40.                    ;车端面
```

```
N0100 W-63.                          ;车 φ40 外圆
N0110 G2 X80. W-20. R20.             ;车凸圆弧
N0120 G3 X120. W-20. R20.            ;车凹圆弧
N0130 G1 W-20.                       ;车 φ120 外圆
N0140 G1 W-5.                        ;车锥度
N0150 G1 W-25.                       ;车 φ130 外圆
N0160 G26                            ;粗车完毕回加工起点
N0170 T00                            ;撤消刀补,取消加工余量
N0180 T22                            ;换 2 号刀精车外圆
N0190 S800.                          ;置主轴高速
N0200 G0 Z176. X18.                  ;靠近工件
N0210 G1 X0 F50.                     ;车 φ16 端面
N0220 G1 X14.                        ;返回
N0230 X16. W-1.                      ;倒角 1×45°
N0240 W-23.                          ;精车 φ16 外圆
N0250 X37.                           ;精车 φ40 端面
N0260 X40. W-1.5                     ;倒角 1×45°
N0270 W-61.5                         ;精车 φ40 外圆
N0280 G2 X80. W-20. I0 K-20          ;精车凸圆
N0290 G3 X120. W -20. I40 K0         ;精车凹圆
N0300 G1 W-20.                       ;车 φ120 外圆
N0310 X130. W-5.                     ;精车锥面
N0320 W-25.                          ;精车 φ130 外圆
N0330 G26                            ;回加工起点
N0340 T33                            ;换 3 号刀切槽
N0350 G0 Z120. X42.                  ;靠近工件
N0360 G1 X30.                        ;切 φ30 槽
N0370 G1 X37.                        ;返回
N0380 G1 X40. W1.5                   ;倒角
N0390 G0 X42. W31.5.                 ;让出切槽刀宽
N0400 G1 X10.                        ;切 φ10 槽
N0410 G1 X42.                        ;返回
N0420 G26                            ;回加工起点
N0430 T44 S500.                      ;换 4 号刀切螺纹,置主轴低速
N0440 G0 X42. Z155.                  ;靠近工件
N0460 G92 X39. W-34. P3              ;切螺纹循环
N0470 X38.2                          ;进给 0.8 切第二刀
N0480 X37.7                          ;进给 0.5 切第三刀
N0490 G26                            ;回加工起点
```

N0500 T11　　　　　　　　;换回 1 号刀
N0510 M5　　　　　　　　;关主轴
N0520 M6　　　　　　　　;关冷却液
N0530 M2　　　　　　　　;程序结束

3.5 数控铣削编程

3.5.1 数控铣削编程简介

1. 数控铣床的坐标轴定义

数控铣床使用 X 轴,Y 轴,Z 轴和 C 轴(或 A 轴)组成的直角坐标系进行定位和插补运动,其中 X 轴为铣床工作台水平面的左右方向,Y 轴为铣床工作台水平面的前后方向,Z 轴为铣床的铣刀(或工作台)升降轴,C 轴(或 A 轴)为附加轴(第四轴),向工件靠近的方向为负方向,离开工件的方向为正方向,如图 3.37 所示。

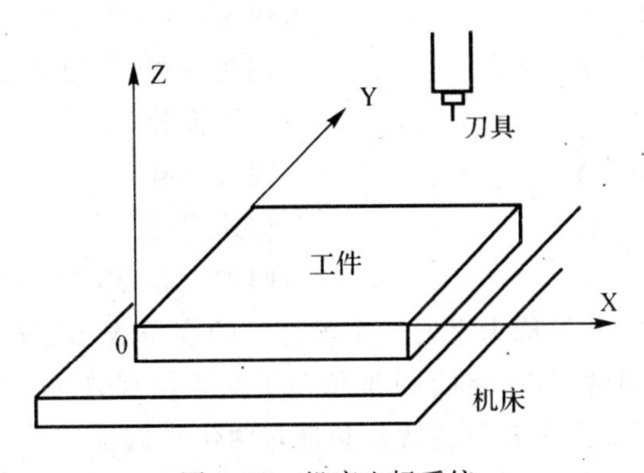

图 3.37　机床坐标系统

2. 机床原点

机床原点安装在 X,Y,Z 轴的正方向的最大行程处。

3. 程序原点

开始执行加工程序的位置被定义为程序原点,亦称刀具起点或者加工原点。

4. 工件坐标系

工件坐标系作为编程的坐标系,要求加工程序的第一段用 G90 指令绝对坐标编程,即对 X,Y 和 Z 轴进行定位。加工程序中可使用 G92 指令定义浮动坐标系,为了方便编程,程序中可以多次使用 G92 定义新的坐标系。执行 G27(回机床原点并进行失步测试)、G28(经指定点返回程序原点)、M20、M30 后系统将坐标系切换回工件坐标系。

G54～G59 坐标系在基准工件坐标系中的位置,可通过修改参数改变第一至第六工件坐标系在基准工件坐标系中的位置,也可在手动方式下设置当前坐标系的坐标。

可用手动方式的“命令”操作来切换当前坐标系,也可在程序中用 G54～G59 指令选择工件坐标系,执行 G27/G28/M02/M30 或回零操作后,系统将切换到基准工件坐标系。

在加工程序中用 G54～G59 指令选择工件坐标系,G54～G59 指令可与插补或快速定位

G0 指令处于同一程序段并被最先执行。定义了坐标系之后，可用绝对坐标值(G90 状态)或增量坐标值(G91 状态)进行编程。

5. 坐标系的单位及范围

本系统使用直角坐标系，最小单位为 0.01 mm，编程的最大范围是±99 999.99 mm。其中：

X 轴：值 0.01，对应实际位移为 0.01 mm；

Y 轴：值 0.01，对应实际位移为 0.01 mm；

Z 轴：值 0.01，对应实际位移为 0.01 mm；

C 轴(或 A 轴)：值 0.01，对应实际位移视数控系统设置而定。

6. 编程格式

工件加工程序是由若干个加工程序段组成的，每个程序段又由若干个字段组成，文字符开头后跟一个数值。程序段以字段 N 开头(程序段号)，然后是其他字段，最后以回车(Enter)结尾。加工程序段用于定义主轴转速 S 功能、刀具功能(H 表示刀长补偿，D 表示刀具半径补偿)、辅助功能(M 功能)和快速定位功能/切削进给的准备功能(G 功能)等。例如：

```
N10 G0 X50. Y100. Z20.              ;快速定位
N20 G91 G0 X -30. Z -5.             ;相对编程，快速定位
N30 G1 Z -50. F40.                  ;直线插补(直线切削)
N40 G17 G2 X -10. Y -5. R10.        ;圆弧插补
N50 G0 Y60. Z60.                    ;快速定位
N60 G28 X0. M2                      ;回加工起点，程序结束
```

其中，N30 G1 Z -50. F40. 等称为字段。字段开头的字符表示字段的意义，后边的数值为字段的取值。为了表达取值的范围，字段 N 取值范围为 4 位整数(0～9999)，而 X 的取值范围为 -99999.99～99999.99，即最多 5 位整数位和最多两位小数位。

7. 快速定位的路径

快速定位的顺序如下：

当 Z 方向是向正方向(铣刀升高离开工件)移动时：先 Z 轴，再 X 轴，Y 轴，最后是第四轴定位。

当 Z 方向是向负方向移动时：先 X 轴，Y 轴，再第四轴，最后 Z 轴定位。

当 Z 轴无定位时：先 X 轴，再 Y 轴，最后第四轴定位。

8. 系统的初态

系统的初态是指运行加工程序之前的编程状态。系统的初态如下：

G90——使用绝对坐标编程；

G17——选择 XY 平面进行圆弧插补；

G40——取消刀具半径补偿；

G49——取消刀具长度补偿；

G80——无固定循环的模态数据；

G94——每分钟进给速度状态；

G98——固定循环返回起始面。

9. 系统的模态

模态是指相应字段的值一经设置，以后一直有效，直至某程序段又对该字段重新设置。模态的另一意义是设置之后，以后的程序段中若使用相同的功能，可以不必再输入该字段。

模态 G 功能：G0 快速定位。

快速定位速率：系统参数设置。

切削进给速率：系统参数设置。

当前的状态：系统坐标为当前的坐标，为上次执行加工程序之后或手动方式之后的坐标；主轴状态为当前的状态。

10. 加工程序的开始和结束

开始执行加工程序时，系统(刀尖的位置)应处于可以进行换刀的位置。加工程序的第一段建议用 G90 定位到进行加工的绝对坐标位置。

程序的最后一段一般以 M2(停主轴，关水泵，程序结束)、M30(程序结束，从程序开头再执行)来结束加工程序的运行。执行这些结束程序功能之前最好使系统回到程序原点，一般用 G28 执行回程序原点的功能。加工程序结束后系统坐标将返回到工件坐标系，并消除了刀具偏置。

11. 子程序

子程序是包含在主体程序中的、由若干个加工程序段组成的一个子程序。子程序由起始的程序段号标识，使用 M98 进行子程序的调用，子程序最后一个程序段必须包含 M99 指令。子程序一般编排在 M2 或 M30 指令之后。

例如：使用 M98 进行子程序的调用，其程序如下：

```
N40 P1000 L10 M98              ;调用子程序 1000 共 10 次
……
N1000 G1 X -6.                 ;子程序开头
N1010 X -30. Z -30.            ;
N1020 Z -20.                   ;
N1030 X -10. Z -30.            ;
N1040 G0 X45. Z80. M99         ;子程序结束
```

12. R 基准面

R 基准面位于 XY 平面的某一高度，是高于工件表面一定距离(但不是离得很远)的平面，进行固定循环(钻孔、槽粗铣)加工时，以便于 Z 轴提刀。在 R 基准面上可进行 X,Y 轴方向的快速定位等操作。R 基准面由加工程序使用 R 字段定义。

3.5.2 常用指令代码及功能

1. G 代码功能

以下这些 G 代码功能定义系统的编程状态都是模态，即一经定义从本程序段开始以后一直有效，除非重新改变编程状态。以下这些定义编程状态的 G 代码功能可与其他 G 代码功能同时出现在同一程序段中。

G17——初态，选择 XY 平面。

G18——选择 ZX 平面。

G19——选择 YZ 平面。

G40——动态，取消刀具半径补偿。

G43——刀具长度 ＋ 补偿。

G44——刀具长度 － 补偿。

G49——初态，取消刀具长度补偿。

G54——选择第一工件坐标系。

G55——选择第二工件坐标系。

G56——选择第三工件坐标系。

G57——选择第四工件坐标系。

G58——选择第五工件坐标系。

G59——选择第六工件坐标系。

G80——初态，取消固定循环的模态数据(同时启用 G98)。

G90——初态，使用绝对坐标编程，X，Y，Z 字段值表示绝对坐标位置。

G91——使用增量坐标编程，X，Y，Z 字段值表示相对坐标位置(相对于当前程序段起始位置的增量)。

G94——初态，设置每分钟进给速度状态，F 字段设置的切削进给速度的单位是 mm/min。

G95——设置每转进给速度状态，F 字段设置的切削进给速度的单位是 mm/r，使用 G95 每转进给功能必须安装主轴脉冲编码器。

G98——初态，固定循环返回起始面。

G99——固定循环返回 R 基准面。

2. S，T，M，D，H，F 功能

(1)S 功能。S 功能即程序段中的 S 字段，用于控制主轴转速。

(2)T 功能。T 功能用于控制刀库换刀的刀具编号，数控系统一般用两位数字表示要使用的刀具编号。

(3)M 功能。

M00——程序停止，完成程序段其他指令后，主轴停止运转、关冷却液，指向下一程序段，并停止做进一步的处理，等待按 RUN(运行)键，才继续运行下一程序段。

M02——程序结束，停止运行。主轴停止运转，关冷却液，消除 G93 坐标偏置和刀具偏置返回到起始程序段(不运行)。在执行 M02 后，系统将切换到基准工件坐标系。

M03——主轴正转。

M00——主轴反转。

M05——主轴停止转动。

M06——控制换刀。

M08——开冷却泵。

M09——关冷却泵。

M30——程序结束，消除刀具偏置，返回起始程序段(不运行)。执行 M30 后，系统将切换到基准工件坐标系。

M98——调用子程序。

格式为 N_ P_ L_ M98；

其中，P 为子程序的起始段号，L 为调用次数(省略为一次)。

M99——子程序结束返回。

注意：

1)M00，M02，M30，M31，M99 在 G 功能执行之后才执行；

2)M98 为单独的格式，即不能同时有 G90，G91 以外的 G 功能；

3)其他的 M 功能在一个程序段内都是最先执行的，即在 G 功能之前执行。

(4)D，H 功能。

D 功能——程序段中使用 D 字段定义刀具半径编号，用于刀具半径补偿。结合 G41 或 G42 进行刀具半径补偿。

H 功能——程序段中使用 H 字段定义刀具长度编号，用于刀具长度补偿。结合 G43 或 G44 进行刀具长度补偿。

(5)F 功能。程序段使用 F 字段设定切削进给速度，F 指令属模态指令，若一直有效，直至下次重新设置。

F：0.01～3 000.00 mm/min

实际切削进给速度可由切削进给速度的百分比(既进给倍率)对 F 指定的切削进给速度进行调整，调整范围是 0%，10%，20%，…，140%，150%，由功能键“↑速率 Feed%”和“↓”进行调整，系统运行过程中 Feed%实时可调。

3.5.3 镗铣削加工中常见的工艺问题

数控镗铣削前加工包括平面的铣削加工、二维轮廓的铣削加工、平面型腔的铣削加工、钻孔加工、镗孔加工、箱体类零件的加工以及三维复杂型面的铣削加工。这些加工一般在数控镗铣床和镗铣加工中心上进行，其中具有复杂曲线轮廓的外形铣削、复杂型腔铣削和三维复杂型面的铣削加工必须采用计算机辅助数控编程，而其他加工可以采用手工编程，也可以采用图形编程和计算机辅助数控编程。

数控镗铣削加工中常见的工艺问题主要有以下方面。

1. 工件坐标系的确定及程序原点的设定

工件坐标系采用与机床运动坐标系一致的坐标方向，工件坐标系的原点(即程序原点)要选择便于测量或对刀的基准位置，同时要便于编程计算。

2. 安全高度的确定

对于铣削加工，起刀点和退刀点必须离开加工零件上表面一个安全高度，保证刀具在停止状态时，不与加工零件和夹具发生碰撞。在安全高度位置时刀具中心(或刀尖)所在的平面称为安全面，如图 3.38 所示。

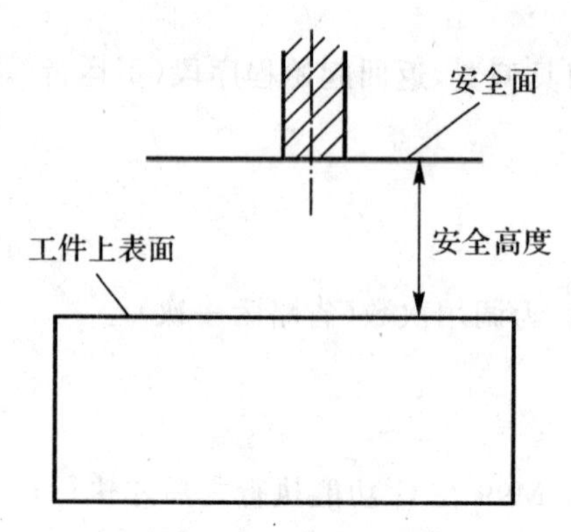

图 3.38　安全高度

3. *进刀/退刀方式的确定*

对于铣削加工，刀具切入工件的方式不仅影响加工质量，同时直接关系到加工的安全。对于二维轮廓加工，一般要求从侧向进刀或沿切线方向进刀，尽量避免垂直进刀，如图 3.39 所示。退刀方式也应从侧向或切向退刀。当刀具从安全面高度下降到切削高度时，应离开工件边缘一个距离，不能直接贴着加工零件理论轮廓直接下刀，以免发生危险，如图 3.40 所示。下刀运动过程不能用快速(G00)运动，而要用(G01)直线插补运动。

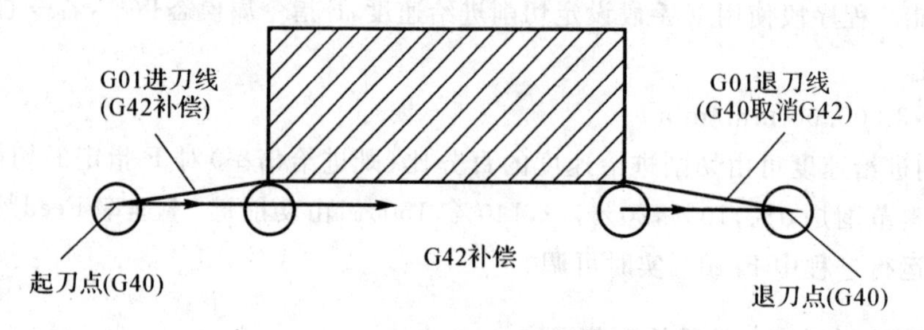

图 3.39　进刀/退刀方式

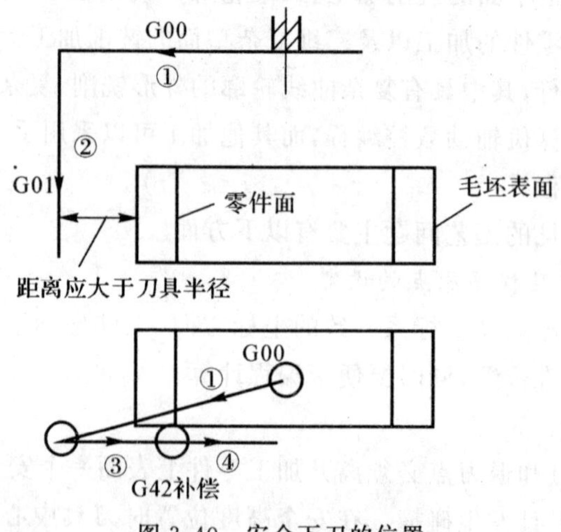

图 3.40　安全下刀的位置

对于型腔的粗铣加工，一般应先钻一个工艺孔到型腔底面(留一定精加工余量)，并扩孔，以便所使用的立铣刀能从工艺孔进刀，进行型腔粗加工，如图 3.41 所示。型腔粗加工方式一般采用从中心向四周扩展。

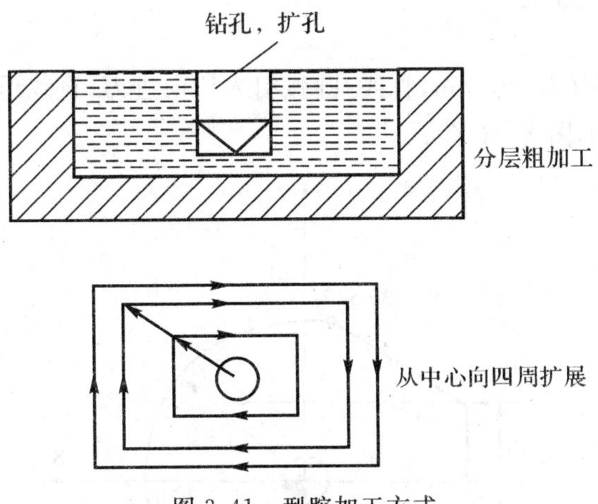

图 3.41　型腔加工方式

4. 刀具半径补偿的建立

二维轮廓加工一般均用刀具半径补偿。在建立刀具半径补偿之前，刀具应远离零件轮廓适当的距离，且应与选定好的切入点和进刀方式协调，以保证刀具半径补偿有效，如图 3.42 所示。刀具半径补偿的建立和取消必须在直线插补段内完成。

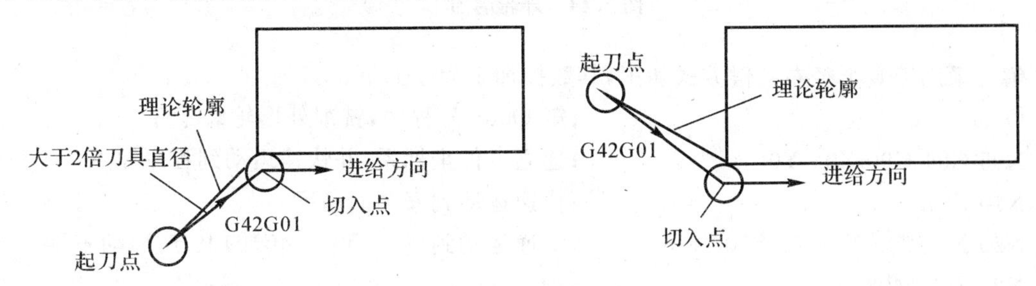

图 3.42　刀具半径补偿的建立

5. 刀具半径的确定

对于铣削加工，精加工刀具半径选择的主要依据是零件加工轮廓和加工轮廓凹处的最小半径或圆弧半径，刀具半径应小于该最小曲率半径值，如图 3.43 所示。另外还要考虑刀具尺寸与零件尺寸的协调问题，即不要用一把很大的刀具加工一个很小的零件。

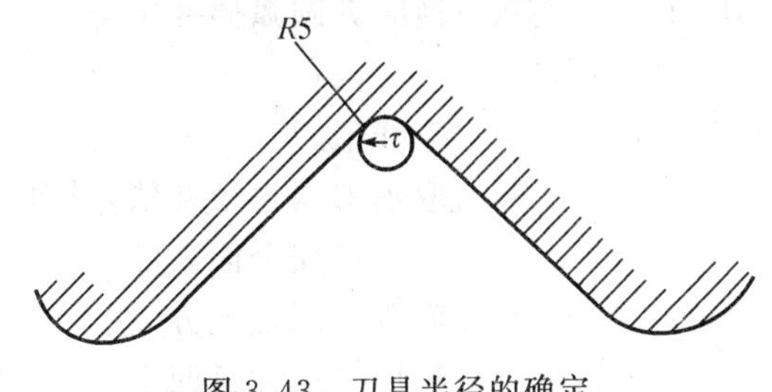

图 3.43　刀具半径的确定

3.5.4 数控铣削手工编程

例 3.3 已知某零件的外形轮廓如图 3.44 所示，要求精铣其外形轮廓。

刀具选择：ϕ10 mm，立铣刀。

安全面高度：50 mm。

进刀/退刀方式：离开工件 20 mm，直线/圆弧引入切向进刀，直线退刀，如图 3.44 所示。

工艺路线：走刀路线如图 3.44 所示。

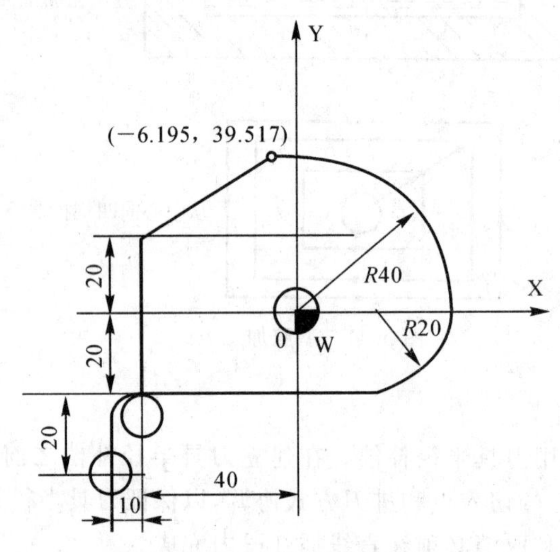

图 3.44 外轮廓加工

解 采用刀具半径右补偿方式加工，其数控加工程序如下：

```
O006                                 ;第 O006 号程序，铣削外形轮廓零件
N05 G54 G90 X0. Y0.                  ;建立工件坐标系，并快速运动到程序原点
N10 Z50.                             ;快速运动到安全面高度
N20 X －50. Y－40. S500 M3            ;快速运动到点(－50,－40)的上方，启动主轴
N25 Z5. M08;
N30 G1 Z－21. F20.                    ;G01 下刀，伸出底面 1 mm
N40 G45 D1 Y －30. F100.              ;刀具半径右补偿，运动到 Y－30. 的位置
N50 G2 X －40. Y －20. I10. J0         ;顺时针圆弧插补
N60 G1 X20.                          ;
N70 G3 X40. Y0. I0. J20.             ;逆时针圆弧插补
N80 X －6.195 Y39.517 I －40. J0.      ;逆时针圆弧插补
N90 G1 X －40. Y20.                   ;
N110 Y －30.                          ;直线退刀
N120 G40 Y －40.                      ;取消刀具半径补偿，退刀至 Y－40. 的位置
N130 G0 Z50.                         ;抬刀至安全面高度
N140 X0. Y0.                         ;回程序原点上方
N150 M30                             ;程序结束并返回
```

例 3.3 已知某凸轮的零件如图 3.45 所示，要求精铣凸轮外形轮廓。

刀具选择：ϕ10 mm，立铣刀。

安全面高度：80 mm。

进刀/退刀方式：离开工件 20 mm，直线引入切向进刀，直线退刀。

编程计算及工艺路线：计算求得各特征点坐标如下（见图 3.45）：

点 1：X=2.85714，Y=19.79458

点 2：X=−2.10526，Y=18.23211

点 3：X=10.，Y=0

点 4：X=20.，Y=0

点 5：X=2.，Y=13.85641

点 6：X=5.，Y=0

点 7：X=15.，Y=0

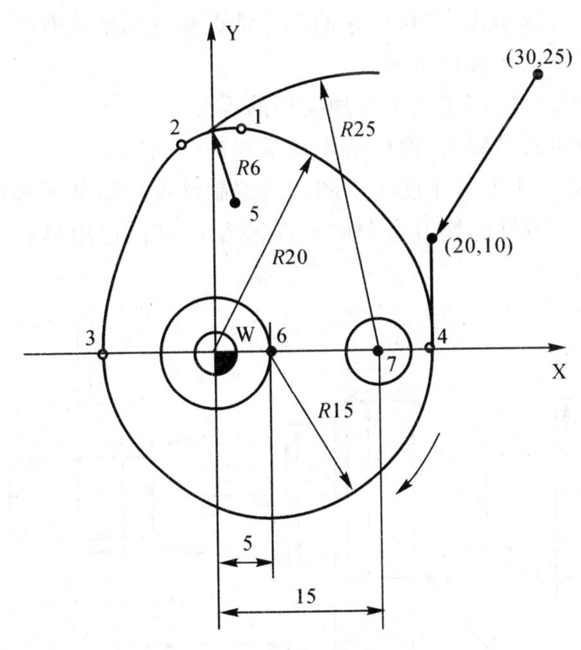

图 3.45 凸轮加工

采用刀具半径左补偿方式加工。数控加工程序如下：

O007	；第 O007 号程序，铣前凸轮外形轮廓
N05 G54 G90 G0 X0. Y0.	；建立工件坐标系，并快速运动到程序原点上方
N10 Z80	；快速运动到安全面高度
N20 X30. Y25. S500 M3	；快速运动到点(30,25)的上方，启动主轴
N25 Z1. M08	；快速下刀至工件上表面 1 mm 高度处
N30 G1 Z −1. F20.	；G01 下刀，伸出底面 1 mm
N40 G00 X20. Y10.	；快速运动到起刀点(20,10)位置处
N45 G41 D1 G01 X15. Y0 F100.	；刀具半径左补偿
N50 G2 X −10. I −15. J0	；顺时针圆弧插补，运动到点 3 的位置

```
N60 X -2.105 Y18.232 I25. J0          ;顺时针圆弧插补,运动到点 2 的位置
N70 X2.857 Y19.754 I4.105 J -4.37     ;顺时针圆弧插补,运动到点 1 的位置
N80 X20. T0. I -2.857 J -19.795       ;顺时针圆孤插补,运动到点 4 的位置
N85 G1 Y -10.                         ;切向退刀
N90 G40 X30. Y -25.                   ;取消刀具半径补偿,运动到 U-25. 的位置
N100 G0 Z80.                          ;抬刀至安全面
N110 X0. Y0.                          ;回中心
N120 M30                              ;
```

复习思考题

1. 数控机床是如何分类的？如何区分开环控制、半闭环控制和闭环控制系统？

2. 数控机床与普通机床相比,数控机床的工艺特点和应用范围有哪些？

3. 试述加工中心的特点和应用范围。

4. 数控机床有何特点？适用于加工何种类型的零件？

5. 数控机床编程采用的坐标系、程序结构和格式是什么？

6. 如图 3.46 所示为一典型的车削零件图。请编制该零件精加工程序。图中 $\phi85$ 外圆不加工。图中 $C1$ 为 $1\times45°$,刀具的换刀点和初始点选为 A 点。选用具有直线和圆弧插补功能的数控机床加工该零件。

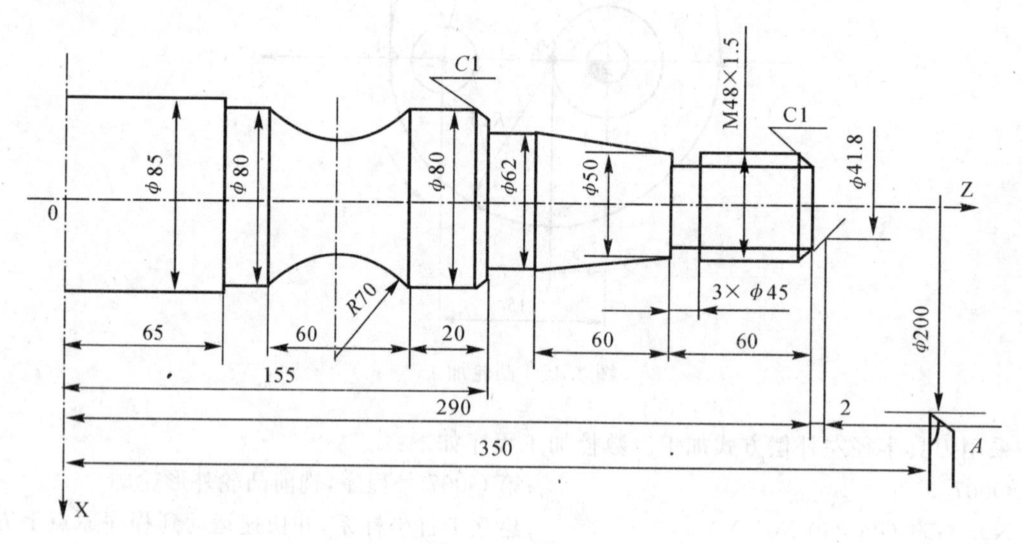

图 3.46　题图 1

第4章

切削加工方法

4.1 车削加工

用车刀在车床上加工工件的工艺过程称为车削加工。一般车削加工精度可达IT8～IT7，表面粗糙度R_a为6.3～1.6 μm。车削加工时，主运动为工件的旋转，刀具作直线进给运动。因此，车削加工适宜于加工各种回转体表面。

根据所要加工零件的类型、生产批量及对车削加工生产率的要求，常用的车床类型主要有普通卧式车床、立式车床、六角车床、多刀半自动车床、自动车床及数控车床等。其中应用最广泛的是普通卧式车床，它适宜于加工各种轴、盘及套类零件的单件和小批量生产。对于直径较大而长度较短的大型零件(一般长径比$L/D\approx0.3\sim0.6$)，多采用立式车床加工。对于批量加工外形较复杂，含有内孔及螺纹的中、小型轴、套类零件，宜选用六角车床加工。在生产批量大、所加工的零件较小、形状较为简单的条件下，可选用半自动或自动车床进行加工。

4.1.1 车削加工的工艺特点

1. 易于保证工件各加工表面位置精度

当进行车削加工时，对于短轴类或盘类零件常采用三爪卡盘和花盘弯板装夹。长轴类零件常采用双顶尖＋拨盘或双顶尖＋卡盘装夹。对于套类零件采用芯轴装夹。如图4.1(a)所示，在一次装夹中车出短轴各加工表面，然后切断。由于各加工表面具有同一的回转轴线，故能保证各加工表面之间的同轴度要求。工件端面与轴线的垂直度则由机床本身的精度保证，它取决于车床横拖板导轨与工件回转轴线的垂直度。对于形状不规则的零件，为了保证加工面的位置精度，可以利用花盘和弯板装夹(见图4.1(b))，为了保证弯管的A面与B面垂直，将它安装在花盘和弯板上车削A面。

2. 加工过程比较平稳

车削加工过程一般是连续进行的，其切削面积A_0也是相对稳定的(毛坯加工余量不均匀除外)。因此相对于铣削、刨削加工而言，在切削过程中切削力变化较小，不会产生冲击，其加工过程比较平稳。因此，车削加工允许采用较大的切削用量以提高生产率。

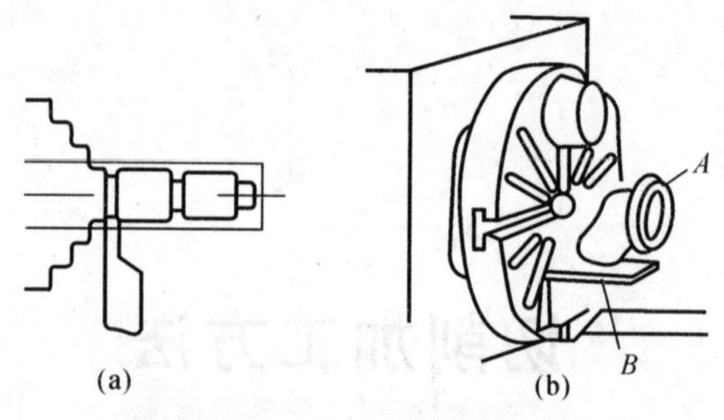

图 4.1　利用卡盘和花盘装夹工件

3. 适合于有色金属零件的精加工

当有色金属零件要求精度较高，表面粗糙度较小时，若采用磨削加工，则由于有色金属材料硬度较低而塑性好，磨削时产生的磨屑极易堵塞砂轮，使砂轮很难继续进行磨削加工。在车削加工中，当采用金刚石车刀或硬质合金车刀，选用很小的进给量（$f<0.1$ mm/r）与切削深度（$a_p<0.15$ mm），以及很高的切削速度（$v\approx5$ m/s）进行车削加工时，加工精度通常可达 IT6～IT5，表面粗糙度 R_a 可达 0.4～0.1 μm。

4. 刀具简单

车刀是各类刀具中最简单的一种，其制造、刃磨及安装均比较方便，这就便于根据具体加工要求，选用合理的角度。如常用的外圆车刀、弯头车刀、内圆车刀及切断刀等。因此，车削的适应性较广，并且有利于加工质量和生产效率的提高。

4.1.2　车削加工的应用

车削加工一般是用来加工单一轴线的零件，如直轴和一般盘、套类零件等。若需要加工多轴线的零件，如曲轴、偏心轮或盘形凸轮，则须改变工件的安装位置，或将车床适当进行改装。如图 4.2 所示为车削曲轴及偏心轮时工件安装位置示意图。

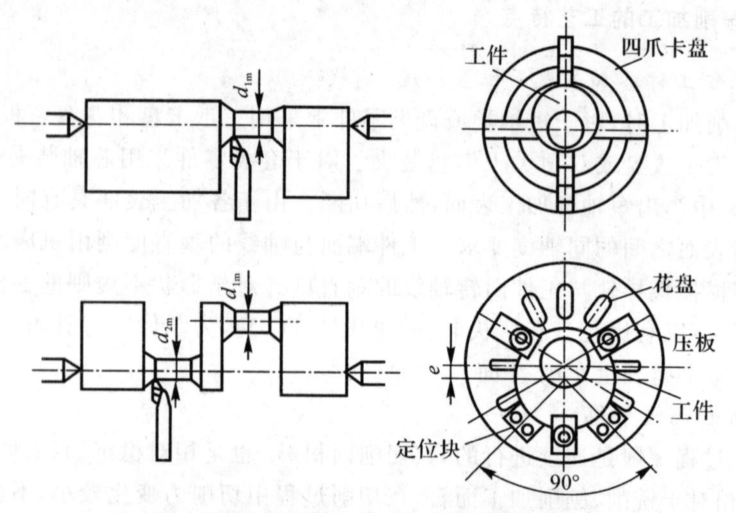

图 4.2　车削曲轴及偏心轮时工件安装位置示意图

车削加工是机械加工中最基本的加工方法，也是应用范围非常广泛的一种加工方法。在车床上使用不同的车刀或其他刀具，可以加工各种回转表面，如内、外圆柱面，内、外圆锥面，端面，螺纹，沟槽，切断，成形面及滚花等。表 4.1 所示为车床上的主要工作。

表 4.1　车床上的主要工作

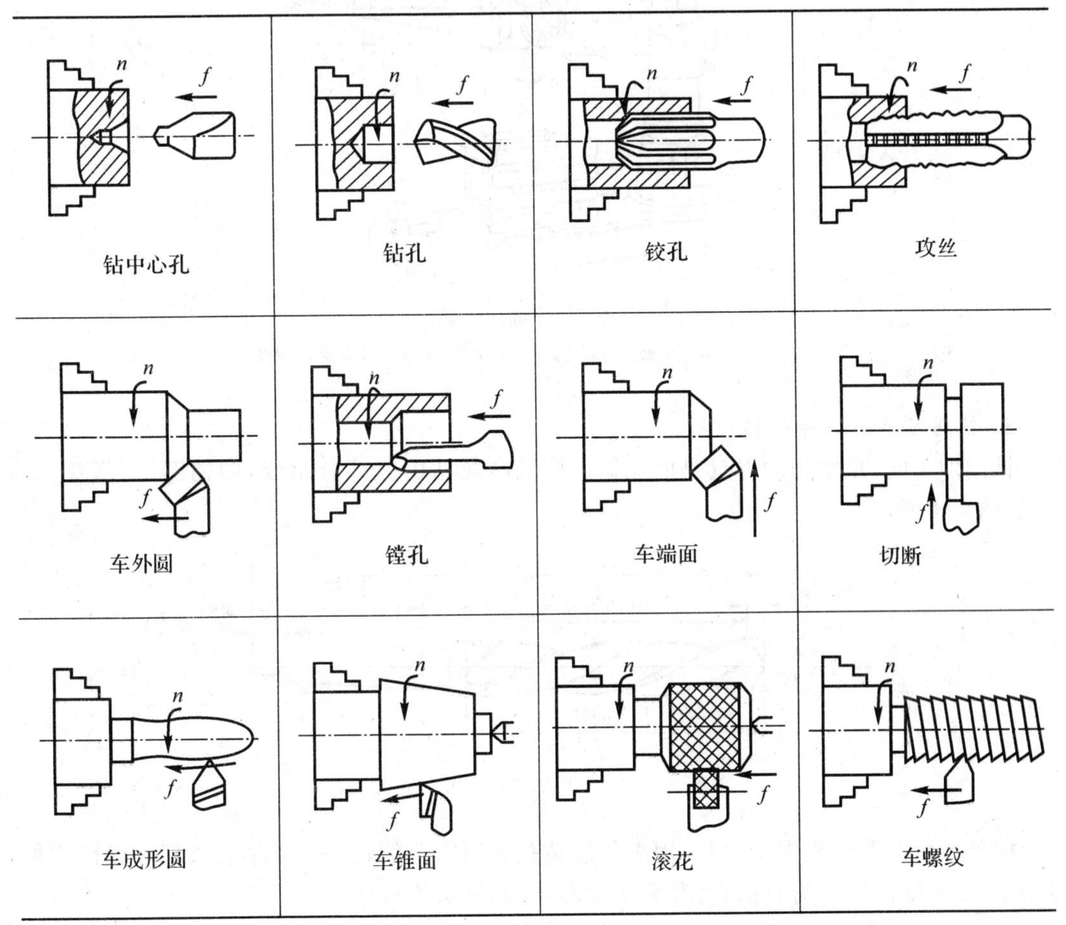

4.2　钻镗加工

4.2.1　钻削加工

用钻头在实体材料上加工孔的工艺方法称为钻削加工。钻削是孔加工的基本方法之一。钻削通常在钻床或车床上进行，也可在镗床或铣床上进行。

1. 钻床及其加工范围

常用的钻床有台式钻床、立式钻床及摇臂钻床(见图 4.3)。台式钻床主要适用于单件、小批量生产小型工件上直径较小孔的加工(一般孔径 $\phi<13$ mm)；立式钻床是钻床中最常见的一种，主要适用于中、小型工件上较大直径孔的加工(一般孔径 $\phi<50$ mm)；摇臂钻床(见图 4.3)主要用于大、中型工件上孔的加工。对于回转体类零件上的孔多在车床上加工。

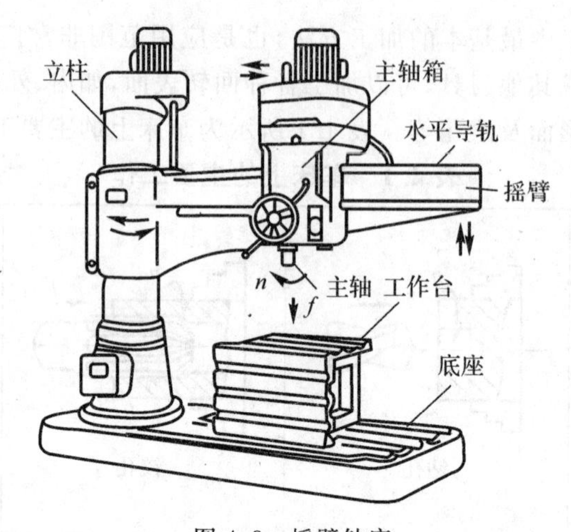

图 4.3 摇臂钻床

→进给运动；⇄直线调整；↶旋转运动；⇆旋转调整

2. 钻削刀具——麻花钻

钻削加工时，最常用的刀具是麻花钻。标准麻花钻由三部分组成，即柄部、颈部及工作部分，如图 4.4 所示。

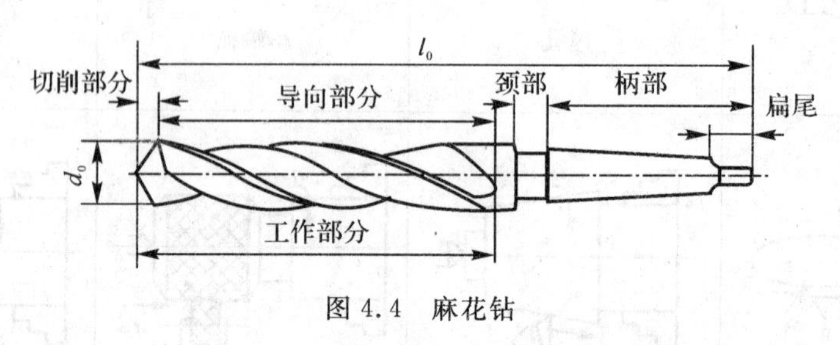

图 4.4 麻花钻

柄部。柄部是钻头夹持部分，用来传递钻孔时所需要的转矩。钻柄有直柄和锥柄两种，直径小于 12 mm 的钻头为直柄，直径大于 12 mm 的钻头为锥柄。

颈部。颈部位于柄部和工作部分之间，是为磨削钻柄而设的越程槽。通常钻头规格刻写在颈部。

工作部分。工作部分是钻头主体，它由切削部分和导向部分组成。切削部分由两条对称的主切削刃、两个副切削刃和横刃组成。在麻花钻头中两个螺旋槽表面为前刀面，顶端两个曲面为主后刀面，与工件的已加工表面——孔壁相对的棱带（刃带）——为副后刀面。两个主后刀面的交线是横刃，横刃是在刃磨两个主后面时形成的。当钻孔时导向部分起导向作用，同时它具有辅助切削作用。

麻花钻切削部分的几何角度如图 4.5 所示。

(1) 螺旋角 β。螺旋角是钻头轴心线与棱带螺旋线切线之间的夹角。螺旋角愈大，切削愈容易，但钻头的强度低。一般 $\beta=18^\circ\sim30^\circ$，直径较小的钻头 β 应取小值。

(2) 前角 γ_0。如图 4.5 所示的主切削刃上作 N—N 剖面 —— 主剖面，前角是在主剖面内测量的前刀面与基面的夹角。由于前刀面是螺旋面，因而沿主切削刃各点的前角是变化的，沿着钻芯方向逐渐减小。靠近横刃处 γ_0 约为 -30°，横刃上的 γ_0 一般为 $-60^\circ\sim-50^\circ$，而在外圆

处的 γ_0 约为 30°。

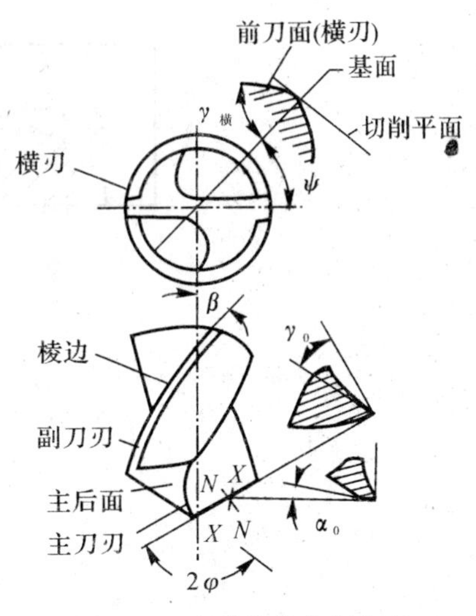

图 4.5 麻花钻的几何角度

(3) 后角 α_0。如图 4.5 所示的主切削刃上作 X—X 轴向主剖面,后角是在轴向剖面内测量的主后刀面与切削平面的夹角。切削刃各点的 α_0 也是变化的,外圆处后角为 8° ～ 14°。在靠近横刃处后角为 20° ～ 25°。

(4) 顶角 2φ。顶角是两条主切削刃之间的夹角。标准麻花钻的顶角 $2\varphi = 116° \sim 120°$。

3. 钻削运动

当在钻床上钻孔时,刀具(钻头)的旋转为主运动,同时钻头沿工件的轴向移动为进给运动;而当在车床上钻孔时,工件的旋转为主运动,装在尾架上的钻头沿工件轴向移动为进给运动。

钻削时,钻削速度为

$$v = \frac{\pi D n}{1\,000 \times 60} \qquad \text{m/s}$$

式中 D —— 钻头直径, mm;

n —— 钻头或工件的转速, r/min。

进给量 f:钻头或工件每转一周,钻头沿其轴向移动的距离, mm/r。

切削深度 a_p 为

$$a_p = D/2 \qquad \text{mm}$$

式中,D 为钻头的直径。

4. 钻削加工的工艺特点

钻削加工与车削加工相比较,钻削的工作条件要苛刻得多。这是因为钻削时,钻头工作部分大都处于已加工表面的包围中,因而引起许多特殊问题。现将其工艺特点概括如下:

(1) 钻孔时容易产生“引偏”。所谓引偏是指加工时钻头弯曲而引起的孔径扩大、孔不圆(见图 4.6(a))或孔的轴线歪斜(见图 4.6(b))等。其原因是:第一,钻头的刚性及导向作用较差。因麻花钻的直径与长度受所加工孔的限制,一般呈细长状,故刚性较差;加之为形成切削刃和容纳切屑,必须制出两条较深的螺旋槽,使钻芯变细,这进一步削弱了钻头的刚性。为减小导向部分与已加工孔壁的摩擦,钻头仅有两条很窄的棱边与孔壁接触,接触刚性和导向作用也很差。第二,横刃具有不良的影响。钻孔时,开始与工件表面产生接触的是钻头的横刃,由于横刃具有很大负前角,使钻头很难进行切削,尤其是当加工表面不平或加工表面与钻头轴线不垂直时,钻头极易产生“引偏”。第三,钻头的两条主切削刃很难刃磨得完全对称,工件的材料很难完全均匀,使钻削时径向力 F_Y 不能完全抵削,这也容易产生“引偏”。

在实际生产中常采用如下措施来减少“引偏”:第一,预钻锥形定心坑,如图 4.7(a) 所示,即用小顶角($2\varphi = 90° \sim 100°$)、大直径的短麻花钻,预先钻一个锥形坑,然后再用所需钻头钻孔;第二,用钻套为钻头导向,如图 4.7(b) 所示,这样可减小钻孔开始时的引偏,特别是在斜面或曲面上钻孔时更为必要;第三,刃磨钻头时,尽量将钻头的两条主切削刃刃磨得对称一致,使两主切削刃的径向力互相抵消,从而减小钻头的引偏。

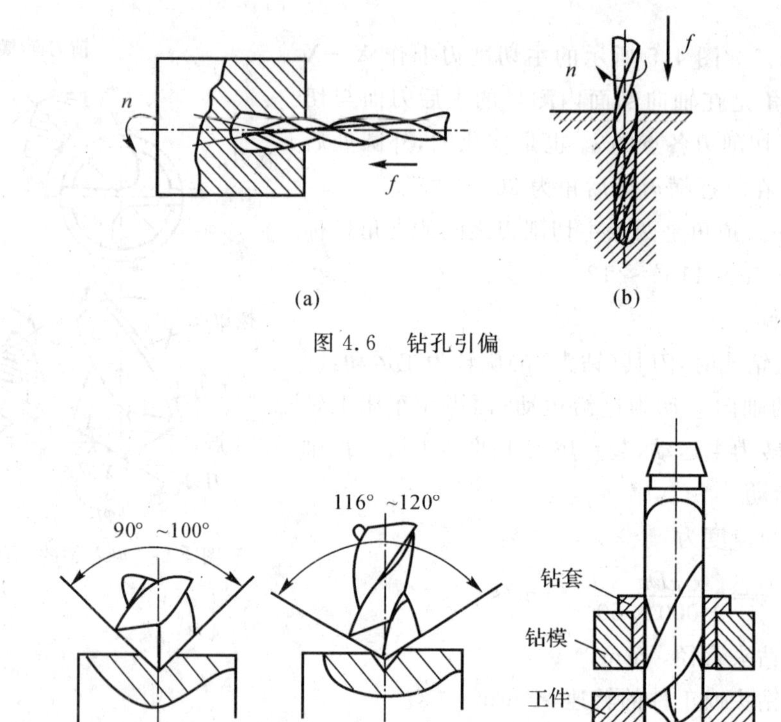

图 4.6 钻孔引偏

(a) (b)

图 4.7 减小引偏的措施

(a) 预钻锥孔； (b) 用钻模钻孔

(2) 排屑困难。钻孔时，由于切屑较宽，容屑槽尺寸又受到限制，因而在排屑过程中，往往与孔壁产生较大的摩擦、挤压，拉毛和刮伤已加工表面，降低表面质量。有时切屑可能阻塞在钻头的容屑槽里，卡死钻头，甚至将钻头扭断。为了改善排屑条件，可在钻头上修磨出分屑槽，如图 4.8 所示，将宽的切屑分成窄条，以利于排屑。当钻深孔（$L/D > 5 \sim 10$）时，应采用如图 4.9 所示的深孔钻（枪钻）来进行加工。深孔钻钻头只有一个切削刃，切屑槽很大（见图中 B），整个钻头是空心的（见图中 A）。钻削时，切削液以高压从钻头尾部沿孔 A 喷射到切削区，对钻头起到冷却润滑作用，并且带着切屑沿着 B 槽排出孔外。

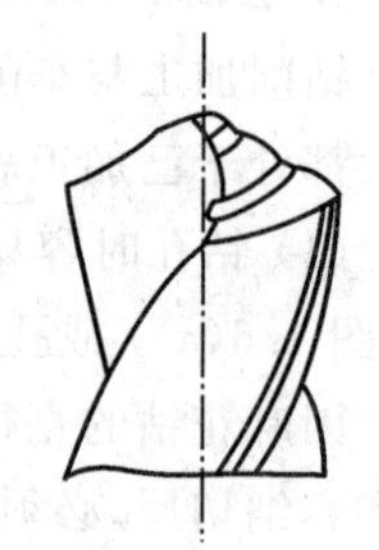

图 4.8 分屑槽

(3) 散热条件差。由于钻削是一种半封闭式的切削，钻削时所产生的热量虽然也由切屑、工件、刀具和周围介质传出，但它们之间的比例却和车削大不相同。如用标准麻花钻不加切削液钻钢料时，工件吸收的热量约占 52.5%，钻头约占 14.5%，切屑约占 28%，而介质仅占 5% 左右。当钻削时，大量高温切屑不能及时排出，切削液难以注入到切削区，切屑、刀具与工件之间的摩擦很大，因此切削温度较高，致使刀具磨损加剧，这就限制了钻削用量和生产效率的提高。

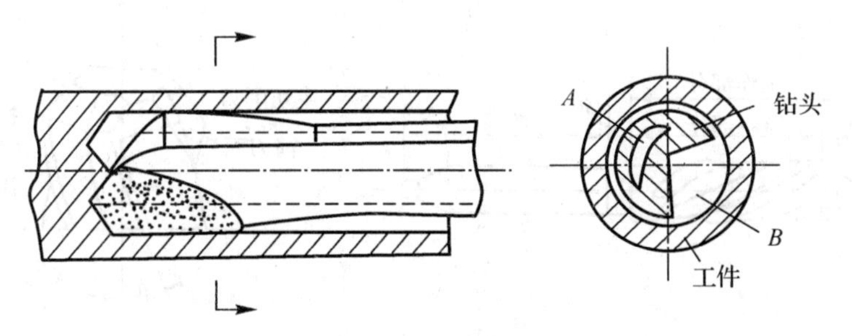

图 4.9　深孔钻加工

5. 钻削的应用

在生产中，各类机器零件上都需要进行钻削加工，因此钻削加工的应用十分广泛。但由于钻削的工艺特点，当用标准麻花钻加工孔时，一般加工精度在 IT10 以下，表面粗糙度 R_a 值大于 12.5 μm，生产率也很低，因此钻孔主要用于孔的粗加工。例如，精度和粗糙度要求不高的螺钉孔、油孔等；一些内螺纹在攻丝前，需要先进行钻孔；精度和表面质量要求较高的孔，也要以钻孔作为预加工工序。在钻床上除钻孔外，还可以进行扩孔、铰孔、攻丝、锪孔和锪凸台等工作。如表 4.2 所示为钻床上的主要工作。

表 4.2　钻床上的主要工作

钻孔	扩孔	铰柱孔	铰锥孔	锪锥孔
锪柱坑	锪凸台	锪鱼眼坑	攻丝	

对于本身精度高，粗糙度小的中、小直径孔（ϕ<50 mm），在钻削之后，常常需要采用扩孔和铰孔进行半精加工和精加工。

4.2.2　扩孔和铰孔

1. 扩孔

扩孔是用扩孔钻（见图 4.10）对工件上已有的孔进行扩大加工，如图 4.11 所示。

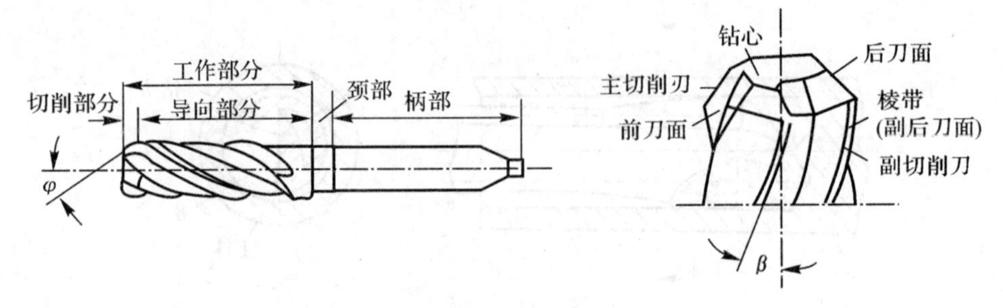

图 4.10　扩孔钻

扩孔时的切削深度 $a_p=(d_m-d_w)/2$，比钻孔时（$a_p=d_m/2$）小得多，因而刀具结构和切削条件比钻孔时要好得多。其主要原因是：

(1) 切削刃不必自外圆延伸到中心，这样避免了横刃和由横刃所引起的一些不良影响。

(2) 扩孔余量比较小，切屑窄，易排出，不易擦伤已加工表面。同时容屑槽较浅，钻芯较粗，刀体强度高，刚性好，有利于加大切削用量和改善加工质量。

(3) 扩孔钻的齿数多，一般有 3～4 个刀齿，因此导向性好，切削平稳，同时可提高生产率。

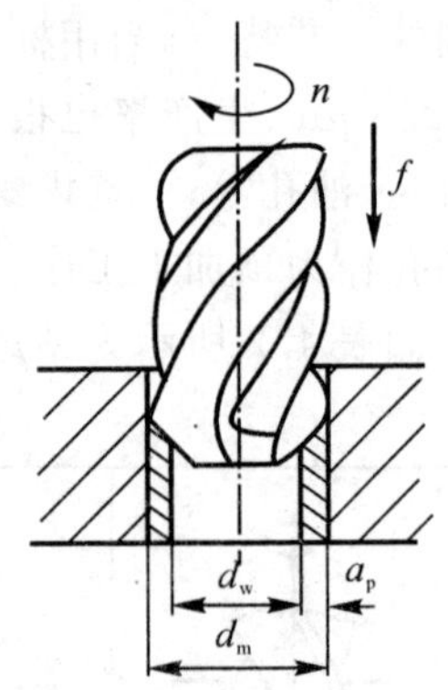

图 4.11　扩孔

由于上述原因，扩孔的加工质量比钻孔高，一般精度可达 IT10～IT9，表面粗糙度 R_a 值为 6.3～3.2 μm。

扩孔常作为孔的半精加工，当孔的精度和表面质量要求更高时，则采用铰孔。

2. 铰孔

铰孔是应用普遍的孔的精加工方法之一，一般加工精度可达 IT9～IT7，表面粗糙度 R_a 值为 1.6～0.4 μm。铰刀的外形，如图 4.12 所示。

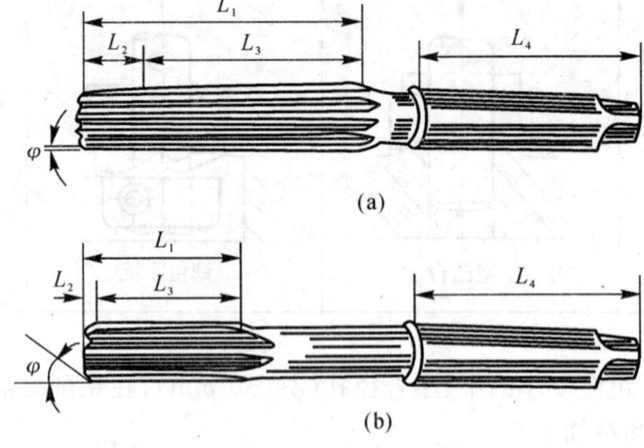

图 4.12　铰刀的结构

(a) 手用绞刀；(b) 机用绞刀

L_1—工作部分；L_2—切削部分；L_3—修光部分；L_4—柄部

铰孔加工质量较高的原因是：

(1) 刀刃多(6～12 个)，容屑槽很浅，刀芯截面很大，故铰刀的刚性和导向性比扩孔钻更好。

(2) 铰刀本身的精度很高，而且具有修光部分，可校准孔径和修光孔壁。

(3) 铰孔的余量小(粗铰为 0.15～0.35，精铰为 0.05～0.15)，切削速度低，切削力很小，所产生的切削热较少，因此工件的受力变形较小。加之低速切削，可避免积屑瘤的不利影响，使得铰孔质量比较高。

麻花钻、扩孔钻和铰刀都是标准刀具。对于中等尺寸以下较精密的孔，在单件、小批量乃至大批、大量生产中，钻—扩—铰是经常采用的典型工艺。

钻—扩—铰一般只能保证孔本身的精度，而不易保证孔的位置精度，也不易加工非标准孔和尺寸较大的孔(一般 $\phi>50$)。因此，直径较小的孔在成批和大量生产中，为了保证加工精度、提高生产率及降低加工成本，广泛使用钻模(见图 4.13)、多轴钻(见图 4.14)或组合机床(见图 4.15)进行孔的加工，直径较大的孔及孔系和非标准孔则采用镗削加工。

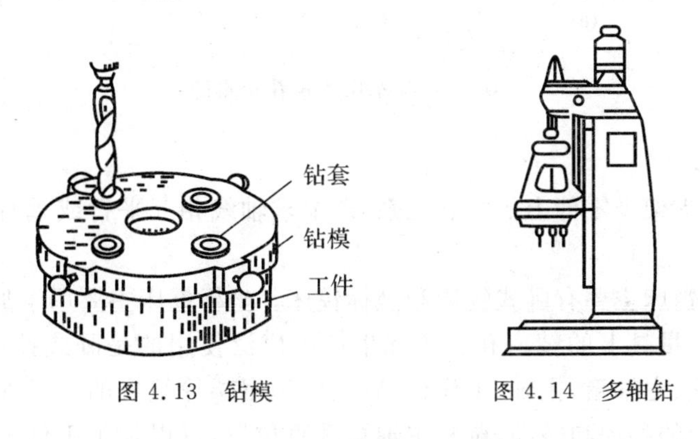

图 4.13　钻模　　　　图 4.14　多轴钻

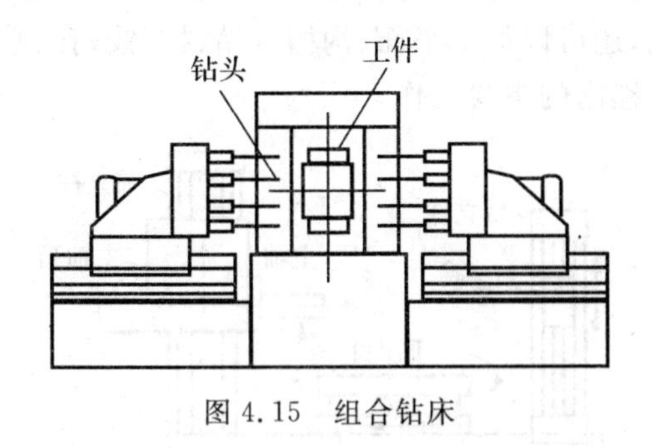

图 4.15　组合钻床

4.2.3　镗削加工

对于直径较大的孔(一般孔径大于 30)，生产中常采用镗削来代替扩孔和铰孔。这是因为镗刀结构简单，价格比大直径的扩孔钻和铰刀便宜得多，而且轻便。另外镗孔的通用性好，既可精加工也可半精加工及粗加工，因此特别适用于批量零件的加工。

镗孔可以在多种机床上进行，常见的主要有在车床上镗孔和在镗床上镗孔。

1. 车床上镗孔

在车床上镗孔主要适用于回转体零件上的单轴线孔和小型支架上的轴承孔的加工。如图4.16(a)所示为在车床上用卡盘装夹工件进行镗孔，这种加工可以通过一次装夹完成内孔、外圆和端面的加工，从而保证了孔与外圆的同轴度及内孔轴线与端面的垂直度。如图4.16(b)所示为在车床上用花盘弯板装夹小型支架零件镗削加工轴承孔。

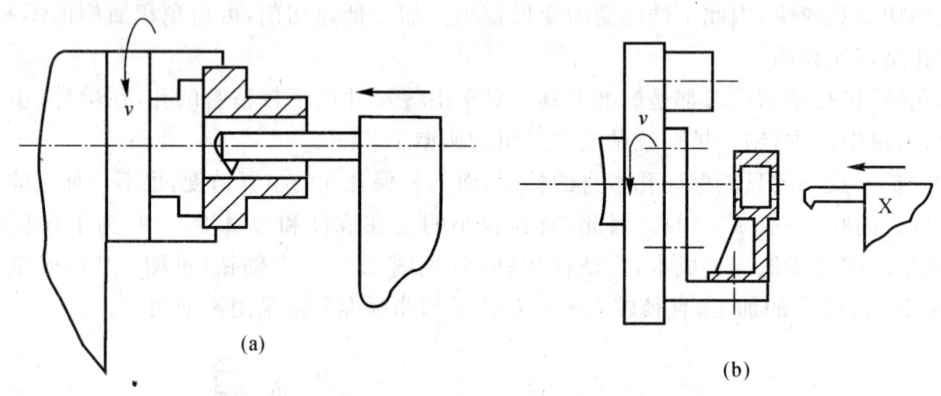

图4.16 车床上镗孔示意图

2. 镗床上镗孔

对于箱体类和支架类零件上的孔和孔系(即要求轴线相互平行或垂直的若干个孔)，常用镗床加工。

生产中常用的镗床主要有卧式镗床和坐标镗床。坐标镗床主要用于加工精密零件上的精密孔，如钻模、镗模、量具上的精密孔。实际生产中广泛使用的是卧式镗床，如图4.17所示。它是由床身、前立柱、主轴箱、主轴、工作台、后立柱和尾架等组成的。工件安装在镗床工作台上，通过调整工作台的移动和转动，调整主轴箱垂直位置，可以加工工件上不同位置的孔。在卧式镗床上不仅可以镗孔，还可以加工平面、沟槽、(钻、扩、铰)孔、端面、外圆、孔内环形槽及螺纹等。表4.3所示为卧式镗床的主要工作。

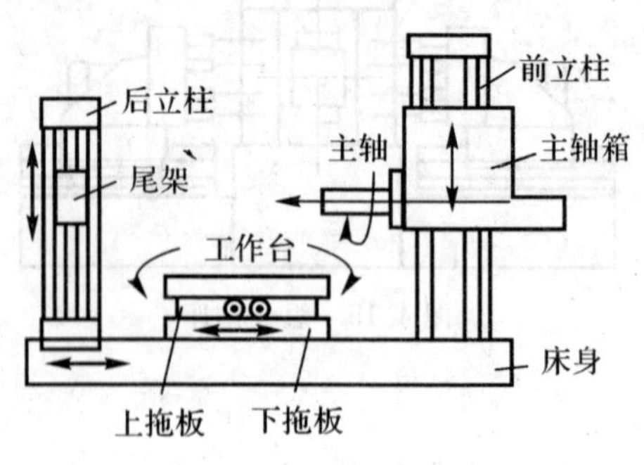

图4.17 卧式镗床简图

(1) 镗刀的种类。在镗床上常用的镗刀有单刃镗刀和多刃镗刀两种。

1) 单刃镗刀。单刃镗刀的结构与车刀类似，它是将镗刀垂直或按某一角度安装在镗刀杆上，如图4.18所示。垂直安装可镗通孔，当按一定角度安装时，由于镗杆的前端不超过镗刀，可用来加工不通孔(盲孔)。单刃镗刀适应性强，灵活性较大，可以校正原有孔的轴线歪斜或位置偏差，但其生产率较低。

表 4.3　卧式镗床的主要工作

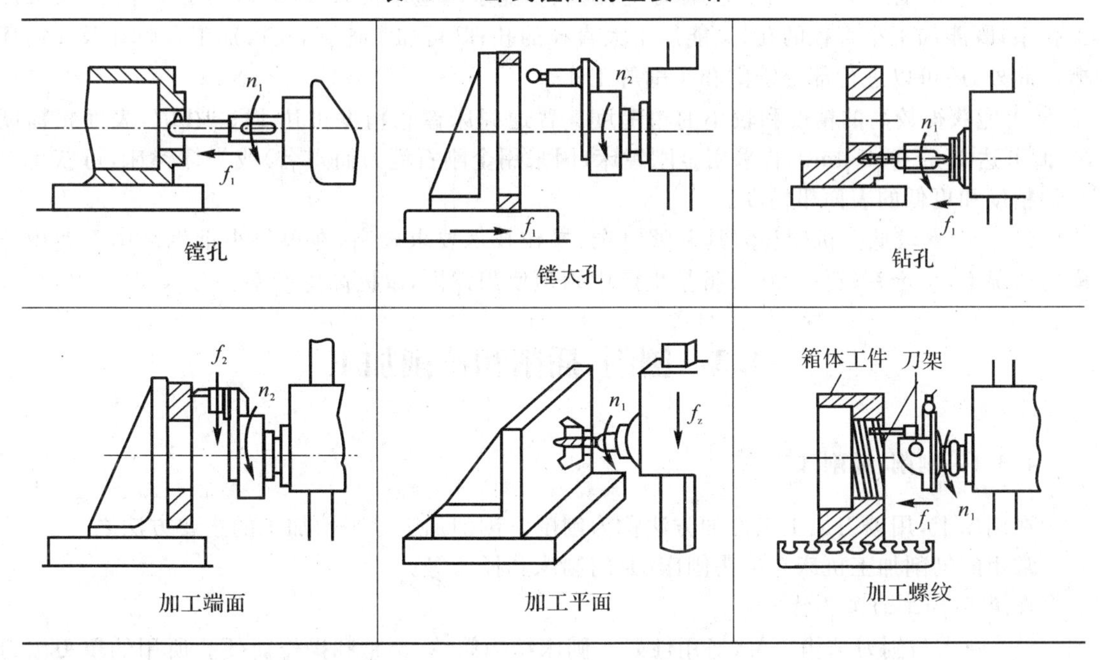

2）多刃镗刀。这种镗刀一种是在刀体上安装两个以上的镗刀片(常用 4 个)，以提高生产率；另一种为可调浮动镗刀片，如图 4.19 所示。这种刀片不是固定在镗刀杆上的，而是插在镗杆的方槽中，可沿径向自由滑动，由两个对称的切削刃产生的切削力自动平衡其径向位置，可自动抵消因刀具安装误差或镗杆偏摆所引起的孔径误差。当调节刀片的尺寸时，先拆开螺钉 1，再旋螺钉 2，将刀齿 3 的径向尺寸调好后，拧紧螺钉 1，把刀齿 3 固定即可。当用浮动镗刀加工时，由于刀片在径向是浮动的，因此，不能校正原有孔的轴线歪斜或位置偏差。浮动镗刀与铰刀类似，其加工过程也相似。它主要用于批量生产和精加工箱体类零件上直径较大的孔。

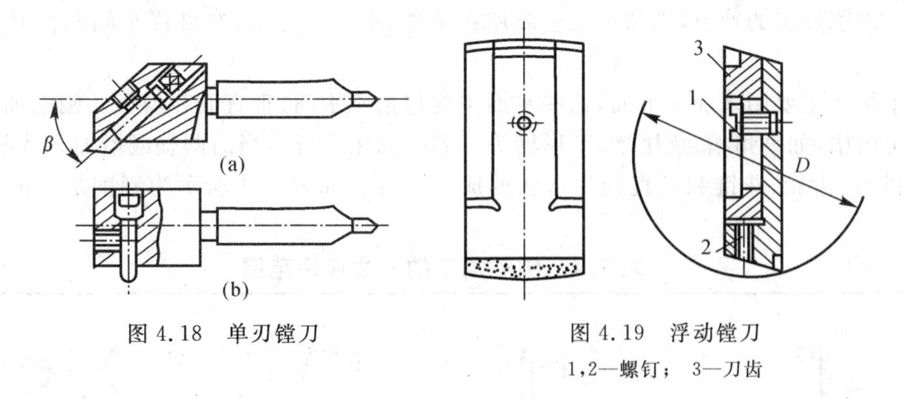

图 4.18　单刃镗刀

图 4.19　浮动镗刀
1，2—螺钉；　3—刀齿

(2) 镗床加工的工艺特点。

1）镗床是加工机床座、箱体、支架等外形复杂的大型零件的主要设备。在镗床上加工箱体、变速箱、发动机等孔径大、数量较多、精度较高的孔，能方便地保证孔与孔之间、孔与基准平面之间的位置精度和尺寸精度要求。

2）加工范围广泛。镗床是一种万能性强、功能多的通用机床，既可以加工单个孔，又可加工孔系；既能加工小直径的孔，又能加工大直径的孔；既可加工通孔，又可加工台阶孔及孔内环槽。此外，还可以进行部分铣削和车削等工作。

3）能获得较高的精度和较小的粗糙度。普通镗床镗孔精度可达 IT8～IT7，表面粗糙度 R_a 值可达 1.6～0.8 μm。若采用金刚镗床(因采用金刚石镗刀而得名)或坐标镗床，可获得更高的精度和更低的表面粗糙度。

4）生产率较低。机床和刀具调整复杂，操作技术要求较高，在单件小批生产中不使用镗模的情况下，生产率较低。在大批量生产中则须使用镗模，以提高生产率。

4.3 刨削、插削和拉削加工

4.3.1 刨削、插削加工

在刨床上，用刨刀加工工件的方法称为刨削。刨削加工是平面加工的主要方法之一。

常用的刨削加工机床有牛头刨床、龙门刨床和插床等。

1. 刨削加工的工艺特点

(1) 刨床与刨刀结构简单，通用性好。刨床结构简单，调整和操作简便。所用的单刃刨刀与车刀基本相同，形状简单，制造、刃磨和安装方便，因此刨削加工的通用性好。

(2) 生产率一般较低。刨削加工的主运动为往复直线运动，受冲击力、惯性力的影响，即限制了切削速度的提高。另外，刨削一般是单刃刨刀进行间歇切削，增加了辅助回程时间，因此刨削的生产率一般较低。但是对于窄长平面(如导轨、长槽等)的加工以及在龙门刨上进行多件或多刀加工时，刨削的生产率也能提高。

一般刨削精度可达 IT9～IT7，表面粗糙度 R_a 为 6.3～1.6 μm。当在龙门刨床上用宽刃刨刀，以很低切削速度精刨时，表面粗糙度 R_a 可达 0.8～0.4 μm。

2. 刨削加工的应用

由于刨削加工的特点，刨削加工主要用在单件、小批生产中，在维修车间和模具车间应用较多。

刨削加工主要用来加工平面，这些平面主要包括水平面、垂直面和斜面。刨削加工也广泛用于加工沟槽，如直角槽、燕尾槽、T 形槽等。如果刨床进行适当的调整或增加某些附件，还可以加工齿条、齿轮、花键和以直线为母线的成形面等。如表 4.4 所示为刨削加工的主要应用范围。

表 4.4 刨削加工的主要应用范围

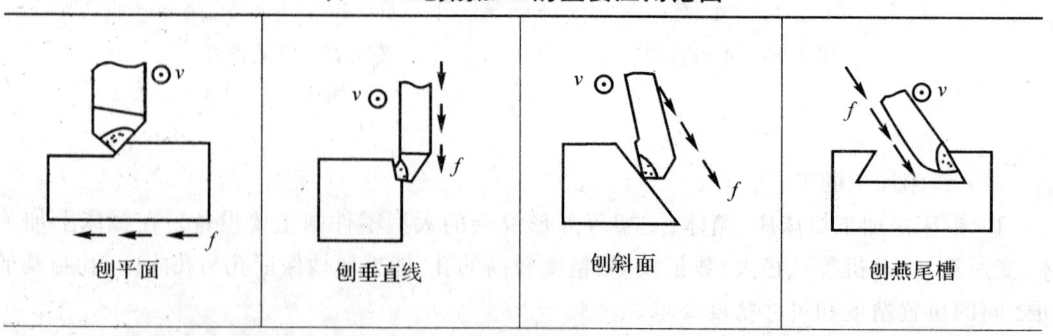

续表

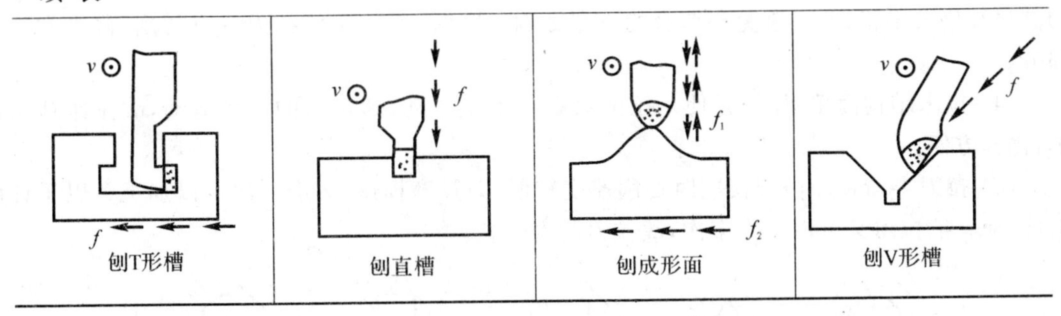

3. 插削加工

在插床上，用插刀加工工件的方法称为插削。插床与牛头刨床的结构相类似，但其运动形式不同。插刀垂直上下往复运动是主运动，工件的移动为进给运动。而牛头刨床上刨刀水平往复的运动是主运动，工件的移动为进给运动。插削加工主要应用于插削齿轮的孔内键槽、花键及多边形孔等。

4.3.2 拉削加工

在拉床上用拉刀加工工件的方法称为拉削加工。拉削加工是一种高生产率和高精度的加工方法。

拉削只有主运动，即拉刀的直线移动，进给运动是依靠拉刀的后一个刀齿高出前一个刀齿来实现的。刀齿的高出量称为齿升量 a_f，如图 4.20 所示为平面拉削的示意图。拉削所用的机床称为拉床，所用的刀具称为拉刀，如图 4.21 所示为圆孔拉刀。拉刀一般本身精度高、形状复杂，制造困难，成本高，故拉削加工只适用于大批量生产。

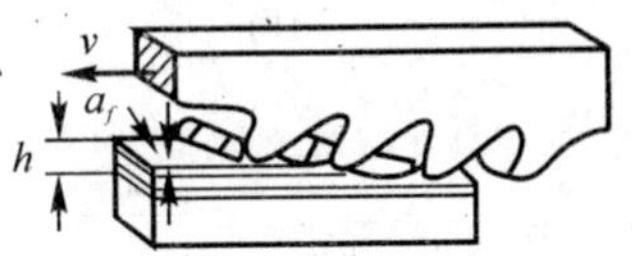

图 4.20 平面拉削加工

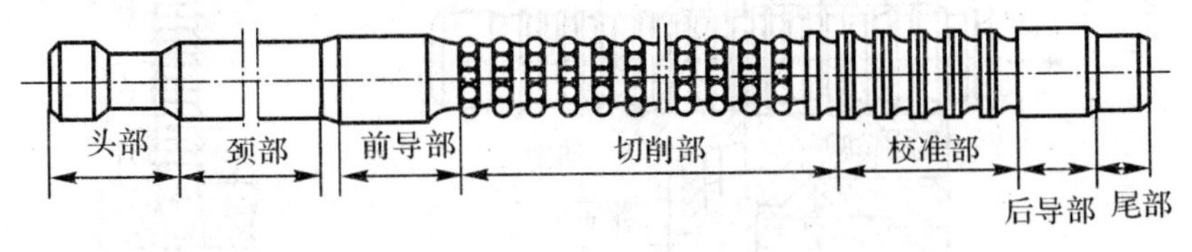

图 4.21 圆孔拉刀

拉削加工的工艺特点如下：

(1) 生产率高。由于拉刀是多齿刀具，同时参加工作的刀齿数较多，总的切削宽度大，并且拉刀的一次行程就能完成粗、半精和精加工，基本工艺时间和辅助时间大大缩短，因此生产率高。

(2) 加工范围较广。拉削可以加工平面、各种形状的通孔及半圆弧面和某些组合表面，如图 4.22 所示，因此，拉削加工范围较广。但对于盲孔、深孔、阶梯孔和有障碍的外表面，则不能用拉削。如图 4.23 所示为拉孔的示意图。如果加工时，刀具所受的力不是拉力而是推力(见图 4.24)，则称为推削，所用的刀具称为推刀。一般推削易引起推刀弯曲，因此推削远不如拉削应用范围广。

(3) 加工精度较高，表面粗糙度较小。一般拉削加工的精度为 IT8～IT7，表面粗糙度 R_a

值为 0.8～0.4 μm。这是由于拉削速度低(v<18 m/min),每个切削齿的切削厚度较小,因而切削过程比较平稳,并可避免积屑瘤的不利影响。同时,所使用的拉刀具有切削、修光和较准部分。

(4) 拉床结构简单,操作方便。拉削只有一个主运动,即拉刀的直线运动,故拉床结构简单,操作方便。

(5) 拉刀寿命长。由于拉削时切削速度较低,刀具磨损慢,刃磨一次可以加工数以千计的工件,而一把拉刀又可以重磨多次,故拉刀的寿命长。

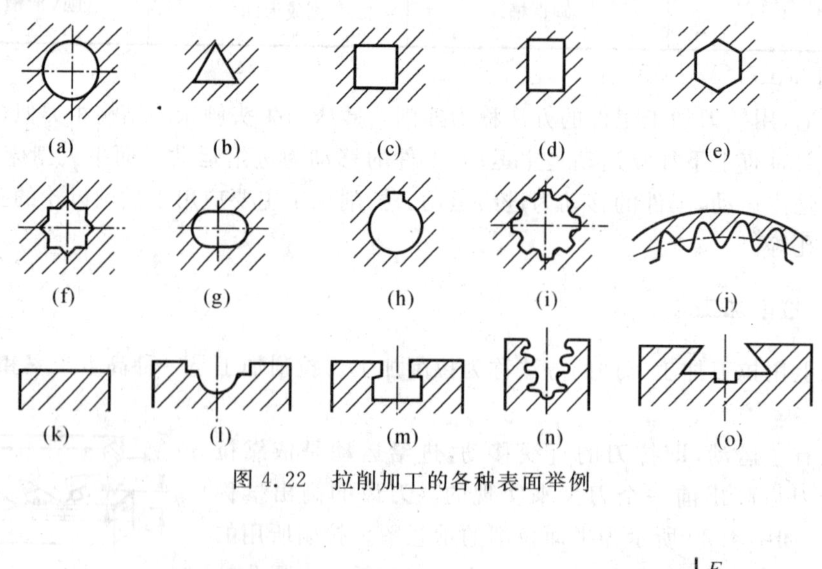

图 4.22　拉削加工的各种表面举例

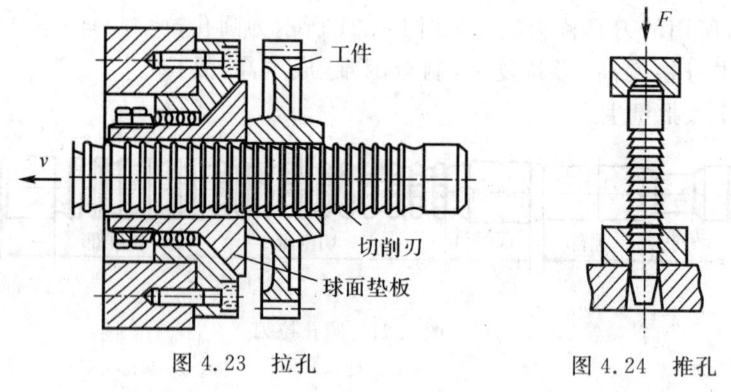

图 4.23　拉孔

图 4.24　推孔

4.4 铣削加工

在铣床上用铣刀对工件进行切削加工的方法称为铣削。铣削加工时,铣刀的旋转运动为主运动,工件的直线移动为进给运动。

铣床的种类很多,依据其结构及用途可分为升降台式铣床(包括卧式和立式两种铣床)、无升降台式铣床、龙门铣床等。升降台式卧式铣床和立式铣床应用最广泛,它适用于单件、小批生产条件下中、小型工件的加工。无升降台式铣床适宜于加工大、中型工件。龙门铣床的结构与龙门刨床相似，其生产率较高，广泛应用于批量生产条件下大型工件的加工，也可同时加工多个中、小型工件。铣床除上述几种外，还有一些专用铣床，如工具铣床、仿形铣床、螺纹铣床、键槽铣床及其他专用铣床等。

4.4.1 铣削过程

1. 铣削加工的切削用量

在铣床上铣削加工时，铣削用量有四要素：铣削速度 v、进给量 f、铣削宽度 a_e 及铣削深度 a_p，如图 4.25 所示。

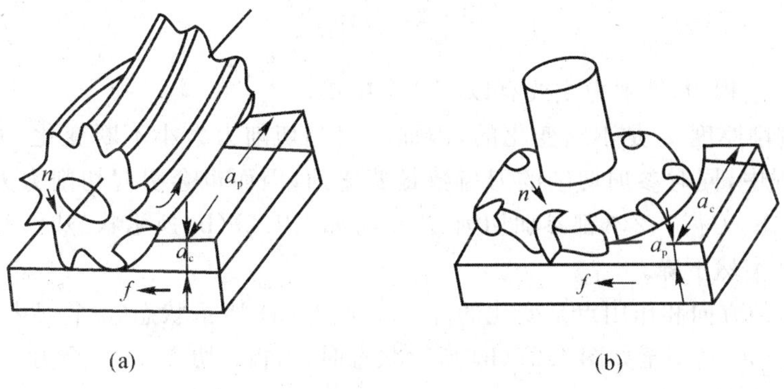

图 4.25 铣削用量

(a) 周铣；(b) 端铣

(1) 铣削速度 v。它是指铣刀最大直径处切削刃的线速度，即

$$v=\frac{\pi Dn}{1\,000\times 60}\qquad \text{m/s}$$

式中 D —— 铣刀外径，mm；

n —— 铣刀转速，r/min。

(2) 进给量 f。铣削时，进给量的表示方法有三种：

1) 每齿进给量 f_z。即铣刀每转一齿，工件对铣刀的移动量，mm/齿。

2) 每转进给量 f_r。即铣刀每转一转，工件对铣刀的移动量，mm/r。

3) 每秒进给量 f_s。即铣刀每转一秒钟，工件对铣刀的移动量，mm/s。

上述三者间的关系为

$$f_s=\frac{f_r n}{60}=\frac{f_z zn}{60}\qquad \text{mm/s}$$

(3) 铣削宽度 a_c。它指垂直于铣刀轴线方向测量的切削层尺寸，mm。

(4) 铣削深度 a_p。它指平行于铣刀轴线方向测量的切削层尺寸，mm。

2. 铣削加工的铣削力分析

铣削加工时总切削力 F_r 可分解为三个分力，即切向分力 F_Z，径向分力 F_Y 及轴向分力 F_X。切向分力 F_Z 是切下切屑的主切削力；径向分力 F_Y 是工件反作用在铣刀上的力；轴向分力 F_X 是作用在铣刀主轴轴线方向的力，该力将使刀杆产生拉伸或压缩变形。切向分力 F_Z 和径向分力 F_Y 的合力 F 分解为水平分力 F_H 和垂直分力 F_V，如图 4.26 所示。水平分力 F_H 与进给的方向平行，它是设计夹具和校核铣床进给机构强度的依据。而垂直分力 F_V 的大小和方向将直接影响工件装夹在工作台上的稳固情况。

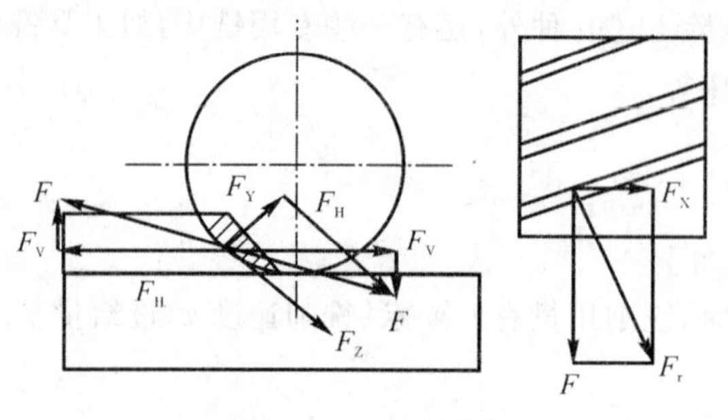

图 4.26 铣削力

在铣削加工过程中，铣削力主要有以下几个特点。

(1) 由于铣削厚度 a_c 是不断变化的，因而会引起切削力大小不断变化，如图 4.27(a) 所示。在铣削过程中，同时参加切削的刀齿数是变化的，因而也会引起切削力大小变化。如图 4.27(a) 所示状态，刀齿 1,2,3 都参加切削，当切至如图 4.27(b) 所示状态时，刀齿 1 切离工件，此时瞬间切削力突然下降。

(2) 铣削力的方向和作用点是变化的。如图 4.27(a) 所示状态，3 个刀齿同时切削，合力下的作用点在 A 点，当切至如图 4.27(b) 所示状态时，刀齿 1 切离工件，合力作用点移至 B 点，合力的方向也改变了。

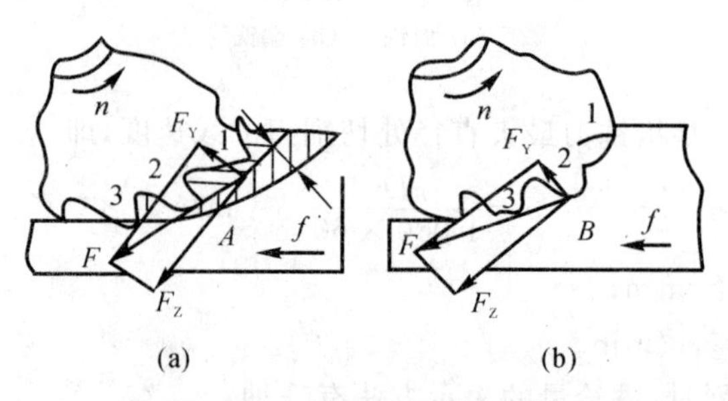

图 4.27 铣削过程受力分析

4.4.2 铣削方式

铣平面是铣削加工的主要工作之一，常用铣平面的方式有周铣法和端铣法两种。

1. 周铣法

用圆柱铣刀的圆周刀齿加工平面称为周铣，如图 4.25(a) 所示。根据铣刀旋转方向与工件进给方向的异同，又可分为逆铣和顺铣。逆铣是指在切削部位刀齿的旋转方向和工件的进给方向相反，如图 4.28(a) 所示；顺铣则是刀齿的旋转方向和工件的进给方向相同，如图 4.28(b) 所示。

逆铣时，每个刀齿的切削厚度是从零增大到最大值。由于铣刀刃口总有圆弧存在，而不是绝对尖锐的，所以在刀齿接触工件的初期，不能切入工件，而是在工件表面上挤压、滑行，使刀齿在工件之间的摩擦加大，加速刀具磨损，同时也使表面质量下降。顺铣时，每个刀齿的切削厚度是由最大减小到零，从而避免了上述缺点。

逆铣时，铣削力 F 的垂直分力 F_V 使工件上抬，不利于工件的夹紧；而顺铣时，垂直分力 F_V 使工件压向工作台，这样减少了工件振动的可能性，有利于工件的夹紧，尤其铣削薄而长的工件时，更为有利。

由上述分析可知，从提高刀具的耐用度、工件的表面质量及工件夹持的稳定性出发，一般以采用顺铣为宜。但是，在顺铣过程中，由于大小不断变化的水平分力 F_H 的方向与工作台进给方向相同，而工作台进给丝杆与固定螺母之间一般都存在间隙，如图 4.29 所示，间隙在进给方向的前方。在 F_H 忽大忽小的作用力下，就会使工件连同工作台忽左忽右来回窜动，造成切削过程的不平稳，引起啃刀、打刀甚至损坏机床。而逆铣时，水平分力 F_H 与进给方向相反，铣削过程中工作台丝杆始终压向螺母，不致因为间隙的存在而引起工件窜动。所以，一般铣削加工多采用逆铣法。只有当铣床上装有消除工作台丝杆与螺母之间间隙的机构时，才能采用顺铣法。

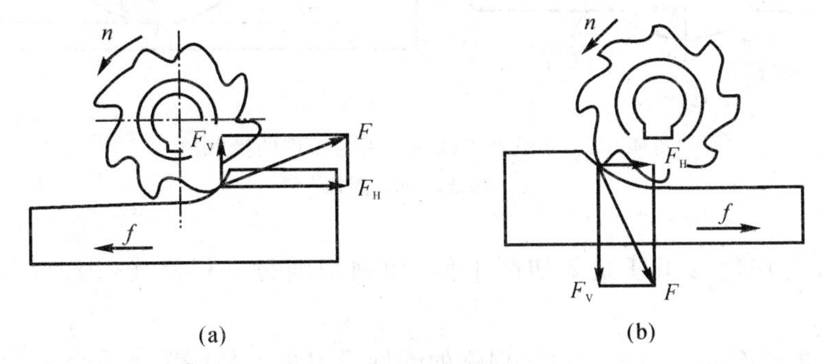

图 4.28 逆铣和顺铣

(a) 逆铣；(b) 顺铣

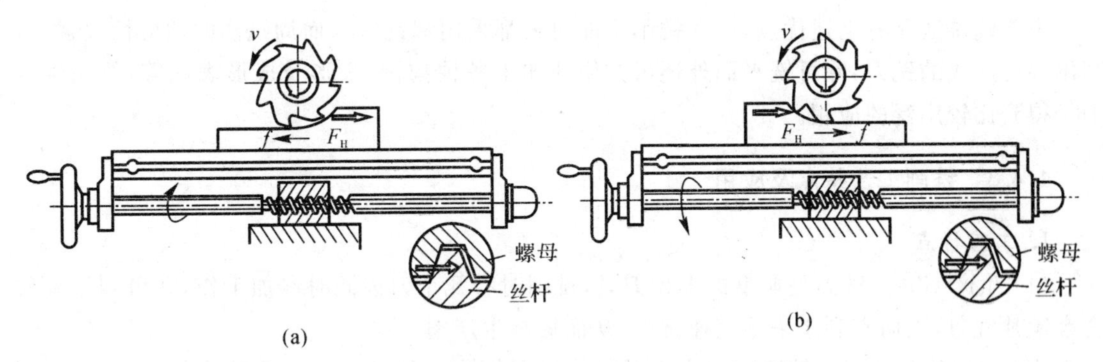

图 4.29 逆铣和顺铣时丝杆与螺母之间的间隙

(a) 逆铣；(b) 顺铣

另外，当铣削带有黑色硬皮工件的表面时，如铸件和锻件表面的粗加工，若用顺铣法，因刀齿首先接触黑硬皮，将加剧刀齿的磨损，因此也应采用逆铣法。

2. 端铣法

用端铣刀的端面刀齿加工平面称为端铣法，如图 4.25(b) 所示。端铣法可以通过调整铣刀和工件的相对位置，调节刀齿切入和切出时的切削厚度来达到改善铣削过程的目的。

3. 周铣法与端铣法的比较

(1) 端铣法的加工质量略高于周铣法。其原因如下：

1）端铣时，铣刀与工件的瞬时接触角 φ 较大，如图 4.30(a) 所示。同时参加切削的刀齿数目多，这样每个刀齿切入和切出工件时，对总切削力的变化影响小。而且端铣刀的刚性大，切削过程平稳，有利于提高加工质量。周铣时，圆柱铣刀与工件的瞬时接触角 φ 较小，如图 4.30(b) 所示。同时参加切削的刀齿少，通常只有 1～2 个，每个刀齿切入切出工件时，切削力变化较大，容易引起振动，影响加工质量。

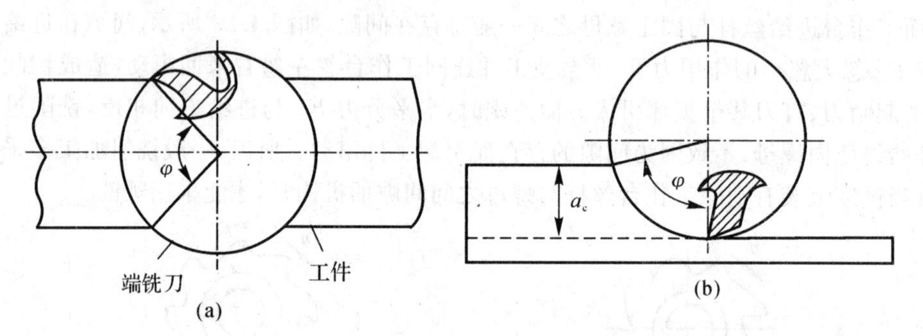

图 4.30　端铣和周铣时刀齿与工件的接触角

(a) 端铣；(b) 周铣

2）端铣时，主切削刃担任主要切削工作，而副切削刃进行修光，因此，加工表面粗糙度较小。

(2) 端铣的生产率高于周铣。由于周铣的螺旋形刀齿不易镶装硬质合金刀片，圆柱形铣刀多采用高速钢制成，而端铣刀则可方便地镶装硬质合金刀片，故可采用高速铣削，大大提高生产率。

由于端铣法具有上述优点，故在铣削平面时大都采用端铣法。而周铣法的适应性较强，可利用多种形式的铣刀，除可铣平面外还可方便地加工各种沟槽、齿形及成形表面等，故在生产中仍得到比较广泛的应用。

4.4.3　铣削工艺特点及应用

1. 工艺特点

(1) 生产率高。铣刀是典型的多齿刀具，铣削时有几个刀齿同时参加工作，并可利用硬质合金镶片铣刀，因而有利于采用高速铣削，从而提高生产率。

(2) 刀齿热条件好。铣刀在切离工件的一段时间内可得到一定程度的冷却，有利于刀齿的散热。但是，当切入及切出工件时，刀齿不但受到冲击力的作用，而且受到热冲击，这将加剧刀齿的磨损。

(3) 铣削时容易产生振动。铣刀刀齿在切入和切出工件时易产生冲击，铣削过程中同时参加工作的刀齿数目是变化的，对每个刀齿而言，在铣削过程的铣削厚度也是不断变化的，因此引起铣削过程不平稳。

2. 铣削的应用

铣削的形式很多，铣刀的类型和形状更是多种多样的，加之“分度头”“圆形工作台”等附件的应用，因而铣削的应用范围较广。表 4.5 所示为铣削加工的主要应用范围。

铣削主要用来加工平面（包括水平面、垂直面及斜面）和各种沟槽（如直角沟槽、V 形槽、T

形槽及燕尾槽等)及切断,也可加工一些成形面,如齿轮齿形面、螺旋槽、凸轮面和各种特殊形表面。一些曲面、圆弧面、圆弧槽等可利用圆形工作台在立式铣床上加工。此外,利用铣床上的分度头还可以加工需要等分的工件,如铣四方、六方、花键、离合器及齿轮等。铣削加工精度一般可达 IT9～IT7,表面粗糙度 R_a 值为 6.3～1.6 μm。

表 4.5 铣削加工的主要应用范围

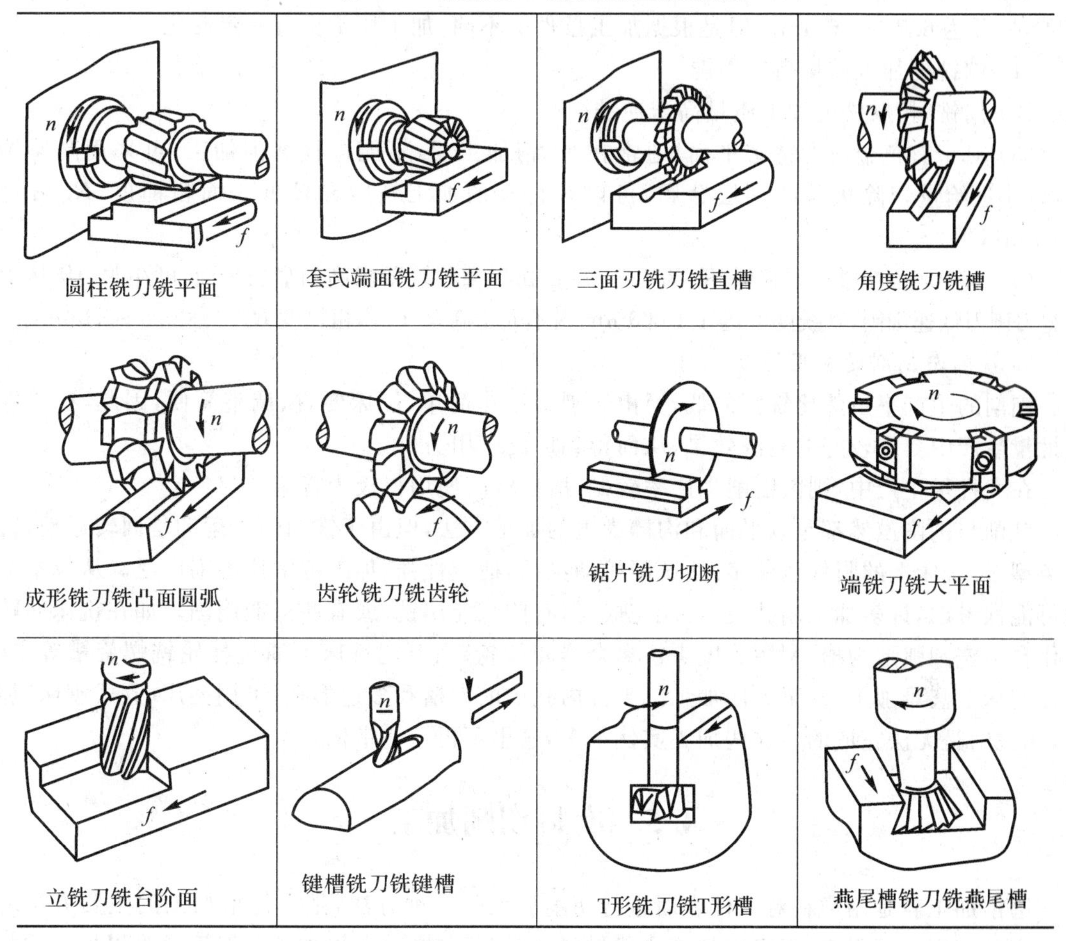

圆柱铣刀铣平面　套式端面铣刀铣平面　三面刃铣刀铣直槽　角度铣刀铣槽

成形铣刀铣凸面圆弧　齿轮铣刀铣齿轮　锯片铣刀切断　端铣刀铣大平面

立铣刀铣台阶面　键槽铣刀铣键槽　T形铣刀铣T形槽　燕尾槽铣刀铣燕尾槽

4.4.4 铣削与刨削加工分析比较

铣削与刨削是平面加工的两种基本方法。由于铣、刨加工的机床,刀具和切削方式不同,它们的工艺特点有较大的差别。因此,应根据它们的工艺特点,对铣、刨加工进行分析比较。

1. 铣削与刨削加工的生产率

在多数情况下,铣削的生产率明显高于刨削,只有当加工窄长平面时,刨削的生产率才高于铣削。这是由于:

(1) 刨削主运动是直线往复运动,刀具切入工件时有冲击力,回程时还要克服惯性力而限制了切削速度的提高。铣削的主运动是回转运动,有利于采用高速切削。

(2) 刨刀是单刃刀具,实际参加切削的刀刃长度有限,一个表面要经多次行程才能加工出来,而且回程不切削,是空行程。铣刀是多刃刀具,同时参加切削的刀齿较多,总的切削宽度大，而且没有回程时间损失。

(3) 对窄长平面(如导轨、长槽等)，刨削的生产率高于铣削是因为刨削因工件变窄而减少横向走刀次数，因此当成批生产加工窄长平面时，多采用刨削加工。

2. 铣削与刨削的加工质量

铣削与刨削的加工质量相近。一般经粗、精两道工序后，精度都可达到IT9～IT7，表面粗糙度 R_a 可达 6.3～1.6 μm。但是根据加工条件的不同，加工质量也有一定变化。

(1) 端铣的加工质量高于周铣。

(2) 周铣时，顺铣的加工质量高于逆铣。

(3) 对于有色金属的精密平面，通常在粗、精加工后，不能进行磨削加工，可采用高速端铣，以小进给量切除极薄的一层金属，可以获得高的加工精度和较低表面粗糙度(R_a 可达 0.8 μm以下)。

(4) 对于表面粗糙度要求低(R_a 为 0.8～0.2 μm)、直线度要求高的窄长平面，可在龙门刨床上用宽刃刨刀低速细刨，直线度可达在 1 000 μm 内不大于 0.02 mm，粗糙度 R_a 可达 0.8～0.2 μm。

3. 铣削与刨削的应用场合

刨削的生产率虽然比铣削的低，但由于刨刀结构简单、刨床便宜、调整简便，因此，在单件小批量生产中具有较好的经济效果，从而得到广泛应用。

在大批量生产中，则因刨削生产率较低，所以铣削使用得极为普遍。

铣削与刨削虽然都是以平面和沟槽为主的加工方法，但由于铣削的主运动是回转运动，铣刀类型多，铣床上的附件也较多，使铣削机动灵活，适应性强，加工范围比刨削广泛。从技术上的可能性考虑，许多加工用铣、刨均能完成，但有些只能用铣，或有些只能用刨。如在铣床回转工作台上铣圆弧形沟槽、利用分度头铣离合器和齿轮、在万能铣床上通过挂轮铣螺旋槽等，这些在刨床上甚难加工，甚至无法加工。工件内孔中的键槽和多边形孔，可用插床(立式刨床)加工，用铣削是无法完成的。这些加工实例很多，这里不再一一举例。

4.5 磨料切削加工

磨削加工就是用磨料对工件表面进行切削加工的一种方法，是零件精加工的主要方法之一。它的应用范围很广，不仅能加工一般材料，如钢、铸铁等，还可加工一般刀具难以加工的材料，如淬火钢、硬质合金及陶瓷等。

4.5.1 砂轮

砂轮是磨削加工的主要工具，它是由磨料和结合剂构成的疏松多孔物体，如图 4.31 所示。磨粒、结合剂和空隙是构成砂轮的三要素。随着磨料、结合剂及砂轮制造工艺的不同，砂轮特性差别可能很大，对磨削加工的精度及生产率等有着重要的影响。

1. 砂轮特性

(1) 磨料。磨料是制造砂轮的主要原料，它起着切削作用。因此，磨料必须锋利，并具备高的硬度和一定的韧性。表 4.6 所示常用磨料的性能与用途。

(2) 粒度。粒度是指磨料颗粒的大小。它分为磨粒与微粉两组。粒度号是指 1 英寸长度内的孔眼数。当磨料的颗粒直径小于 40 μm 时称为微粉 W，微粉颗粒尺寸用微米(μm)表示。

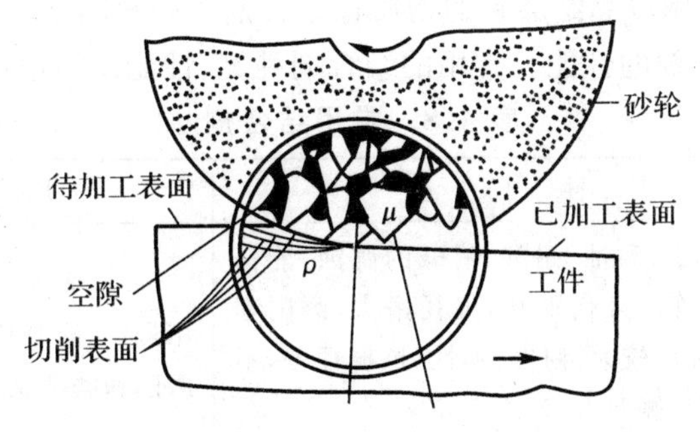

图 4.31　砂轮及磨削示意图

磨粒粒度的选择，主要与加工表面粗糙度和生产率有关。粗磨时，磨削余量大，表面质量要求不高，应选用较粗磨粒；精磨时，余量小，表面质量要求高，可选较细磨粒。不同粒度砂轮的应用如表 4.7 所示。

表 4.6　常用磨料的性能和用途

类　别	名　称	代号	特　　性	用　　途
刚玉类	棕刚玉	GZ	含 91%～96%氧化铝，棕色，硬度高，韧性好，价格便宜	磨削碳钢、合金钢、可锻铸铁、硬青铜等
	白刚玉	GB	含 97%～99%的氧化铝，白色，比棕刚玉硬度高，韧性低，自锐性好，磨削时发热少	精磨淬火钢、高碳钢、高速钢及薄壁零件
碳化硅类	黑色碳化硅	TH	含 95%以上的碳化硅，呈黑色或深蓝色，有光泽，硬度比白刚玉高，性脆而锋利，导热性和导电性良好	磨削铸铁、黄铜、铝、耐火材料及非金属材料
	绿色碳化硅	TL	含 97%以上的碳化硅，呈绿色，硬度和脆性比 TH 更高，导热性和导电性好	磨削硬质合金、光学玻璃、宝石、玉石、陶瓷、珩磨发动机汽缸套等
金刚石类	人造金刚石	JR	无色透明或淡黄色、黄绿色、黑色，硬度高，比天然金刚石性脆，价格比其他磨料贵好多倍	磨削硬质合金、宝石等高硬度材料

表 4.7　不同粒度砂轮的应用

砂轮粒度	一般使用范围	砂轮粒度	一般使用范围
14# ～24#	磨钢锭、切断钢坯、打磨铸件毛刺等	120# ～W20	精磨、珩磨和螺纹磨
36# ～60#	一般磨平面、外圆、内孔以及无心磨等	W20 以下	镜面磨、精细珩磨
60# ～100#	精磨和刀具刃磨等		

(3) 结合剂。砂轮中用以黏结磨料的物质称结合剂。砂轮的强度、抗冲击性、耐热性及抗腐蚀能力主要决定于结合剂的性能。常用的结合剂种类、性能及用途如表 4.8 所示。

表 4.8 常用结合剂

名 称	代号	性 能	用 途
陶瓷结合剂	A	耐水、耐油、耐酸、耐碱的腐蚀,能保持正确的几何形状,气孔率大,磨削率高,强度较大,韧性、弹性、抗振性差,不能承受侧向力	$v_{轮}<35$ m/s 的磨削,这种结合剂应用最广,能制成各种磨具,适用于成形磨削和磨螺纹、齿轮、曲轴等
树脂结合剂	S	强度大并富有弹性,不怕冲击,能在高速下工作,有摩擦抛光作用,但坚固性和耐热性比陶瓷结合剂差,不耐酸、碱,气孔率小,易堵塞	$v_{轮}>50$ m/s 的高速磨削,能制成薄片砂轮磨槽,刃磨刀具前刀面,高精度磨削,湿磨时切削液中含碱量应小于1.5%
橡胶结合剂	X	弹性比树脂结合剂更大些,强度也大,气孔率小,磨粒容易脱落,耐热性差,不耐油,不耐酸,而且还有臭味	制造磨削轴承沟道的砂轮和无心磨削砂轮、导轮以及各种开槽和切割用的薄片砂轮,制成柔软抛光砂轮等
金属结合剂(青铜、电镀镍)	J	韧性、成型性好,强度大,自锐性能差	制造各种金刚石磨具,使用寿命长

(4) 硬度。砂轮硬度是指砂轮表面上的磨粒在外力作用下脱落的难易程度。易脱落的称软砂轮,反之称硬砂轮。同一种磨料可做成不同硬度的砂轮,砂轮的软硬决定于结合剂的性能、数量及砂轮的制造工艺。

当加工硬金属时,为了能及时地使磨钝的磨粒脱落而露出具有尖锐棱角的新磨粒,应选用软砂轮;当加工软金属时,为使磨粒不致过早脱落,应选用硬砂轮。常用砂轮的硬度等级如表 4.9 所示。

表 4.9 常用砂轮硬度等级

硬度等级	大级	软			中软		中		中 硬			硬	
	小级	软$_1$	软$_2$	软$_3$	中软$_1$	中软$_2$	中$_1$	中$_2$	中硬$_1$	中硬$_2$	中硬$_3$	硬$_1$	硬$_2$
代 号		R_1	R_2	R_3	ZR_1	ZR_2	Z_1	Z_2	ZY_1	ZY_2	ZY_3	Y_1	Y_2

(5) 形状与尺寸。根据机床类型与磨削加工的需要,砂轮制成各种标准的形状和尺寸。常用的几种砂轮形状、代号和用途见表 4.10。

为了便于选用砂轮,在砂轮的非工作表面上印有特性代号,例如:

GB	60	ZR_1	A	P	400×50×203
↓	↓	↓	↓	↓	↓
磨料	粒度	硬度	结合剂	形状	外径×宽度×内径

磨削时应按上述特性合理选用砂轮。但由于砂轮更换麻烦，一般除了生产批量较大以及磨削重要的工件或材料硬度悬殊较大的工件外，只要机床现有砂轮大致符合要求，通过修整砂轮和选用适当的磨削用量即可使用。

表 4.10 常用砂轮形状、代号和用途

砂轮名称	简图	代号	用途
平形砂轮	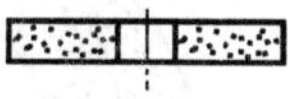	P	磨削外圆、内圆、平面，并用于无心磨
双斜边砂轮	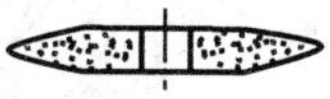	PSX	磨削齿轮的齿形和螺纹
筒形砂轮	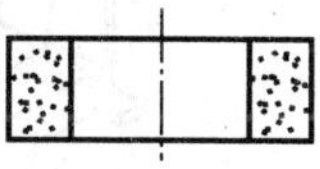	N	立轴端面平磨
杯形砂轮	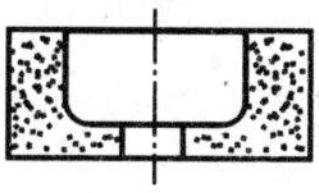	B	磨削平面、内圆及刃磨刀具
碗形砂轮	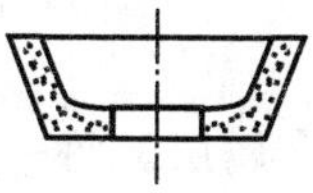	BW	刃磨刀具，并用于导轨磨
碟形砂轮	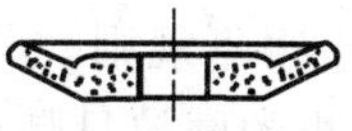	D	磨削铣刀、铰刀、拉刀及齿轮的齿形
薄片砂轮	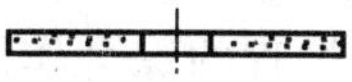	PB	切断和开槽

2. 砂轮的平衡、安装与修整

(1) 砂轮的安装。在磨床上安装砂轮应特别注意。因为砂轮转速高，如安装不当，工作时易引起碎裂。如图 4.32 所示为几种常用安装方法。如图 4.32(a)所示适用于孔径大的平形砂轮，如图 4.32(b)(c)所示适用于直径不太大的平形和碗形砂轮，如图 4.32(d)所示适用于直径较小的内圆磨砂轮。

(2) 砂轮的平衡。为使砂轮平稳地工作，一般直径大于 125 的砂轮都要进行平衡，使砂轮的重心与其旋转轴线重合。砂轮的平衡方法，就是在砂轮法兰盘的环形槽内装入几块平衡块，如图 4.33 所示。通过调整平衡块的位置，使砂轮重心与回转轴线重合。

(3) 砂轮的修整。砂轮工作一段时间后，磨粒逐渐变钝，砂轮工作表面空隙被磨屑堵塞，最后使砂轮丧失切削能力。所以，砂轮工作一段时间后必须进行修整，以便磨钝的磨粒脱落，恢复砂轮的切削能力和外形精度。砂轮常用金刚石进行修整。金刚石具有很高的硬度和耐磨性，是修整砂轮的主要工具。

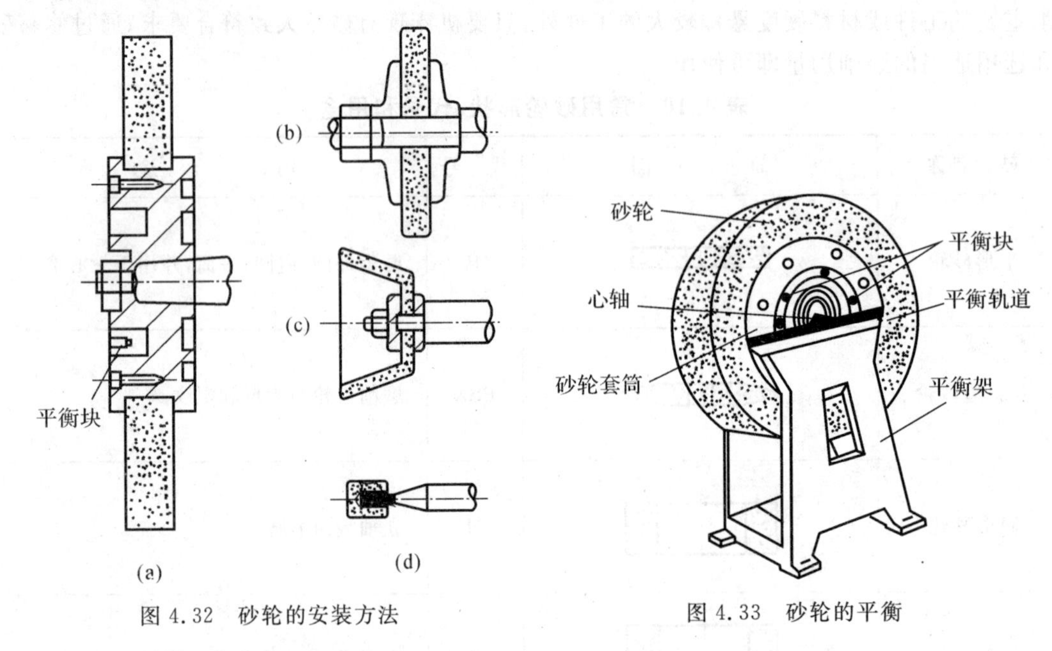

图 4.32 砂轮的安装方法

图 4.33 砂轮的平衡

4.5.2 磨削工艺

1. 磨削原理

磨削是用砂轮表面的磨粒从工件表面切除微细的金属层。每一颗磨粒的单独工作可以看做是一把具有负前角的车刀，而整个砂轮则可以看做是具有极多刀齿的铣刀，但刀齿是由许多分散的尖棱组成的，其形状不一，切削刃口差别大，分布很不规则。其中比较锋利且比较凸出的磨粒，可以获得较大的切削厚度而切出切屑，不太凸出的磨粒只是在工件表面上刻划出细小的沟纹，工件材料则被挤向沟槽的两旁而隆起。而磨钝或凹下的磨粒，它们仅能在工件表面产生滑擦。因此，磨削实质上就是切削、刻划与滑擦三个过程的综合作用。

2. 磨削的工艺特点

(1) 加工精度高，表面粗糙度低。磨削时，磨粒刃口非常锋利，刃口半径 ρ 也很小，加之切削刃极多，因此能切下极薄的一层金属。切削厚度可小至数微米，因而残留面积高度极小。

磨削所用磨床的精度高，刚性及稳定性好，并且具有控制小切削深度的微量进给机构，可进行微量切削，从而能实现精密加工。

磨削时，切削速度很高，如普通外圆磨削 $v\approx30\sim35$ m/s，高速磨削 $v>50$ m/s。当无数切削刃以很高的速度从工件表面切过时，每个切削刃仅从工件上切下极少量金属，残留面积高度很小，这有利于形成低粗糙度的表面。

因此磨削加工可以达到高的精度和小的粗糙度。一般磨削精度可达 IT7～IT6，表面粗糙度 R_a 可达 0.1 μm 以下。

(2) 径向分力 F_Y 较大。磨削加工时切削力也可分解为 3 个相互垂直的分力 F_X，F_Y，F_Z，如图 4.34 所示。在一般切削加工中，主切削力 F_Z 较大。而在磨削加工中，由于磨削深度及磨削厚度较小，故 F_Z，F_X 较小，但由于砂轮与工件的接触宽度大且磨粒多为负前角，因而

F_Y 力较大。

由于 F_Y 较大，工件在磨削过程中将产生变形而影响精度，如图 4.35 所示。同时 F_Y 将造成机床—砂轮—工件系统产生弹性变形，使实际磨削深度变小。因此，在磨削加工的最后阶段吃刀量应尽可能小，以消除因变形而产生的误差。

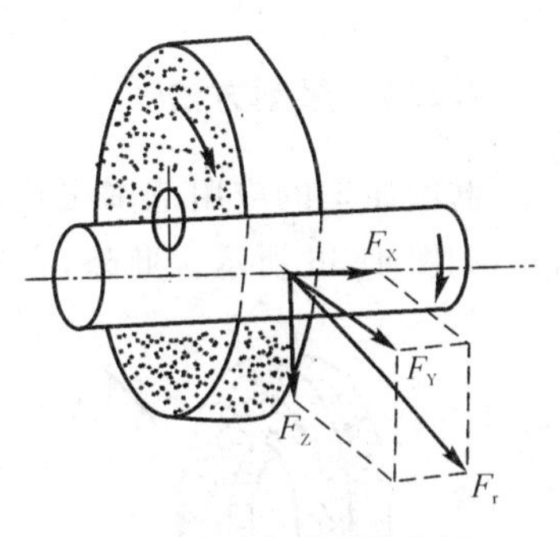

图 4.34　磨削力的分解

(3) 砂轮具有自锐性。在磨削过程中，一方面，磨粒在高速、高压及高温的共同作用下逐渐磨损而变钝，变钝的磨粒切削能力将急剧降低，使作用磨粒上的力急剧增大，磨粒将会发生破碎而形成新的锋利棱角，代替被磨钝磨粒对工件进行切削；另一方面，当此力超过砂轮结合剂的黏结力时，被磨钝的磨粒就会从砂轮表面锐落，露出一层锋利的磨粒，继续进行切削。砂轮的这种自行推陈出新，以保持自身锋锐的性能称为自锐性。

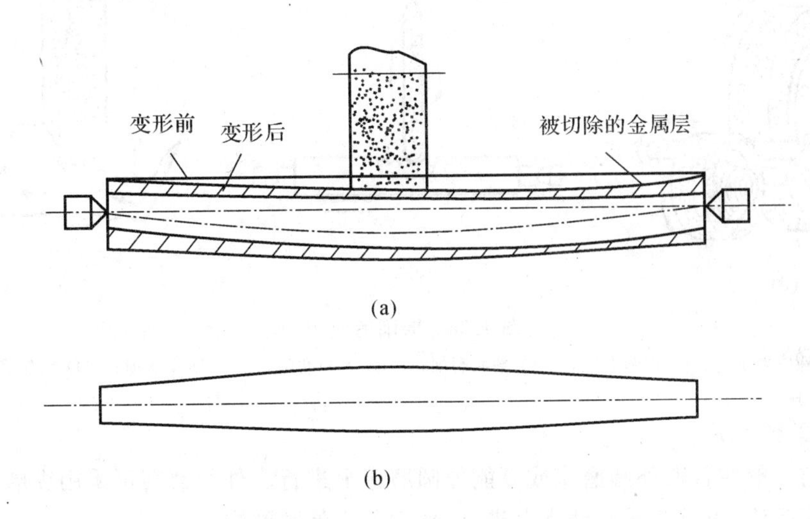

图 4.35　磨削力引起的工件变形

砂轮本身虽具有自锐性，但是由于切屑和碎磨粒会把砂轮堵塞，使之失去切削能力，加之磨粒脱落的不均匀性，会使砂轮失去外形精度。因此，为恢复砂轮的切削能力和外形精度，在磨削一定时间后，砂轮须进行修整。

(4) 磨削温度高。磨削时，高速旋转的砂轮与工件表面之间相互摩擦，磨粒对工件表面产生挤压，使工件产生弹性与塑性变形而产生大量的磨削热，再加之砂轮本身的导热性差，磨削时产生的大量磨削热很难及时排出，在磨削区形成瞬时高温(有时高达 800～1 000℃)。

如此高的磨削温度易烧伤工件表面，使淬火钢件表面退火，硬度降低，还易使工件产生裂纹及变形等缺陷而降低表面质量。同时，金属材料在高温下软化造成砂轮堵塞，影响砂轮的耐用度及工件的表面质量。

因此，在磨削过程中应采用大量的切削液，以便有效地降低磨削温度。同时切削液还可以将细碎的切屑及破碎或脱落的磨粒冲走，避免砂轮堵塞。对脆性材料，如铸铁、黄铜等，在磨削时一般不加切削液而采用吸尘器清除尘屑。

4.5.3 磨削方法

磨削加工的应用范围很广，它可以加工各种外圆面、内孔、平面和成形面(如齿轮、螺纹等)，如图 4.36 所示。此外，它还用于各种切削刀具的刃磨。

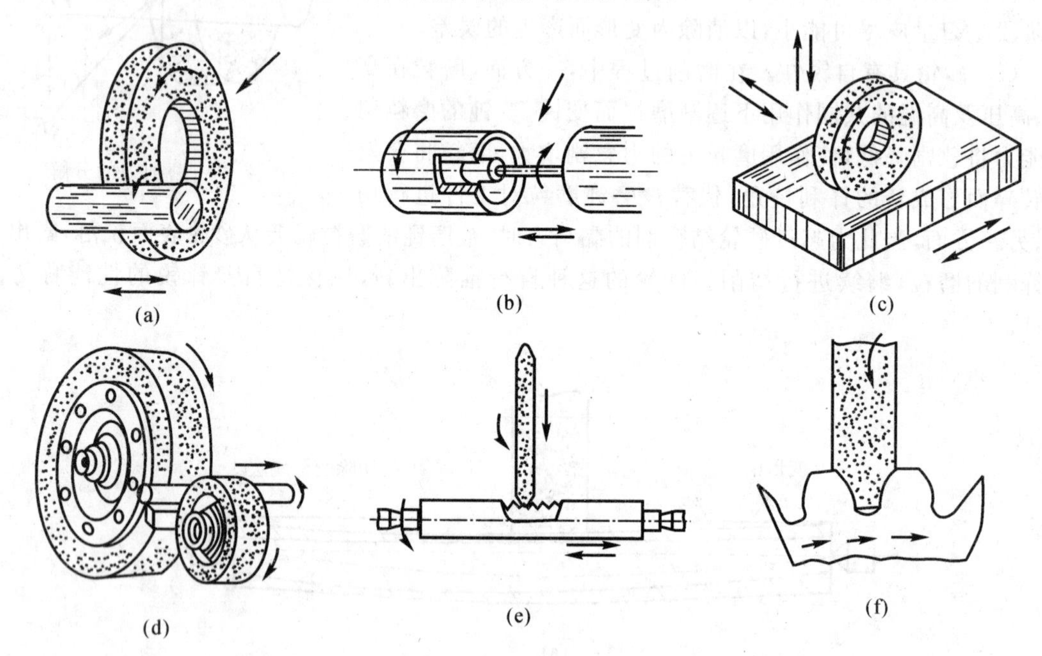

图 4.36 磨削的应用

(a) 外圆磨削；(b) 内圆磨削；(c) 平面磨削；(d) 无心磨削；(e) 螺纹磨削；(f) 齿轮磨削

1. 外圆磨削方法

外圆磨削一般在普通外圆磨床或万能外圆磨床上进行。外圆磨削可采用纵磨法、横磨法、综合磨法和深磨法，也可在无心磨床上进行，称为无心外圆磨削法。

(1) 纵磨法。纵磨法磨削外圆如图 4.37 所示。磨削时，砂轮高速旋转为主运动，工件旋转并与工作台一起往复直线运动分别为圆周进给及纵向进给运动。这种磨削方法由于磨削深度小，磨削力小，磨削温度低，因此加工精度和表面质量较高，且适应性较广，可磨削任何长度的工件。但生产率较低，故它广泛应用于单件、小批生产及精磨，特别适用于细长轴的磨削。

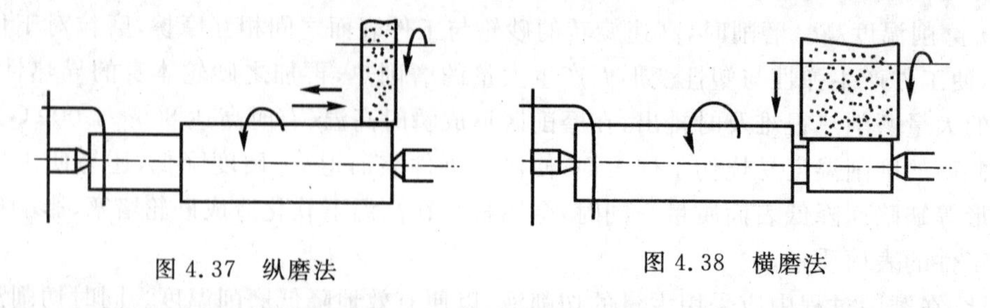

图 4.37 纵磨法　　图 4.38 横磨法

(2) 横磨法。横磨法磨削如图 4.38 所示。这种方法由于使用较宽砂轮，磨削时工件不作纵向进给，仅由砂轮以慢速作横向进给，直到磨去全部余量为止。此法生产率高，并能磨削成形面。但磨削力大，磨削温度高，工件易变形和烧伤。另外，砂轮工作面的状态直接影响工件的加工精度。这种方法适用于成批大量生产中磨削表面宽度较小且刚度较好的工件。

(3) 无心外圆磨。无心外圆磨是在无心外圆磨床上进行的。磨削时,工件放置在两个砂轮之间,下方用托板托住而不用顶尖支承,如图 4.39 所示。两个砂轮中较小的一个是用橡胶结合剂制成的,其磨粒较粗称为导轮;另一个是用来磨削的砂轮,称磨削轮。导轮轴线相对磨削轮轴线倾斜一定角度 α(1°～5°),该轮以很低的速度转动,依靠摩擦力带动工件旋转。导轮与工件接触点的线速度 $v_{导}$ 可分解为两个速度分量——$v_{工}$ 和 $v_{通}$。$v_{工}$ 带动工件旋转实现圆周进给,$v_{通}$带动工件实现纵向进给运动。导轮一般都修整成双曲面形,以便导轮与工件保持线接触。

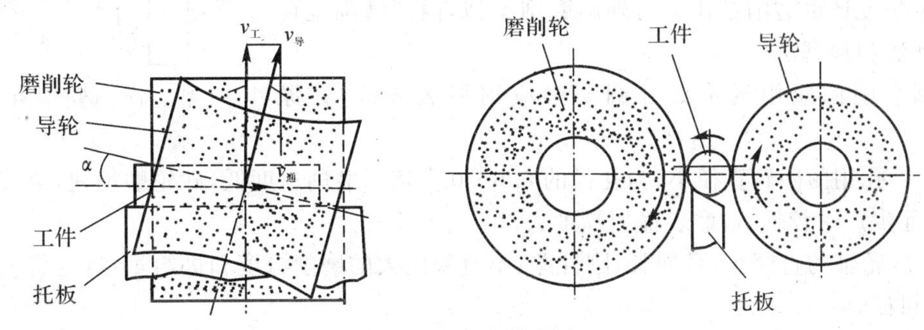

图 4.39 无心外圆磨

无心外圆磨削的生产率高,适于大批量生产轴类零件,特别适于加工细长光轴轴销和小套等,但机床调整比较麻烦。它不适宜加工断续的外圆表面,如圆柱面上存在有较长的键槽、平面等,以防外圆产生较大的圆度误差。

2. 平面磨削方法

平面磨削常用来磨削齿轮端面、滚动轴承环、活塞环及大型工件的平面。它与平面铣类似,也可分为周磨和端磨两种方式。

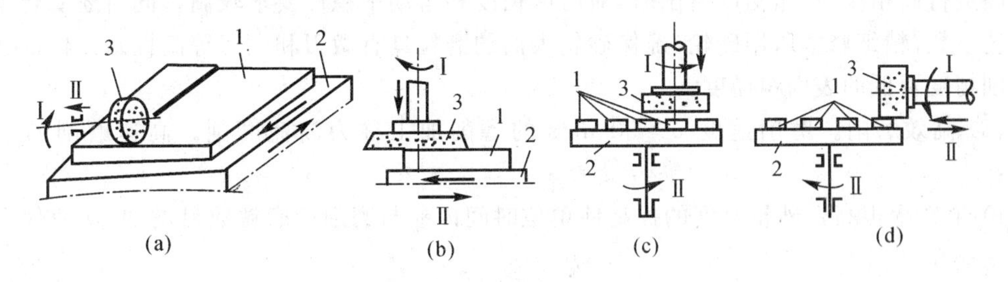

图 4.40 平面磨削加工

1—工件； 2—工作台； 3—砂轮

(1) 周磨。周磨是利用砂轮的外圆面进行磨削,如图 4.40(a)(d)所示,当周磨平面时,砂轮与工件接触面积小,散热和排屑条件好,因此加工质量较高。周磨平面采用卧轴矩形工作台平面磨床。由于周磨采用砂轮外圆磨削,磨削面积很小,故其生产率较低。它主要适用于加工质量要求高的工件。

(2) 端磨。端磨是利用砂轮的端面进行磨削,如图 4.40(b)(c)所示。端磨平面一般用立轴平面磨床。当端磨平面时,磨削面积大,磨头伸出长度短,刚性较好,允许采用大的磨削用量,故其生产率较高。但是端磨发热量多,冷却条件差,排屑困难,故加工质量较低。它主要适用于要求不很高的工件，或代替铣削作为精磨前的预加工。

磨削铁磁性工件(钢、铸铁等)，多利用电磁吸盘将工件吸住，装卸很方便。

3. 内圆磨削方法

内圆磨削可以在内圆磨床上进行，也可在万能外圆磨床上进行。目前广泛应用的内圆磨床是卡盘式的。加工时，工件夹持在卡盘上，工件和砂轮按相反方向旋转，同时砂轮还沿被加工孔的轴线作直线往复运动和横向进给运动，如图 4.41 所示。这种磨床用来加工容易固定在机床卡盘上的工件，如齿轮上的孔、滚珠轴承环等，如把头架偏转一定角度还可磨削锥孔。与外圆磨削类似，内圆磨削也可分为纵磨法和横磨法。

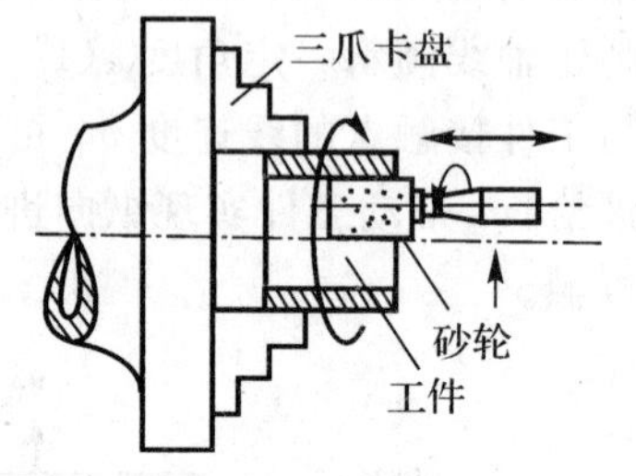

图 4.41　磨削圆柱孔

内圆磨削的应用远不如外圆磨削应用那么普遍，其原因是：

(1) 磨孔用的砂轮直径小(为孔径的 0.6～0.9 倍)，磨削速度低，砂轮磨损快，需要修整和更换，因此生产率较低，被磨表面粗糙度大。

(2) 砂轮轴的直径小，悬伸长，刚性差，不宜采用大的磨削深度和进给量，这也将使生产率低，表面粗糙。

由于上述原因，磨孔一般仅适用于淬硬工件孔的精加工。但是，磨孔的适应性较好，在单件、小批生产中应用较多。

4. 磨削的发展

磨削主要朝着两个方向发展：一个是高精度、小粗糙度磨削；另一个是高效磨削。

(1) 高精度、小粗糙度磨削。它包括精密磨削(R_a 为 0.05～0.1 μm)、超精磨削(R_a 为 0.012～0.025 μm)和镜面磨削(R_a<0.008 μm)。该加工方法可替代研磨加工，以节省工时和减轻劳动强度。

当进行高精度、小粗糙度磨削时，对磨床精度和运动平稳性要求较高。同时还要合理地选用工艺参数，精细修整所用砂轮(确保砂轮表面的磨粒具有微刃和微刃等高性)，以保证获得高的磨削精度及低的表面粗糙度。

(2) 高效磨削。磨削速度 v>50 m/s 的磨削加工称为高速磨削。高速磨削的主要特点是：

1) 生产率很高。砂轮速度的提高使单位时间内参与磨削的磨粒数目增加，从而使生产率大幅度提高。

2) 加工精度高，表面粗糙度低。当高速磨削时，每个磨粒的切削厚度变薄，工件残留面积的高度减小，磨粒的刻划所形成的隆起高度也减小，故表面粗糙度小。同时，磨削厚度的减小也将使 F_Y 减小，从而保证了工件获得高的加工精度。

(3) 强力磨削。强力磨削是指大的切深，缓慢进给的磨削。当强力磨削时，一次磨削深度可达几毫米至几十毫米，因此生产率很高。同时纵向进给速度低，仅为 10～30 mm/min，又称缓进深切磨削。它适用于加工各种成形面和沟槽，特别能有效地磨削难以加工的材料。并且，它可以从铸、锻毛坯直接磨出合乎要求的零件，生产率可大大提高。但由于磨削时磨削深度大，因而对磨床、砂轮及冷却方式的要求较高。

(4) 砂带磨削。砂带磨削的设备比较简单。砂带回转为主运动，工件由输送带带动作进给运动，工件经过支承板上方的磨削区后即完成磨削加工，如图 4.42 所示。

砂带磨削的生产率高，加工质量好，能较方便地磨削复杂表面，因而成为磨削加工的发展方向之一，其应用范围越来越广。

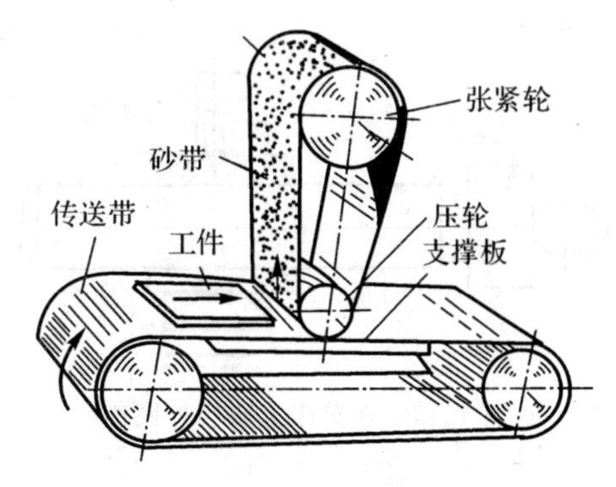

图 4.42　砂带磨削

4.6　光整加工

光整加工是生产中常用的精密加工。常用的光整加工方法有研磨、珩磨、超级光磨及抛光等。光整加工后工件可获得极低的表面粗糙度($R_a \leqslant 0.025\ \mu m$)。

4.6.1　研磨

研磨是最常用的光整加工方法。

1. 加工原理

研磨是在研具与工件之间置以研磨剂，对工件进行光整加工的方法。研磨时，用比工件软的材料作为研具，在研具与工件之间加入研磨剂。在一定的压力作用下，研磨剂中的磨料嵌入研具表面，在研具相对于工件的运动过程中，工件表面便被磨掉一层极薄的金属，从而达到光整加工的目的。

研具材料一般用软钢、铸铁、红铜、塑料等制造。最常用的是铸铁研具，它适于加工各种材料，并能保证研磨质量和生产率。

研磨剂由磨料、研磨液和辅助填料混合而成。磨料起切削作用，常用的是刚玉和碳化硅等，其粒度在粗研时为 80# ～120#，精研时为 150# ～240#。研磨液主要起冷却和润滑作用，并能使磨粒均匀分布在研具表面，通常用煤油、机油、汽油等。辅助填料可以使金属表面产生极薄的、较软的化合物薄膜，以便使工件表面凸锋易被磨粒切除，最常用的是硬脂酸、油酸等化学活性物质。

2. 研磨方法

它可分为手工研磨和机械研磨两种，在单件小批量生产时常采用手工研磨，而在大批量生产时则用机械研磨。如图 4.43 所示为在车床上研磨外圆示意图。

3. 研磨特点

研磨不仅能提高工件的表面质量，还可提高工件的尺寸精度和形状精度；研磨简便可靠，除可在专门研磨机上进行外，还可在简单改装的车床、钻床上进行，成本较低。研磨的加工精度可达 IT6～IT5，表面粗糙度 R_a 为0.2～0.012 μm。但研磨的生产率较低，所有余量不应超过 0.01～0.03。

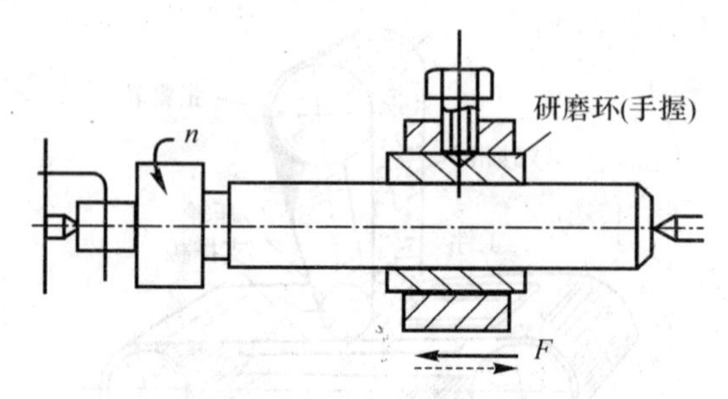

图 4.43　在车床上研磨外圆面

4. *研磨的应用*

研磨的应用很广，常见的表面如平面、圆柱面、孔、锥面、齿轮面等都可用研磨进行光整加工。在现代工业中，常采用研磨作为精密零件的最终加工。

4.6.2　珩磨

珩磨是利用带有磨条的珩磨头对孔进行光整加工的方法，如图 4.44(a)所示。当珩磨时，工件固定，珩磨头上的磨条以一定的压力作用在被加工表面上，珩磨头由机床主轴带动一边旋转，一边作轴向往复运动。在相对运动的过程中，磨条从工件表面切除一层极薄的金属，加之磨条在工件表面的切削轨迹是交叉而不重复的网络，如图 4.44(b)所示，因此珩磨可获得很高的加工精度和很低的表面粗糙度。

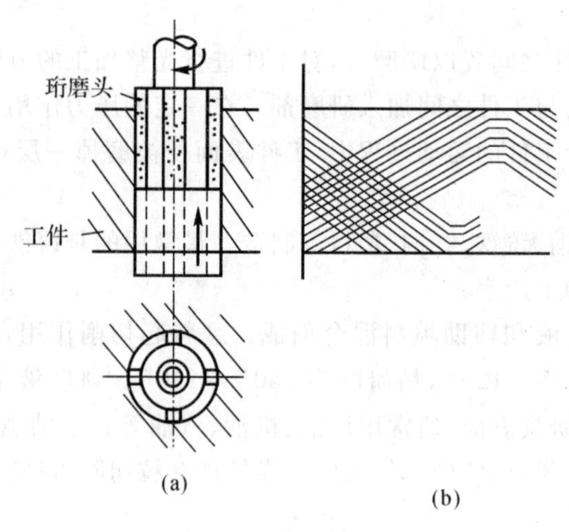

图 4.44　珩磨示意图

珩磨加工具有较高的生产率，这是由于珩磨时有多个磨条工作，并且经常连续变化切削方向，能长时间保持磨粒锋利。珩磨可提高孔的表面质量、尺寸精度和形状精度，但不能提高孔的位置精度。珩磨加工的尺寸精度可达 IT7～IT6，粗糙度 R_a 值为 0.4～0.05 μm，圆度和圆柱度约在 0.005 以下。

珩磨主要用于孔的光整加工，加工孔的直径范围很广，不但能加工直径为 ϕ15～ϕ1 500的孔，并能加工深径比大于 10 的深孔。但对有色金属不能采用珩磨加工。珩磨不仅在大批、大量生产中应用极为普遍，而且在单件、小批生产中应用也比较广泛。

4.6.3 超级光磨

超级光磨是用装有细磨粒、低硬度磨条的磨头，在一定压力下对工件进行光整加工的方法。如图 4.45 所示为超级光磨外圆示意图。加工时，工件旋转，磨条以一恒力轻压于工件表面，在轴向进给的同时，磨条作轴向低频振动(8～33 Hz)，对工件微观不平表面进行修磨。

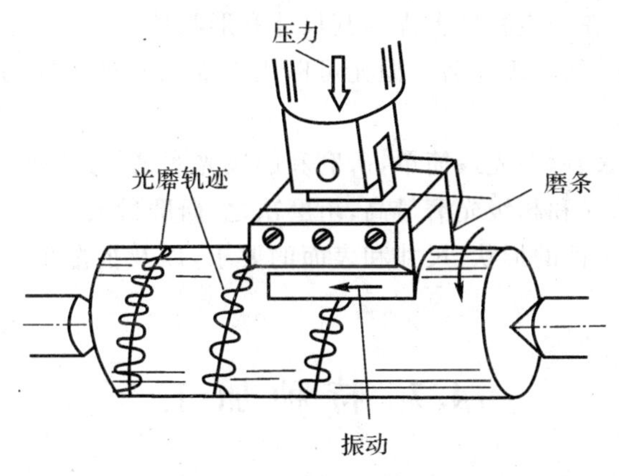

图 4.45 超级光磨外圆示意图

超级光磨时须加充分的切削液(煤油加锭子油)，一方面是为了冷却、润滑及清除切屑，另一方面是为了形成油膜。工件表面不平的凸峰会穿破油膜而露出，首先被磨条磨去，随着各处凸峰高度的降低，磨条与工件的接触面积逐渐扩大，它们之间的单位压力随之减小。当被加工表面呈光滑状态时，在磨条和工件之间形成连续油膜。由于磨条的压力很小，不能将油膜压开，因而磨削作用自动停止。

超级光磨适用于轴类零件圆柱表面的光整加工，主要用于降低表面粗糙度(可以获得 R_a 为 0.1～0.01 μm 表面粗糙度及良好的表面质量)，但不能提高工件的尺寸精度和形状精度，因此，前工序无须留出余量。超级光磨的加工余量极小，一般为 3～10 μm，加工过程所需时间很短，一般为 30～60 s，故生产率较高。

4.6.4 抛光

抛光是在高速旋转的抛光轮上涂以抛光膏，对工件表面进行光整加工的方法。抛光膏用油脂(硬脂酸、煤油、石腊等)和磨料(氧化铁、氧化铬)混合调制而成。抛光轮由毛毡、皮革、尼龙等材料制成。

抛光时，将工件压于高速旋转的抛光轮上，抛光膏中的细小磨粒对工件表面的凸峰进行极弱的切削。此外，抛光的工作速度很高，带磨料的软轮与工件表面剧烈摩擦而产生高温，工件表面可能出现极薄的熔流层，这样对原来表面的微观不平起着填平作用。

经过抛光的工件，一般 R_a 值可达 0.1～0.012 μm，从而显示出光亮的表面。但由于抛光轮与工件之间没有刚性运动联系，抛光轮又有弹性，所以切除金属不均匀，工件的原加工精度难以保持或提高。抛光仅能降低工件表面的粗糙度，而对工件表面粗糙度的改善并无益处，故抛光主要用于表面装饰加工及电镀前的预加工。例如，一些不锈钢、塑料、玻璃等制品，为得到好的外观质量，要进行抛光处理。抛光零件表面的类型不限，可以加工外圆、孔、平面及各种成形表面。

研磨、珩磨、超级光磨和抛光虽都属于光整加工，但它们对工件表面质量的改善程度却不相同。抛光仅能提高工件表面的光亮程度，而对工件表面粗糙度的改善并无益处。超级光磨仅能减小工件的表面粗糙度，而不能提高其尺寸和形状精度。研磨和珩磨则不但可以减小工件表面的粗糙度，也可以在一定程度上提高其尺寸和形状精度。

从应用范围来看，研磨、超级光磨和抛光可以用来加工各种各样的表面，而珩磨则主要用于孔的加工。

从所用工具和设备来看，抛光最简单，研磨和超级光磨稍复杂，而珩磨则较为复杂。

从生产效率来看，抛光和超级光磨最高，珩磨次之，研磨最低。

实际生产中常根据工件的形状、尺寸和表面的要求，以及批量大小和生产条件等，选用合适的光整加工方法。

4.7 特种加工

切削加工的本质和特点在于：一是靠刀具材料比工件材料更硬；二是靠机械能、机械力把工件上多余的材料切除下来。一般情况下这是行之有效的方法，但是在工件材料愈来愈硬、加工表面愈来愈复杂的情况下，原来行之有效的有利因素，反而转化为限制生产率和影响加工质量的不利因素。于是人们探索用软的工具加工硬的工件材料，不用机械能而用电、化学、光、声等能量来进行加工。到目前为止，已经找到了这一类的加工方法，为区别于现有的金属切削加工，统称为特种加工。

常用的特种加工方法有电火花加工、电解加工、超声波加工和激光加工等。

4.7.1 电火花加工

1. 电火花加工的基本原理

电火花加工的原理是基于工具和工件之间脉冲性火花放电时的电腐蚀现象来除去多余的金属以达到加工的目的。要使电火花腐蚀现象能用于加工，必须解决下列问题。

(1) 必须使工具和工件的被加工表面(正负极)保持一定的间隙，这一间隙随加工条件而定，通常约为几至几百微米。如果间隙过小，很容易形成短路接触，而不能产生火花放电。为此，在电火花加工过程中必须具有工具电极的自动进给和调节装置。

(2) 电火花放电必须是瞬时的脉冲性放电，放电延续一段时间后，需停歇一段时间。放电延续时间一般为 $10^{-7} \sim 10^{-3}$ s，这样才能使放电所产生的热量来不及传导扩散到其余部分；把每一次的放电点分别局限在很小的范围内，否则，像持续电弧放电那样，使表面烧伤而无法用作尺寸加工，为此，电火花加工必须采用脉冲电源。如图 4.46 所示为脉冲电源的电压波形。

(3) 火花放电必须在有一定绝缘性能的液体介质中进行，如煤油、皂化液或去离子水等。液体介质又称工作液，它们必须具有较高的绝缘强度($10^4 \sim 10^7 \Omega$)，以有利于产生脉冲性的火花放电。同时，液体介质还能把电火花加工过程中产生的金属小屑、碳黑等电蚀产物从放电间隙中悬浮排除出去，并且对电极表面有较好的冷却作用。

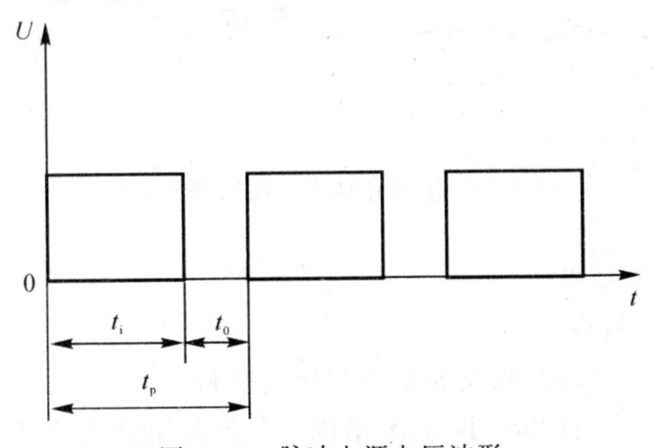

图 4.46 脉冲电源电压波形

t_i—脉冲宽度； t_0—脉冲间隙； t_p—脉冲周期

2. 电火花加工系统

电火花加工中必备的间隙保证、脉冲放电及绝缘液体介质是通过电火花加工系统来实现的。如图 4.47 所示，工具 4 与工件 1 分别与脉冲电源 2 的两输出端相联接，自动进给调节装置 3(此处为液压油缸及活塞)使工具和工件间经常保持一很小的放电间隙。当脉冲电压加到两极之间，便在当时条件下相对某一间隙最小处或绝缘强度最低处击穿介质，在该局部产生火花放电，瞬时高温使工具和工件表面都电蚀除掉一小部分金属，各自形成一个小凹坑，如图 4.48 所示。脉冲放电结束，经过一段间隙时间使工作液恢复绝缘后，第二个脉冲电压又加到两极上，又会在当时极间距离相对最近或绝缘强度最弱处击穿放电，又电蚀出一个小凹坑。这样随着相当高频率、连续不断地重复放电，工具电极不断地向工件进给，就可将工具的形状复制在工件上，加工出所需要的零件。整个加工表面将由无数个小凹坑组成。

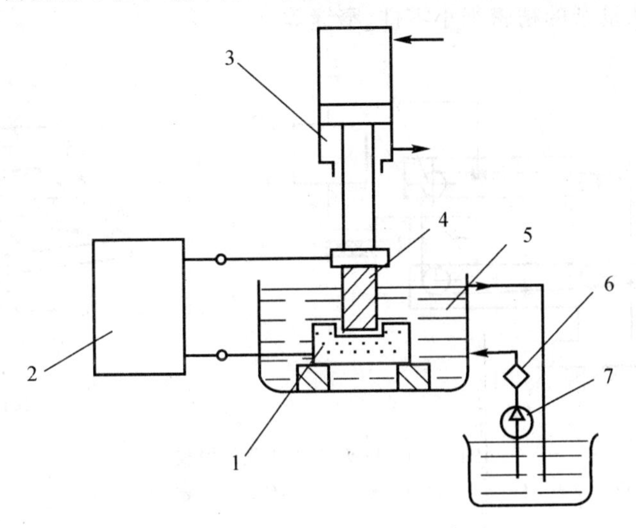

图 4.47 电火花加工原理示意图

1—工件； 2—脉冲电源； 3—自动进给调节装置； 4—工具； 5—工作液； 6—过滤器； 7—工作液泵

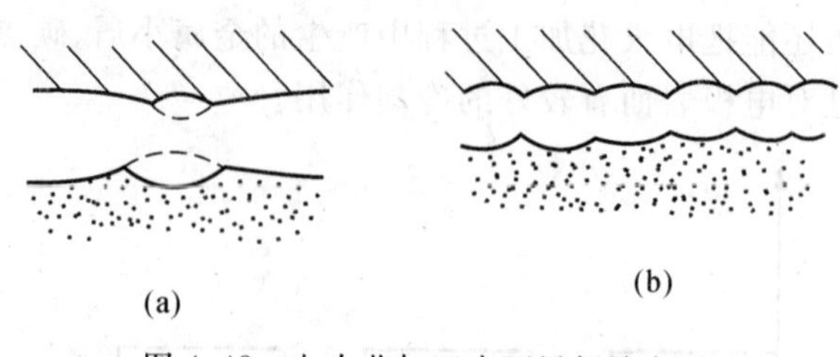

图 4.48　电火花加工表面局部放大图

3. 电火花加工特点及应用

电火花加工具有如下特点。

(1) 主要用于加工硬、脆、韧、软及高熔点的导电材料。

(2) 加工时“无切削力”，有利于小孔、窄槽以及各种复杂截面的型孔、曲线孔、型腔等的加工，以及薄壁工件的加工，也适合于精密细微加工。

(3) 当脉冲宽度不大时，对整个工件而言，热影响小，可以提高加工质量，适于加工热敏性强的材料。

(4) 脉冲参数可以任意调节，能在同一台机床上连续进行粗、半精、精加工。精加工时尺寸精度视加工方式而异，穿孔可达 0.05～0.01，型腔加工可达 0.1 左右，线切割可达 0.01～0.02；表面粗糙度 R_a 值可达 1.6～0.8 μm。

4. 电火花线切割加工

电火花线切割加工是利用移动着的细金属丝作为工具电极，在金属丝与工件之间浇上工作液，并通以脉冲电源，使之产生火花放电而切割工件。工件的形状是通过电极丝与工件在切割过程中连续相对运动而形成的。其运动轨迹可以用靠模仿形、光电跟踪及数字程序控制等方法控制，如图 4.49 所示。线切割加工省掉了成型的工具电极，降低了成本，缩短了生产周期；线电极不断移动，损耗少，加工精度高；工件形状容易控制。电火花线切割加工被广泛用于加工冲模、样板、形状复杂的精密细小零件、窄缝等。

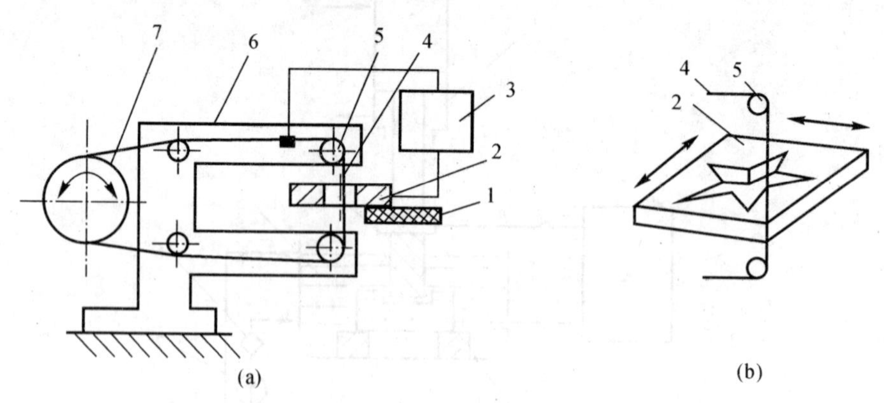

图 4.49　电火花线切割示意图

1—绝缘底板；　2—工件；　3—脉冲电源；　4—钼丝；　5—导向轮；　6—支架；7—传动轮

现以 DKT7716 型电火花数控线切割机床为例，说明其数字程序的编制及使用方法。

DKT7716 型电火花数控线切割机床最大加工范围为 160×240，最大切割厚度为 200，使用 DPSK48 数控系统。数控系统主要采用 Inter 8039 单片微处理器(单片机)及外围电路，是一种结构简单、功能多、可靠性高的控制系统。

控制系统是按照人的“命令”去控制机床加工工件的，因此必须事先将人们的意图，用机器所能接受的“语言”编排好“命令”告诉控制系统。这个工作称为编制程序。

单片微处理器广泛采用的语言为“3B”和“4B”语言。“3B”语言的格式如下：

BX　BY　BJ　G　Z

对此格式的解释如下：

(1)“B”为分隔符，因为格式中 X，Y，J 均为数码，须用 B 将它们区分开来。

(2) 当加工圆弧时，坐标原点取在圆心，X，Y 为起点坐标值。当加工斜线时，坐标原点取在起点，X，Y 为终点坐标值。当加工直线时，坐标原点取在直线一端，X，Y 均不输入数值。

(3) “J”为计数长度值，直线的计数长度就是计数方向上的绝对坐标植，圆弧线计数长度就是圆弧各段在计数方向的投影之和。

(4) “G”为计数方向，若选 GX，则表示 X 方向为计数方向；若选 GY，则表示 Y 方向为计数方向。直线的计数方向选取，应取进给距离长的坐标方向为计数方向，即当 X＞Y 时，取 GX；当 Y＞X 时，取 GY。圆弧计数方向选取，应根据加工终点的位置来取，当终点靠近 X 轴时，$|X|>|Y|$，取 GY；当终点靠近 Y 轴时，$|X|<|Y|$，取 GX；当终点在 45°线时，$|X|=|Y|$，GX，GY 都可以。

(5) “Z”为加工指令，加工指令表示加工进行的具体方向及过程，一共有 12 种加工指令，如图 4.50 所示。如加工直线，当直线分别在第一、二、三、四象限时，加工指令分别为 L_1，L_2，L_3，L_4。当加工圆弧时，根据起点坐标的象限及加工进行方向是顺时针还是逆时针，加工指令分别为顺圆 S_1，S_2，S_3，S_4；逆圆 N_1，N_2，N_3，N_4。

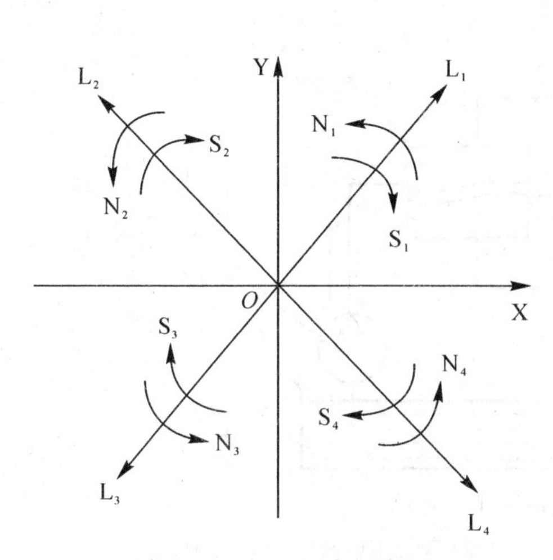

图 4.50　加工指令示意图

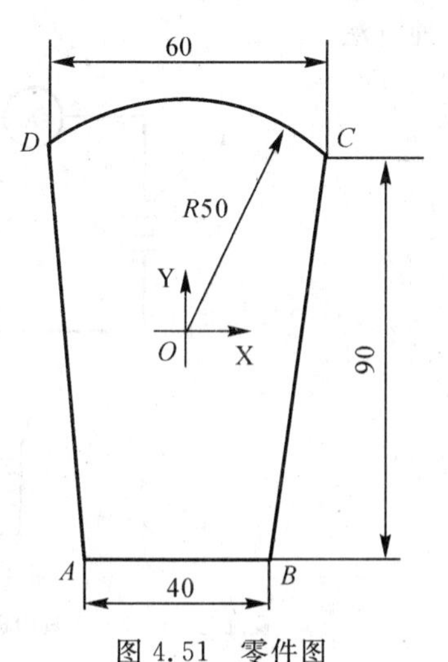

图 4.51　零件图

例 4.1　如图 4.51 所示的零件图，试编写零件的加工程序。

解　该零件是由三条直线和一条圆弧线组成的，所以要分四段编制程序。

(1) 加工直线 AB。取 A 点为坐标原点，直线 AB 与 X 轴正向重合，故程序为

B　B　B40.000　GX　L_1

(2) 加工斜线BC。取 B 点为坐标原点，那么终点 C 的坐标值是 X＝10.000，Y＝90.000，故程序为

B10.000　B90.000　B90.000　GY　L_1

(3) 加工圆弧$\overset{\frown}{CD}$。坐标原点应取在圆心 O，这时起点 C 的坐标为 X＝30.000，Y＝40.00，故程序为

B30.000　B40.000　B60.000　GX　N_1

(4) 加工斜直线DA。取 D 点为坐标原点，A 点的坐标为 X＝10.000，Y＝－90.000，故程序为

B10.000　B90.000　B90.000　GY　L_4

整个工件的加工程序如下：

1) B　B　B40.000　GX　L_1

2) B10.000　B90.000　B90.000　GY　L_1

3) B30.000　B40.000　B60.000　GX　N_1

4) B10.000　B90.000　B90.000　GY　L_4

5) D——结束。

电火花加工的应用范围很广，除了线切割加工以外，还可以用来加工型腔及电火花打孔，如锻模模膛、异形孔、喷丝孔等。此外，它还可以进行表面强化和打印记等。

4.7.2　电解加工

1. 电解加工的基本原理

电解加工是利用金属在电解液中产生阳极溶解的电化学反应原理，对金属材料进行成形加工的一种方法。

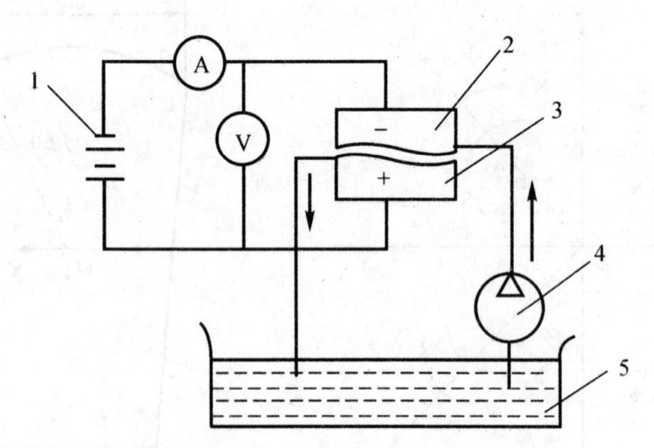

图 4.52　电解加工示意图

1—直流电源；　2—工具阴极；　3—工件阳极；　4—电解液泵；　5—电解液

如图 4.52 所示为电解加工示意图。加工时，工件接直流电源的正极，称为阳极；工具接直流电源的负极，称为阴极。在两极之间的狭小间隙内，有高速电解液通过。当工具阴极不断向工件进给时，在相对于阳极的工件表面上，金属材料按阴极型面的形状不断地溶解，电解产生物被高速电解液带走，于是在工件的相应表面上就加工出和阴极型面近似相反的形状。电解加工采用低的工作电压(6～24 V)，大的工作电流(某些场合可高达20 000 A)，狭小的加工间

隙(0.1～0.8)和高的电解液流速(5～60 m/s)。

电解加工时的化学反应是比较复杂的,它随工件材料、电解液成分等不同而不同。当用氯化钠水溶液作电解液加工钢件时,其主要电化学反应如下:

(1) 电解液在电场作用下离解:

$$NaCl \rightleftharpoons Na^+ + Cl^-$$

$$H_2O \rightleftharpoons H^+ + OH^-$$

(2) 工件(阳极)离解并与电解液反应:

$$Fe - 2e \rightleftharpoons Fe^{2+}$$

$$Fe^{2+} + 2(OH) \longrightarrow Fe(OH)_2 \downarrow$$

(3) 工具(阴极)反应:

$$2H^+ + 2e \longrightarrow H_2 \uparrow$$

由上述反应可知,在电解加工过程中,外电源不断使工件(阳极)的 Fe 原子失去电子,以 Fe^{2+} 的形式与电解液中的 OH^- 化合生成 $Fe(OH)_2$ 而沉淀。由于 $Fe(OH)_2$ 在水中的溶解度很小,故起初为墨绿色的絮状物,时间一长,它逐渐被电解液及空气氧化,生成黄褐色的 $Fe(OH)_3$ 沉淀物,其反应如下:

$$4Fe(OH)_2 + 2H_2O + O_2 \longrightarrow 4Fe(OH)_3 \downarrow$$

沉淀物被高速流动的电解液带走,从而达到去除工作材料的目的。

电解液中的 H^+ 不断从工具(阴极)得到电子,形成氢气(H_2)游离而出。

在整个过程中,仅有工件(阳极)和水逐渐消耗,而工具(阴极)和 NaCl 并不消耗。因此,在理想的情况下,工具可长期使用,只要把电解液过滤干净,并补充适量的水,加工即可继续进行。

2. 电解加工的基本设备

电解加工的基本设备主要由机床本体、直流稳压电源和电解液系统三大部分组成,如图 4.53 所示。

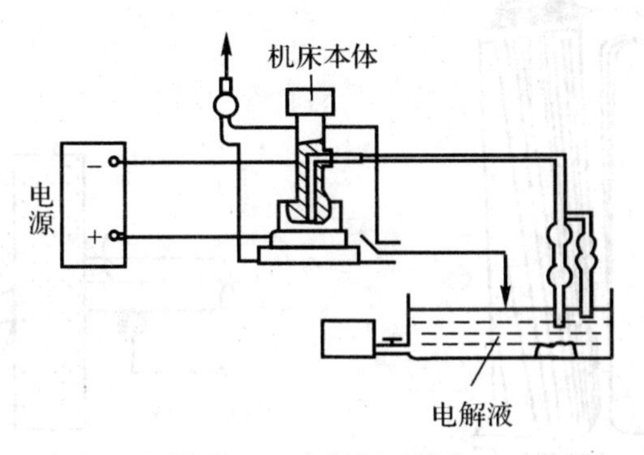

图 4.53 电解加工设备

(1) 机床本体。在电解加工过程中,机床主轴必须在高压电解液作用下稳定进给,以获得良好的加工精度。因此,电解加工机床,除具有一般机床的共同要求外,还必须具有足够的刚性、可靠的进给平稳性和良好的防腐性。另外,机床还应具有良好的密封性能、供电及绝缘性能和排风装置等。

(2) 直流稳压电源。电解加工的直流稳压电源应具有合适的容量范围，良好的稳压精度及可靠的短路保护。

(3) 电解液系统。电解液系统的作用在于连续而平稳地向加工区供给足够流量和合适温度的干净电解液。它主要由电解液泵、电解液槽、过滤器、热交换器以及其他管路附件等组成。

3. 电解加工的特点及应用

电解加工具有如下特点：

(1) 能以简单的进给运动一次加工出形状复杂的型面或型腔(如锻模、叶片等)。

(2) 可加工高硬度、高强度和高韧性等难切削的金属材料(如淬火钢、高温合金、钛合金等)。

(3) 加工中无机械切削力或切削热，因此适合于易变形或薄壁零件的加工。

(4) 加工后零件表面无残余应力和毛刺，表面粗糙度 R_a 值为 0.2～0.8 μm。

(5) 工具(阴极)不损耗。

(6) 由于影响电解加工的因素较多，故难于实现高精度的稳定加工。

(7) 电解液对机床有腐蚀作用，电解产物的处理和回收困难。

电解加工主要用于加工型孔、型腔、复杂型面、小而深的孔，以及套料、去毛刺、刻印等方面。如图 4.54 所示为电解加工的涡轮叶片型面。

电解加工和电火花加工在应用范围上有许多相似之处，所不同的是电解加工的生产率较高，加工精度较低，且机床费用较高。因此，电解加工适用于成批和大量生产，而电火花加工主要适用于单件、小批量生产。

4. 电解磨削的基本原理和特点

(1) 电解磨削的基本原理。电解磨削属于电化学机械加工的范畴，它是由电解腐蚀作用和机械磨削作用相结合进行加工的，比电解加工具有更好的加工精度和表面粗糙度，比机械磨削有更高的生产率。

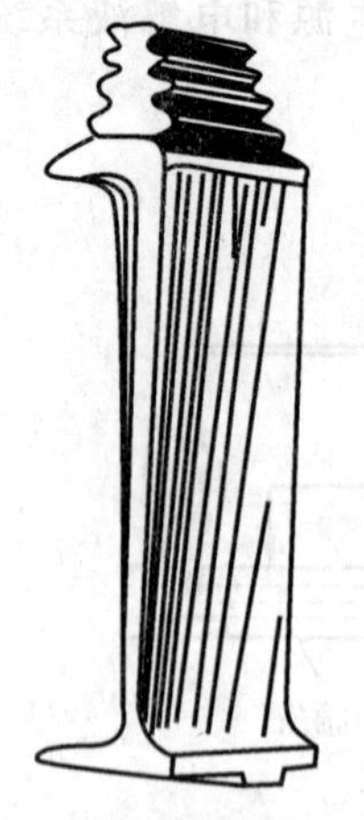

图 4.54 电解加工的涡轮叶片型面图

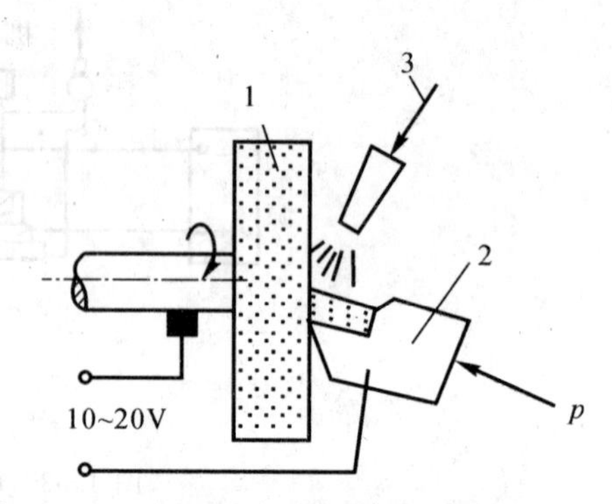

图 4.55 电解磨削原理图

1—导电砂轮；2—工件；3—电解液

如图 4.55 所示为电解磨削原理图。导电砂轮 1 与直流电源的阴极相连，被加工工件 2

（硬质合金车刀）接阳极，它在一定压力下与导电砂轮相接触。加工区域中送入电解液 3，在电解和机械磨削双重作用下，车刀的后刀面很快就被磨光。

（2）电解磨削的特点。电解磨削与机械磨削比较，具有以下特点。

1）加工范围广，加工效率高。由于它主要是电解作用，因此，只要选择合适的电解液就可以用来加工任何高硬度与高韧性的金属材料。例如，当电解磨削硬质合金时，与普通的金刚石砂轮磨削相比较，电解磨削的加工效率要高 3～5 倍。

2）可以提高加工精度及表面质量。因为砂轮并不主要磨削金属，其磨削力和磨削热都很小，不会产生磨削毛刺、裂纹、烧伤现象，一般表面粗糙度 R_a 可优于 0.16 μm。

3）砂轮的磨损量小。如磨削硬质合金，采用普通刃磨，碳化硅砂轮的磨损量为切除硬质合金质量的 400%～600%；采用电解磨削，砂轮的磨损量不超过硬质合金切除量的 50%～100%。与普通金刚石砂轮磨削相比较，电解磨削用的金刚石砂轮的消耗速度仅为它的 1/10～1/5，可显著降低成本。

与机械磨削相比，电解磨削的不足之处是：加工刀具等的刃口不易磨得非常锋利，机床、夹具等需采取防蚀防锈措施，还需增加吸气、排气装置，以及需要直流电源、电解液过滤、循环装置等附属设备。

4.7.3 超声波加工

1. 超声波加工的基本原理

超声波加工是利用工具端面作超声频振动，通过磨料使悬浮液加工脆硬材料的一种成型方法，其加工原理如图 4.56 所示。加工时，在工具 1 和工件 2 之间加入液体（水或煤油等）和磨料混合的悬浮液 3，并使工具以很小的力 p 轻轻压在工件上。超声换能器 6 产生 16 000 Hz 以上的超声频纵向振动，并借助于变幅杆把振幅放大到 0.05～0.1左右，驱动工具端面作超声振动，迫使工作液中悬浮的磨粒以很大的速度和加速度不断地撞击、抛磨被加工表面，把加工区域的材料粉碎成很细的微粒，从材料上被打击下来。虽然每次打击下来的材料很少，但由于每秒钟要打击的次数多达 16 000 次以上，所以，仍有一定的加工速度。与此同时，工作液受工具端面超声振动作用而生产的高频、交变的液压正负冲击波和“空化”作用，促使工作液钻入被加工材料的微裂缝处，加剧了机械破坏作用。所谓空化作用，是指当工具端面以很大的加速度离开工件表面时，加工间隙内形成负压和局部真空，在工作液体内形成很多微空腔，当工具端面以很大的加速度接近工件表面时，空泡闭合，引起极强的液压冲击波，可以强化加工过程。此外，正负交变的液压冲击也使悬浮工作液在加工间隙中强迫循环，使变钝了的磨粒及时得到更新。

由此可见，超声波加工是磨粒在超声振动作用下的机械撞击和抛磨作用以及超声空化作用的综合结果，其中磨粒的撞击作用是主要的。

既然超声波加工是基于局部撞击作用的，因此就不难理解，越是脆硬材料受撞击作用遭受的破坏愈大，愈易超声加工。相反，脆性和硬度不大的韧性材料，由于它的缓冲作用而难以加工。根据这个道理，人们可以合理选择工具材料，使之既能撞击磨粒，又不致使自身受到很大破坏。例如，用 45 钢做工具即可满足上述要求。

2. 超声波加工机简介

超声波加工机主要包括超声波电源（超声发生器）、超声波振动系统及加工机床本体三部分。

(1) 超声波发生器。它将 50 Hz 交流电转变为高频电能,供给超声换能器。

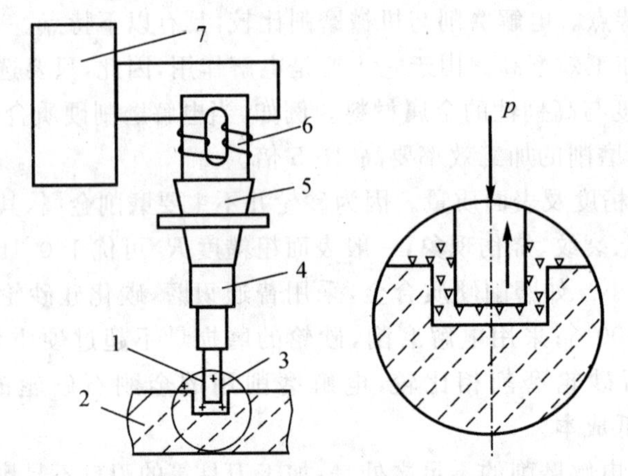

图 4.56 超声波加工原理示意图

1—工具; 2 —工件; 3—磨料悬浮液; 4,5—变幅杆; 6—换能器; 7—超声发生器

(2) 超声波振动系统。它包括超声波换能器和变幅杆。

(3) 机床本体。超声波加工机有立式和卧式两种,如图 4.57 所示为超声波(立式)加工机示意图。

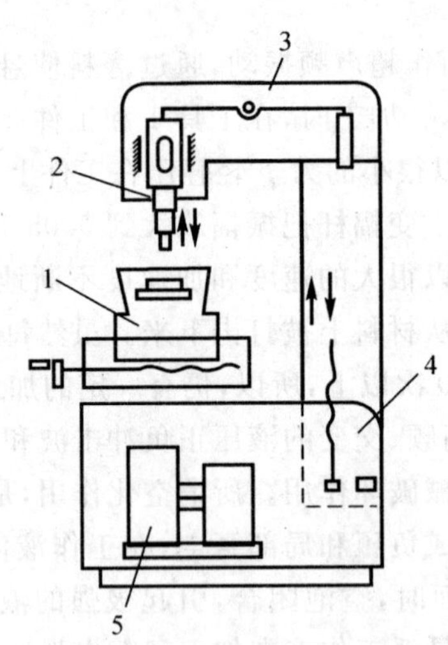

图 4.57 超声波加工机示意图

1—工作台; 2—超声波振动系统; 3—工作头;

4—立柱; 5—磨料悬浮液供给,强制循环系统及换能器冷却系统

3. *超声波加工的特点及应用*

超声波加工具有如下特点:

(1) 适合于加工各种硬脆材料,特别是一些不导电材料,如宝石、陶瓷、玻璃、金刚石及各种半导体材料。

(2) 由于工具可用较软的材料做成较复杂的形状,故不需要使工具和工件作比较复杂的相对运动,因此,超声波加工机的结构比较简单,操作、维修方便。

(3) 由于去除加工材料是靠极小磨料瞬时局部的撞击作用，故工件表面的宏观切削力很小；切削应力、切削热很小，不会引起变形及烧伤；表面粗糙度也较好，R_a 值可达 1～0.1 μm，加工精度可达 0.01～0.02；而且，可以加工薄壁、窄缝、低刚度零件。

4.7.4 激光加工

1. 激光加工的基本原理

激光是一种亮度高、方向性好、单色性好的相干光。由于激光发散角小和单色性好，在理论上可以聚焦到尺寸与光的波长相近的小斑点上，加上亮度高，其焦点处的功率密度可达 10^3～10^7 W/mm^2，温度可高至万度左右。在此高温下，任何坚硬的材料都将得到瞬时急剧熔化和蒸发，并生产很强烈的冲击波，使熔化物质爆炸式地喷射去除。激光加工就是利用这种原理进行打孔、切割的。

如图 4.58 所示是采用固体激光器的加工原理示意图。当工作物质(如红宝石)受到光泵的激发后，吸收特定波长的光，在一定条件下可形成工作物质中亚稳态粒子数大于低能级粒子数的状态，这种现象称为粒子数反转。此时，一旦有少量激发粒子自发辐射出光子，即可感应所有其他激发粒子产生受激辐射跃迁，造成光放大，并通过谐振腔的反馈作用产生振荡，由谐振腔一端产生激光，通过透镜将光束聚焦到待加工表面，就可进行加工。

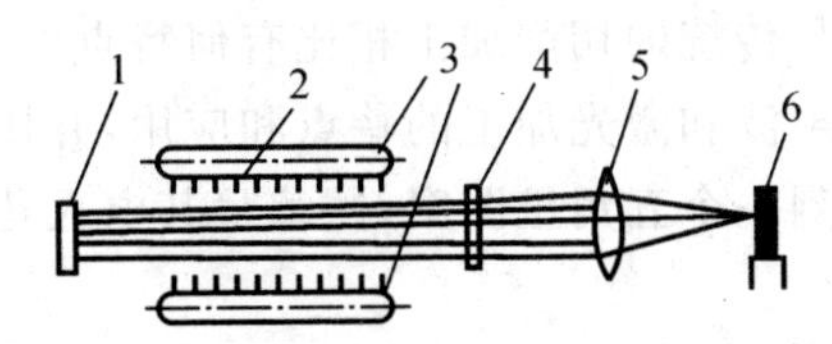

图 4.58 固体激光器加工原理示意图

1—全反射镜； 2—激光工作物质； 3—光泵； 4—部分反射镜(1,4 组成谐振腔)；
5—透镜； 6—工件

2. 激光加工的特点及应用

(1) 激光加工的工艺特点。

1) 几乎可以加工一切金属和非金属材料，如硬质合金、不锈钢、陶瓷、玻璃和金刚石等。

2) 激光加工效率高。打一个孔只需 0.001 s，易于实现自动化生产和流水作业。

3) 激光加工是非接触加工，不需要刀具，工件没受力变形，工件热变形很小，受加工的污染少，并能透过空气、惰性气体和透明体对工件进行加工。

(2) 激光加工的应用。

1) 打孔。激光打孔目前多用于加工金刚石拉丝模、钟表宝石轴承、化纤喷丝头等零件的小孔，非金属材料的打孔以及各种异形孔的加工。

2) 激光切割。激光切割特别适用于各种复杂形状的零件、窄缝、栅网等的加工。

3) 激光焊接及热处理。激光焊接主要用于高熔点及氧化迅速的材料，甚至可以焊接异种材料，包括金属与非金属的焊接。采用激光热处理时，加热速度极高，工件不产生热变形(主要用于表面淬火)，特别适用于形状复杂零件的表面淬火工艺。

复习思考题

1. 试述车削加工的工艺特点和应用范围。在普通车床上安装工件有哪些方法？适合加工哪些类型的零件？

2. 试述钻削加工的工艺特点和应用范围。为什么说钻—扩—铰工艺是提高未淬火材料上孔的质量的典型工艺？

3. 标准麻花钻切削部分由哪些几何角度组成？各有什么特点？

4. 车床上镗孔和镗床上镗孔有什么差别？各应用于什么场合？

5. 试述拉削加工的工艺特点和应用范围。

6. 试分析铣削加工过程中铣削力的变化情况。为什么生产中常采用逆铣而不采用顺铣？

7. 铣平面时，为什么端铣比周铣优越？

8. 砂轮的特性包括哪些方面？应如何选择砂轮？

9. 试述磨削加工的工艺特点。常用的磨削方法有哪些？

10. 研磨、珩磨、超级光磨和抛光能达到很高的表面质量，但对加工精度的提高各有不同作用，为什么？

11. 什么是特种加工？它与传统的切削加工相比有何特点？

12. 简述电火花、电解、超声波和激光加工的特点和应用，并比较他们的异同点。

13. 在金属薄钢板上要切割一个五角星图案，试编写其电火花线切割加工程序。

第5章

齿轮齿形的加工

齿轮是机器设备中传递运动和动力的重要零件。常见的齿轮传动类型如图5.1所示，其中直齿和斜齿圆柱齿轮用于平行轴之间的传动；螺旋齿圆柱齿轮和蜗轮蜗杆用于交错轴之间的传动；直齿锥齿轮用于相交轴之间的传动。在这些齿轮传动中，直齿圆柱齿轮是最基本的，也是应用最多的一种。就齿形曲线而言，有渐开线、摆线和圆弧线等，而用得最多的是渐开线。

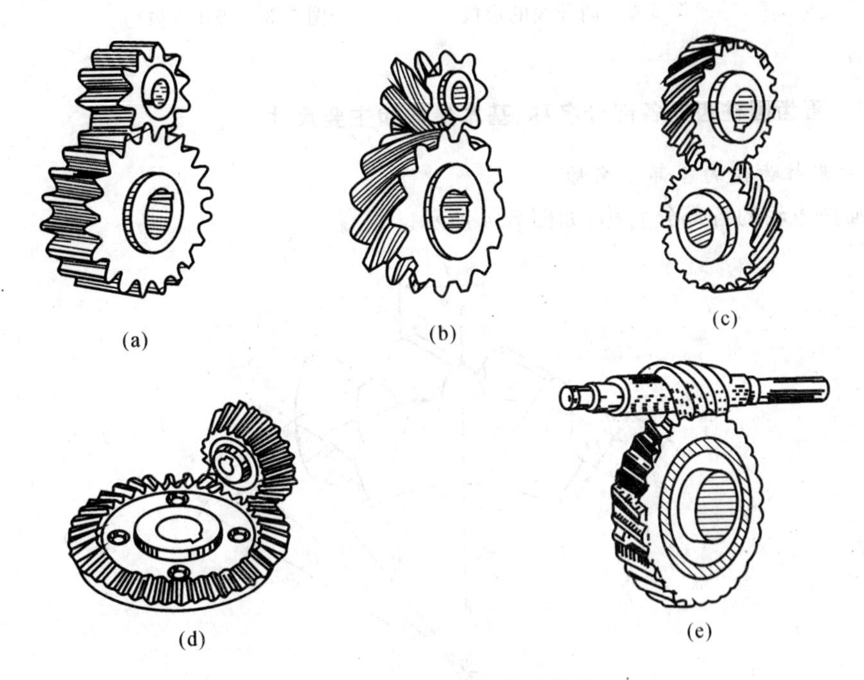

图5.1 常见的齿轮传动类型

(a) 直齿圆柱齿轮传动；(b) 斜齿圆柱齿轮传动；(c) 螺旋齿圆柱齿轮传动；(d) 直齿锥齿轮传动；(e) 蜗轮蜗杆传动

5.1 渐开线齿轮概述

5.1.1 渐开线的形成及其特性

若移动直线在平面内沿半径为 r_b 的圆作无滑动的纯滚动，则动直线上任一点 a 的轨迹称为半径为 r_b 的圆的渐开线，如图 5.2 所示。半径为 r_b 的圆称为基圆，动直线称为发生线。渐开线齿轮的一个轮齿就是由同一基圆形成的两条相反渐开线所组成的，如图 5.3 所示。

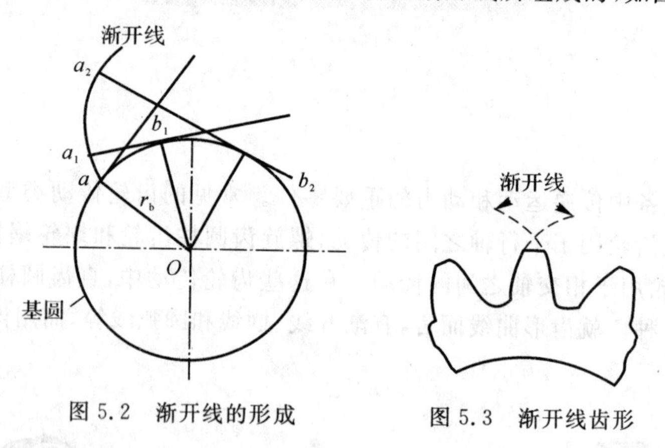

图 5.2 渐开线的形成　　图 5.3 渐开线齿形

5.1.2 直齿圆柱齿轮各部分名称、基本参数和主要尺寸

1. 直齿圆柱齿轮的各部分名称

直齿圆柱齿轮的各部分名称，如图 5.4 所示。

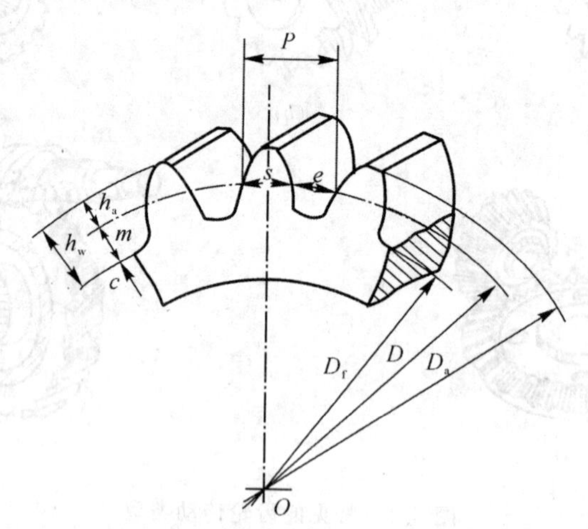

图 5.4 直齿圆柱齿轮各部分名称

其含义如下：

齿顶圆。通过齿轮轮齿顶部的圆称为齿顶圆，其直径用 D_a 表示。

齿根圆。通过齿轮轮齿根部的圆称为齿根圆，其直径用 D_f 表示。

分度圆。在标准齿轮中，理论齿厚与齿间相等的圆称为分度圆，其直径用 D 表示，半径用 r 表示。分度圆位于齿顶圆与齿根圆之间，是计算齿轮尺寸的依据。

分度圆齿厚。在分度圆上一个轮齿所占的弧长称为分度圆齿厚，用 s 表示。

分度圆齿间。在分度圆上一个齿槽所占的弧长称为分度圆齿间，用 e 表示。

周节。分度圆上相邻两齿对应点之间的弧长称为分度圆周节，简称周节，用 P 表示，$P=s+e$。

齿顶高。从齿顶圆到分度圆的径向距离称为齿顶高，用 h_a 表示。

工作齿高。当两个齿轮啮合时，两个齿轮的齿顶圆之间的径向距离称为工作齿高，用 h_w 表示。

径向间隙。当两个齿轮啮合时，一个齿轮的齿顶圆与另一个齿轮的齿根圆之间的径向距离称为径向间隙，用 c 表示。

2. 直齿圆柱齿轮的基本参数

模数和压力角是直齿圆柱齿轮的两个基本参数。

(1) 模数。当齿轮的齿数为 z 时，分度圆直径 D 和周节 P 有如下关系：

$$\pi D = Pz$$

或

$$D=\frac{P}{\pi}z$$

由于式中含有无理数 π，为了使分度圆直径 D 成整数或简单小数，令

$$\frac{P}{\pi}=m$$

或

$$D=mz$$

m 称为模数，其单位为 mm。当设计齿轮时，将模数 m 定为基本参数，可使齿轮的计算、加工和测量大为方便。模数 m 的大小反映了齿轮轮齿的厚薄、大小和承载能力。

模数 m 的数值已标准化(GB 1357—1987)，如 0.1，0.5，1，1.5，2，3 等。设计齿轮时根据齿轮强度计算所需模数值，然后再按国家标准选取。

(2) 压力角。渐开线齿形上任一点 K 的法向力 F 与其速度 v_K 之间所夹的锐角，称为 K 点的压力角 α_K，如图 5.5 所示。从图中可知，$F\perp\overline{OG}$，$v_K\perp\overline{OK}$，故

$$\angle KOG=\alpha_K$$

$$\cos\alpha_K=\frac{\overline{OG}}{\overline{OK}}=\frac{r_b}{r_K}$$

式中　α_K —— 渐开线在 K 点的压力角；

r_b —— 渐开线的基圆半径；

r_K —— 渐开线在 K 点的向径，即 $\overline{OK}$。

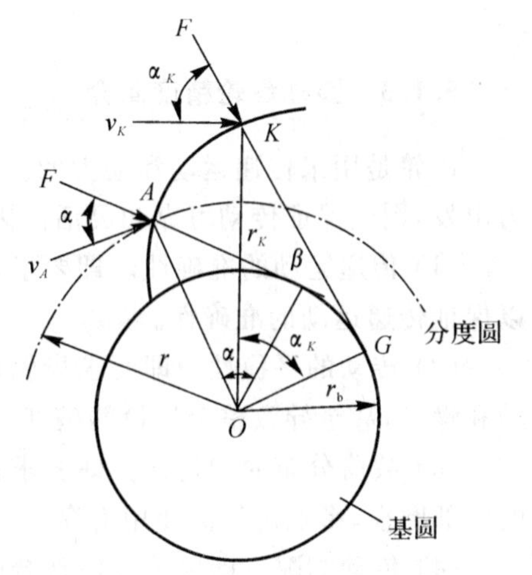

图 5.5　渐开线的压力角

对已确定的渐开线，其基圆半径 r_b 为定值，而向径 r_K 随 K 点的位置而变化。因此，渐开线上各点的压力角是不相同的。距基圆越远，其压力角越大；反之则越小。

通常所谓齿轮的压力角，是指分度圆上 A 点的压力角，用 α 表示。其数值已标准化，常取

$\alpha=20°$。从图 5.5 中还可得出基圆直径 D_b 和分度圆直径 D 的关系式：

$$\cos\alpha=\frac{\overline{OB}}{\overline{OA}}=\frac{r_b}{r}\frac{D_b}{D}$$

即

$$D_b=D\cos\alpha=D\cos20°\approx0.94\,D$$

渐开线齿轮正确啮合的条件是两齿轮的模数和压力角应分别相等。在齿形加工中，刀具的模数 m 和压力角 α 的数值也必须与被加工齿轮相同。

3. 直齿圆柱齿轮的主要尺寸

在标准直齿圆柱齿轮中，若齿数 z 和模数 m 确定，则各部分的几何尺寸也相应确定。直齿圆柱齿轮主要尺寸的计算公式，如表 5.1 所示。

表 5.1　标准直齿圆柱齿轮主要尺寸计算公式

名　　称	代　　号	计　　算　　公　　式
齿 顶 高	h_a	$h_a=m$
工 作 齿 高	h_w	$h_w=h_a+m=2m$
径 向 间 隙	c	$c=0.25m$
分度圆直径	D	$D=mz$
齿顶圆直径	D_a	$D_a=D+2h_a=mz+2m=m(z+2)$
齿根圆直径	D_f	$D_f=D-2(m+c)=m(z-2.5)$
基 圆 直 径	D_b	$D_b=0.94D=0.94\,mz$
周　　节	P	$P=\pi m$
分度圆齿厚	s	$s=\frac{1}{2}\pi m$
分度圆齿间	e	$e=\frac{1}{2}\pi m$

5.1.3　圆柱齿轮精度简介

齿轮是用来传递运动和动力的。从传递运动出发，应保证传递运动准确、平稳；从传递动力出发，则应保证传动可靠和灵活。因此，一般对齿轮及其传动提出以下四个方面的要求。

(1) 传递运动的准确性。即要求齿轮在一定范围内，最大转角误差限制在一定的范围内，以保证传递运动的准确性。

(2) 传动的平稳性。即要求齿轮传动瞬时传动比的变化不能过大，以免引起冲击，产生振动和噪声，甚至导致整个齿轮的破坏。

(3) 载荷分布的均匀性。即要求齿轮啮合时，齿面接触良好，以免引起应力集中，造成齿面局部磨损，影响齿轮的使用寿命。

(4) 传动侧隙。即要求齿轮啮合时，非工作齿面间应具有一定的间隙，以便储存润滑油，补偿因温度变化和弹性变形引起的尺寸变化以及加工和安装误差的影响。否则，齿轮传动在工作中可能卡死或烧伤。

对于以上四项要求，不同齿轮会因用途和工作条件的不同而有不同的具体要求。例如分度齿轮和读数齿轮，突出要求是传动比要相当准确，因此必须要求较高的传递运动的准确性，而其他方面可相应低些。对于高速动力齿轮，要求较高的平稳性，使振动、冲击和噪声尽量小些。同时，对齿面接触均匀性也应有较高的要求，然而对传递运动的准确性能的要求可相应低些。矿山机械以及起重机用的齿轮，其特点是传动功率相当大，速度比较低，主要要求是齿面接触均匀，承载能力高，而对准确性、平稳性要求均可低些。至于齿轮副侧隙，无论任何齿轮，为保证其传动灵活，都必须留有一定的侧隙。尤其是仪表齿轮，因侧隙较小，减低回程误差，故保证一定的侧隙是非常必要的。

在渐开线圆柱齿轮精度标准 GB10095—1988 中，将齿轮及齿轮副传递运动的准确性、平稳性及载荷分布的均匀性三方面各分 12 个精度等级，1 级精度最高，12 级精度最低。对于 1～2 级精度，目前齿形加工的工艺水平和测量手段尚难以达到。机械制造中常用的是 6～9 级。

按照齿轮各项误差的特性及它们对传动性能的主要影响，将齿轮的各项公差分成Ⅰ，Ⅱ，Ⅲ三个公差组，分别控制传递运动的准确性、传动的平稳性、齿面承载的均匀性三方面的精度要求。根据使用要求不同，允许各公差组选用不同的精度等级。齿轮副中两个齿轮的精度等级一般取成相同，也允许取成不同。

5.2 圆柱齿轮齿形的成形法加工

用切削加工的方法加工渐开线齿轮齿形，若按加工原理的不同，可以分为成形法和展成法两大类。

成形法(也称仿形法)是指用与被切齿轮齿间形状相符的成形刀具，直接切出齿形的加工方法，如铣齿、成形法磨齿等。

5.2.1 铣削直齿圆柱齿轮

铣削直齿圆柱齿轮的方法，如图 5.6 所示。当齿轮模数 $m<8$ 时，一般用盘状模数铣刀在卧式铣床上进行，如图 5.6(a)所示。铣削时，主运动为模数铣刀的旋转运动，齿轮坯装在芯轴上(图中芯轴未画出)，随工作台一起沿自身轴线方向作进给运动。待铣完一个齿后，将齿轮坯退回原位，进行分度，使工件转过 $360°/z$，再铣第二个齿槽。这样逐齿铣削，直至铣完全部齿槽。

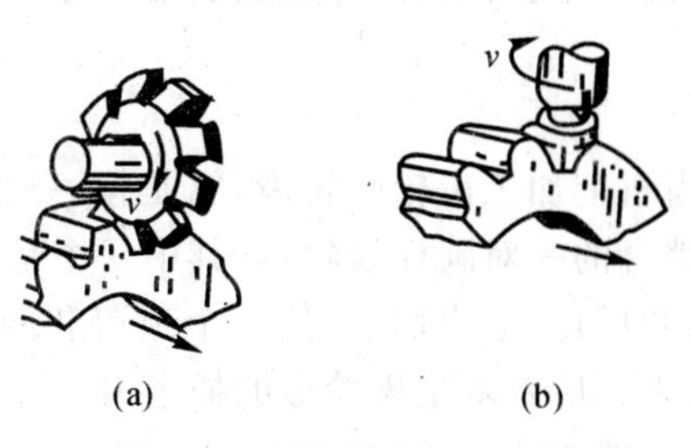

图 5.6 用成形法加工齿轮

(a) 盘状铣刀铣齿； (b) 指状铣刀铣齿

如图 5.6(b)所示是用指状铣刀铣齿的情况。当模数 $m\geqslant8$ 时，用指状模数铣刀在立式铣床上进行，主运动为指状铣刀的旋转运动，齿轮坯随工作台沿自身轴线方向作进给运动(图中芯轴未画出)。铣完一个齿槽后,齿轮坯退回,进行分度,再铣第二个齿槽。这样逐齿铣削,直至铣完全部齿槽。

成形法铣齿加工的基本特点是铣刀切削部分剖面的形状与被铣齿轮槽的剖面形状相符。由于渐开线齿形与模数、齿数和齿形角有关,所以,在模数和齿数选定标准值后,齿数不同的齿,其渐开线的形状仍然是不一样的。因此,要铣出完全准确的齿廓形状,每一种齿数的齿轮就需要一把专用的铣刀。

为了降低加工成本,实际生产中,把同一模数的齿轮按齿数划分成若干组,通常分为8组或15组,每组采用同一个刀号的铣刀加工。表5.2列出了分成8组时,各号铣刀加工的齿数范围。各号铣刀的齿形是按该组内最小齿数齿轮的齿形设计和制造的,加工其他齿数的齿轮时,只能获得近似齿形,会产生齿形误差。另外,铣床所用的分度头是通用附件,分度精度不高,所以,铣齿的加工精度较低。

表5.2 齿轮铣刀的分号

铣刀号数	1	2	3	4	5	6	7	8
能铣制的齿数范围	12～13	14～16	17～20	21～25	26～34	35～54	55～134	135以上

5.2.2 铣齿加工的特点及应用

铣齿加工可以在一般铣床上进行,齿轮铣刀结构简单,因此生产成本低;但铣齿加工每铣完一个齿都要重复进行切入、切出、退刀和分度工作,辅助工艺时间增加,所以生产效率低;铣齿加工出的齿形一般都存在较大的误差,分度精度不高,故加工精度也低。

成形法铣齿一般在单件小批生产的修配中,用于制造低于8级精度的齿轮,齿面的表面粗糙度 R_a 值为6.3～3.2 μm。

铣齿不但可以加工直齿、斜齿和人字齿圆柱齿轮,而且还可以加工齿条和锥齿轮等。

5.3 圆柱齿轮齿形的展成法加工

展成法(也称范成法或包络法)是指利用齿轮刀具与被切齿轮的啮合运动(或称展成运动),切出齿形的加工方法,如插齿、滚齿、剃齿和展成法磨齿等。

5.3.1 插齿原理及运动

插齿就是用插齿刀在插齿机上加工齿轮的轮齿,它是按一对圆柱齿轮相啮合的原理进行加工的。如图5.7所示的相啮合的一对圆柱齿轮,若其中一个是工件(齿轮坯),另一个用高速钢制造,并在轮齿上磨出前角和后角,形成切削刃(一个顶刃和两个侧刃),再加上必要的切削运动,即可在工件上切出轮齿来。后者就是齿轮形的插齿刀。

插齿需要下列四个运动,如图5.8所示。

(1) 主运动。它是指插齿刀上下往复的直线运动。

(2) 分齿运动。分齿运动是指插齿刀和齿坯的转速按一对齿轮速比关系计算。即

$$\frac{n_{工}}{n_{刀}}=\frac{z_{刀}}{z_{工}}$$

式中　$n_{刀}$，$n_{工}$——分别为插齿刀和工件转速；

$z_{刀}$，$z_{工}$——分别为插齿刀和被切齿轮齿数。

(3) 径向进给运动。它是指插齿刀每往复一次，径向移动的距离。

(4) 让刀运动。为了避免插刀在返回行程中，刀齿的后刀面与工件的齿面发生摩擦，当插齿刀返回时，工件要让开一些；当插齿刀再次进入工作行程时，工件又恢复原位，这种运动称为让刀运动。

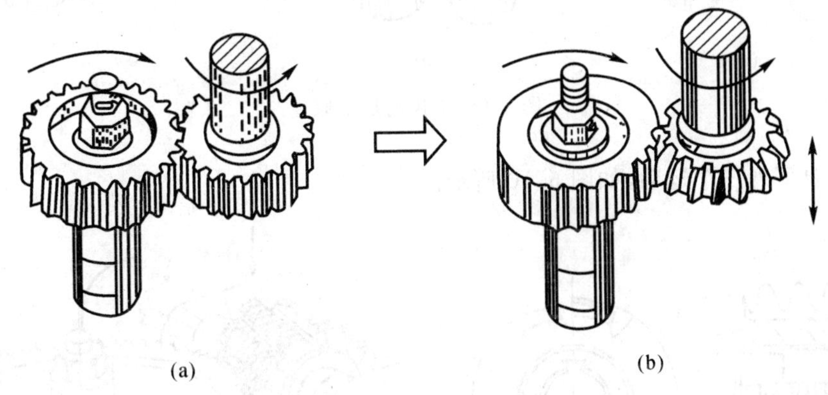

图 5.7　插齿的加工原理

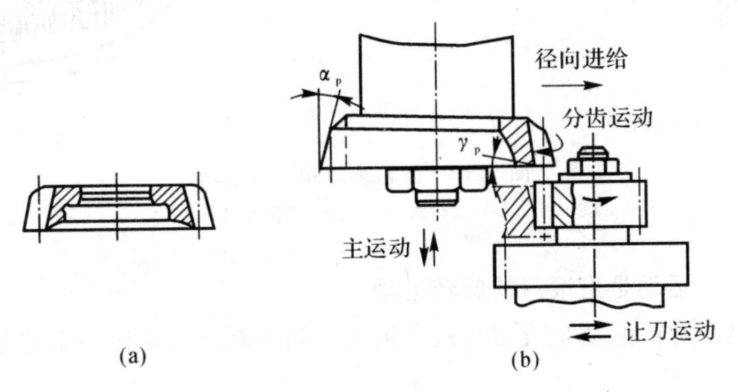

图 5.8　插齿刀和插齿运动

(a) 插齿刀；(b) 插齿运动

5.3.2　滚齿原理及运动

滚齿就是用齿轮滚刀在滚齿机上加工齿轮的轮齿，它实质上是按一对螺旋齿轮相啮合的原理进行加工的。如图 5.9(a)所示相啮合的一对螺旋齿轮，当其中一个螺旋角很大、齿数很少(一个或几个)时；如图 5.9(b)所示轮齿变得很长，将绕好多圈而变成了蜗杆。若这个蜗杆用高速钢等刀具材料制造，并在其螺纹的垂直方向(或轴向)开出若干个容屑槽，形成刀齿及切削刃，它就变成了齿轮滚刀，如图 5.9(c)所示，再加上必要的切削运动，即可在工件上滚切出轮齿来。滚刀容屑槽的一个侧面，是刀齿的前刀面，它与蜗杆螺纹表面的交线即是切削刃(一个顶刃和两个侧刃)。为了获得必要的后角，并保证在重磨前刀面后齿形不变，刀齿的后刀面应当是铲背面。

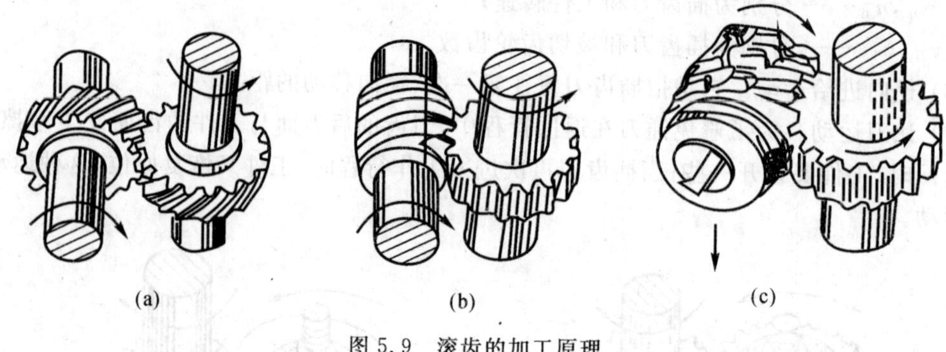

图 5.9 滚齿的加工原理

滚齿需要下列三个运动,如图 5.10 所示。

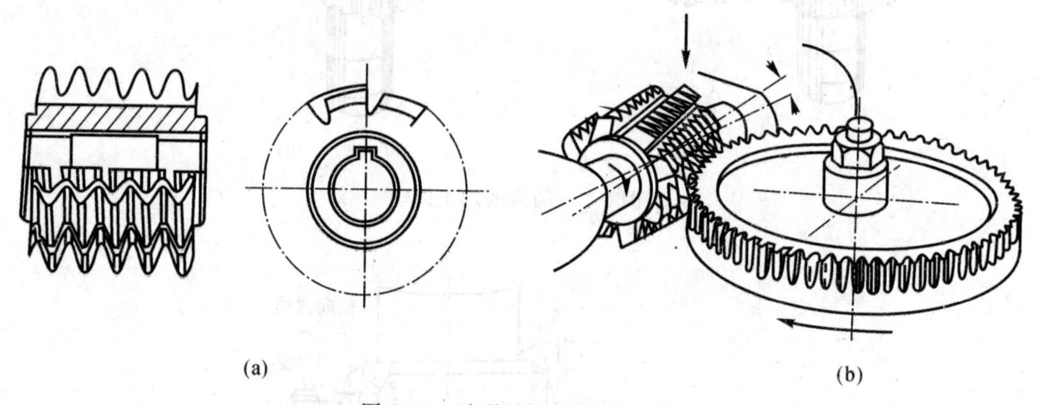

图 5.10 齿轮滚刀和滚齿运动

(a) 齿轮滚刀; (b) 齿轮运动

(1) 主运动。主运动是指滚刀的旋转运动。

(2) 分齿运动。分齿运动是滚刀与被切齿轮之间强制保持速比关系的运动。即

$$\frac{n_{工}}{n_{刀}}=\frac{z_{刀}}{z_{工}}$$

式中 $n_{刀}$,$n_{工}$ —— 分别为滚刀和齿坯的转速;

$z_{刀}$,$z_{工}$ —— 分别为滚刀的头数和被切齿轮的齿数。

(3) 垂直进给运动。为切出齿全宽,滚刀沿被切齿轮轴线作垂直进给运动。

5.3.3 插齿和滚齿的特点及应用

(1) 插齿和滚齿的精度相当,且都比铣齿高。插齿刀的制造、刃磨及检验均比滚刀方便,容易制造得较精确。但插齿机的分齿传动链较滚齿机复杂,增加了传动误差,故综合的结果,插齿和滚齿的精度差不多。

在一般条件下,插齿和滚齿能保证 7～8 级精度,若采用精密插齿或滚齿,可以达到 6 级精度,而铣齿仅能达到 9 级精度。

(2) 插齿的齿面粗糙度较小。插齿时,插齿刀沿齿宽连续地切下切屑,而在滚齿和铣齿

时，轮齿齿宽是由刀具多次断续切削而成的。在插齿过程中，包络齿形的切线数量比较多，所以插齿的齿面粗糙度较小。

(3) 插齿的生产率低于滚齿而高于铣齿。插齿的主运动为往复直线运动，切削速度受到冲击和惯性力的限制，并且插齿刀有空回行程，所以一般情况下，插齿的生产率低于滚齿。

(4) 插齿刀和齿轮滚刀加工齿轮齿数的范围较大。插齿和滚齿都是按展成原理进行加工的，同一模数的插齿刀和齿轮滚刀，可以加工模数相同而齿数不同的齿轮。不像铣齿那样，每个刀号的铣刀，适于加工的齿轮齿数范围较小。在齿轮齿形的加工中，滚齿应用最广泛，它不但能加工直齿圆柱齿轮，还可以加工斜齿圆柱齿轮、蜗轮等，但一般不能加工内齿轮和相距很近的多联齿轮。插齿的应用也比较多，它可以加工直齿和斜齿圆柱齿轮，但由于它的生产率没有滚齿高，插齿刀的制造也比齿轮滚刀复杂，所以插齿多用于加工用滚刀难以加工的内齿轮、多联齿轮或带有台肩的齿轮等。

5.4 圆柱齿轮齿形的精加工

铣齿、插齿和滚齿属于齿形的成形加工。精度高于 7 级或齿形需要淬火处理的齿轮，在齿形的成形加工之后还要进行齿形的精加工，以进一步提高齿形的精度。齿形的精加工方法有剃齿、珩齿和磨齿等。

5.4.1 剃齿

剃齿是用剃齿刀在专用的剃齿机上对齿轮齿形进行精加工的一种方法。它主要用来加工滚齿和插齿后未经淬火(HRC35 以下)的圆柱齿轮，精度可达 7～6 级，表面粗糙度 R_a 值可达 0.8～0.4 μm。

1. 剃齿刀

剃齿刀的形状类似螺旋齿轮，其齿轮做得非常准确。齿面上制作了许多小沟槽，以便形成切削力。剃齿刀的结构形状如图 5.11 所示。

2. 剃齿加工

剃齿加工在专门的剃齿机上进行，属于展成法。如图 5.12 所示是剃削直齿圆柱齿轮时，剃齿刀与被切齿轮之间的位置关系和运动情况。先将工件安装在工作台上的芯轴上，并使剃齿刀的轴线相对工件轴线倾斜一个 β 角，以便剃齿刀与工件能够正确啮合。剃齿加工时，由剃齿刀带动工件作旋转运动。

如果把剃齿刀上与工件相啮合的 A 点圆周速度 v_A 分解为沿工件切向的速度 v_{A_n} 和沿工件轴向的速度 v_{A_t}，那么，v_{A_n} 是带动工件旋转运动的速度，而 v_{A_t} 是剃齿刀与工件齿面相对滑动的速度，即剃削速度。

为了剃削工件的整个齿宽，需要工作台带动工件作直线往复运动。并且，在工作台每次往复行程的终了，剃齿刀需要作径向进给运动，以便进行多次剃削直至达到规定尺寸。每次的径向进给量为 0.02～0.04 μm。在剃齿过程中，剃齿刀时而正转，剃削轮齿的一个侧面；时而反转，剃削轮齿的另一个侧面，被剃齿厚应留 0.1～0.25 的剃削余量。

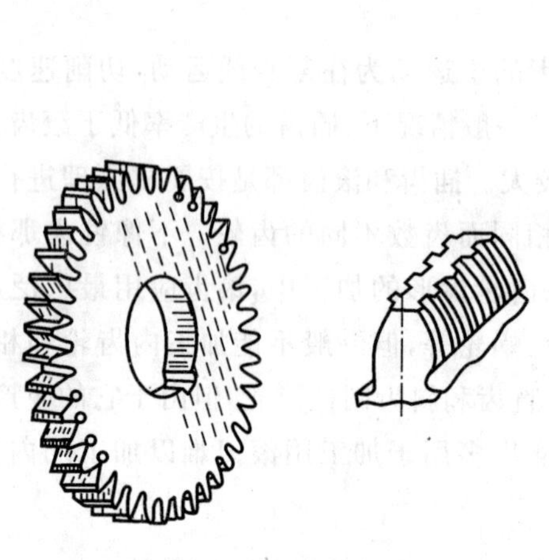

图 5.11　剃齿刀

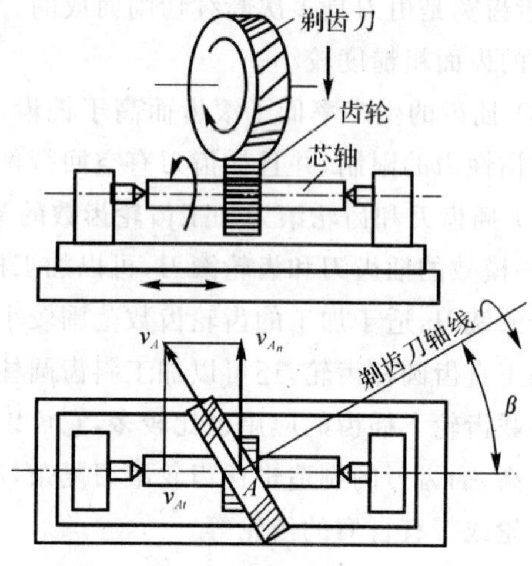

图 5.12　剃齿方法

3. 剃削加工的应用

剃齿主要是提高齿形精度和齿向精度，减小齿面粗糙度 R_a 值。剃齿不能修正分齿误差。由于滚齿的分齿精度比插齿略好，故剃齿前的齿形多用滚齿加工。由于剃齿刀一般由高速钢制成，难以加工高硬度齿面，所以剃齿广泛用于齿面未经淬硬（低于 HRC35）的直齿和斜齿圆柱齿轮的精加工，以及渗氮钢齿轮的精加工。

5.4.2　珩齿

珩齿是用珩磨轮在专用的珩齿机上对齿轮齿形进行精加工的一种方法。当齿轮的硬度超过 HRC35 时，可用珩齿加工，精度可达 6 级，表面粗糙度 R_a 值可达 0.4～0.2 μm。

珩齿的原理与剃齿完全相同，只不过不是剃齿刀，而用珩磨轮，如图 5.13 所示。珩磨轮是用磨料与环氧树脂等浇铸或热压而成的，具有很高齿形精度的“螺旋齿轮”。当它以很高的速度带动工件旋转时，就能在工件齿面上切除一层很薄的金属，从而降低齿面粗糙度值。珩齿对齿形精度改善不大，主要减少热处理后齿面的粗糙度值。

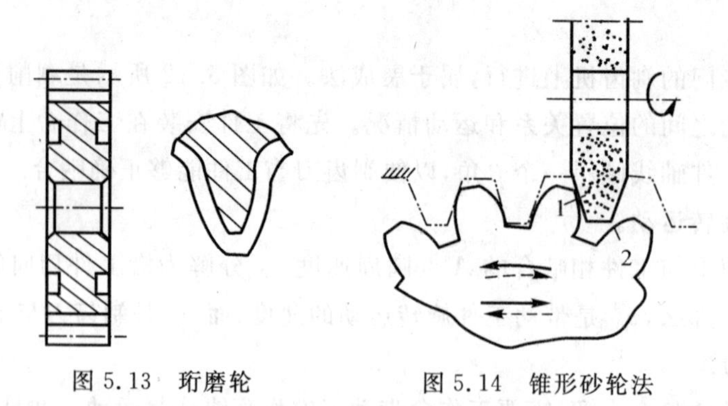

图 5.13　珩磨轮　　　　图 5.14　锥形砂轮法

5.4.3　磨齿

磨齿在专用的磨齿机上进行，其加工精度目前可达 6～4 级，最高为 3 级，齿面粗糙度 R_a

值可达 0.4～0.2 μm。

磨齿有展成法和成形法两种。

1. *展成法磨齿*

展成法磨齿有锥形砂轮磨齿和双碟形砂轮磨齿两种形式。

(1) 锥形砂轮法。如图 5.14 所示，将砂轮的磨削部分修整成锥面，以构成假想的齿条齿面。其原理是使砂轮与被磨齿轮强制保持齿条和齿轮的啮合运动关系，砂轮的端面即可包络出渐开线齿形。为此需要以下几个运动：

1) 主运动。它是指砂轮的高速旋转运动。

2) 被磨齿轮的往复滚动。它是指被磨齿轮按速比关系沿固定不动的假想齿条所作的纯滚动。被磨齿轮时而向右滚动，时而向左滚动，以分别磨削齿槽两个侧面 1 和 2。

3) 砂轮的往复进给运动。它是指为了磨削全齿宽，砂轮沿轮齿方向所作的往复运动。

4) 分度运动。它是指磨完一个齿槽后，砂轮自动退离，被磨齿轮自动转过 $\frac{1}{z}$ 圈的运动。其中 z 为被磨齿轮的齿数。

(2) 双碟形砂轮法。如图 5.15 所示，用两个倾斜一定角度的碟形砂轮，以构成假想齿条两个齿的两外侧面，同时对两个齿槽的两个侧面 1,2 进行磨削，其原理与锥形砂轮磨齿相同。为了磨削全齿宽，多由被磨齿轮沿轮齿方向作往复运动。

2. *成形法磨齿*

成形法磨齿如图 5.16 所示。其砂轮要修整成与被磨齿轮的齿槽相吻合的渐开线齿形。这种方法的生产率比展成法磨齿可提高近十倍，但砂轮修整较复杂。在磨齿过程中砂轮磨损不均匀，要产生一定的齿形误差，加工精度比展成法磨齿略低，一般为 6～5 级。因此，在生产中它的应用不如展成法磨齿广泛。

磨齿的加工精度很高，但生产率很低，磨削一个中等大小的齿轮，往往需要几十分钟，甚至几个小时。但是，对于精度很高的齿轮，尤其是对于精度高又要淬火的齿轮，必须采用磨齿加工。

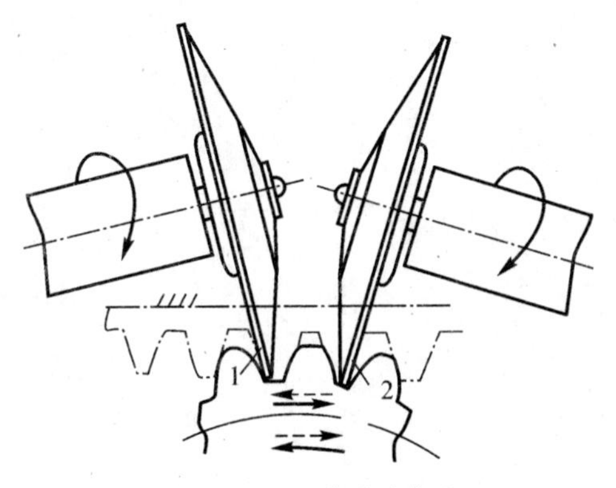

图 5.15　双碟形砂轮法

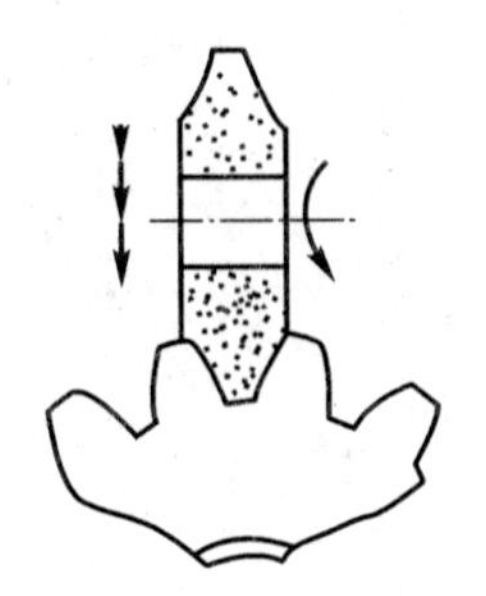

图 5.16　成形法磨齿

复习思考题

1. 渐开线是如何形成的？它具有什么特性？

2. 什么是齿轮的模数和压力角？为什么它们是齿轮的重要参数？

3. 对齿轮传动的精度要求有哪些？齿轮的精度等级是如何分类的？

4. 试分析铣齿加工的齿轮精度低的主要原因。

5. 滚齿和插齿各有什么特点？应用范围如何？

6. 常见的齿形精加工方法有哪几种？各适用于什么场合？

7. 按表 5.2 中给定条件，选择齿形加工方案，材料全为 45 钢。

表 5.2　齿轮加工条件

齿　轮	精度等级	件数	热处理	加工方案
直齿圆柱齿轮	10	5	调质	
双联圆柱齿轮	7～8	100	调质	
圆柱内齿轮	7	100	调质	
直齿圆柱齿轮	6	100	调质	
直齿圆柱齿轮	6	1 000	齿面高频淬火	

第6章

机械加工精度

6.1 概 述

6.1.1 加工精度的基本概念

机械零件很重要的一个质量指标就是加工精度,它的高低将直接影响整台机器的使用性能和寿命。随着机器的速度、负载的增高以及自动化生产的需要,对机器性能要求亦不断提高,因此保证机器零件具有更高的加工精度显得尤为重要。在实际生产中,经常遇到和需要解决的问题多数是加工精度问题。

所谓加工精度是指零件在加工以后的实际几何参数(尺寸、几何形状和表面相互位置)与理想零件的几何参数相符合的程度。符合程度愈高,加工精度愈高;反之,亦然。

实践证明,任何一种加工方法,不论其多么精密,都不可能将零件加工得绝对准确,同理想的完全相符。即使加工条件完全相同,零件的精度也各不相同。从机器的使用性能来看,也没有必要把零件的尺寸、形状以及相互位置关系做得绝对准确,可有适当的误差。只要这些误差大小不影响机器的使用性能,就可以允许在一定的范围里变动,也就是允许有一定误差存在。误差的大小实际上表明了加工精度的高低。

6.1.2 获得规定的加工精度的方法

1. 获得尺寸精度的方法

机械加工中获得尺寸精度的方法有试切法、定尺寸刀具法、调整法及自动控制法四种。

(1) 试切法。试切法就是通过试切—测量—调整—再试切的反复过程来获得尺寸精度的方法。这种方法的效率较低,同时要求操作者有较高的技术水平。在单件及小批量生产中常用此法。

(2) 定尺寸刀具法。用具有一定形状和尺寸的刀具加工,使加工表面得到要求的形状和尺寸。例如钻孔、扩孔、铰孔、拉孔和攻丝等,加工精度与刀具本身的制造精度关系很大。

(3) 调整法。按工件规定的尺寸预先调整机床、夹具、刀具与工件的相对位置,再进行加工。工件尺寸是在加工时自动获得的。在这种方法中,工件的加工精度在很大程度上取决于调整的精度。此法广泛应用在各类半自动机床、自动机床和自动线上，适用于成批量生产。

(4) 自动控制法。这种获得尺寸的方法是用测量装置、进给装置和控制系统组成一个自动加工的循环过程，使加工过程中的测量、补偿调整和切削等一系列工作自动完成。例如，在轴承圈磨削自动线中，用无心外圆磨床粗、精磨轴承圈外圆时，待加工零件经送料装置自动进入磨削区磨削，已磨过的零件通过出口处的测量装置进行尺寸测量。当由于砂轮磨损而使零件尺寸增大到某一数值时(如有 3～5 个零件尺寸过大)，测量装置立即发出补偿信号，使进给装置进行微量补偿进给；同时，砂轮修整器自动修整砂轮(在修整器往复次数达到预定次数后，进给装置使磨头架进行相应的补偿进给量)。整个工件循环都是自动进行的。磨削后，工件尺寸精度稳定，加工效率高。

随着数控机床的应用和发展，获得规定的零件精度就更为方便。其特点适用于零件加工精度要求较高，形状比较复杂的单件、小批量和中批量生产。

2. 零件的几何形状精度

零件的几何形状精度，主要由机床精度和刀具精度来保证。例如车削加工外圆时，其圆度及圆柱度等几何形状精度，主要决定于主轴的回转精度、导轨精度以及主轴回转轴线与导轨之间的相对位置精度。又如加工螺纹或齿轮时，零件几何形状精度与刀具精度以及各成形运动之间决定其速度关系的传动精度有关。

3. 零件的各表面相互位置精度

零件的各表面相互位置精度，主要由机床精度、夹具精度和工件的安装精度来保证。例如，在车床上车削工件端面时，其端面与轴线的垂直度决定于横向溜板进给方向与主轴轴线的垂直度。又如在平面上钻孔，孔的轴线对于平面的垂直度决定于钻头进给方向与工作台或夹具定位面的垂直度。

零件的尺寸、几何形状及各表面相互位置这三项精度指标是相互紧密联系的。例如，为保证轴颈的尺寸精度，则该轴颈的圆度形状误差不应超出直径尺寸公差。一般几何形状误差应控制在相应的尺寸公差的 1/3～1/2 之内。对于特殊用途的零件，某些表面的几何形状精度，可能有更高的要求。

为了获得零件尺寸，形状及各表面相互位置的精度要求，必须分析研究加工过程中影响精度的误差因素。

6.1.3 影响加工精度的误差因素

由机床、夹具、刀具和工件组成的工艺系统，当完成任何一个工序的加工时，有很多误差因素在起作用。这些因素可分为两部分：与工艺系统本身的结构和状态有关的因素；与金属切削过程有关的因素。根据科学研究的归纳，可将产生加工误差的主要因素具体分成三个方面。

(1) 工艺系统的几何误差。它是指机床、夹具、刀具的制造误差和磨损，尺寸链误差，机床传动的静态和动态调整误差以及工件、夹具、刀具的安装误差等。

(2) 工艺系统力效应产生的误差。它是指工艺系统弹性及塑性变形产生的误差、工件的夹紧误差、离心力和传动力所引起的误差以及残余应力引起的误差等。

(3) 工艺系统热变形产生的误差。它是指机床、刀具以及工件热变形产生的误差。

除了上述的误差因素外，加工方法的原理误差、测量误差等亦是影响零件加工精度的很重要的因素。

在加工过程中，上述误差并不是在任何情况下都会出现的，在不同情况下，它们的影响程度也不同。分析生产中存在的问题时，必须分清主次，抓住主要矛盾，以减小加工误差。

6.2 工艺系统的几何误差

6.2.1 机床的几何误差

机床的几何误差包括机床制造误差、磨损和安装误差等几个方面。本节简单分析在机床的几何误差中对加工精度影响较大的主轴回转误差、导轨误差及传动链误差。

1. 主轴的回转误差

机床主轴的回转精度(回转误差的大小)直接影响零件的加工精度。在理想情况下，当主轴回转时，主轴回转轴线的空间位置是不动的。但实际上由于存在着轴颈的圆度、轴颈之间的同轴度、轴承之间的同轴度、主轴的挠度及支承端面对轴颈中心线的垂直度等误差，这些误差都在不同程度上影响主轴回转精度，使主轴的每一瞬间回转轴线的空间位置都发生变动。

过去衡量机床主轴回转精度的主要指标是主轴前端的径向跳动和轴向窜动。此法虽简单，但不能反映主轴在真正工作速度下的回转误差及它们对加工表面精度的影响。近年来对于高精度主轴，提出了控制主轴回转轴线的漂移以提高主轴的回转精度。

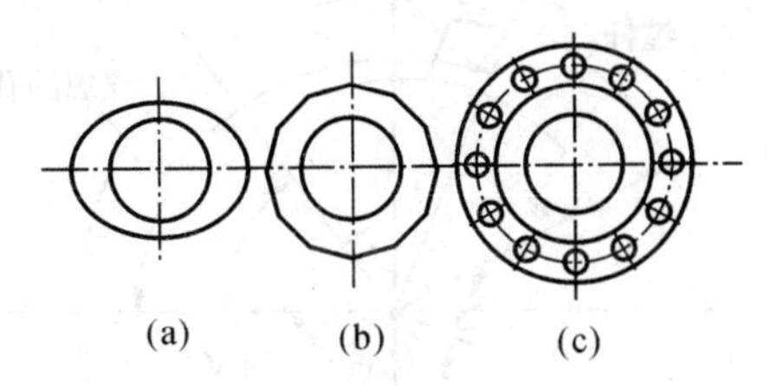

图 6.1 轴承内圈及滚动体的几何误差

主轴轴线的漂移是由下列因素引起的：

(1) 滑动轴承的轴颈与滚动轴承滚道的圆度误差(见图 6.1(a))。

(2) 滑动轴承的轴颈(或轴套)与滚动轴承滚道的波度(见图 6.1(b))。

(3) 滚动轴承滚子圆度误差与尺寸误差(见图 6.1(c))。

(4) 有关零件在不同方向上的刚度不同。对于载荷同主轴一起旋转的主轴，有关零件是指固定不动的零件，如轴承圈、支承座、箱体等。对于载荷方向不变的主轴，是指主轴、轴承内圈等。由于这些有关零件配合表面的几何形状误差及表面质量状况，将使它们装配后在不同方向的刚度不同。

(5) 轴承的间隙。将轴承预紧，可消除并减小滚道圆度、波度及滚子圆度和尺寸差对轴线漂移的影响。

上述的一些因素是由多方面原因造成的，一个原因也可能对几个因素有影响。应注意的是，因为轴承圈是薄壁零件，受力后极易变形，当安装在主轴轴颈上或支承座孔中，会因轴颈或座孔的圆度误差而产生相应的变形，从而破坏了轴承原来的精度。因此对支承座孔与轴颈，除控制其尺寸误差外，还必须控制其几何形状误差。

上述各种因素的影响使主轴的实际回转轴线对其理想的回转轴线发生偏移，这个偏移量就是主轴的回转误差。

主轴回转误差可以分为三种基本形式：纯径向跳动、纯角度摆动和轴向窜动(见图 6.2)。

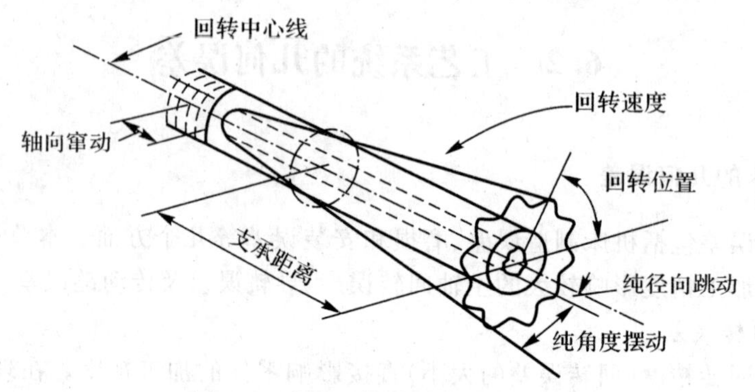

图 6.2 主轴回转误差的基本形式

在分析主轴回转误差对加工精度的影响时，应注意：不同形式的主轴回转误差对加工精度的影响是不同的。同一形式的主轴回转误差对于不同加工方法下加工精度的影响是不同的。下面举几种典型情况来说明这些影响。

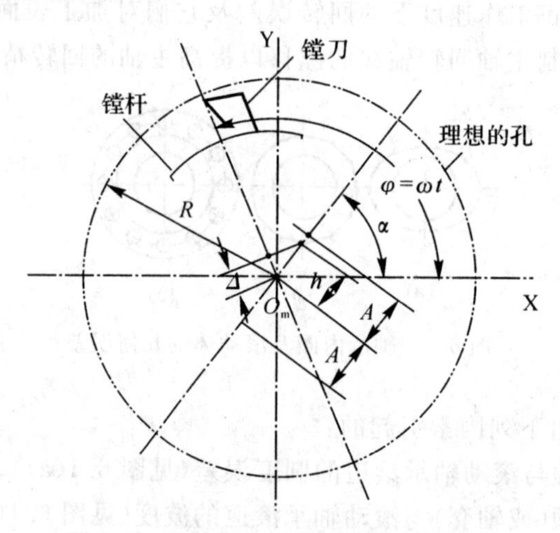

图 6.3 纯径向跳动对镗孔精度的影响

(1) 纯径向跳动对加工精度的影响。如图 6.3 所示，当镗孔时，如果由于主轴回转时的纯径向跳动而使轴线在与 X 坐标轴成 α 角的方向上作简谐直线运动，其频率与主轴转速相同，即 $f=\frac{\omega}{2\pi}$(ω 为主轴的角速度)，简谐幅值为 A。在某瞬间，镗刀正处在 φ 角位置上，而主轴中心从回转中心平均中间位置 O_m(它指轴心跳动的最大半径与最小半径的平均值所作的圆心)点偏移了一个距离 h，即

$$h=A\sin(\omega t+\varphi_0)=A\sin(\varphi+\varphi_0)$$

式中，φ_0 为初始相位角。

当 $t=0$ 时，$h=A\sin\varphi_0$。由于主轴中心在 α 角方向偏移了一个 h，就使得镗刀尖的位置对于孔的名义半径产生了径向误差 Δ，其值为

$$\Delta=h\cos(\varphi-\alpha)$$

将 h 代入得 $$\Delta = A\sin(\varphi + \varphi_0)\cos(\varphi - \alpha)$$

设主轴的简谐运动是在水平方向($\alpha = 0°$) 上,因此,当主轴中心是最大偏移(即 $\varphi_0 = \frac{\pi}{2}$,$\varphi = 0°$,$h = A\sin\left(\frac{\pi}{2} + \varphi\right) = A$) 时,镗刀尖通过其水平位置。当镗刀再转过一个 φ 角时,刀尖轨迹的水平分量可表示为

$$x = R\cos\varphi + A\cos\varphi = (R + A)\cos\varphi$$

其垂直分量为

$$y = R\sin\varphi$$

根据水平分量 x 及垂直分量 y 可得镗刀尖在加工表面上的移动轨迹为

$$\frac{x^2}{(R + A)^2} + \frac{y^2}{R^2} = 1$$

这是一个椭圆方程式。因此,主轴回转具有纯径向跳动的误差时,镗出的孔是椭圆形的。

如图 6.4 所示在车削过程中,当主轴回转具有纯径向跳动误差时,主轴中心的瞬时偏移距离 h 在 Z 向的误差分量为 Δz,由此,产生半径误差 ΔR,由图 6.4 所示,得

$$(R + \Delta R)^2 = \Delta z^2 + R^2$$
$$R^2 + 2R\Delta R + \Delta R^2 = \Delta z^2 + R^2$$

忽略 ΔR^2 项得

$$\Delta R \approx \frac{\Delta z^2}{2R}$$

设工件直径 d=100,Δz=0.01,则 ΔR=0.001 μm。ΔR 如此之小,完全可以忽略不计。因此可以得出主轴中心的瞬时偏移距离 h 在 Z 向的误差分量对加工后工件圆度的影响很小,但 h 在 Y 向(径向)的分量对半径有直接影响,它以 1∶1 的关系转化为加工误差。一般精密车床的主轴径向跳动误差应控制在 5 μm 以内。

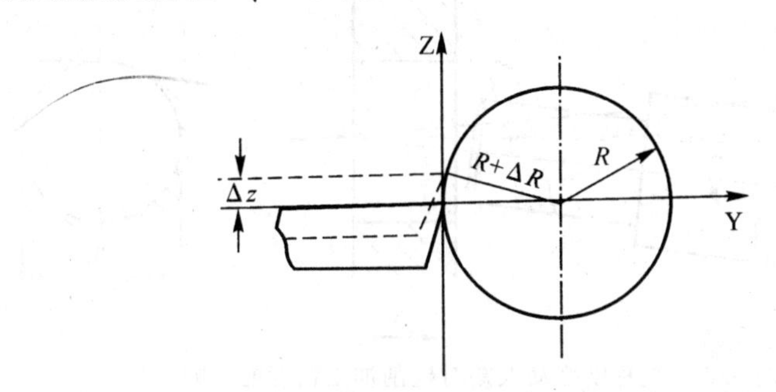

图 6.4　Z 向的误差分量 Δz 产生的加工误差

(2) 轴向窜动对加工精度的影响。主轴的轴向窜动对于加工内外圆柱面没有影响,但在车床上车端面时,如果主轴有轴向窜动,则车出的端面与外圆不垂直。如图 6.5 所示的端面对轴线的垂直度随切削直径的减小而增大。

$$\tan\theta = \frac{A}{R}$$

式中　A —— 主轴轴向窜动的幅值;

R —— 工件切削端面的半径;

θ—— 切削端面的斜角。

当 $R \approx 0$ 时,在端面中心附近出现一个凸台。当加工螺纹时,由于主轴的轴向窜动将使单个螺距产生周期误差。精密车床的轴向窜动量规定在 $2 \sim 3\ \mu\text{m}$ 甚至更小。

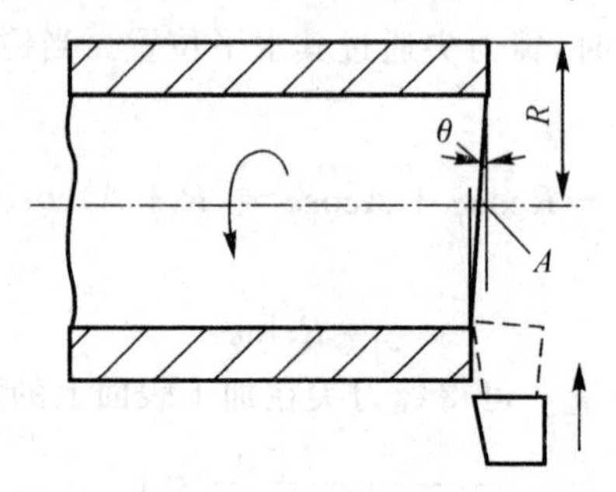

图 6.5　轴向窜动对端面加工的影响

(3) 纯角度摆动对加工精度的影响。一般纯角度摆动对加工精度的影响随机床类型和误差存在情况而异。车外圆时,由于车床主轴的纯角度摆动,会得到一个锥体,而不是一个圆柱体。在镗床上镗孔时,由于镗床主轴的纯角度摆动,而且回转轴线的平均位置 O_m 与工作台导轨不平行,即 O_m 与工件孔的轴线 O 不同轴,镗出的孔将是椭圆形的,如图 6.6 所示。

由上述分析得出,主轴的回转精度对加工精度的影响是十分显著的。为了提高主轴的回转精度,滑动轴承广泛采用静压轴承、三瓦球面支承的动压轴承及三瓦的弹性轴承等结构。当使用滚动轴承时,除了根据机床精度等级选择相应精度等级的轴承外,还要相应地确定如轴颈、支承座孔、调整螺母等有关零件的精度及轴颈与内圈、支承座孔与外圈的配合公差等要求。实践证明,只有当主轴、支承座孔及有关零件制造、装配得很精确时,高精度的轴承才能发挥作用,主轴才可能获得很高的回转精度。

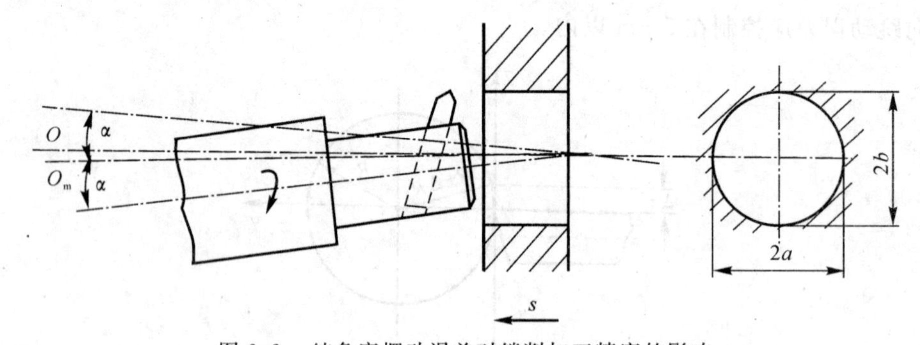

图 6.6　纯角度摆动误差对镗削加工精度的影响

2. 导轨误差

床身导轨是机床中一些主要部件的相对位置及运动的基准,它的各项误差直接影响被加工零件的精度。例如车床导轨在水平面内不直度(见图 6.7)使刀尖在水平面内发生位移 y,引起被加工零件在半径方向的误差 ΔR。当车削较短零件时,这一误差影响较小。若车削长轴,这一误差将明显反映到工件直径上而形成锥形、鼓形或鞍形。当磨削长工件的外圆时,若磨床导轨在水平面内有直线度误差,当刚性较差的工作台贴合在床身导轨上作往复运动时,其运动轨迹将受导轨直线度误差的影响。当导轨直线性误差凹向砂轮架时,工件被磨成鞍形;反之,则磨成腰鼓形，而且在工件表面产生螺旋线，影响工件表面质量。

车床导轨在垂直平面内直线度误差，将引起刀尖产生 Δz 的误差（见图 6.8），产生的半径方向误差为 $\Delta R \approx \frac{\Delta z^2}{d}$，对零件形状误差的影响较小。但对于龙门刨床、龙门铣床及导轨磨床来讲，当工作台刚性较差时，导轨在垂直平面内的直线度误差将直接反映在工件上，如图 6.9 所示。

机床导轨误差产生的原因是：

(1) 机床在使用过程中，由于机床导轨磨损不均匀，会使导轨产生不直度、扭曲度等误差，这些误差对加工精度影响很大。

(2) 机床安装得不正确，即安装水平调整得不好，会使床身产生扭曲，破坏原有的制造精度，从而影响加工精度。

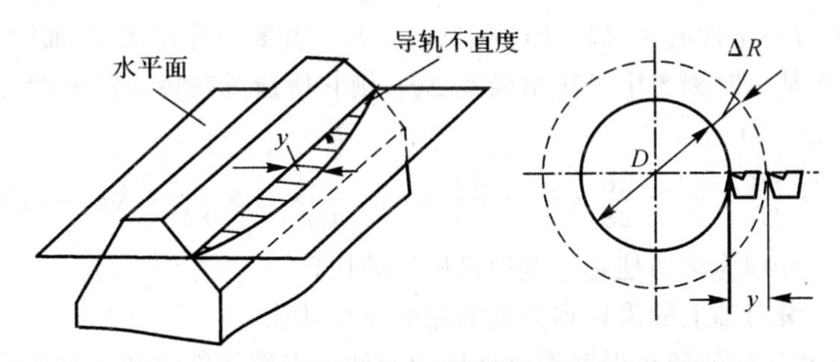

图 6.7　车床导轨在水平面不直度引起的误差

为了减少机床导轨误差对加工精度的影响，当设计和制造时，应从结构、材料、润滑方式、保护装置方面采取相应的措施，同时在使用过程中，要保证地基和安装质量，细心维护和注意润滑等。

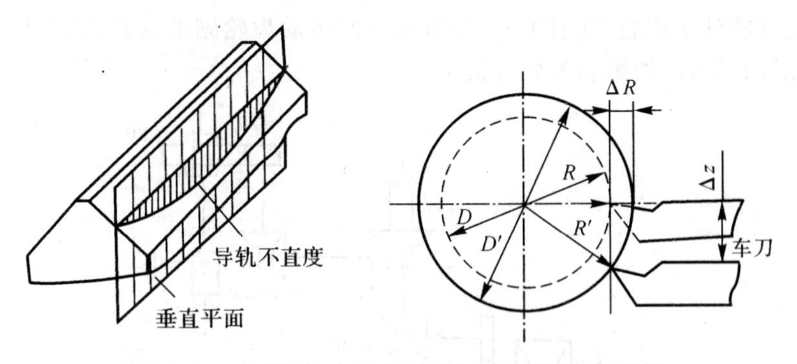

图 6.8　车床导轨在垂直平面内不直度引起的误差

3. 传动链误差

传动链误差会影响刀具运动的正确性，在某些情况下，它是影响加工精度的主要因素。例如，当滚切齿轮时，需要滚刀的转速和工件的转速之比恒定不变，保持严格的运动关系：

$$\frac{n_{刀}}{n_{工}} = \frac{z_{工}}{K}$$

式中　K —— 滚刀头数；

$n_刀$ —— 滚刀转速,r/min;

$n_工$ —— 工件转速,r/min;

$z_工$ —— 工件齿数。

当传动链中的传动元件(如滚切挂轮、分度蜗轮副等)有制造误差和装配误差,以及在使用过程中有磨损时,就会破坏正确的运动关系,使滚出的齿轮产生误差(如周节误差、周节累积误差及齿形误差等)。因此,机床传动链的传动精度,首先取决于各传动元件的制造和装配精度,其次与各传动元件在传动链中的位置有关。

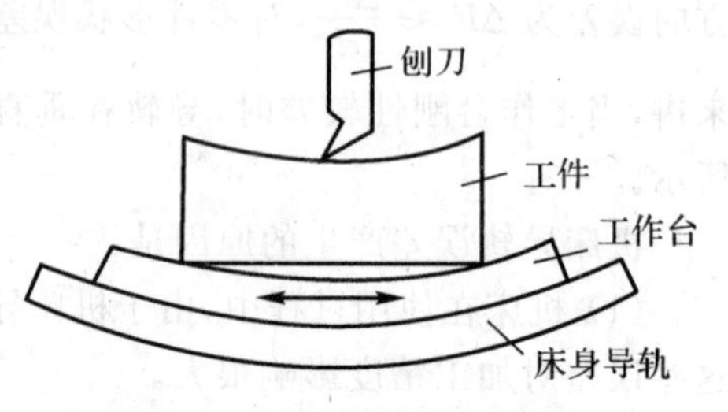

图 6.9 龙门刨导轨在垂直平面内不直度引起的误差

如图6.10所示的Y3180E滚齿机的滚刀传动链,在滚切齿轮时,滚刀与工件的正确转速比应为 $z_工/K$。若滚刀等速运动,而滚刀轴上齿轮由于制造和装配误差在某一时刻产生了转角误差 $\Delta\varphi_1$,则它所造成在传动链末端元件(工作台或工件)的转角误差 $\Delta\varphi_工$ 为

$$\Delta\varphi_工 = \frac{80}{20} \times \frac{23}{23} \times \frac{28}{28} \times \frac{28}{28} \times \frac{42}{48} \times i_c \times \frac{e}{f} \times i_x \times \frac{1}{84} \times \Delta\varphi_1 = i_{1n}\Delta\varphi_1$$

式中 i_x, i_c —— 分别为滚切挂轮及差动机构传动比;

i_{1n} —— 滚刀轴上的齿轮到分度蜗轮的总传动比。

上式说明:传动元件的转角误差乘上该传动元件至末端元件之间的总传动比,就等于末端元件的转角误差。i_{1n} 反映了第一个传动元件转角误差对传动链精度的影响,称为误差传递因数,以 k_1 表示。若 $k_1 > 1$(即升速传动),误差就被扩大;若 $k_1 < 1$(即降速传动),误差就被缩小。传动链中所有传动元件的误差都按这个规律传递到末端。在滚切传动链中,从滚刀到分度蜗轮中间有许多对齿轮,但对传动链精度影响最大的是末端传动元件——分度蜗轮。它的转角误差直接反映到工作台(工件)上,而所有中间传动齿轮副的误差,在最后经过蜗轮副的大减速比后,对加工精度的影响就变得很小了。

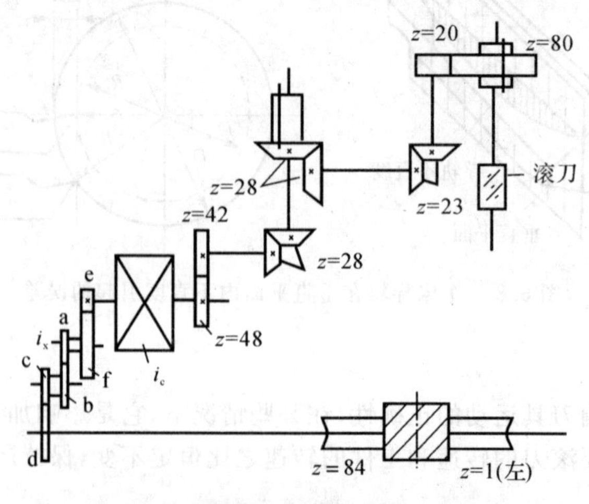

图 6.10 Y3180E滚齿机的传动链

为了减小机床传动链误差对加工精度的影响,可采取下列措施。

(1) 减少传动链的元件数目，缩短传动链，以减小误差来源。

(2) 提高传动元件，特别是末端传动元件的制造精度和装配精度。实践证明：滚齿机上切出的齿轮的周节误差及周节累积误差，大部分是由分度蜗轮副引起的。所以滚齿机分度蜗轮副是影响加工精度的关键。通常分度蜗轮副的精度等级应比被加工齿轮精度高1～2级，同时末端传动副的减速比取得越大，则传动链中其余传动元件的误差影响也就越小。

(3) 消除间隙。传动链齿轮存在的间隙，同样会影响末端元件的瞬时速度不均匀，速比不稳定。

(4) 采用误差校正机构来提高传动精度。这种方法的实质是人为地在传动链中加入一个与机床传动误差的大小相等、方向相反的误差，以抵消传动链本身的误差。

6.2.2 刀具与夹具误差

1. *刀具误差*

刀具对加工精度的影响，根据刀具种类的不同而不同。

当用定尺寸刀具（如钻头、铰刀、镗刀块、拉刀及键槽铣刀等）加工时，刀具的尺寸精度直接影响被加工零件的尺寸精度。同时还要考虑刀具的工作条件，如机床主轴的回转误差或刀具安装不当而产生径向和轴向跳动等，都会使加工的尺寸误差扩大。

当用成形刀具（如成形车刀、成形铣刀及成形砂轮）加工时，加工表面的几何形状精度直接决定于刀具本身的形状精度。

当用展成法加工（如滚齿、插齿等）时，刀具切削刃的几何形状及有关尺寸，也会直接影响加工精度。

对于一般刀具（如车刀、铣刀、镗刀等），其制造精度对加工精度无直接影响，但如果刀具几何参数和形状不适当，将影响刀具的磨损及耐用度，因此也会间接地影响加工精度。

在切削过程中，刀具不可避免地要产生磨损，并由此引起加工零件尺寸或形状的改变。

为减小刀具制造误差和磨损对加工精度的影响，除合理规定尺寸刀具和成形刀具的制造误差外，应根据工件材料及加工要求，正确选择刀具材料、切削用量、冷却润滑，并准确地进行刃磨，以减小磨损。

2. *夹具误差*

夹具误差包括定位元件、刀具引导体、分度机构及夹具体等零件的制造误差，定位元件之间的相互位置误差和其他有关的夹具制造误差。在如图6.11所示夹具体1上，定位芯轴的外径误差、定位芯轴与安装钻模板的圆柱表面的同轴度误差及钻模板2的孔距误差都会影响到尺寸25±0.15。夹具在使用过程中的磨损同样会影响零件的加工精度。

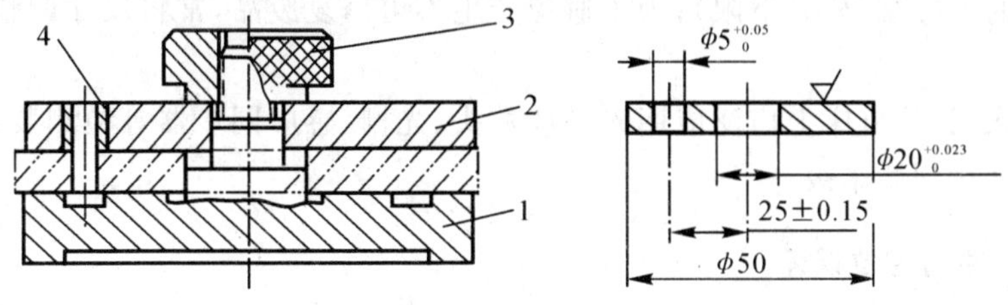

图6.11 钻模结构图

1—夹具体； 2—钻模板； 3—夹紧螺母； 4—钻套

因此，当设计夹具时，凡影响零件精度的尺寸应严格控制其制造公差。

6.2.3 调整误差

在机械加工的每一工序中，总要进行这样或那样的调整工作。例如，按要求调整刀具的加工尺寸；在机床上安装夹具；在固定刀具和夹具的位置后检查调整精度（包括试切工件）；等等。由于调整不可能绝对准确，必然会带来一些误差，即调整误差。引起调整误差的原因很多，例如，调整所用的刻度盘、定程机构（行程挡块、凸轮、靠模等）的精度及其与它们配合使用的离合器、电气开关、控制阀等元件的灵敏度；测量样板、样件、仪表本身的误差和使用误差；在调整机床时只是测量有限几个试件而不能准确判断全部零件的尺寸分布造成的误差。

在正常情况下，在一次机床调整下加工出一批零件，调整误差对每一零件的尺寸精度的影响程度是不变的。但由于刀具、砂轮磨损后的小调整或更换刀具的重新调整，不可能使每次调整所得到的位置完全相同。因此，对全部加工零件来说，调整误差也属于偶然性质的误差，有一定的分布范围。

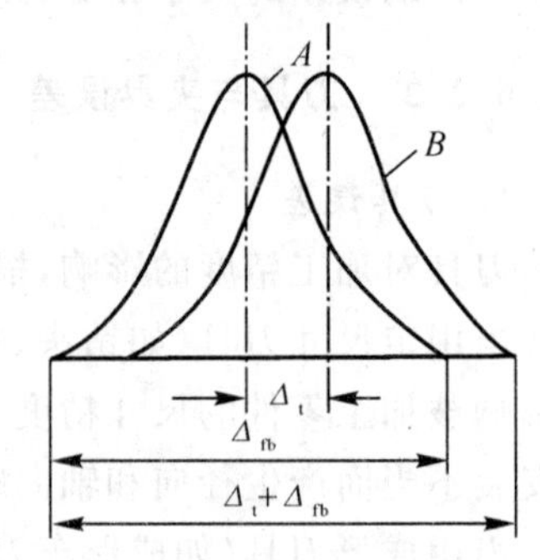

图 6.12 两次调整的分布曲线

在一次调整下加工出来的零件可画成尺寸分布曲线，每次机床调整改变时，分布曲线的中心将发生偏移。机床调整误差可理解为分布曲线中心的最大可能偏移量，如图 6.12 所示。加工过程中，不产生废品的条件为

$$\Delta_{分} + \Delta_t \leqslant T$$

式中 T —— 零件的公差；

$\Delta_{分}$ —— 尺寸分布范围；

Δ_t —— 调整误差。

调整误差 Δ_t 是由样件误差 $\Delta_{件}$ 及刀具的调整误差 $\Delta_{刀}$ 组成的，如果这些误差都服从正态分布规律，则 Δ_t 为

$$\Delta_t = \sqrt{\Delta_{件}^2 + \Delta_{刀}^2}$$

刀具调整误差 $\Delta_{刀}$ 的大小，根据具体条件而定，若采用千分表来调刀，则 $\Delta_{刀}$ 为 1 ～ 2 μm；采用百分表时，$\Delta_{刀}$ 为 10 ～ 15 μm；若采用塞片，则 $\Delta_{刀}$ 为 10 ～ 20 μm；不用塞片，$\Delta_{刀}$ 约为 30 ～ 130 μm。在用样板调刀时，与夹紧刀具的方法有关。

刀具或砂轮位置经准确调整后，在加工过程中由于刀具或砂轮的磨损，会使零件尺寸逐渐超出公差而需要重新调整。为了使每次调整加工的零件数目尽可能多，开始加工零件尺寸应接近工作量规的不过端（公差下限）；为了避免产生不可修复废品，常将尺寸调整在接近工作量规过端的一边。

在坐标镗床、数控机床上广泛应用光学读数头、光栅、感应同步器等检测装置，利用这些装置可使调整精度达到微米级。

6.2.4 工件的定位误差

所谓定位误差，是指当工件在定位时，由于工件的位置不准确而在加工过程中引起工序尺寸变化的加工误差。

引起定位误差的原因归纳为：

(1) 基准不重合产生的定位误差。

(2) 定位元件和定位基准面本身误差产生的定位误差。

6.3 工艺系统力效应产生的误差

6.3.1 静、动刚度的概念

所谓工艺系统的力效应是指切削过程中由机床 — 夹具 — 刀具 — 工件组成的工艺系统，在切削力、传动力、惯性力、夹紧力、重力及其他控制力和干扰力的作用下，其静态和动态特性的改变，具体表现为工艺系统产生相应的变形(弹性变形和塑性变形，塑性变形主要是构件接合面间的变形)和系统各构件间的振动。这种变形和振动，会破坏已调整好的刀具和工件之间的相对位置和成形运动的位置、速度等关系，还会破坏切削过程的稳定性，使加工后工件产生加工误差，表面粗糙度增大。

工艺系统在静载荷作用下会产生静变形，载荷愈大，变形愈大。因此，把静力与静力作用下所产生变形的比值称为工艺系统的静刚度，即 $k_j = \frac{P_j}{y_i}$。静刚度 k_j 是产生单位变形所需的静力。静刚度是工艺系统本身的属性，它与外载荷无关。

从动力学的观点出发，工艺系统被看做是一个具有一定质量、弹性和阻尼所组成的多自由度机械振动系统。当系统受到变化的载荷时，特别是周期性干扰力(例如断续切削中周期性变化切削力；连续切削时，由于材质不均匀或积瘤、断屑、振动等因素引起的切削力的变动等)作用时，系统就会振动。其所受力的大小和变形的大小与载荷的频率有关。把在某段频率范围内产生单位振幅所需的激振力幅定义为该频率下的动刚度 k_D。如果工艺系统刚度不好，加工时刀具和工件之间会产生强烈的振动，使切削过程稳定性受到破坏，从而影响加工精度。

工艺系统的静、动刚度特性对加工精度影响较大。动刚度与机械加工的振动有关，可参考有关文献。这节主要讨论静刚度问题及其对加工误差的影响。

在加工过程中，工艺系统在切削力作用下产生变形，为了分析工艺系统受力变形对加工精度的影响，必须研究工艺系统各个组成部分的变形规律及其特点。由于刀具和工件结构简单，刚度问题较简单(见材料力学相关内容)，夹具的结构较复杂一些，机床的各种连接和运动方式最复杂，为此重点讨论机床部件的静刚度问题。

6.3.2 机床部件刚度及其特点

当车削工件时，在切削力作用下，使工件和刀尖相互间在作用力方向产生相对位移 y，由于径向力 P_Y 对加工精度影响最大，此处只讨论 Y 方向的刚度。Y 向刚度为

$$k = \frac{P_Y}{y}$$

当工件一端夹紧在车床卡盘中，如图 6.13 所示，应用悬臂梁公式来计算工件变形和刚度：

$$y = \frac{P_Y L^3}{3EI}, \quad k = \frac{P_Y}{y} = \frac{3EI}{L^3}$$

式中　L —— 工件悬伸长度，mm；

E —— 工件材料的弹性模量，钢料 $E=2\times10^{5}$ MPa；

I—— 工件断面的惯性矩，mm^4，对于圆棒 $I=\dfrac{\pi d^4}{64}$。

所以

$$k=\frac{3\times2\times10^{5}\times\pi d^{4}}{64L^{3}}\approx3\times10^{4}\ \frac{d^{4}}{L^{3}}\quad \text{N/mm}$$

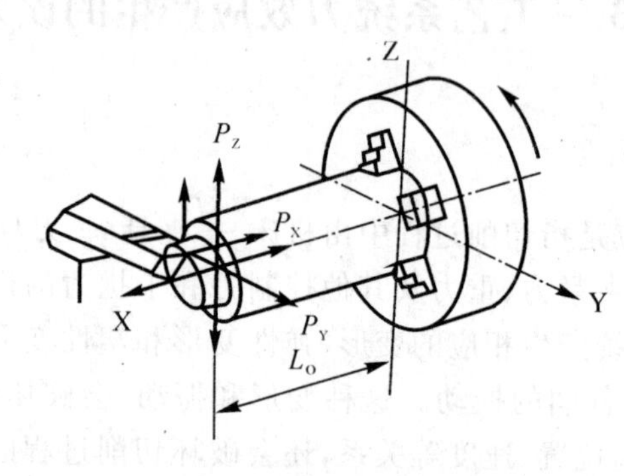

图 6.13　工件悬臂夹紧在卡盘中加工

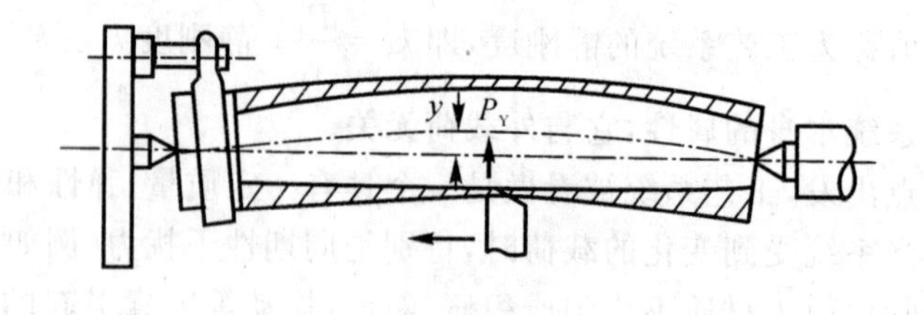

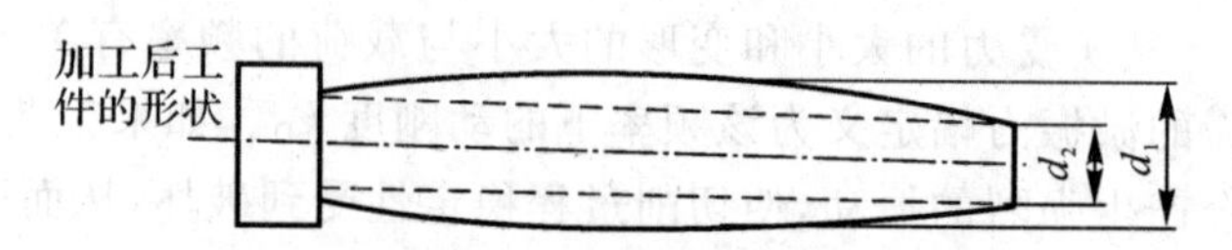

图 6.14　在双顶尖间加工棒料的变形

1—y 方向已夸大；2— 直线误差 $\Delta d=d_1-d_2=2y$

如图 6.14 所示，在车床用双顶尖安装加工棒料，当刀尖在中间位置时，产生的变形最大，可以近似用下式计算：

$$y=\frac{P_{Y}L^{3}}{48EI}\ \text{mm},\quad k=\frac{48EI}{L^{3}}\approx4.8\times10^{5}\ \frac{d^{4}}{L^{3}}\quad \text{N/mm}$$

计算结果和实际刚度数值差别不会太大，但是由多个零件组成的机床部件，其刚度计算问题就非常复杂，不可能用公式作近似计算，故目前主要用实验方法来测定其刚度值。

最常见的单向测定车床静刚度的实验方法，如图 6.15 所示。

在车床顶尖间，安装一根刚性很好的芯轴 1，并在刀架上装上一个螺旋加力器 5，在加力器与芯轴之间装一测力环 4。当转动加力器的加力螺钉，刀架与芯轴之间便产生了作用力，力的大小由测力环中的千分表读出。作用力一方面传到车床刀架上，另一方面经过芯轴而传到前后顶尖上。若加力器位于芯轴上的中点，则床头和床尾各受到 $P_Y/2$ 的力，而力架却受到全部载荷 P_Y。此时床头、尾座和刀架的变形可分别从图 6.15 所示的千分表 2,3,6 读出。试验时，进行连续的加载，逐渐加大至某一值(根据机床尺寸决定)，再逐渐减小，就得到了 P_Y-y 的刚度曲线。如图 6.16 所示为中心高 200 mm 的一台旧车床刀架部分的刚度实际曲线。实验中进行了 3 次加载 — 卸载，从图中可以看出以下几个特点。

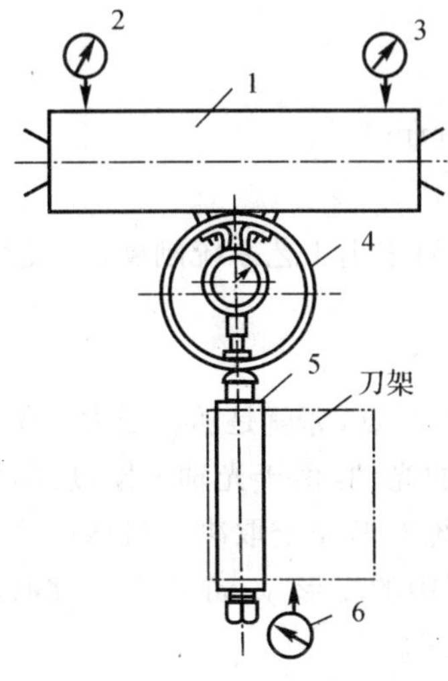

图 6.15　刚度的静载测定

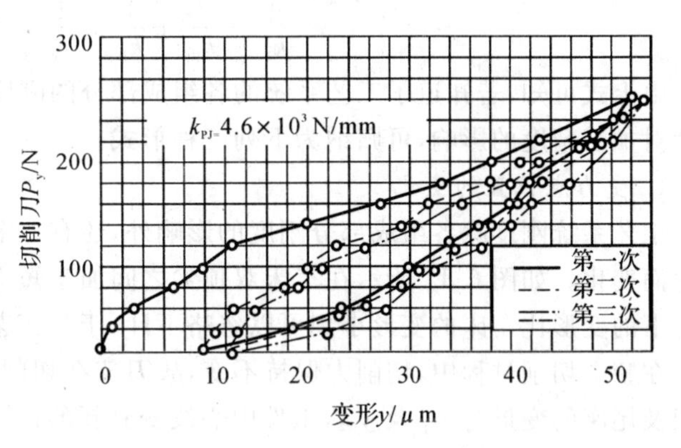

图 6.16　车床刀架部件的刚度曲线

(1) 力和变形的关系 $P_Y = f(y)$ 不是线性关系，曲线上各点的实际刚度是不同的，这反映了部件变形不纯粹是弹性变形。

(2) 加载曲线与卸载曲线不重合，两曲线间包容的面积代表了在加载 — 卸载的循环中所损失的能量，也就是消耗在克服机床零件之间的摩擦力和接触塑性变形所做的功。

(3) 在载荷去除后，变形恢复不到原点，这说明部件的变形不单纯是弹性变形，还产生不能恢复的残余变形。图中残余变形达 10 μm 左右。反复加载以后，残余变形逐渐减少到零，两条曲线的原点才重合。

(4) 部件的实际刚度远比按实体所估计的要小，图中曲线的平均刚度值 $k_{PJ} \approx 4.6 \times 10^3$ N/mm，即为连接刚度曲线前后两端点的直线的斜率。这个平均刚度数值不大，大约只相当一个 30×30 铸铁柱的刚度值。刀架部件的轮廓尺寸看似较大，但由于是由多个零件组合而成的，其中存在着许多薄弱环节，所以在受力变形时不能和单个的整体零件相比。通过试验说明，单个零件的受力变形只是零件本身的弹性变形，而部件的受力变形除各组成零件本身的弹性变形以外，还有其他因素所引起的变形。这些因素主要包括连接表面间的接触变形，薄弱零件本身的变形，摩擦力的影响、部件之间间隙的影响，受力方向及作用力矩的影响等。

6.3.3　工艺系统刚度对加工精度的影响

研究工艺系统的刚度是为了解决系统变形对加工精度的影响问题。在加工过程中，机床部件 — 夹具 — 刀具 — 工件在切削力作用下，都会有不同程度的变形，这将导致刀刃和加工表面在作用力方向上的相对位置发生变化，于是产生加工误差。

工艺系统在受力情况下的总变形 y_{xt} 是各个组成部分变形的叠加。即

$$y_{xt} = y_{jc} + y_{dj} + y_{jj} + y_g$$

式中　y_{xt} —— 工艺系统总变形量，$y_{xt} = P_Y / k_{xt}$，k_{xt} 为工艺系统刚度；

y_{jc} —— 机床变形量，$y_{jc} = P_Y / k_{jc}$，k_{jc} 为机床刚度；

y_{dj} —— 刀架变形量，$y_{dj} = P_Y / k_{dj}$，k_{dj} 为刀架刚度；

y_{jj} —— 夹具变形量，$y_{jj} = P_Y / k_{jj}$，k_{jj} 为刀具刚度；

y_g —— 工件变形量，$y_g = P_Y / k_g$，k_g 为工件刚度。

将上述关系代入上式整理后得

$$k_{xt} = \frac{1}{\frac{1}{k_{jc}} + \frac{1}{k_{dj}} + \frac{1}{k_{jj}} + \frac{1}{k_g}} \quad \text{N/mm}$$

由上式可知，若知道了工艺系统的各组成部分的刚度，就可求出工艺系统刚度。工艺系统刚度对加工精度的影响，可归纳为下列三种形式。

1. 受力点位置的变化

工艺系统刚度除各组成部分刚度的影响外，还有一个很大特点，那就是随着受力点位置的变化而变化。如图 6.17 所示在车床双顶尖之间加工短而粗的光轴，由于光轴的刚度好，它在受力下的变形比车床的变形小到可以忽略不计，于是工艺系统变形完全取决于机床的变形。假定在整个切削过程中，切削力保持不变，故刀架在切削过程中的变形 y_{dj} 亦不变。此时车床头架及尾座的变形为 y_{tj} 及 y_{wz}，工件中心线变到新的位置 $O_1'O_2'$。

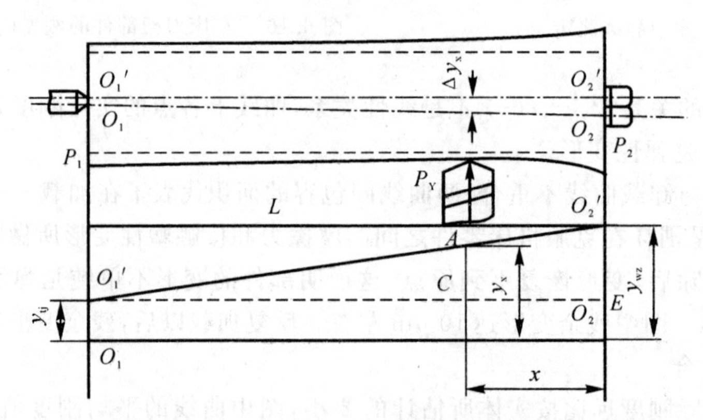

图 6.17　工艺系统变形随切削力位置而变化

头架及尾座的变形为

$$y_{tj} = \frac{P_1}{k_{kj}} = \frac{x}{L}\frac{P_Y}{k_{tj}}$$

$$y_{wz} = \frac{P_2}{k_{wz}} = \frac{L-x}{L}\frac{P_Y}{k_{wz}}$$

式中　k_{tj} —— 头架刚度；

k_{wz} —— 尾座刚度；

P_1, P_2 —— 分别为 P_Y 对头架、尾座的作用力，$P_1 = \frac{x}{L}P_Y$，$P_2 = \frac{L-x}{L}P_Y$。

由三角形 $O_1'AC$ 及 $O_1'O_2'E$ 得下列关系式：

$$\frac{L-x}{y_x - y_{tj}} = \frac{L}{y_{wz} - y_{tj}}$$

当车刀在 x 处时，机床的变形 y_x（工件中心的位移量）为

$$y_x = \frac{x}{L}y_{tj} + \frac{L-x}{L}y_{wz}$$

将 y_{tj} 及 y_{wz} 代入上式得

$$y_x=\left(\frac{x}{L}\right)^2\frac{P_Y}{k_{tj}}+\left(\frac{L-x}{L}\right)^2\frac{P_Y}{k_{wz}}$$

如果再考虑刀架变形 y_{dj}，则系统的变形为

$$y_{xt}=y_x+y_{dj}=P_Y\left[\frac{1}{k_{dj}}+\frac{1}{k_{tj}}\left(\frac{x}{L}\right)^2+\frac{1}{k_{wz}}\left(\frac{L-x}{L}\right)^2\right]$$

式中，k_{dj} 为刀架刚度。

则工艺系统的刚度为

$$k_{xt}=\frac{P_Y}{y_{xt}}=\frac{1}{\frac{1}{k_{dj}}+\frac{1}{k_{tj}}\left(\frac{x}{L}\right)^2+\frac{1}{k_{wz}}\left(\frac{L-x}{L}\right)^2}\qquad \text{N/mm}$$

由此式可知，系统刚度随工件轴心线X方向上的位置不同而变化，使车出的工件呈抛物线状，各截面上直径尺寸不同，产生了形状和尺寸误差。

如图6.18所示为工件加工后的表面形状，试验所用工件材料为45钢，长度 $L=50$。采用 $v=112.5\ \text{m/min}$，$f=0.3\ \text{mm/r}$，$a_p=3$。

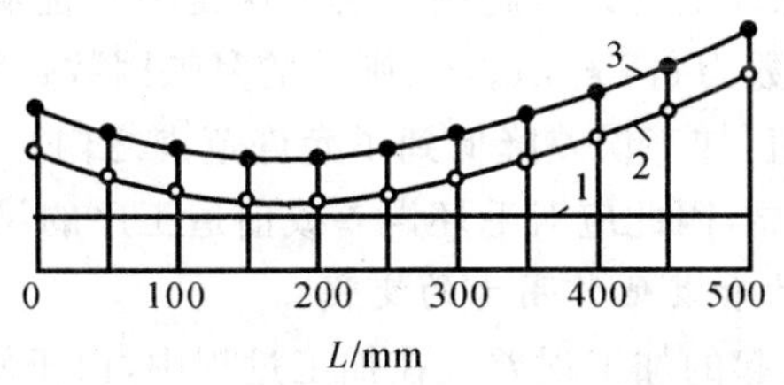

图6.18　工件在顶尖上加工后的形状

1— 机床在理想刚度情况下加工出的工件形状；

2— 系统刚度随工件轴心线方向变化情况下加工出的工件形状；

3— 考虑刀架变形在内的情况下加工出的工件形状

如果工件细长，刚性差，此时机床、夹具、刀具在受力下变形可以忽略不计，则工艺系统刚度完全取决于工件的变形。在切削力作用下，在 x 处工件变形 y_g 为

$$y_g=\frac{P_Y}{3EI}\frac{(L-x)^2x^2}{L}$$

工艺系统总变形中还应加上如下一项：

$$y_{xt}=P_Y\left[\frac{1}{k_{dj}}+\frac{(L-x)^2x^2}{3EI\,L}+\frac{1}{k_{tj}}\left(\frac{x}{L}\right)^2+\frac{1}{k_{wz}}\left(\frac{L-x}{L}\right)^2\right]\qquad \text{mm}$$

则工艺系统的总刚度为

$$k_{xt}=\frac{1}{\frac{1}{k_{dj}}+\frac{(L-x)^2x^2}{3\,EI\,L}+\frac{1}{k_{tj}}\left(\frac{x}{L}\right)^2+\frac{1}{k_{wz}}\left(\frac{L-x}{L}\right)^2}\qquad \text{N/mm}$$

2. 工件毛坯加工余量和材料硬度的变化

当工件毛坯加工余量和材料硬度不均匀时，就会引起切削力的变化。在工艺系统刚度一定情况下，工艺系统变形随切削力的不断变化而产生尺寸和几何形状误差。如图6.19所示为车削一个有椭圆误差的毛坯，将刀尖调整到要求尺寸(图中虚线)，在工件每一转的过程中，切深发生变化。当车刀切至毛坯椭圆长轴时最大切深为 a_{p_1}，切在椭圆短轴时最小切深为 a_{p_2}，其

余则介于 $a_{p_1} \sim a_{p_2}$ 之间，因此，切削力 P_Y 也随切深变化由 $P_{max} \sim P_{min}$，从而引起工艺系统的相应变形(由 y_1 到 y_2)。这种使毛坯的椭圆误差复映到加工后的工件表面的现象称为误差复映。

误差复映可用误差复映因数 ε 来衡量，即

$$\varepsilon = \frac{\Delta_{工}}{\Delta_{坯}} = \frac{\lambda c_p f^{0.75}}{k_{xt}}$$

式中　λ —— 系数，一般取 0.4；

c_p —— 与工件材料和刀具几何角度有关的系数；

k_{xt} —— 工艺系统的刚度；

f —— 进给量；

$\Delta_{工}$，$\Delta_{坯}$ —— 分别为工件误差、毛坯误差。

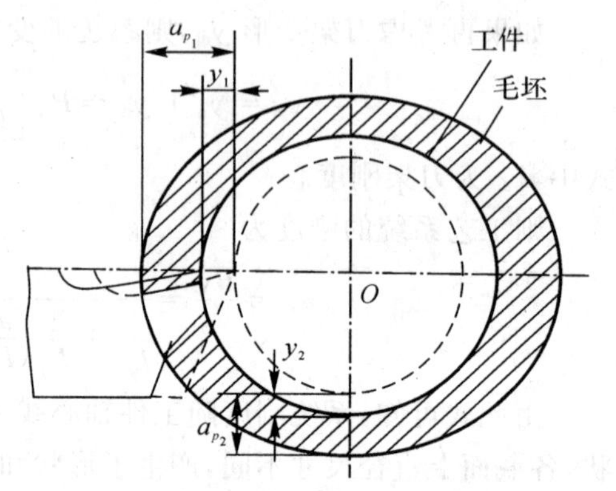

图 6.19　毛坯形状误差的复映

此式 ε 总是小于 1，因此 ε 定量地反映了毛坯误差经加工后减小的程度。可以看出，工艺系统刚度 k_{xt} 越高，ε 越小，即复映在工件上的误差越小。当一次走刀不能满足精度要求时，必须进行二次走刀或多次走刀，复映因数为 ε_1，ε_2，ε_3，… 则总的复映因数 ε 为 $\varepsilon = \varepsilon_1 \times \varepsilon_2 \times \varepsilon_3 \times \cdots$ 经过几次走刀后，ε 降到很小的数值，加工误差降低到了允许范围之内。对于在工艺系统刚度较低情况下，误差复映现象比较明显，因此应对毛坯误差或前道工序的尺寸公差进行控制。

3. 传动力、惯性力、重力和其他作用力的变化

(1) 惯性力和传动力引起的加工误差。在加工过程中，由于旋转的机床零件、夹具或工件等的不平衡而产生的离心惯性力，对加工精度影响极大，如图 6.20 所示为单爪传动的拨盘装置，在高速旋转时，不平衡的质量会产生周期性的离心力，引起主轴及工件振动。这个离心力在每一转中不断地变更方向，因此它在 Y 方向的分力有时和 P_Y 方向相同，有时则相反，从而引起了工艺系统有关环节受力变形的变化(主要是前顶尖部分)，使工件产生圆度误差。

若在如图 6.20 所示的情况下不平衡重力为 W，其重心至旋转中心的距离为 r，则在工件半径方向产生误差为

$$\Delta_y = \frac{(W/g) r\omega^2}{k_{xt}}$$

式中，ω 为角速度。

从上式可看出，转速越高，离心力越大，加工误差也愈大。例如当转速从 100 r/min 增至 2 000 r/min 时，离心力和加工误差将增加 400 倍。在加工过程中，通常采用重平衡方法来消除这种不平衡现象。在如图 6.20 所示的加工情况下，由于离心力产生工件偏心误差在沿工件长度方向是逐步减小的，靠近尾座尖处为零。

当在图 6.20 中用单爪拨盘带动工件时，不但有惯性力，而且还有传动力。传动力在拨盘每一转中经常改变方向，因此它对加工误差影响如同惯性力一样。所以用单爪拨盘加工出来的外圆表面常常是偏心的。此现象在粗加工中很明显，因为粗加工的切削功率大，传动力大。但在精密加工中也不能忽略传动力和惯性力。因此为了减少这种误差，可将单边传动改为双边传动，偏心误差能从根本上予以消除。

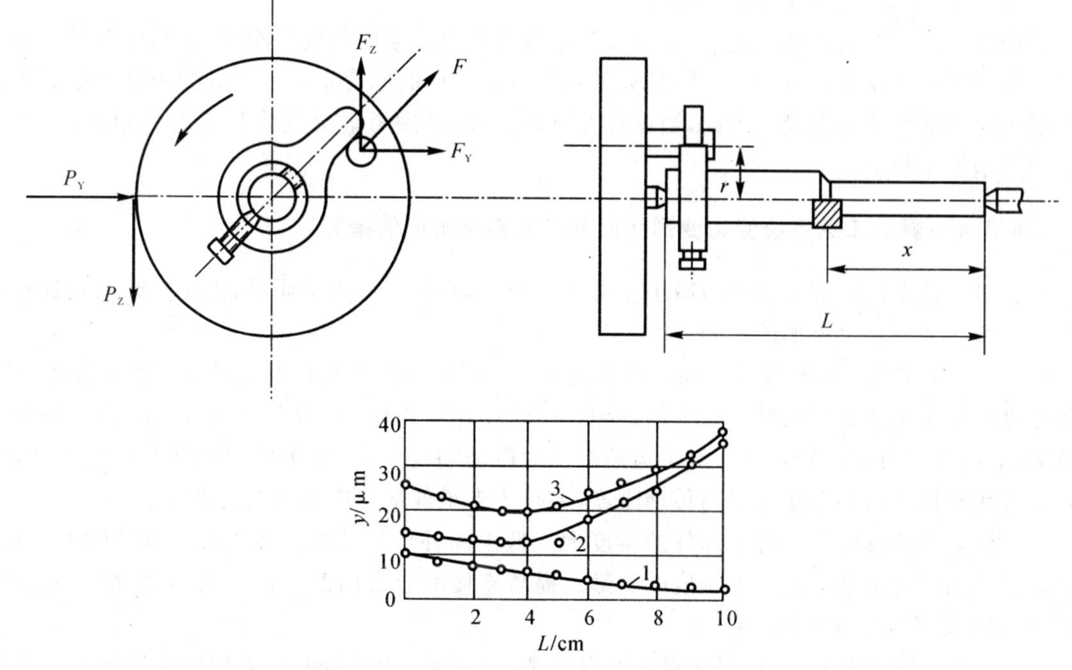

图 6.20　旋转零件不平衡引起的加工误差

(2) 机床部件和工件本身的重力引起加工误差。在重型机床中，由于机床部件在加工中位置的移动，改变了部件自重对床身、立柱、横梁的作用点位置，使受力变形的情况改变，引起加工误差。

对于大型的工件，有时其自重所引起的变形也会产生加工误差。因此，当加工较长的工件进行装夹时应增加辅助支承以减小自重变形。

(3) 夹紧变形引起的误差。当工件刚性比较差时，由于夹紧方法不当，也会引起工件的形状误差。如图 6.21(a) 所示为用三爪卡盘夹持薄壁套筒镗内孔，在未夹紧以前薄壁套筒的内外圆是正圆形 1，夹紧后套筒呈三角棱圆形 2，镗孔后内孔呈正圆形 3，在松开三爪卡盘以后，由于套筒的弹性恢复，使已镗的孔呈三角棱圆形 4。为了减小夹紧力造成的变形，可在薄壁环外增加一个开口过渡环，如图 6.21(b) 所示，以使夹紧力均匀及减少加工误差。

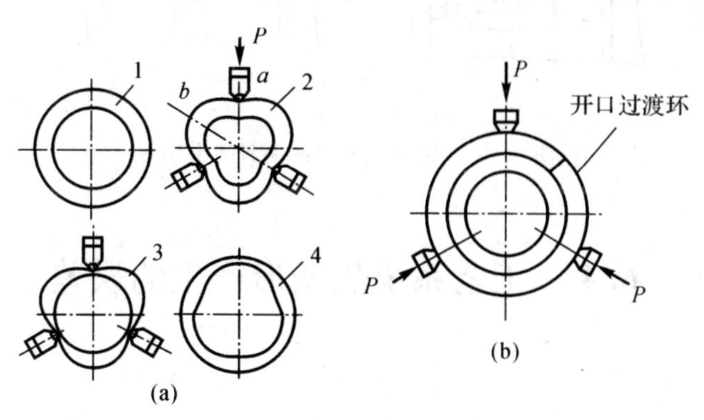

图 6.21　套筒夹紧变形

4. 夹具刚度对加工精度的影响

由于工件直接安装在夹具中，要求夹具等构件具有足够的强度和刚度，使其在夹紧力和切削力作用下不易变形，不产生振动，且夹紧后不改变工件的原有定位。夹具的刚度对加工精度的影响比其部件更为直接。因此，当设计专用夹具时，必须考虑夹具应具有高的刚度，否则会严重影响加工精度。

6.3.4 减小工艺系统受力变形和提高工艺系统刚度的措施

提高工艺系统的静、动刚度，减小受力变形和振动，是保证加工质量，提高生产率的有效途径。一般应采取四个方面的措施。

(1) 机床及夹具结构设计方面。机床的床身、立柱、横梁等构件及夹具等支承零件本身的静刚度对整个工艺系统刚度有较大的影响。因此设计机床时，必须合理设计其部件的断面形状和结构，并尽可能减轻重力。对于运动部件的传动刚度，不只限于增大构件截面尺寸，常常可以采用预加载荷的办法来提高传动刚度，夹具等支承件本身应具有高的刚度。

(2) 提高接触刚度。由于部件的刚度大大低于同外形尺寸的实体零件本身的刚度，所以提高接触刚度是提高工艺系统刚度的关键。提高连接配合表面的几何形状精度，减小表面粗糙度，就可以提高接触刚度。

(3) 设置辅助支承，提高部件刚度。为了提高工作台部件的刚度，采用辅助导轨是一种常见的形式。在加工过程中应用辅助支承以提高工艺系统刚度，也是常用的方法。例如当车细长轴时，采用中心架和跟刀架来提高零件的刚度等。

(4) 采用合理的安装方法和加工方法。如在卧式铣床上铣一角铁零件的端平面，如图6.22所示。在图6.22(a)中，工艺系统刚度较低。若将工件放倒，改用端铣刀加工(见图6.22(b))，则工艺系统刚度可以大大提高。

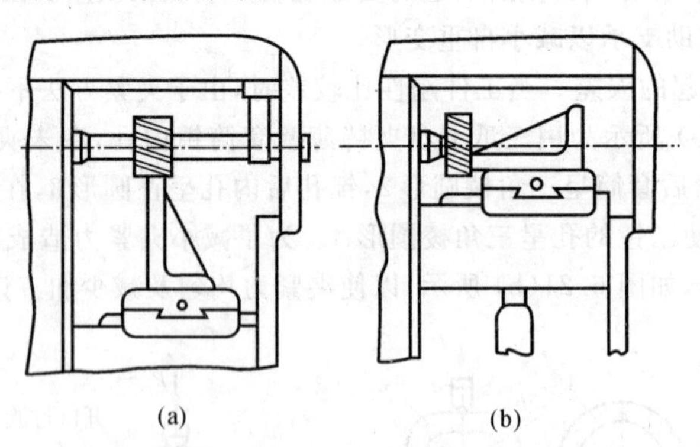

图6.22 铣角铁零件的两种安装方法

6.4 工艺系统热变形产生的误差

6.4.1 概述

在机械加工过程中，工艺系统受热的作用常产生复杂的变形，从而破坏工件和刀具的相对运动，引起加工误差。根据统计，在精密加工中，由热变形引起的误差约占总加工误差的40% ～ 70%。热变形不仅严重地降低了加工精度，而且影响了机床的效率。

在现代自动化生产中，全靠机床来保证加工精度，热变形问题就显得更加突出。

在加工过程中工艺系统热源可分为两大类，即内部热源和外部热源。

- 工艺系统热源
  - 内部热源
    - 摩擦热（电动机、轴承、离合器、齿轮副、丝杠副、切削液等）
    - 切削热（工件、刀具、切屑、切削液等）
  - 外部热源
    - 环境温度（气温度化、热风、冷风、空气流动等）
    - 热辐射（阳光、灯光、暖气设备、人体等）

工艺系统热变形问题较复杂，下面简略地工艺系统热变形所引起的误差进行分析。

6.4.2 机床热变形对加工精度的影响

机床在运转和加工过程中，在内外热源的影响下，机床各部件温度将发生变化。由于热源分布的不均匀性和机床结构的复杂性，将引起机床部件的热变形，使部件之间丧失原有的配合精度，使刀具和工件运动的相对位置发生变化，从而降低了加工精度。

由于各类机床的结构和工作条件相差很大，因此引起机床热变形的热源和变形形式也是多种多样。但最主要的是主轴部件、床身导轨及两者的相对位置的变化，这些将导致加工精度降低。

对于车、铣、钻、镗类的机床，产生热变形的主要热源是主轴箱轴承的摩擦热和主轴箱中油池的发热。它将导致主轴箱和与它相连部分的床身温度的升高，温升使主轴抬高和倾斜。图6.23 表示了车床主轴抬高量和倾斜量与运转时间的关系。

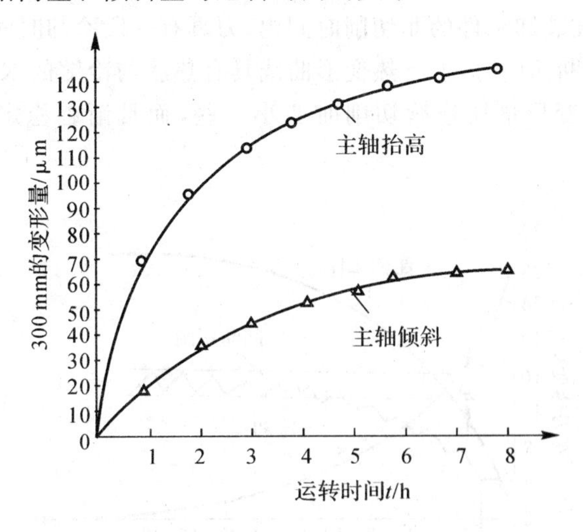

图 6.23　车床主轴抬高量和倾斜量与运转时间的关系（$n = 1\ 200$ r/min）

又如精密的坐标镗床，定位精度很高（如国产 T4163B单柱坐标镗床定位精度为 6 μm），机床热变形对加工精度的影响很大。实验测定，当主轴以 1 200 r/min 的转速运转 2 h后产生的热变形位移竟达 42 μm，超过机床精度的 6 倍。

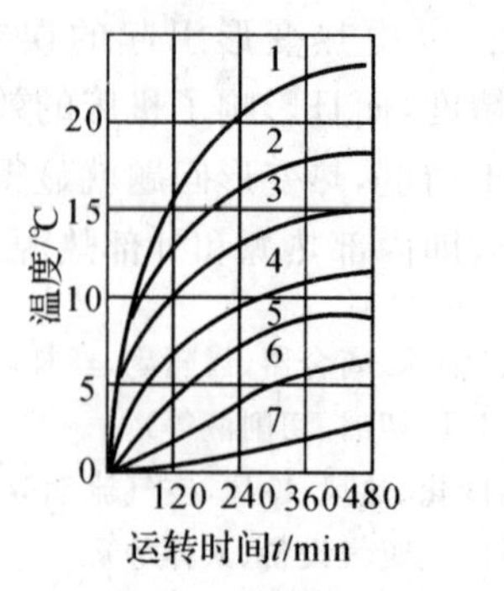

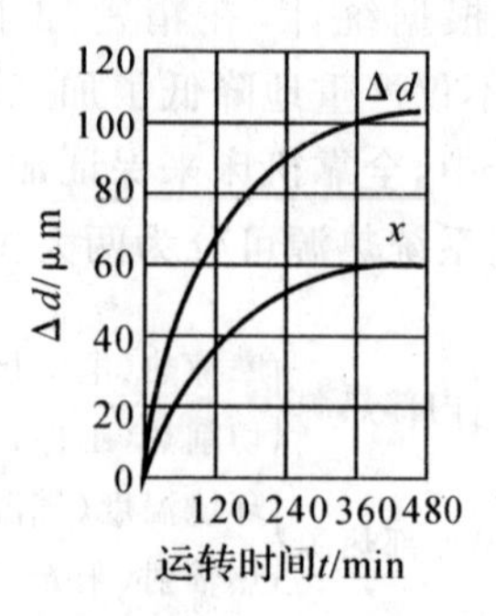

图 6.24　外圆磨床的热变形

1— 液压装置； 2— 砂轮电机； 3— 砂轮架； 4— 工作油；

5— 工件头架； 6— 床身； 7— 磨削液

对于外圆磨轮，由于各部件在内部热源的作用下温度升高，引起机床热变形。如图 6.24(a) 表示某一台外圆磨床各部件温升与运转时间的关系。图 6.24(b) 表示运转时间与机床主轴热位移 x 及 Δd(工件直径变化）的关系。

6.4.3　刀具的热变形对加工精度的影响

刀具热变形的热源主要是切削热，虽然切削热只有很少的一部分传给刀具，但刀具的体积小，温度极易上升，通常可被加热到很高温度。例如，高速钢车刀的刀刃部分温度可达 700 ～ 800℃。刀具热变形在切削之初增长很快，随之变得缓慢(见图 6.25)，经过 1 ～ 20 min 后即可达到热平衡，此时变形不再增加。一般刀具的热变形可达 0.03 ～ 0.05。一般情况下，刀具的切削工作是间断的，即在装卸零件的非切削时间内，刀具有一段冷却时间，然后又进行切削，又继续热变形。所以在间断切削时，刀具热变形曲线具有热胀与冷缩的双重特性(见图 6.25)。间断切削的刀具总的热变形量比连续切削时要小一些，而且渐趋稳定，最后保持在 Δ 的范围内。

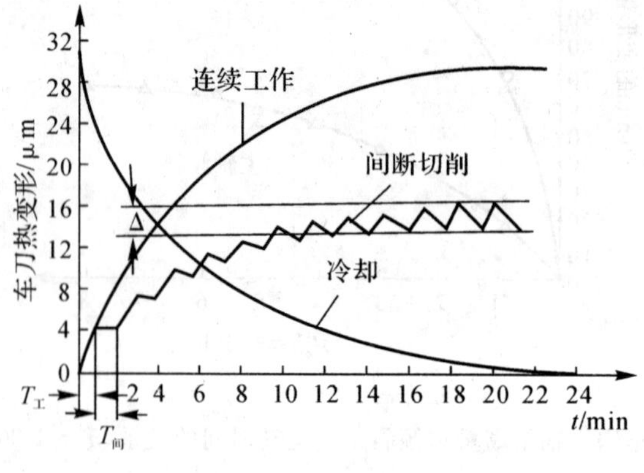

图 6.25　车刀热变形

当加工大型零件时，例如加工长轴的外圆，由于刀具长时间的切削产生热变形，使零件表面造成几何形状误差(造成锥度)。又如加工大直径工件的端面，会形成平面误差。

为了减小刀具的热变形，应合理选择刀具的几何参数并充分冷却。

6.4.4 工件热变形对加工精度的影响

在加工过程中，工件受到切削热的作用会产生热变形，若是在热膨胀的情况下达到规定的加工尺寸，则冷却收缩后尺寸会变小，甚至尺寸超差。

在均匀、连续受热的情况下，工件热变形为

$$\Delta L = \alpha L \Delta T$$

式中 α —— 工件材料的线膨胀因数(钢 $1.17 \times 10^{-5}/℃$，铸铁 $1 \times 10^{-5}/℃$，黄铜 $1.7 \times 10^{-5}/℃$；

ΔT—— 工件温升，℃；

L —— 热变形方向工件尺寸，mm。

例如磨削长丝杠时，丝杠长 3 m，每磨一次温度升高 3℃，则丝杠的伸长量为

$$\Delta L = 3\,000 \times 1.17 \times 10^{-5} \times 3 = 0.1$$

而 6 级精度丝杠螺距累积误差在全长上不允许超过 0.02。由此可见，热变形对精加工的精度影响是显著的。

工件的热变形有两种情况：一种是比较均匀的受热，如车、镗、磨等加工方法，它将主要影响尺寸精度；另一种是不均匀的受热，如平面的刨削、磨削和铣削加工方法，工件单面受热，上下表面形成温度差而变形，则影响几何形状精度(如磨削 600 高，2 000 长的床身，即使上、下表面温度差仅 2.4℃，其变形可达 0.01 mm/m(下凹))。

6.4.5 环境温度变化对加工精度的影响

除了工艺系统内部发热引起热变形外，周围环境温度变化也会引起热变形。车间的温度一昼夜变化可达 10℃ 左右，这不仅影响机床本身的几何精度，而且直接影响工件的加工和测量精度。当滚切汽轮机减速齿轮时，由于受到外界温度影响，滚齿机的滚刀板进给丝杠发生伸缩变形，齿向全长测量形成一种波动，从一个峰至另一峰之间的时间为 24 h，幅值达 20 μm(见图 6.26)，说明温度影响很大。工件测量时受环境温度影响最为显著。

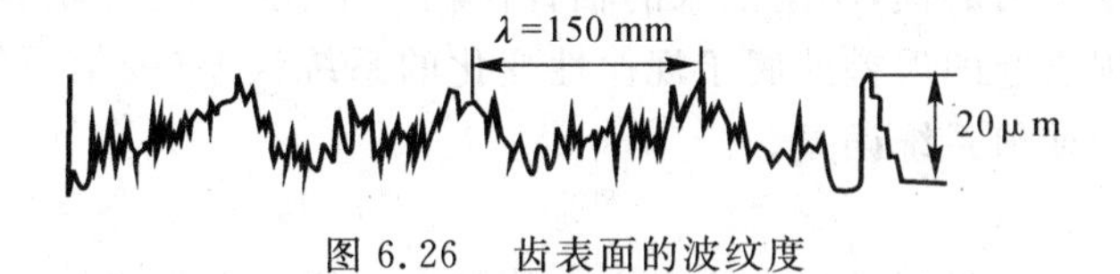

图 6.26 齿表面的波纹度

为此，用精密机床进行精密加工或精密成品的装配，均应在恒温车间进行。

6.4.6 热变形的控制措施

(1) 减小发热和隔热。为了减少工艺系统中机床的发热，凡是有可能从主机分离出去的热源，如电动机、变速箱、丝杠副、油箱等，尽可能放置在机床外部。对于不能分离热源，如主轴轴承、丝杠副、齿轮副、摩擦离合器之类的零件、部件，则应从结构和润滑方面改善其摩擦特性，

减少发热。

主轴部件是机床的关键部件，对加工精度有直接的影响。改善主轴轴承的结构和性能，是减少热变形的重要环节。为此，制造机床时通常采用静压轴承、低温动压轴承和空气轴承，并采用低黏度的润滑油，这些都有利于控制轴承温度升高。若热源不能从机床中分离出去，则可在这些发热部件和机床大件的接合面上装隔热材料（热源散热不好时，宜采用散热措施），防止热量的传导。

(2) 强制冷却，控制温升，使温度均衡。在机床发热部位采取强制冷却，来吸收热源发出的热量，从而控制机床温升和热变形。如数控机床及加工中心等机床，普遍采用冷冻机来对润滑油进行强制冷却，大大减小了主轴箱部件的发热和变形。

(3) 加快升温，保持热平衡。由热变形规律可知，在机床预热阶段发生大的热变形，当达到热平衡后，热变形渐趋于稳定，此后加工精度才能得到保证。因此，缩短机床的预热期，有利于提高生产率，保证加工精度。

(4) 控制环境温度。在精密加工中，生产环节的恒温是不可缺少的。恒温温度应严格控制（一般为±1℃，精密级为±0.5℃，超精密级为±0.01℃）。

6.5 加工误差分析

前面几节分析了各种主要因素对机械加工精度的影响，这些分析属于局部的、单因素的性质。生产过程中影响加工精度的因素往往是错综复杂的，有时很难用单因素来分析其因果关系，而要用数理统计方法来找出解决问题的途径。

6.5.1 系统误差与偶然误差的概念

各种单因素的加工误差，按其性质的不同可分为系统误差与偶然误差。

1. *系统误差*

当顺次加工一批零件时，大小保持不变或者是有规律变化着的误差称为系统误差。前者是常值系统误差，后者是规律性变化的的系统误差（变值系统误差）。例如，用一把直径小于规定尺寸 0.02 的铰刀，铰出的所有孔的直径都比规定尺寸小 0.02，这种误差就是常值系统误差。又如车轴时，由于车刀磨损，车削出来的轴直径就一个比一个大，轴直径的增大是有一定规律的，所以刀具磨损引起的误差就属于规律性变化的系统误差（变值系统误差）。再如工艺系统的热变形，也属于变值系统误差。

2. *偶然误差*

在加工一批零件中，这类误差的大小和方向均是无规律地变化着的，有时大，有时小，有时正，有时负。这类误差称为偶然误差。例如，用一把铰刀加工一批零件的孔时，在相同的条件下，仍然得不到直径尺寸完全相同的一批孔，这可能是毛坯硬度不均匀、加工余量有差异、内应力重新分布引起变形等因素所造成的，这些因素都是变化不定的。虽然偶然误差引起的原因是各种各样的，它们的作用情况又很复杂，但可以应用数理统计方法找出偶然误差的规律，并加以控制。

对于某一具体的误差来讲，它究竟是属于系统误差还是偶然误差，应根据实际情况来决定。例如，在机床一次调整中加工的一批零件，机床的调整误差是常值系统误差；但当考虑一个月内或一年内该机床进行了若干次调整时，调整误差就成为偶然误差了。又如冷却液的温度对精磨工件的尺寸精度的影响。当冷却液的温度变化无常时，磨削尺寸也将变化无常，这种误差属于偶然误差。如果采取措施使冷却液的温度保持一定，则所造成尺寸误差就表现为系统误差了。一般地说，同一因素，如其大小强弱稳定，则引起的误差呈规律性或系统性；如其大小强弱不稳定，则引起的误差就呈现出偶然性，或同时具有系统性和偶然性。

6.5.2 加工误差的综合

在研究和控制影响加工精度的各种误差因素中，常须求出各种因素引起的加工误差的总和。

对于平面加工，加工总误差为

$$\Delta_{总} = \sqrt{\Delta_{db}^2 + \Delta_{zj}^2 + \Delta_t^2} + \Delta_{dm} + \Delta_r + \sum \Delta_{xz}$$

对于内、外圆表面和对立的平面，加工总误差为

$$\Delta_{总} = 2\sqrt{\Delta_{db}^2 + \Delta_t^2} + \Delta_{dm} + \Delta_r + \sum \Delta_{xz}$$

式中 Δ_{db} —— 工艺系统弹性变形所引起的误差；

Δ_{zj} —— 工件的装夹误差(包括定位误差和夹紧误差)；

Δ_t —— 机床调整误差；

Δ_{dm} —— 刀具尺寸磨损；

Δ_r —— 由工艺系统热变形引起的误差；

$\sum \Delta_{xz}$ —— 由机床误差等因素引起的几何形状误差的总和。

Δ_{dm}，Δ_r 及 $\sum \Delta_{xz}$ 均为系统误差，其余为偶然误差。各系统误差按代数法相加，偶然误差用平方和的平方根法相加。

以上两式计算总误差的公式是基于在加工过程中对同一机床进行多次调整的情况的。若在一次调整中加工全部零件，则 Δ_t 为常值系统误差。

6.5.3 分析加工精度的统计方法

在生产实际中，常用统计方法来研究加工精度。统计法是以现场观察所得资料为基础的。主要有两种方法，即分布曲线法和点图法。

1. 分布曲线法

(1) 偶然误差的分析。在加工过程中，偶然误差可用正态分布曲线进行分析。

某一工序加工出来的一批零件，由于偶然误差的存在，尺寸的实际数值是各不相同的。首先把每个零件加工的尺寸都进行测量，并记录下来。然后按尺寸大小把整批零件分组，每一组中零件的尺寸处在一定间隔范围内。同一尺寸间隔的零件数量，称为频数；频数与该批零件总数之比为频率。以频数(或频率)为纵坐标，零件尺寸为横坐标，则求出若干个点，用直线把这些点连接起来，就可得到一条折线。当零件数量增加，尺寸间隔取得很小(即组数分得很多)时，这条折线就非常接近于曲线，把这条曲线称为分布曲线，如图 6.27 所示。图中 *A* 折线称为实验分布曲线，*B* 曲线为组数分得很多时得出的，接近于曲线。

实践证明：在一般情况下(即无某种优势因素影响)，在机床上用调整法加工一批零件所得

尺寸的统计分布曲线是正态分布曲线。

正态分布曲线如图 6.28 所示，其表达式为

$$\varphi(x)=\frac{1}{\sqrt{2\pi}\sigma}\mathrm{e}^{-\frac{(x-a)^2}{2\sigma^2}}$$

正态分布曲线对称于直线 $x=a$，并在 $x=a$ 处达到极大值 $\frac{1}{\sqrt{2\pi}\sigma}$；在 $x=a\pm\sigma$ 处有拐点；当 $x\to\pm\infty$ 时，曲线以 x 轴为其渐近线。

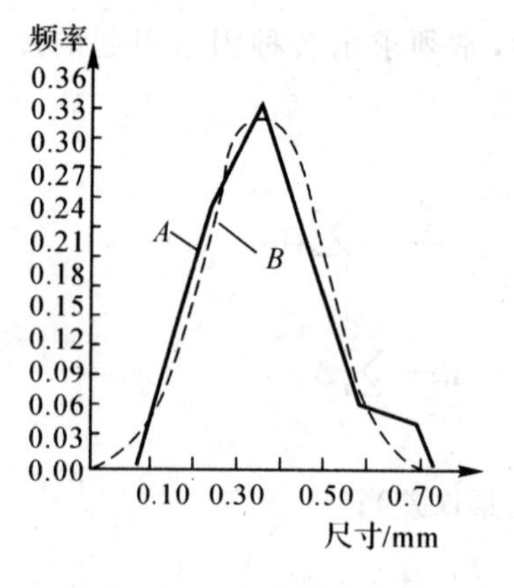

图 6.27 实验分布曲线

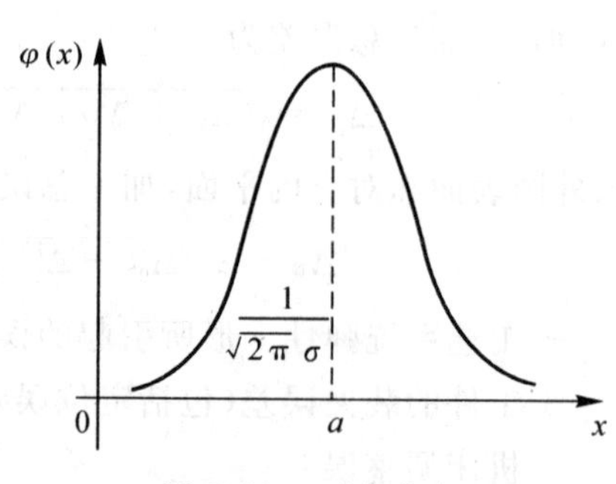

图 6.28 正态分布

当参数 a 改变时，则分布曲线沿着 X 轴平行移动而不改变其形状，取 $a=0$，则正态分布曲线方程式为 $\varphi(x)=\frac{1}{\sqrt{2\pi}\sigma}\mathrm{e}^{-\frac{x^2}{2\sigma^2}}$，$\varphi(x)$ 代表正态分布曲线的分布密度；若当 a 固定不变，参数 σ(标准差) 值减小时，曲线在中心部分的纵坐标增大。但因分布曲线包围的面积总等于 1，所以当曲线在中心部分升高时，两侧则很快趋近于 X 轴。反之，当 σ 值增大时，曲线中心部分下降，曲线将渐趋平坦。

因此，如图 6.27 所示的实验分布曲线可用正态分布曲线来代替。此时，若用坐标原点代表算术平均尺寸 $\bar{x}$ 的位置，则横坐标 x 代表实际尺寸 x_i 对于算术平均尺寸 $\bar{x}$ 的偏差，即 $x=x_i-\bar{x}$。

(2) 系统误差的分析。加工过程中，常值系统误差对分布曲线的形状没有影响，仅使整个曲线沿横坐标方向移动，因而只影响算术平均尺寸 $\bar{x}$ 之值。规律变化系统误差影响分布曲线的形状。例如，某工序加工一批零件时，刀具磨损随时间按直线规律变化，如图 6.29(a) 所示。若此误差因素是决定加工精度的优势因素，则一批零件加工尺寸的分布曲线为等概率分布（均匀分布），如图 6.29(b) 所示。

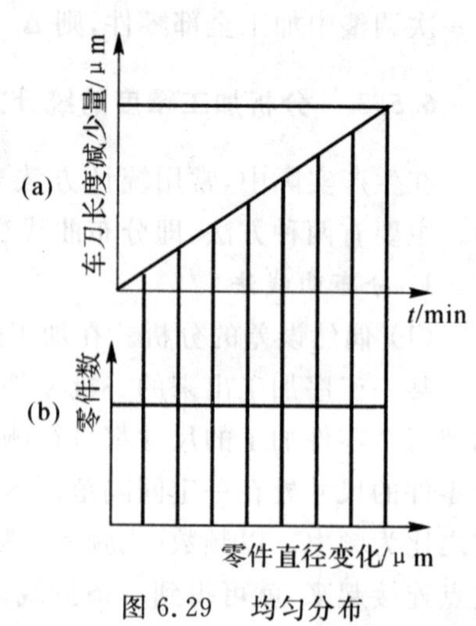

图 6.29 均匀分布

(3) 正态分布曲线与加工精度。用测量一批零件的加工尺寸（实际尺寸）绘制出来的分布曲线与横坐标所包围的全部面积代表一批加工零件，如

图 6.30 所示(此时以理论曲线代替实验分布曲线),即全部零件(100%)的实际尺寸都在这一分布范围。C 点代表规定的最小极限尺寸 A_{min},D 点代表规定的最大极限尺寸 A_{max}。在曲线 C,D 两点之间的面积(图中阴影线部分)代表加工零件的合格率。曲线下面其余部分的面积(无阴影线部分)则为废品率。加工外圆时,图中左边无阴影线部分相当于不可修复的废品,右边的无阴影线部分则为可修复的废品。加工孔时,恰好相反。

正态分布曲线的曲线面积为

$$F=\int\varphi(x)\mathrm{d}x=\frac{1}{\sqrt{2\pi}\sigma}\int_0^x \mathrm{e}^{-\frac{x^2}{2\sigma^2}}\ \mathrm{d}x$$

为了方便起见,用 $z=\frac{x}{\sigma}$ 的函数来表示为

$$\varphi(z)=\frac{1}{\sqrt{2\pi}}\int_0^z \mathrm{e}^{-\frac{z^2}{2}}\ \mathrm{d}z$$

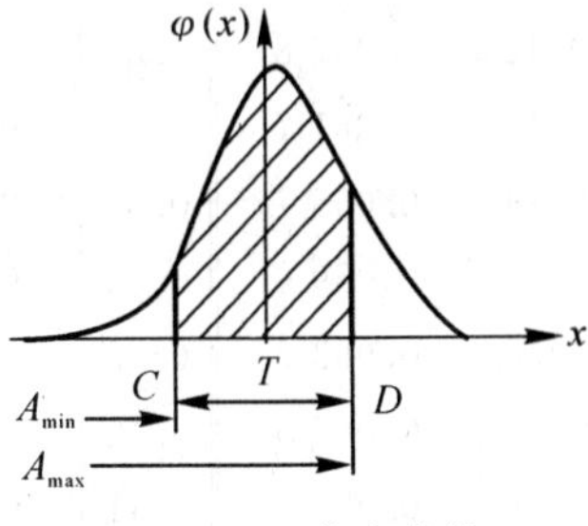

图 6.30　分布曲线

各种不同 z 值的 $\varphi(z)$ 值,可由表 6.1 查出。由表 6.1 可知,当加工尺寸的分布曲线符合正态分布时,整批零件的尺寸约有 25% 是在 $\pm 0.3\sigma$ 的范围内;50% 的尺寸在 $\pm 0.7\sigma$ 的范围内;75% 的尺寸在 $\pm 1.1\sigma$ 的范围内;而全部零件的加工尺寸有 99.73% 是在 $\pm 3\sigma$ 的范围内。因此,在 $\pm 3\sigma$ 范围内已差不多包含了整批零件,故可取 6σ 等于整批零件加工尺寸的分散范围。此时只有 0.27% 的废品可忽略不计。

当加工尺寸公差 $T \geqslant 6\sigma$,而公差带对称分布时,可以认为不会出现废品。若 $T < 6\sigma$,则不论怎样安排公差带都会出现废品。因此,可以用分布曲线来计算各种情形下可能出现的废品率。还可以根据实验分布曲线分析系统误差对加工精度的影响。

工件加工公差 T 与 6σ 的比值定义为加工能力因数 C_p,即 $C_p=T/6\sigma$。如果 $C_p>1$,说明公差大于尺寸分散范围,该加工工序具备了保证精度的必要条件,且具有一定精度储备。

如果 $C_p<1$,说明公差小于尺寸分散范围,将会产生不合格品。

如果 $C_p=1$,公差同尺寸分散范围相等,但由于受到调整误差等常值系统误差影响,该加工工序不能保证加工尺寸全部合格。

表 6.1　$\varphi(z)=\frac{1}{\sqrt{2\pi}}\int_0^z \mathrm{e}^{-\frac{z^2}{2}}\mathrm{d}z$ 之值

z	$\varphi(z)$	z	$\varphi(z)$	z	$\varphi(z)$	z	$\varphi(z)$	z	$\varphi(z)$
0.00	0.000 0	0.23	0.091 0	0.46	0.177 2	0.88	0.310 6	1.85	0.467 8
0.01	0.004 0	0.24	0.094 8	0.47	0.180 8	0.90	0.315 9	1.90	0.471 3
0.02	0.008 0	0.25	0.098 7	0.48	0.184 4	0.92	0.321 2	1.95	0.474 4
0.03	0.012 0	0.26	0.102 3	0.49	0.187 9	0.94	0.326 4	2.00	0.477 2
0.04	0.016 0	0.27	0.106 4	0.50	0.191 5	0.96	0.331 5	2.10	0.482 1
0.05	0.019 9	0.28	0.110 3	0.52	0.198 5	0.98	0.336 5	2.20	0.486 1
0.06	0.023 9	0.29	0.114 1	0.54	0.205 4	1.00	0.341 3	2.30	0.489 3
0.07	0.027 9	0.30	0.117 9	0.56	0.212 3	1.05	0.353 1	2.40	0.491 8
0.08	0.031 9	0.31	0.121 7	0.58	0.219 0	1.10	0.364 3	2.50	0.493 8

续表

z	φ(z)	z	φ(z)	z	φ(z)	z	φ(z)	z	φ(z)
0.09	0.035 9	0.32	0.125 5	0.60	0.225 7	1.15	0.374 9	2.60	0.495 3
0.10	0.039 8	0.33	0.129 3	0.62	0.232 4	1.20	0.384 9	2.70	0.496 5
0.11	0.043 8	0.34	0.133 1	0.64	0.238 9	1.25	0.394 4	2.80	0.497 4
0.12	0.047 8	0.35	0.136 8	0.66	0.245 4	1.30	0.403 2	2.90	0.498 1
0.13	0.051 7	0.36	0.140 6	0.68	0.251 7	1.35	0.411 5	3.00	0.498 65
0.14	0.055 7	0.37	0.144 3	0.70	0.258 0	1.40	0.419 2	3.20	0.499 31
0.15	0.059 6	0.38	0.148 0	0.72	0.264 2	1.45	0.426 5	3.40	0.499 66
0.16	0.063 6	0.39	0.151 7	0.74	0.270 3	1.50	0.433 2	3.60	0.499 841
0.17	0.067 5	0.40	0.155 4	0.76	0.276 4	1.55	0.439 4	3.80	0.499 928
0.18	0.071 4	0.41	0.159 1	0.78	0.282 3	1.60	0.445 2	4.00	0.499 968
0.19	0.075 3	0.42	0.162 8	0.80	0.288 1	1.65	0.450 6	4.50	0.499 997
0.20	0.079 3	0.43	0.166 4	0.82	0.293 9	1.70	0.455 4	5.00	0.499 999 97
0.21	0.083 2	0.44	0.170 0	0.84	0.299 5	1.75	0.459 9		
0.22	0.087 1	0.45	0.173 6	0.86	0.305 1	1.80	0.464 1		

例 6.1 在单轴六角自动车床上加工滚子，规定的直径尺寸为 $\phi18^{+0.03}_{-0.08}$。毛坯是圆形棒料，用调整法加工。现将加工出来一批零件(25 件)的直径全部进行测量，测量结果如下(单位为 mm)：

17.89	17.92	17.93	17.94	17.94
17.95	17.95	17.96	17.96	17.96
17.97	17.97	17.97	17.98	17.98
17.98	17.99	17.99	18.00	18.00
18.01	18.02	18.02	18.04	18.06

试根据上列实际尺寸绘制分布曲线，并与相应的正态分布曲线作比较，分析加工质量。

解 把尺寸间隔定为 0.02，并按不同的尺寸间隔把零件分组，如表 6.2 所示。

每组中零件的个数就是频数，用整批零件个数去除频数，就得到频率。处于同一尺寸间隔的零件尺寸以该间隔的中值为代表。例如，从 17.89 至＜17.91 时，零件尺寸则为17.90，用 X_i 表示，并把有关数值列表，如表 6.3 所示。

表 6.2　零件分组

尺寸间隔 /mm	零件个数	尺寸间隔 /mm	零件个数
从 17.89 至＜17.91	1	从 17.99 至＜18.01	4
从 17.91 至＜17.93	1	从 18.01 至＜18.03	3
从 17.93 至＜17.95	3	从 18.03 至＜18.05	1
从 17.95 至＜17.97	5	从 18.05 至＜18.07	1
从 17.97 至＜17.99	6		

表 6.3　参数计算过程表

尺寸间隔/mm	频数 m_i	$\frac{X_i}{mm}$	$X_i m_i$	$X_i - \overline{X} = x_i$	$(X_i - \overline{X})^2 \times 10^4 = x_i^2 \times 10^4$	$(X_i - \overline{X})^2 \times m_i \times 10^4 = x_i^2 m_i \times 10^4$
17.89 至 < 17.91	1	17.90	17.90	−0.08	64	64
17.91 至 < 17.93	1	17.92	17.92	−0.06	36	36
17.93 至 < 17.95	3	17.94	53.82	−0.04	16	48
17.95 至 < 17.97	5	17.96	89.80	−0.02	4	20
17.97 至 < 17.99	6	17.98	107.88	0	0	0
17.99 至 < 18.01	4	18.00	72.00	+0.02	4	16
18.01 至 < 18.03	3	18.02	54.06	+0.04	16	48
18.03 至 < 18.05	1	18.04	18.04	+0.06	36	36
18.05 至 < 18.07	1	18.06	18.06	+0.08	64	64
总　　和	25		449.48			322

表中 X_i 为尺寸的子样，$\overline{X}$ 为子样 X_i 的算术平均值，即

$$\overline{X} = \frac{1}{n}\sum_{i=1}^{n} X_i$$

式中，n 为零件个数（子样个数）。

标准差

$$\sigma = \sqrt{\frac{1}{n}\sum_{i=1}^{n} x_i^2 m_i}$$

所以

$$\overline{X} = \frac{1}{n}\sum_{i=1}^{n} X_i = \frac{449.48}{25} = 17.979 \approx 17.98$$

$$\sigma = \sqrt{\frac{1}{n}\sum_{i=1}^{n} x_i^2 m_i} = \sqrt{\frac{322}{25 \times 10^4}} = 0.036\,4 \approx 0.04$$

根据表 6.3 中第 2 列、第 3 列的数据，可画出实际分布曲线，如图 6.31 所示的折线。

根据计算出来的 x_i 和 σ，把与此两参数值相同的正态分布曲线作出来。为此必须求出极大纵坐标、拐点的纵坐标和分散范围 6σ。

极大纵坐标值

$$y_{\max} = 0.4\,\frac{n \cdot \Delta x}{\sigma} = 0.4 \times \frac{25 \times 0.02}{0.04} = 5.00$$

拐点纵坐标值

$$y_{拐} = 0.24\,\frac{n \cdot \Delta x}{\sigma} = 0.24 \times \frac{25 \times 0.02}{0.04} = 3.00$$

分散范围

$$6\sigma = 6 \times 0.04 = 0.24 \quad 或写成 \pm 0.12$$

画出正态分布曲线，如图 6.31 的虚线。由图可知，实际尺寸的分布曲线与正态分布曲线近似。

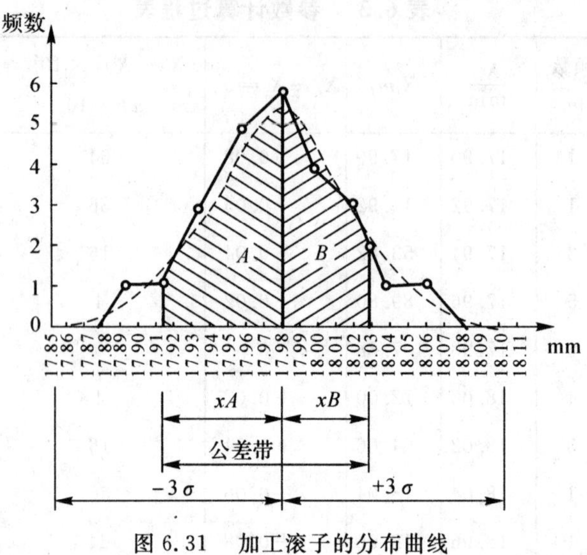

图 6.31　加工滚子的分布曲线

由于这个工序的尺寸要求 $\phi18^{+0.03}_{-0.08}$，公差 T 为 0.11，比分散范围 $6\sigma=0.24$ 小，所以会出废品。

合格率可以分成 A 和 B 两部分来计算：

$$z_A=\frac{x_A}{\sigma}=\frac{0.06}{0.04}=1.5$$

$$z_B=\frac{x_B}{\sigma}=\frac{0.05}{0.04}=1.25$$

查表 6.1 得：当 $z_A=1.5$ 时，$\phi(z_A)=0.433$；当 $z_B=1.25$ 时，$\phi(z_B)=0.394$。

合格率为

$$0.433+0.394=0.827=82.6\%$$

废品率为

$$1-0.827=0.173=17.3\%$$

可修复的废品率为

$$0.5-0.394=0.106=10.6\%$$

不可修复的废品率为

$$0.5-0.433=0.067=6.7\%$$

例 6.2　某手表厂在 CG1107 型纵切自动机床上加工手表上的柄轴，如图 6.32 所示。一次调整中连续加工了 220 件，对加工尺寸 $\phi0.475\pm0.005$ 全部进行测量的结果如表 6.4 所示。

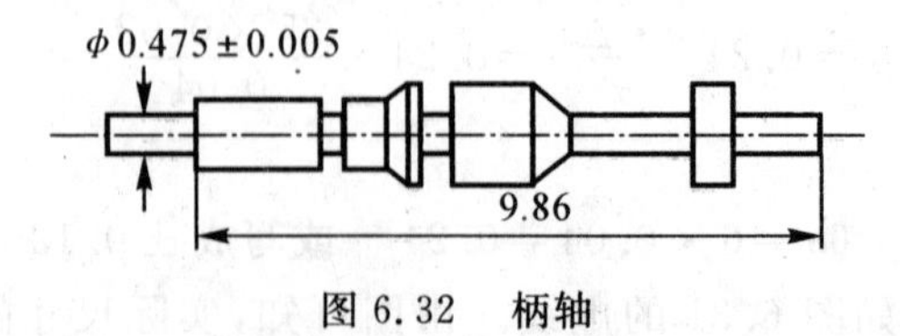

图 6.32　柄轴

表 6.4　柄轴尺寸测量结果

柄轴直径 / mm	零件个数	柄轴直径 / mm	零件个数
0.464	3	0.474	15
0.465	5	0.475	21
0.466	7	0.476	22
0.467	7	0.477	19
0.468	10	0.478	13
0.469	13	0.479	14
0.470	15	0.480	5
0.471	16	0.481	2
0.472	14	0.482	1
0.473	18		

采用与例 6.1 相同的方法，求得全部零件尺寸算术平均值 $\overline{X}_1 = 0.474$，标准差 $\sigma_1 = 0.004\ 2$，绘出实验分布曲线如图 6.33(a) 所示。由图可见，加工尺寸的分布与正态分布有显著差别，可以判断，加工过程中有系统误差。从实验分布曲线的形状看，估计此项系统误差是规律性变化的系统误差。

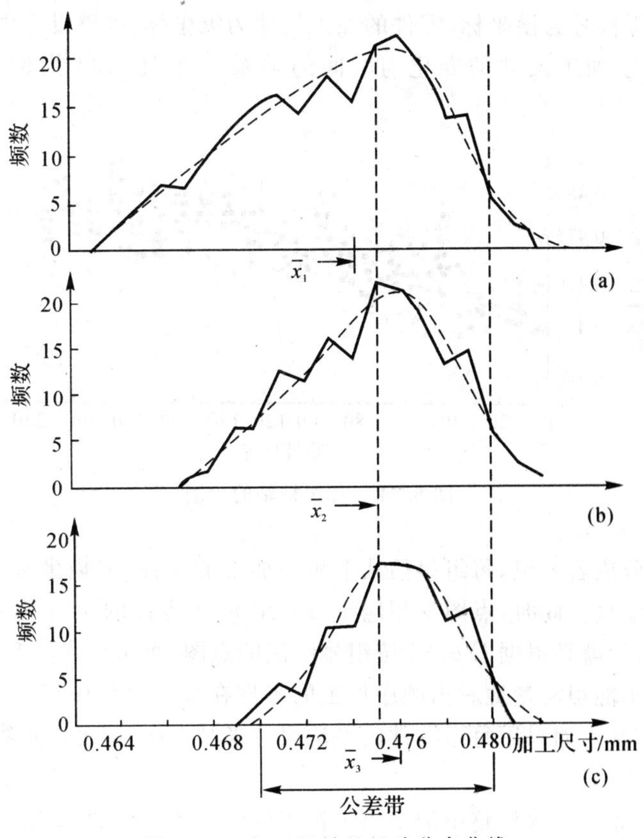

图 6.33　加工柄轴的尺寸分布曲线

为了进一步查明误差性质，将上述 220 个零件分成两批，一批是开车 60 min 以后所加工出来的 110 个零件，另一批是开车 110 min 以后所加工出来的 110 个零件。第一批的$\overline{X}_2 = 0.475$，$\sigma_2 = 0.003\,3$，分布曲线如图 6.33(b) 所示。第二批的 $\overline{X}_3 = 0.476$，$\sigma_3 = 0.002\,5$，分布曲线如图 6.33(c) 所示。

计算表明：$\overline{X}_3 > \overline{X}_2 > \overline{X}_1$，即零件加工尺寸的误差聚集中心随着机床工作时间而向右偏移，这进一步说明了有规律性变化的系统误差的影响。但究竟是什么误差因素呢？由图 6.33(c) 中可知，开车 110 min 以后加工出来的零件的加工尺寸分布接近于正态分布，这时可以说基本上没有系统误差的影响。由于机床一般是在开车 90 ～ 120 min 以后才达到热平衡，又根据本机床热变形的试验资料可以断定，上述规律性变化的系统误差属于机床热变形。

由此可得出结论：正确的做法应该是开车后，待达到热平衡后再进行加工，并调整机床，使算术平均尺寸与公差带中点坐标的位置重合。

分布曲线法存在下列缺点：

(1) 不能反映出零件加工的先后顺序，因此不能把规律性变化的系统误差从偶然误差中区分出来。

(2) 一批零件加工完后才能绘制分布曲线图，因此不能在加工进行中提供控制工艺过程的资料。

采用点图法可以弥补上述缺点。

2. 点图法

以顺序加工的零件号为横坐标，零件的加工尺寸为纵坐标，则整批零件的加工结果就可画成点图。点图反映了加工尺寸的变化与时间的关系。如图 6.34 为例 6.2 中加工柄轴的点图。

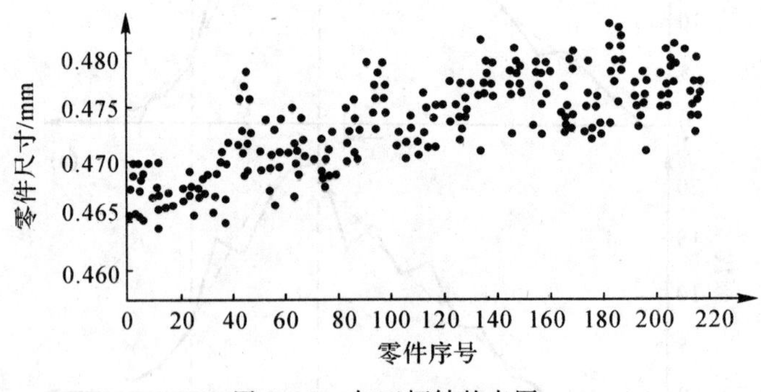

图 6.34　加工柄轴的点图

若将一批零件分成若干组，每组包括几个顺序加工的零件，而横坐标表示组的顺序号码，则点图的长度可以缩短。此时，点图上相应于每一组 m 个零件的 m 个点，就位于同一条垂直线上。如图 6.35 所示就是根据图 6.34 按组号绘制的点图，每组包含了 5 个零件。

但这种点图还不能很清楚地看出顺序加工的零件在加工过程中尺寸变化的一般倾向，因为尺寸分散，比较零乱。如果用每组零件的平均尺寸来画点图，则可以很容易地看出尺寸变化的趋势，如图 6.36 所示。

从理论上讲，机床在一次调整中加工出一批零件的点图应如图 6.37 所示。在点图右端画出了相应的分布曲线，在这种情形下应是正态分布曲线。加工尺寸的平均数为平行于横坐标轴的直线。实际上由于各种因素(偶然误差、常值系统误差、变值系统误差等)的综合作用,加工尺寸的点图就与图 6.37 不同。因此,从点图就可判别工艺过程有些什么误差。例如,从点图 6.36 上可以看出,该工艺过程存在变值系统误差,因此点图在加工时可以提供控制工艺过程的资料,统计质量控制图就是点图法的一种应用。

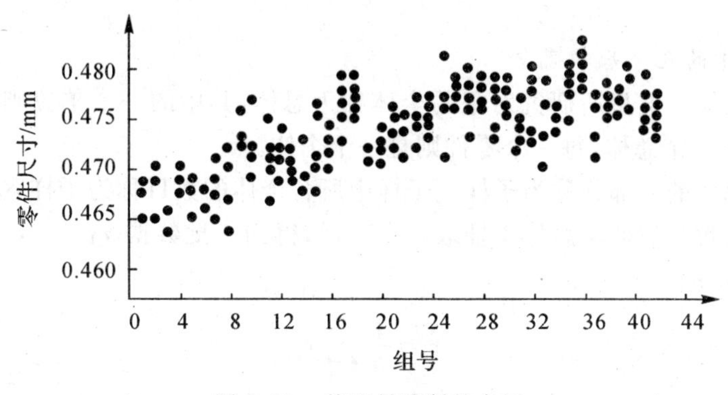

图 6.35　按组号绘制的点图

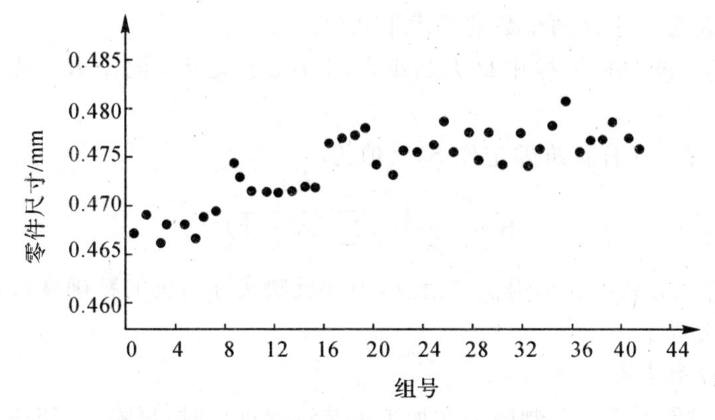

图 6.36　按组平均尺寸绘制的点图

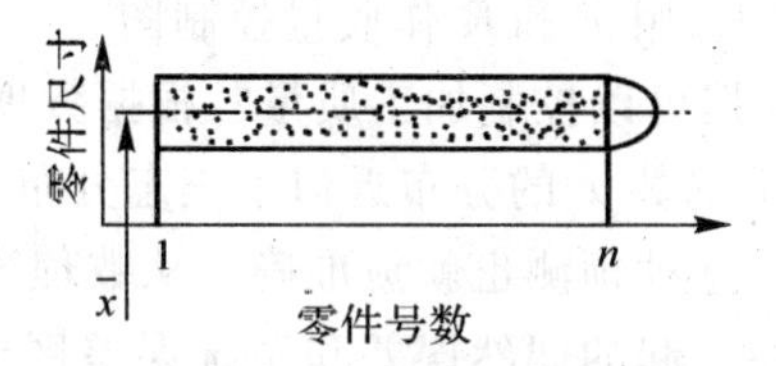

图 6.37　一次调整中的点图

6.5.4　统计质量控制

1. 统计质量控制的作用

在加工过程中进行统计质量控制,就是边加工边抽查,根据一定的概率标准制定质量控制图。用质量控制图来判别实际测得的抽样值的变化是来自偶然性抽样误差,还是来自确定原因的系统误差。若属于后者,则应及时加以排除,以保证工艺过程的正常进行。若工艺过程只有偶然误差起作用，影响加工精度，称工艺过程是处于控制状态中，或者说质量是稳定的。如果有系统误差因素影响加工精度，就称工艺过程脱离了控制状态，或者说质量是不稳定的。

加工质量是否稳定，是由工艺过程本身的误差规律所决定的，而与加工尺寸的公差要求无关。这里所谈的稳定与否，与废品概念无关，稳定的工艺过程可能有废品，而不稳定的工艺过程可能没有废品。

2. 数理统计中的几个基本概念

(1) 总体和个体。这里所研究对象的全体称为总体，其中的一个单位则称为个体。例如加工全部零件就是一个总体，每一个零件则是一个个体。

(2) 子样。总体的一部分称为子样。子样中所含个体的数目称为子样容量。

(3) 子样平均数。假使从总体中抽取一个子样，得到一批数据 $x_1, x_2, x_3, \cdots, x_n$，则它的算术平均数记作 $\bar{x}$，有

$$\bar{x}=\frac{1}{n}\sum_{i=1}^{n}x_i$$

(4) 子样中位数。把上述抽取的子样数据 $x_1, x_2, x_3, \cdots, x_n$ 按大小顺序排列，则排在正中间的那个数称为中位数，记为 $\tilde{x}$。当 n 为奇数时，正中间数只有一个；当 n 为偶数时，正中间数有两个，这时中位数等于这两个数的算术平均值。

(5) 子样极差。极差是子样中最大数据与最小数据之差，记作 R。极差代表子样的离散程度。

(6) 子样标准差。子样标准差记作 S，其值为

$$S=\sqrt{\frac{1}{n-1}\sum_{i=1}^{n}(x_i-\bar{x})^2}$$

由于极差没有充分利用数据提供的信息，因此反映实际情况的精确度较差，标准差则比极差精确，但计算较复杂。

3. 统计质量控制方法

(1) 用 $\bar{x}-R$ 图作为质量控制图。在加工工艺过程进行时，每隔一定时间(例如 0.5 h 或 1 h) 从加工零件中抽查几个零件作为一个随机子样，经过一定时间得到若干个随机子样，从各子样数据算出平均数 $\bar{x}$ 和极差 R，用 $\bar{x}$ 和 R 作质量控制图。

为什么用 $\bar{x}$ 和 R 这两个数据可以控制加工质量？根据数理统计学的中心极限定理，即使原始数据 x 的分布尚属未知，平均数 $\bar{x}$ 的分布近似于正态分布。因此可以近似地预测它出现在某处的概率。子样容量愈大，这种预测也就愈准确。从数理统计学知道，若把两个或多个平均数作比较，就有办法把混淆在一起的偶然误差和系统误差区分开来。为了显著地把它们区分开来，光靠平均数还不够，尚需代表子样内数据离散程度的子样特征值。这个子样特征值一般用子样标准差 S 表示，S 是假定质量稳定时总体标准差 σ 的较好估计量。在子样容量 n 不大(小于 10) 的时候，子样极差的精确度不比子样标准差逊色。所以常采用极差而不采用标准差来度量数据的离散程度。极差 R 除了能帮助平均数 $\bar{x}$ 控制图定出稳定界限外，它本身也可以作为质量的判断。因此，$\bar{x}$ 图和 R 图通常是联合使用的。$\bar{x}$ 图和 R 图合称为 $\bar{x}-R$ 图。

如图 6.38 所示为加工某一零件的 $\bar{x}-R$ 图。该零件的加工尺寸为 $22.4_{-0.1}^{\ 0}$ mm。现每小时抽查 5 件($n=5$) 作为一个随机子样，经过 20 h 得到 20 个子样(共 100 件) 的尺寸。算得 20 个子样的平均数 $\bar{x}$ 及极差 R 如表 6.5 所示。

在质量控制图上有一条中心线，它是在正常稳定操作情况下所得数据的平均数线。在 $\bar{x}$ 图中，这条线是 $\bar{x}$ 的平均数 $\bar{\bar{x}}$ 线；在 R 图中这条线是 R 的平均数 $\bar{R}$ 线。此外，还有两条控制限 —— 上控制限和下控制限。这两条线至中心线的距离是这样决定的：若已知稳定工艺过程中的平均尺寸 a 及标准差 σ，则某一尺寸超出界限 $a \pm 3\sigma$ 的概率为 0.27%。就取这个充分小的概率为 0.002 7，通常取为 0.003。因此质量控制图上控制线至中心线的距离等于 3σ，这种界限称为 3σ 控制限。

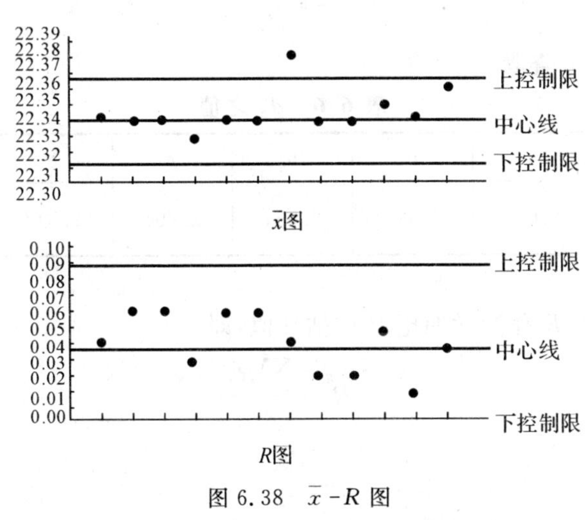

图 6.38 $\bar{x}$-R 图

表 6.5 子样的平均数 $\bar{x}$ 和极差(R/mm)

子样序号	平均数 $\bar{x}$	极差 R	子样序号	平均数 $\bar{x}$	极差 R
1	22.34	0.05	11	22.34	0.02
2	22.34	0.07	12	22.36	0.05
3	22.34	0.07	13	22.35	0.05
4	22.33	0.04	14	22.36	0.05
5	22.34	0.07	15	22.36	0.05
6	22.34	0.07	16	22.36	0.05
7	22.38	0.05	17	22.35	0.04
8	22.34	0.03	18	22.35	0.04
9	22.34	0.03	19	22.34	0.03
10	22.35	0.06	20	22.36	0.02

在以 3σ 为控制界限的质量控制图上，点值超出这个界限的概率只有 0.002 7。由于这个概率很小，当确定测得某一加工尺寸超出 $a \pm 3\sigma$ 的界限时，可以认为，这样的尺寸并非出于偶然误差，而是工艺系统发生了系统误差。

在 $\bar{x}$ 图上，中心线的纵坐标就等于平均数的数学期望(数学期望的意义为数据大量观测所得的数值的平均数，如正态分布的数学期望为 a)。参数 a 与 σ 尚属于未知，如上所述可以把各个子样平均数的平均值作为 a 的估计值。

$$\hat{a}=\bar{\bar{x}}=\frac{\sum \bar{x}}{k}=\frac{\bar{x}_1+\bar{x}_2+\cdots+\bar{x}_k}{k}$$

式中，k 为子样数。

可以证明，若总体是正态分布，则子样极差 R 的数学期望 P 与总体标准差 σ 之间存在一定比例关系。设子样容量为 n，则

$$\sigma=\frac{P}{d_n}$$

式中 d_n 之值可由表 6.6 查取。

表 6.6　d_n 之值

n	4	5	6	7	8	9	10
$d_n=\frac{P}{\sigma}$	2.059	2.326	2.534	2.704	2.847	2.970	3.078

可以把 R 的平均数 $\bar{R}$ 作数学期望 P 的估计值，即

$$\bar{R}=\frac{\sum R}{k}$$

式中，k 为子样数。

则 σ 的估计值为

$$\hat{\sigma}=\frac{\bar{R}}{d_n}$$

利用 a 与 σ 的估计值 $\hat{a}$ 及 $\hat{\sigma}$，即可求出上、下控制限。

$\bar{x}$ 图的控制限为 $\bar{\bar{x}}\pm 3\sigma_{\bar{x}}$，$\sigma_{\bar{x}}$ 为子样平均数的标准差。由数理统计可知，对任一总体，不论其分布如何，若该总体具有有限方差 σ^2，则子样平均数的方差 $\sigma_{\bar{x}}^2$ 等于总体方差除以子样的容量 n，即

$$\sigma_{\bar{x}}^2=\frac{\sigma^2}{n}$$

由此得

$$\sigma_{\bar{x}}=\frac{\sigma}{\sqrt{n}}$$

因此 $\bar{x}$ 图的上、下限为

$$\bar{\bar{x}}\pm 3\,\frac{\hat{\sigma}}{\sqrt{n}}$$

下面计算图 6.38 所示 $\bar{x}$ 图上、下控制限。

$$\bar{\bar{x}}=\frac{\sum \bar{x}}{k}=\frac{446.97}{20}\approx 22.34$$

$$\bar{R}=\frac{\sum R}{k}=\frac{0.94}{20}=0.047$$

由表 6.6 知，当 $n=5$ 时，$d_n=2.326$，故

$$\hat{\sigma}=\frac{\bar{R}}{d_n}=\frac{0.047}{2.326}=0.02$$

控制限为

$$\bar{x} \pm 3\frac{\hat{\sigma}}{\sqrt{n}} = 22.34 \pm 3 \times \left(\frac{0.02}{\sqrt{5}}\right) = \begin{matrix} 22.367 \\ 22.313 \end{matrix}$$

即上控制限为 22.367，下控制限为 22.313。当发现有超出控制限的点时，就可认为产生了系统误差，应对工艺系统进行检查。

R 图的控制限，则与 $\bar{x}$ 图的情形不同。子样极差 R 服从正态分布，故 R 超出界限 $P \pm 3\sigma_R$（σ_R 为 R 的标准差）的概率并不刚好等于 0.27%。但由于超出 $P \pm 3\sigma_R$ 的概率很小，仍然可以用 $P \pm 3\sigma_R$ 作为 R 的控制限。用 $\bar{R}$ 代替 P，则 R 的控制限为

$$\bar{R} \pm 3\sigma_R = \bar{R}\left(1 \pm \frac{3\sigma_R}{\bar{R}}\right)$$

令

$$D_3 = 1 - 3\frac{\sigma_R}{P}, \quad D_4 = 1 + 3\frac{\sigma_R}{P}$$

则

$$\bar{R} + 3\sigma_R = \bar{R}D_4$$

$$\bar{R} - 3\sigma_R = \bar{R}D_3$$

D_3 和 D_4 的数值可由表 6.7 查取。

表 6.7 D_3 和 D_4 之值

n	4	5	6	7	8	9	10
$D_3 = 1 - 3\frac{\sigma_R}{P}$	0	0	0	0.076	0.136	0.184	0.223
$D_4 = 1 + 3\frac{\sigma_R}{P}$	2.282	2.114	2.004	1.924	1.864	1.816	1.777

由此可以求出图 6.38 所示 R 图上、下控制限为

$$\bar{R} + 3\sigma_R = \bar{R}D_4 = 0.047 \times 2.114 = 0.994$$

$$\bar{R} - 3\sigma_R = \bar{R}D_3 = 0.047 \times 0 = 0$$

(2) 用 $\tilde{x}$ -R 图作为质量控制图。一方面，以 $E(\tilde{x})$ 表示 $\tilde{x}$ 的数学期望，$\sigma_{\tilde{x}}$ 表示 $\tilde{x}$ 的标准差，当总体服从正态分布时，中位数 $\tilde{x}$ 控制图的上、下控制限为

$$E(\tilde{x}) \pm 3\sigma_{\tilde{x}} = E(\tilde{x}) \pm \frac{3\sigma_{\tilde{x}}}{\sigma_{\bar{x}}}\sigma_{\bar{x}}$$

因

$$\sigma_{\bar{x}} = \frac{\sigma}{\sqrt{n}}$$

令

$$C_m = \frac{\sigma_{\tilde{x}}}{\sigma_{\bar{x}}}$$

把 $\tilde{x}$ 的平均数 $\bar{\tilde{x}}$ 作为 $E(\tilde{x})$ 的估计值，把 $\hat{\sigma} = \frac{\bar{R}}{d_n}$ 作为 σ 的估计值，代入上式得 $\tilde{x}$ 图的上、下控制限为

$$\bar{\tilde{x}} \pm C_m \frac{3}{\sqrt{n}}\frac{\bar{R}}{d_n} = \bar{\tilde{x}} \pm C_m A_2 \bar{R}$$

式中，$A_2=\dfrac{3}{d_n\sqrt{n}}$，$C_mA_2$ 的数值见表 6.8 所示。

表 6.8　C_mA_2 之值

n	4	5	6	7	8	9	10
C_mA_2	0.795 8	0.690 8	0.548 5	0.508 8	0.432 1	0.411 7	0.362 5

另一方面，因 $E(\tilde{x})=a$，故亦可用 $\bar{\bar{x}}$ 作为 $E(\tilde{x})$ 的估计值，则 $\tilde{x}$ 图的上、下控制限为

$$\bar{\bar{x}}\pm C_mA_2\bar{R}$$

如图 6.39 所示为某一机床加工外圆（其尺寸为 $\phi15.88_{-0.04}^{\ 0}$），若已知该工序近似服从正态分布，从该机床上每小时抽取容量为 5 的子样，共抽取 20 个子样，画成的 $\tilde{x}-R$ 图。（图中省略相同的整数部分）

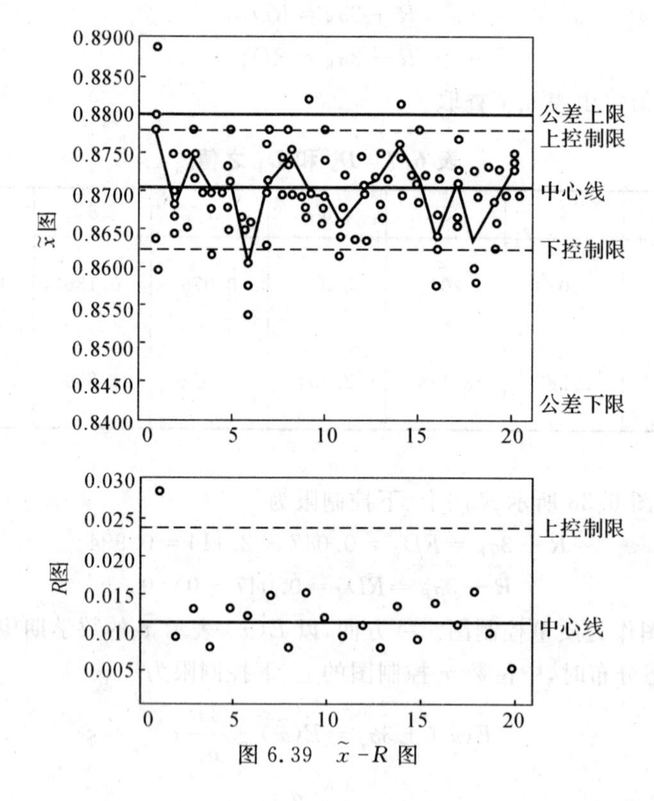

图 6.39　$\tilde{x}-R$ 图

采用 $\tilde{x}-R$ 图时，测量所得的加工尺寸不须登记，也不需计算，只须直接将子样中几个尺寸点标在 $\tilde{x}$ 图上，然后将图上观察的极点标在 R 图上，比作 $\bar{x}-R$ 图简便，大大减轻了检验人员的负担和工作量。

实践证明，利用 $\tilde{x}$ 图能及时反映生产条件是否正常、刀具位置是否正确，使操作人员随时能控制零件尺寸中心位置，防止远离中心而造成返修品或废品。利用 R 图能随时判断机床的工作精度。若圆点位于 R 图的上控制限以下，说明机床工作精度高，零件加工尺寸均匀整齐。否则，说明机床工作精度发生了变化，零件加工尺寸过分分散。当子样的平均数 $\bar{x}$ 和极差 R 或中位数 $\tilde{x}$ 和极差 R 处于控制状态时，加工质量是稳定的。

以上都是在质量稳定情形下的质量控制方法，但在机械加工中，有很多工艺过程是不稳定的。质量不稳定的原因比较多，因而有时还难以找出及纠正。如果加工尺寸公差比较宽，不妨允许质量有一定程度的不稳定。这时仍可以用质量控制图来控制机床需要调整的合理时间，按一定合格率加工出零件就行。

6.5.5 机床的调整

加工开始时，必须调整机床，使加工出来的一批零件尺寸，均能分布在公差带之内。在加工过程中，由于系统误差的影响，加工尺寸逐渐超出公差带，这时必须重新调整机床。如图6.40所示的点图就清楚地反映了刀具磨损的影响以及重新调整机床后零件加工尺寸的改善情况（点 B_1，B_2，B_3）。

当点接近于控制线时，就预告可能产生废品，必须重新调整机床，或者更换刀具。由于考虑到刀具磨损所产生尺寸变化的方向，故加工外圆时，应按下控制线来调整；加工内孔时应按上控制线来调整。若考虑热变形等因素的影响，加工外圆时，还应加上某一数值；加工内孔时，还应减去某一数值来调整。

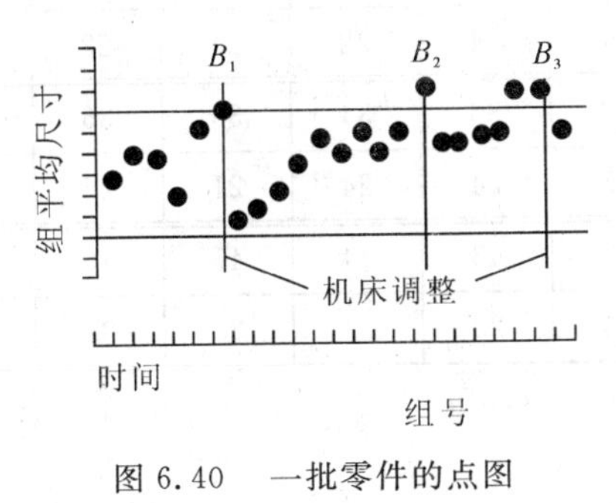

图 6.40　一批零件的点图

复习思考题

1. 什么是机械加工精度？为什么它的高低直接影响机器设备的使用性能和寿命？

2. 试述获得尺寸精度、形状精度和位置精度的主要方法。

3. 影响工艺系统机械加工精度的主要误差因素有哪些？

4. 机床主轴回转误差的基本形式有哪些？它们如何影响机械加工精度？

5. 什么是传动链误差？它的传递规律是什么？为了减小机床传动链误差对加工精度的影响，应采取什么措施？

6. 什么是静刚度和动刚度？通过机床静刚度实验测定可以得出什么结论？分析静刚度如何影响工艺系统加工精度。

7. 什么是毛坯复映现象和毛坯复映因数？为了减小毛坯复映现象应采取哪些措施？

8. 试述减小工艺系统受力变形和提高工艺系统刚度的措施。

9. 工艺系统热变形如何影响机械加工精度？控制热变形的主要措施有哪些？

10. 什么是系统误差和偶然误差？试举例说明。

11. 试说明用分布曲线法分析加工系统误差的优点和缺点。如何克服其缺点？

12. 在自动车床上成批加工某一外圆面，外圆面的公差要求 $T=0.025$，加工完后外圆的实际尺寸符合正态分布，$\sigma=0.01$。若公差带中心与尺寸的聚集中心重合，试判断该外圆是否会出现废品，并求合格率和废品率，可修复废品率和不可修复废品率。

13. 在无心外圆磨床上，成批磨削一圆柱滚子 $\phi 20^{+0.025}_{0}$，一次调整后加工 50 件子样，然后用光学比较仪按顺次进行测量，测量采用 20 块规，测量结果如表 6.9 所示，试做出该滚子的质量控制点图，并计算出质量控制图的上下控制限，判断机床加工质量的稳定性和机床精度的高低。

表 6.9 50 件子样的测量结果

工件顺序号	1	2	3	4	5	6	7	8	9	10
仪器读数/μm	25	25	22	21	23	22	23	21	22	20
工件顺序号	11	12	13	14	15	16	17	18	19	20
仪器读数/μm	21	23	23	22	20	22	23	21	23	21
工件顺序号	21	22	23	24	25	26	27	28	29	30
仪器读数/μm	25	24	24	22	24	22	21	22	24	23
工件顺序号	31	32	33	34	35	36	37	38	39	40
仪器读数/μm	23	25	24	24	21	22	23	23	22	23
工件顺序号	41	42	43	44	45	46	47	48	49	50
仪器读数/μm	21	24	23	24	23	24	22	22	23	23

第7章

尺 寸 链

7.1 尺寸链的基本概念

设计各类机器及其零部件时，除了进行运动、刚度、强度等分析与计算外，还要进行几何精度的分析与计算。所谓几何精度的分析与计算，是指决定机器零件最终或工序间的合理的几何参数公差与极限偏差，使机器零件能顺利地加工和正确地进行装配，并保证工作时满足精度方面的要求。本章将集中讨论几何精度的分析与计算，其根据是机械产品的技术规范或称技术条件，并由此合理地规定各零件最终或工序间的尺寸公差、形位公差。这对于保证产品质量，使产品获得最佳技术经济效益，具有重要意义。

几何精度的分析与计算可以运用尺寸链理论与方法。

在设计机器和零部件时，设计图上形成的封闭尺寸的组合称设计尺寸链，还可分为零件尺寸链、部件尺寸链和总体尺寸链。

加工工艺过程中，各工序的加工尺寸构成封闭的尺寸组合，或在某工序中工件、夹具、刀具、机床的有关尺寸形成了封闭的尺寸组合，这两种尺寸组合统称为加工工艺尺寸链。

在机器或部件装配的过程中，零件和部件间有关尺寸构成了互相有联系的封闭尺寸组合称为装配尺寸链。装配尺寸链有时可以和结构尺寸链一致，但也可以因装配工艺方法不同，装配工艺尺寸链和总体结构尺寸链不一致。有时还由于采用不同的测量工具，使测量基准不一致，形成测量尺寸链亦称检验尺寸链。

一般来说，在机器装配或零件加工过程中，由相互连接的尺寸形成封闭的尺寸组，称为尺寸链。在图7.1中，孔和轴的装配形成尺寸链；台阶轴的加工也形成尺寸链；设计弯臂图样时形成尺寸链；标注支架的形位公差时形成角度尺寸链；另外，复杂的零件也形成平面或空间尺寸链。

7.1.1 尺寸链的构成

尺寸链由环组成。列入尺寸链中的每一个尺寸称为环。将台阶轴的加工尺寸抽象出来，如图7.2所示，就形成尺寸链。其中A_0，A_1，A_2称做环。如图7.1所示的所有封闭尺寸组中，每一个尺寸都可称做环。环按几何特征，分为长度环和角度环，或称为线环和角环。如孔和轴的装配，台阶轴的加工，属于线环；支架形位公差的标注形成角度环。按环的变动性质又可分为标量环和矢量环。标量环只有大小的变动，矢量环兼有大小与方向的变动。

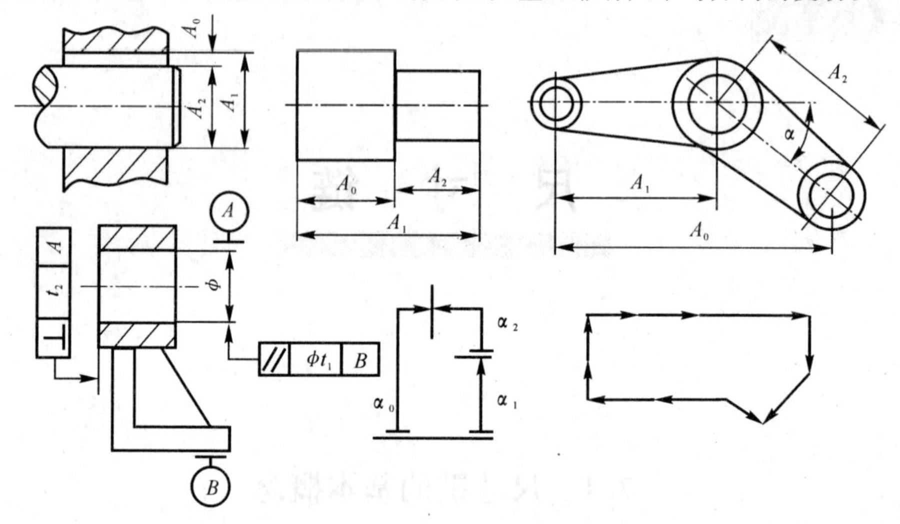

图 7.1　尺寸链

在尺寸链的理论中，一般将尺寸链的环分为封闭环和组成环。尺寸链的解算就是围绕封闭环和组成环来进行的。深刻理解封闭环和组成环，特别是在尺寸链中正确区分封闭环，在尺寸链的解算中显得非常重要。

(1) 封闭环。在装配和加工过程中最后自然形成的环为封闭环，亦称终结环。在零部件的装配中，封闭环通常是对有关要素间的联系所提出的技术要求。如间隙、过盈、位置精度等。在图 7.1 中，在孔轴装配后，形成的间隙 A_0 为封闭环。在加工或设计过程中，封闭环通常是零件设计图样上未标注的尺寸或加工中最后形成的尺寸，即最不重要的尺寸。如在图 7.1 中，台阶轴 A_0 尺寸是最后自然形成的，是封闭环，加工者只测量和保证 A_1 和 A_2 尺寸；弯臂 A_0 在图样上不进行标注，是封闭环。尺寸链的解算中一定要正确确定封闭环，它是正确解算的第一步。

(2) 组成环。对封闭环有影响的全部环称为组成环。组成环中任一环的变动必然引起封闭环的变动。组成环是尺寸链中除封闭环以外的所有的环。如图 7.1 中 A_1 和 A_2 尺寸，α_1 和 α_2 角度。依据组成环对封闭环的影响不同，可将组成环分为增环和减环。正确确定增环和减环也是解算尺寸链关键的一步。

1) 增环亦称正环。该环的变动引起封闭环同向变动，也称正变，这是确定增环的准则。在图 7.2 中，A_1 是增环。若其他环保持不变，A_1 增加，封闭环亦增加，A_1 减少，封闭环亦减少。一般规定增环用 A_z 来表示。

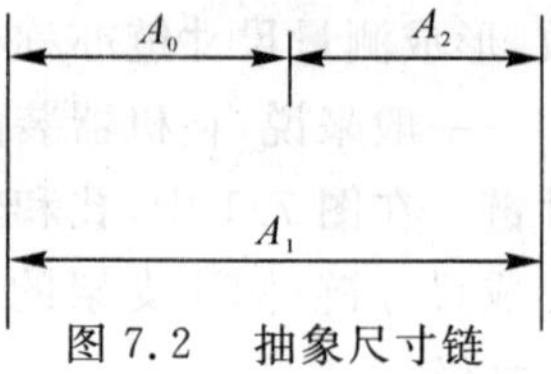

A0　A2

A1

图 7.2　抽象尺寸链

2) 减环亦称负环。该环的变动引起封闭环反向变动，也称反变。这是确定减环的准则。同理，在图 7.2 中，A_2 是减环。若其他环保持不变，A_2 增加，封闭环减小，A_2 减少，封闭环增加。一般规定减环用 A_j 来表示。

在尺寸链的解算中，通常为了得出正确的解算关系，往往选出某一组成环作为可调整的环，这个可调整的环称为补偿环，亦称协调环。补偿环可以是增环也可以是减环。确定补偿环时，预先选定的某一组成环，通过改变它的大小或位置，使封闭环达到规定的要求。

在尺寸链中，封闭环与组成环的关系，表现为函数关系。封闭环是所有组成环的函数，即

$$A_0 = f(A_1, A_2, \cdots, A_m) \tag{7.1}$$

式中 A_0—— 封闭环；

$A_1, A_2, \cdots, A_m$ —— 组成环。

所有组成环的变动都将在封闭环上显示其影响。一般来说，各组成环彼此之间是互相独立的，即这一组成环的变动与其余组成环无关。显然，封闭环与组成环的性质是不同的，事实上它们构成了尺寸链中的两个对立面。分析尺寸链就是分析所有组成环的变动对封闭环的影响，分析组成环的公差或极限偏差与封闭环的公差或极限偏差的关系。组成环变动对封闭环的影响可用传递因数 ξ_i 来表示。

传递因数是组成环在封闭环上引起的变动量对该组成环本身变动量之比，即

$$\xi_i = \frac{\partial f}{\partial A_i} \tag{7.2}$$

式中，ξ_i 为第 i 个组成环对封闭环影响大小的因数，$1 \leqslant i \leqslant m$，$m$ 为组成环环数。

例如，在图 7.2 中，有函数关系 $A_0 = A_1 - A_2$，依据式(7.2)，则有

$$\xi_1 = 1, \quad \xi_2 = -1$$

在弯臂尺寸链中，也有函数关系 $A_0 = A_1 + A_2 \cos\alpha$，同理，依据式(7.2)，又有

$$\xi_1 = 1, \quad \xi_2 = \cos\alpha$$

式中，若 ε_i 为正值则该组成环为增环，反之为减环。

7.1.2 尺寸链的特征

尺寸链具有以下四个特征：

(1) 封闭性。各环必须依次连接封闭，不封闭不成为尺寸链，如图 7.1 所示的各尺寸链。

(2) 关联性(函数性)。任一组成环尺寸或公差的变化，都必然引起封闭环尺寸或公差的变化。例如，增环或减环的变动，都将引起封闭环的相应的变动。

(3) 唯一性。一个尺寸链只有一个封闭环，不能没有也不能出现两个或两个以上的封闭环。例如图 7.3 所示，同一个零件的加工顺序不同，不能增加或减少封闭环数，只能改变封闭环 A_0 的位置。

(4) 最少三环。一个尺寸链最少有三环，少于三环的尺寸链不存在。

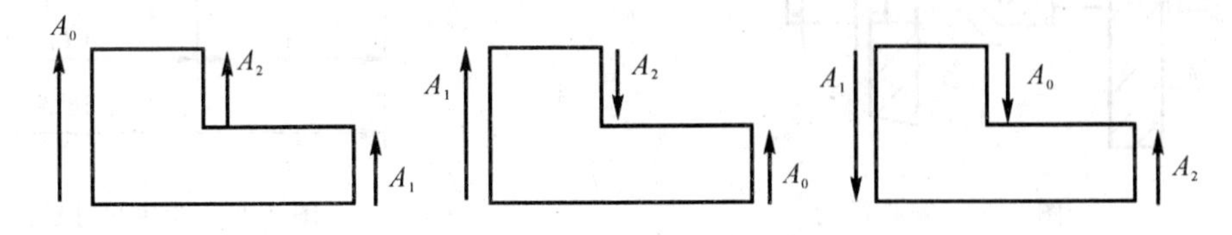

图 7.3 加工顺序不同

7.1.3 尺寸链的种类

(1) 按功能要求分类，可分为设计尺寸链、装配尺寸链和工艺尺寸链。

1) 设计尺寸链。全部组成环为同一零件设计尺寸所形成的尺寸链，如图 7.1 所示的弯臂

尺寸链。

2）装配尺寸链。全部组成环为不同零件设计尺寸所形成的尺寸链，如图 7.1 所示的孔轴装配尺寸链。

3）工艺尺寸链。全部组成环为同一零件工艺尺寸所形成的尺寸链，如图 7.4 所示。

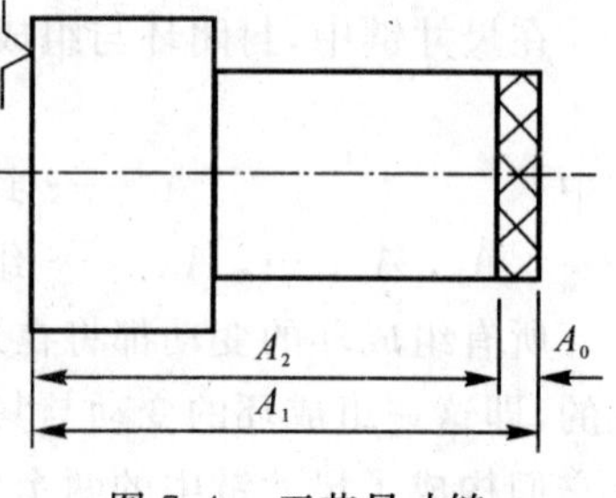

图 7.4　工艺尺寸链

(2) 按相互位置分类，可分为直线尺寸链、平面尺寸链和空间尺寸链。

1）直线尺寸链。全部组成环平行于封闭环的尺寸链，如图 7.1 所示的装配和加工工艺尺寸链。

2）平面尺寸链。全部组成环位于一个或几个平行平面内，如图 7.1 所示的弯臂尺寸链。

3）空间尺寸链。组成环位于几个不平行平面内的尺寸链，如飞机起落架的空间连杆机构。

当在尺寸链解算中遇到平面尺寸链和空间尺寸链时，都要将它们的尺寸投影到某一方向上，变成直线尺寸链后再进行解算。因此直线尺寸链的解算是最基本的。

(3) 按几何特征分类，可分为长度尺寸链和角度尺寸链。

1）长度尺寸链。全部环为长度尺寸的尺寸链，如图 7.4 所示的工艺尺寸链。

2）角度尺寸链。全部环为角度尺寸的尺寸链，如图 7.1 所示的支架尺寸链。

(4) 按环变动性质分类，可分为标量尺寸链和矢量尺寸链。

1）标量尺寸链。全部组成环为标量，如图 7.4 所示所有尺寸形成的尺寸链。

2）矢量尺寸链。全部组成环为矢量，如图 7.5 所示的偏心机构。偏心机构用矢量尺寸链来表示。

(5) 按链与链间的包容关系分类，可分为基本尺寸链和派生尺寸链。

1）基本尺寸链。全部组成环直接影响封闭环的尺寸，如图 7.6 所示的基本尺寸链 A。

2）派生尺寸链。一个尺寸链的封闭环为另一个尺寸链组成环的尺寸链，如图 7.6 所示的派生尺寸链 L。

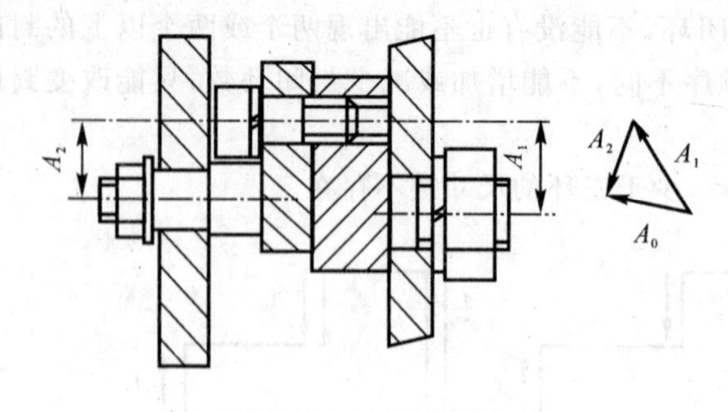

图 7.5　偏心机构

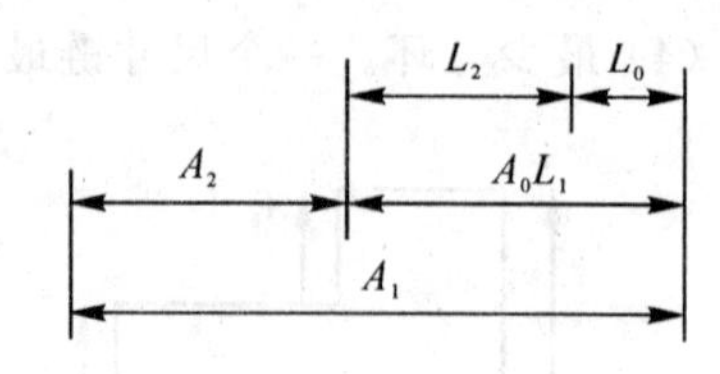

图 7.6　派生尺寸链

7.1.4　尺寸链图

要进行尺寸链的解算，首先必须画出尺寸链图。所谓尺寸链图，就是从具体零件的加工顺序中或零(部) 件的装配关系中，抽象出的由封闭环和组成环构成的一个封闭回路。具体步骤可分两步。

(1) 绘制尺寸链图。从加工(装配)某一基准出发,按加工(装配)顺序,依次画出各环,环与环之间不得间断,最后用封闭环构成一个封闭回路。

(2) 判断增、减环。用尺寸链图很容易确定封闭环和组成环中的增环、减环。首先,可按定义逐个分析组成环各尺寸的增减对封闭环尺寸的影响,以判断其为增环还是减环。此法比较麻烦,在环数较多、链的结构较为复杂时,容易出错,但这是一种基本方法。其次,按箭头方向来判断,生产实践中常用此法。先在封闭环上,按任意指向画一箭头,如图 7.7 所示的 A_0 箭头,然后顺 A_0 箭头的相反方向,依次在各组成环上画一箭头使所画各箭头彼此头尾相连,与封闭环形成一封闭回路。同向变动者,为增环;反向变动者,为减环,如图 7.7 所示的尺寸链图。

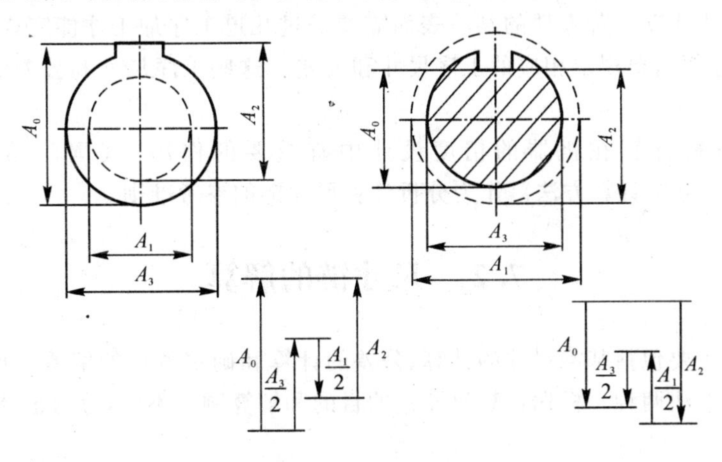

图 7.7　工艺尺寸链

例 7.1　加工一带键槽的内孔,其加工顺序为镗内孔得尺寸 A_1,插键槽得尺寸 A_2,磨内孔得尺寸 A_3。画出尺寸链图,并确定增减环。

解　首先确定封闭环。因为键槽尺寸 A_0 是加工后自然形成的,所以 A_0 为封闭环。镗内孔和磨外圆时,圆心位置不变,故取它为基准。从基准开始,按加工顺序分别画出 $A_1/2$, A_2 和 $A_3/2$,把它们与 A_0 连接成封闭回路,形成了尺寸链图,如图 7.7 所示。然后再画箭头。先按任意方向画封闭环的箭头,再从相反的方向出发,依次画完各环所有的箭头。所有与封闭环同向者,皆为增环;反向者,为减环。从而得到,A_2 和 $A_3/2$ 为增环,而 $A_1/2$ 为减环。依据同样的道理,可以画出在轴上铣一键槽的尺寸链图。加工顺序为车外圆 A_1,铣键槽深 A_2,磨外圆 A_3,得键槽深 A_0。

7.1.5　尺寸链的作用

在机械设计制造中,通过尺寸链的分析计算,可以解决以下问题。

(1) 合理分配公差。按封闭环的公差与极限偏差,合理地分配各组成环的公差与极限偏差。

(2) 分析结构设计的合理性。在机器、机构和部件设计中,通过对各种方案的装配尺寸链的分析比较,可确定较合理的结构。

(3) 检校图样。在生产实践中,常用尺寸链来检查、校核零件图上的尺寸、公差与极限偏差是否合理。

(4) 合理标注尺寸。装配图上的尺寸标注，反映零部件的装配关系及要求，应按装配尺寸链分析标注封闭环公差及各组成环的基本尺寸(封闭环公差通常为装配技术要求)。零件图上的尺寸标注反映零件的加工要求，应按设计尺寸链分析。一般按最短尺寸链原则，并选用最不重要的环(零件图上没有标注公差与极限偏差)作为封闭环。而对零件上有装配要求的尺寸，即各组成环的尺寸，应有公差与极限偏差。

(5) 基面换算。当按零件图上的尺寸和公差标注不便加工和测量时，应按设计尺寸链进行基面换算。或者是在机械加工中，当定位基准与设计基准不重合时，为达到零件原设计的精度，需要进行尺寸的换算。

(6) 工序尺寸计算。若零件的某一表面需要经过几道工序加工才能完成，则在工艺规程设计中，每道工序都需要规定相应的工序尺寸和公差。这些工序尺寸和公差的计算称做工序尺寸的计算。

尺寸链的分析计算在机器的精度设计中有重要的作用，我国已颁布了国家标准GB5847—1986《尺寸链计算方法》，作为分析计算尺寸链的参考准则。

7.2 尺寸链的解算

尺寸链解算主要包括基本尺寸的计算、公差的计算和确定各环的偏差。尺寸链计算方法分为极值法和概率法两种。根据计算尺寸链的目的和解算顺序不同，分为正计算、反计算和中间计算三类问题。

(1) 正计算(验算计算)。已知组成环的基本尺寸和极限偏差，求封闭环的基本尺寸和极限偏差。常用来与技术要求比较，验算设计的正确性。

(2) 反计算(设计计算)。已知封闭环的基本尺寸和极限偏差及各组成环的基本尺寸，求各组成环公差和极限偏差。通常是依据技术要求来确定各组成环的上、下偏差，也可理解为解决公差的分配问题，在设计尺寸和工序尺寸的计算中常常遇到。

(3) 中间计算。已知封闭环及某些组成环的基本尺寸和极限偏差，求某一组成环的基本尺寸和极限偏差。此类问题常属于工艺方面的问题，如基准的换算工序尺寸的确定。

解尺寸链时又可根据不同的产品设计要求、结构特征、精度等级、生产批量和互换性要求而分别采用极值法、概率法、分组互换法、修配法或调整法等。

7.2.1 极值法解尺寸链

极值法又称完全互换法，即在全部产品中，装配时各组成环不需要挑选或改变其大小、位置，装入后即能达到封闭环的公差要求。极值法的出发点只考虑封闭环与组成环的极值关系，不考虑各环的实际尺寸的分布特性。

1. 基本关系式

(1) 基本尺寸。在图 7.8 所示中，封闭环是 A_0，增环为 A_1，减环为 A_2，于是有关系式

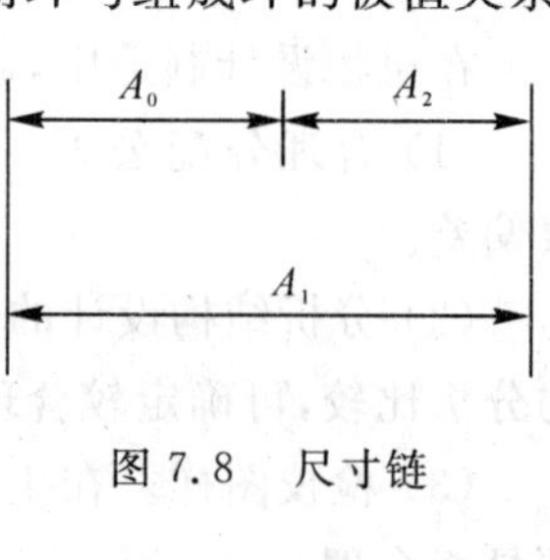

$$A_0 = A_1 - A_2$$

A_0 A_2 A_1

图 7.8 尺寸链

对于直线尺寸链，推广一下，又有关系式

$$A_0 = \sum_{z=1}^{n} A_z - \sum_{j=n+1}^{m} A_j \tag{7.3}$$

式中　m —— 组成环数；

n —— 增环环数；

z —— 增环序号；

j —— 减环序号。

事实上，封闭环与组成环之间有函数关系，即封闭环的基本尺寸为各组成环基本尺寸的代数和

$$A_0 = \sum_{i=1}^{m} \xi_i A_i \tag{7.4}$$

式中，A_i 为组成环的基本尺寸。对于直线尺寸链，增环 $\xi_z = 1$，减环 $\xi_j = -1$。

(2) 极限尺寸。极限尺寸的基本公式可由下列极限情况导出。

1) 所有增环皆为最大极限尺寸，而所有减环皆为最小极限尺寸。

2) 所有增环皆为最小极限尺寸，而所有减环皆为最大极限尺寸。

显然，在第一种情况下，将得到封闭环的最大极限尺寸；而在第二种情况下，将得到封闭环的最小极限尺寸，即

$$\left.\begin{aligned} A_{0\max} &= \sum_{z=1}^{n} A_{z\max} - \sum_{j=n+1}^{m} A_{j\min} \\ A_{0\min} &= \sum_{z=1}^{n} A_{z\min} - \sum_{j=n+1}^{m} A_{j\max} \end{aligned}\right\} \tag{7.5}$$

(3) 极限偏差。将极限尺寸式(7.5)减去基本尺寸式(7.3)，得

$$\left.\begin{aligned} \mathrm{ES}_0 &= \sum_{z=1}^{n} \mathrm{ES}_z - \sum_{j=n+1}^{m} \mathrm{EI}_j \\ \mathrm{EI}_0 &= \sum_{z=1}^{n} \mathrm{EI}_z - \sum_{j=n+1}^{m} \mathrm{ES}_j \end{aligned}\right\} \tag{7.6}$$

(4) 公差。解极限偏差式(7.6)，得

对于直线尺寸链
$$T_0 = \sum_{i=1}^{m} T_i \tag{7.7}$$

对于平面尺寸链
$$T_0 = \sum_{i=1}^{m} |\xi_i| T_i \tag{7.8}$$

(5) 结论。

1) 封闭环的公差比任何一个组成环的公差都大。

2) 为了减小封闭环的公差，应使组成环数目尽可能减小，这称做最短尺寸链原则。

这一原则在设计时应该遵守。尺寸链应该以“短”为好。例如，最短尺寸链原则用于台阶轴 X 方向的尺寸标注。

在图 7.9 中，台阶轴的左端面为 X 方向的尺寸基准(设计基准)，当标注这个方向的尺寸时，可以从基准出发，依次标注尺寸。显然，按此法标注时，组成环有 6 个，不符合最短尺寸链原则。按图 7.9 所示的标注，分为 2 个尺寸链。第一个尺寸链有 2 个组成环和 1 个封闭环，共 3 环；而第二个尺寸链有 3 个组成环和 1 个封闭环，共 4 环。这样标注，就有了 X 方向的辅助基准，即从该基准出发标注其他尺寸。这个辅助基准恰好就是安装齿轮的定位面，第二个尺寸链

实际上就是安装齿轮在X方向的局部装配尺寸链，不但满足基准重合的原则，而且满足最短尺寸链原则。显然较为合理。

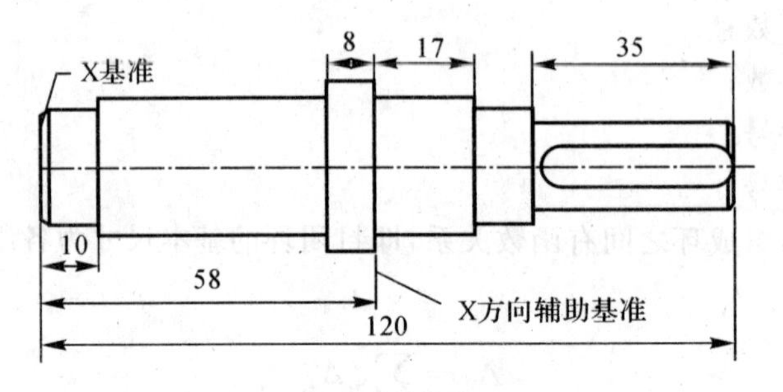

图 7.9　轴类零件长度方向尺寸标注

2. 极值法解正计算问题

解正计算问题就是已知组成环的基本尺寸和极限偏差，求封闭环的基本尺寸和极限偏差。

例 7.2　加工如图 7.10 所示圆套，已知工序是先车外圆 $A_1=\phi70_{-0.08}^{-0.04}$，然后镗内孔 $A_2=\phi60_{0}^{+0.06}$，同时保证内外圆同轴度公差 $A_3=\phi0.02$，求壁厚。

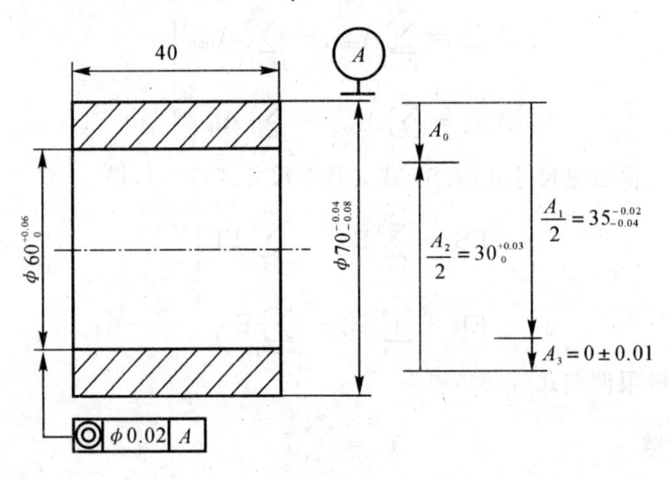

图 7.10　圆套

解　分析：按加工顺序，先车外圆，再镗内孔，最后自然形成壁厚，所以取壁厚为封闭环。

依题意是求封闭环的基本尺寸和偏差，是正计算问题。用极值法解，步骤如下：

(1) 画尺寸链图。由于此例 A_1，A_2 尺寸相对加工基准具有对称性，故应取半径画尺寸链图，同轴度 A_3 在此例中可作一个线性尺寸来处理，根据同轴度公差带对实际被测要素的限定情况，可定 A_3 为 0 ± 0.01。以外圆圆心为基准，按加工顺序分别画出 $A_1/2$，A_3，$A_2/2$，并用 A_0 把它们连接成封闭回路。

(2) 确定封闭环。因为壁厚 A_0 为最后自然形成的尺寸，故为封闭环。

(3) 确定增、减环。先画出封闭环的箭头，然后以相反的方向依次画出各组成环的箭头，根据箭头的方向，可以判断，$A_1/2$，A_3 为增环，$A_2/2$ 为减环。

尺寸换算：因为 $A_1=\phi70_{-0.08}^{-0.04}$，$A_2=\phi60_{0}^{+0.06}$，则有 $A_1/2=35_{-0.04}^{-0.02}$，$A_2/2=30_{0}^{+0.03}$，如图7.10

所示。

(4) 计算壁厚基本尺寸和极限偏差：

由式(7.3)得

$$A_0=(A_1/2+A_3)-A_2/2=35-30=5$$

由式(7.6)得

$$ES_0=[(-0.02)+(+0.01)]-0=-0.01$$

$$EI_0=[(-0.04)+(-0.01)]-(+0.03)=-0.08$$

则有 $5^{-0.01}_{-0.08}$。

(5) 验算。

$$T_0=ES_0-EI_0=(-0.01)+(-0.08)=0.07$$

由式(7.7)得

$$T_0=[(-0.02)+(-0.04)]+[(+0.03)-0]+0.02=0.07$$

校核结果说明计算无误差，所以壁厚为

$$A_0=5^{-0.01}_{-0.08}$$

须指出的是，同轴度 A_3 如作为减环处理，结果仍然不变。

3. 极值法解中间计算问题

中间计算属于正计算中的一种特殊情况，用来确定尺寸链中某一组成环的尺寸及极限偏差。

例 7.3 在例 7.2 中，仍有相同的加工顺序，但为了保证加工后壁厚为 $5^{-0.01}_{-0.08}$，问所镗内孔尺寸 A_2 为多少？

解 已知封闭环 A_0 及组成环 $A_1/2$，A_3，求另一个未知的组成环 A_2。这属于中间计算问题。

(1) 画尺寸链图。与例 7.2 同理。

(2) 确定封闭环。与例 7.2 相同。

(3) 确定增、减环。显然 $A_1/2$，A_3 为增环；$A_2/2$ 为减环。

(4) 计算基本尺寸和极限偏差。

$$A_0=(A_1/2+A_3)-A_2/2$$

$$A_2/2=(A_1/2+A_3)-A_0=(35+0)-5=30$$

$$ES_0=(ES_{A_1/2}+ES_{A_3})-EI_{A_2/2}$$

$$EI_{A_2/2}=(ES_{A_1/2}+ES_{A_3})-ES_0=[(-0.02)+(+0.01)]-(-0.01)=0$$

$$EI_0=(EI_{A_1/2}+EI_{A_3})-ES_{A_2/2}$$

$$ES_{A_2/2}=(EI_{A_1/2}+EI_{A_3})-EI_0=[(-0.04)+(-0.01)]-(-0.08)=+0.03$$

得 $$A_2/2=30^{+0.03}_{0}$$

所以 $$A_2=60^{+0.06}_{0}$$

(5) 验算。

$$T_0=ES_0-EI_0=(-0.01)-(-0.08)=0.07$$

由式(7.3)得

$$T_0=[(-0.02)-(-0.04)]+[(+0.03)-0]+0.02=0.07$$

例 7.4 在轴上铣一键槽。加工顺序为：车外圆 $A_1=\phi70.5^{0}_{-0.1}$，铣键槽深 A_2，磨外圆 $A_3=$

$\phi 70_{-0.06}^{0}$，要求磨完外圆后，保证键槽深 $A_0=62_{-0.3}^{0}$，求铣键槽深 A_2。

解(1) 画尺寸链图(见图 7.11)。选外圆圆心为基准，按加工顺序依次画出 $A_1/2$，A_2，$A_3/2$，并用 A_0 把它们连接成封闭回路。

(2) 确定封闭环。由于磨完外圆后形成的键槽深 A_0 为最后自然形成的尺寸，故可确定 A_0 为封闭环。

已知封闭环 A_0 及组成环 $A_1/2$，$A_3/2$，求另一个未知的组成环 A_2。这属于中间计算问题。

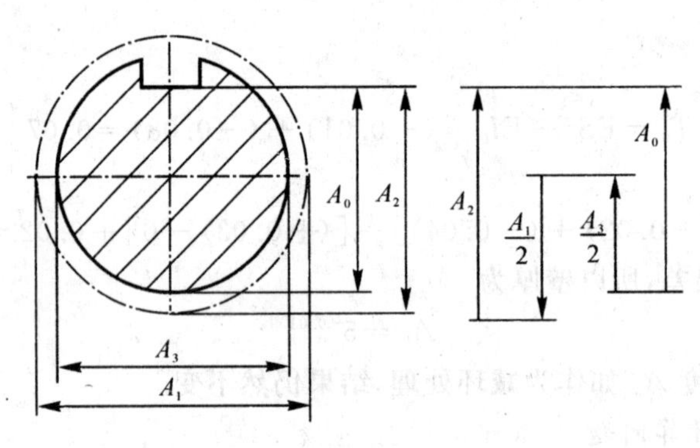

图 7.11 轴上键槽工艺尺寸链

(3) 确定增、减环。按箭头方向给各环标上箭头，可以得知，增环是 $A_3/2$，A_2；减环是 $A_1/2$。

(4) 计算铣键槽的深度 A_2 的基本尺寸和上、下偏差。尺寸换算

$$A_1/2=35.25_{-0.05}^{0}，\quad A_3/2=35_{-0.03}^{0}$$

由式(7.3)
$$A_0=(A_3/2+A_2)-A_1/2$$

则有 A_2 的基本尺寸

$$A_2=A_0-A_3/2+A_1/2=62-35+35.25=62.25$$

由式(7.6)
$$ES_0=(ES_{A_2}+ES_{A_3/2})-EI_{A_1/2}$$

A_2 的上偏差为

$$ES_{A_2}=ES_0-ES_{A_3/2}+EI_{A_1/2}=0-0+(-0.05)=-0.05$$

由式(7.6)
$$EI_0=(EI_{A_2}+EI_{A_3/2})-ES_{A_1/2}$$

A_2 的下偏差为

$$EI_{A_2}=EI_0-EI_{A_3/2}+ES_{A_1/2}=(-0.3)-(-0.03)+0=-0.27$$

(5) 验算：由已知条件得

$$T_0=ES_0-EI_0=0-(-0.3)=0.3$$

由计算结果得

$$T_0=T_{A_2}+T_{A_3/2}+T_{A_1/2}=$$
$$(ES_{A_2}-EI_{A_2})+(ES_{A_3/2}-EI_{A_3/2})+(ES_{A_1/2}-EI_{A_1/2})=$$
$$[(-0.05)-(-0.27)]+[0-(-0.03)]+[0-(-0.05)]=0.3$$

校核结果无误差，所以铣键槽的深度为

$$A_2=62.25_{-0.27}^{-0.05}=62.2_{-0.22}^{0}$$

4. 极值法解反计算问题(设计计算问题)

已知封闭环的基本尺寸和上、下偏差,要求确定各组成环的公差和上、下偏差。但组成环较多,以上公式难以全部求解,必须应用其他方法或原则确定其余组成环的公差和上、下偏差。反计算主要包括两项内容:确定各组成环的公差;合理分配各组成环的偏差。

(1) 组成环公差的确定。

1) 平均公差法亦称等公差法,即各组成环公差近似相等的方法。当零件的基本尺寸大小和制造的难易程度相近,以及对装配精度的影响程度综合起来考虑,平均分配公差值比较经济、合理时,可采用平均公差法。

首先,按平均分配法分配各组成环的公差 T,即

$$T = \frac{T_0}{m} \tag{7.9}$$

式中 T_0—— 封闭环的公差;

m—— 组成环数。

然后,根据各组成环的尺寸大小、加工难易程度和相应的要求作适当调整,最后取一补偿环,计算该环的上、下偏差,使整个尺寸链符合尺寸链的工作原理。

2) 平均公差等级法亦称等精度法,即各组成环精度近似相等的方法。在尺寸小于或等于500的情况下,当确认全部组成环采取同一公差等级,各环公差值的大小只取决于其基本尺寸,而这样计算又比较经济、合理或更切合生产实际时,可采用平均公差等级法。

因各组成环精度相等,则第 i 环的公差为 $T_i = ai_i$,式中,i_i 为第 i 环标准公差因子,$i_i = 0.45\sqrt[3]{A_i} + 0.001A_i$。

依据式(7.7),有

$$T_0 = \sum_{i=1}^{m} ai_i = a\sum_{i=1}^{m} i_i$$

则平均公差等级因数为

$$a = \frac{T_0}{\sum_{i=1}^{m} i_i} \tag{7.10}$$

亦可按不同基本尺寸查表(见表7.1)取得 i_i,然后依据 $a = T_0 / \sum_{i=1}^{m} i_i$,在标准公差表中取一个相近的公差等级,而得公差值。

表 7.1 尺寸 ≤ 500 的标准公差因子值

尺寸分段 /mm	公差因子 /μm	尺寸分段 /mm	公差因子 /μm
≤ 3	0.54	> 80 ~ 120	2.17
> 3 ~ 6	0.73	> 120 ~ 180	2.52
> 6 ~ 10	0.90	> 180 ~ 250	2.90
> 10 ~ 18	1.08	> 250 ~ 315	3.23
> 18 ~ 30	1.31	> 315 ~ 400	3.54
> 30 ~ 50	1.56	> 400 ~ 500	3.89
> 50 ~ 80	1.86		

（2）组成环偏差的确定。确定各组成环的偏差有两种方法：一是按偏差向体内原则，也称为入体法则；二是按对称分布的方法。

1）按入体法则确定组成环上、下偏差。当组成环为包容面时，即相当于孔，则其下偏差为零；当组成环为被包容面时，相当于轴，则其上偏差为零。

2）当组成环的尺寸为调整尺寸时（如对刀、划线等）采用对称分布。例如，当在镗床、数控机床、自动机床上加工时，采用对称分布。

一般来说，采用对称分布较为合理。不但在封闭环上可以获得较小的公差（从统计观点来看），而且也符合当今机械加工普遍采用数控机床的潮流。

例 7.5 有一齿轮箱，如图 7.12 所示。根据使用要求，间隙 A_0 为 $1 \sim 1.75$。已知 $A_1 = 101$，$A_2 = 50$，$A_3 = A_5 = 5$，$A_4 = 140$，求各尺寸的极限偏差和公差。

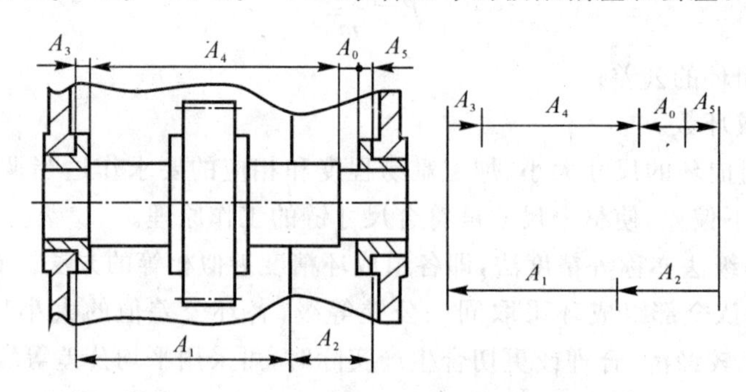

图 7.12 齿轮箱装配尺寸链

解 依题意，这是一装配尺寸链，A_0 则为装配后的技术要求，根据这个技术要求，求各零件的合理的公差和极限偏差。

（1）画尺寸链图，确定封闭环，增、减环。A_0 为间隙，是技术要求，所以 A_0 为封闭环。

抽象出尺寸链后，画上箭头，可以得出

增环：A_1，A_2

减环：A_3，A_4，A_5

（2）封闭环的基本尺寸，极限偏差和公差：

由式(7.3)得

$$A_0 = (A_1 + A_2) - (A_3 + A_4 + A_5) = (101 + 50) - (5 + 140 + 5) = 1$$

由式(7.6)得

$$ES_0 = A_{max} - A_0 = 1.75 - 1 = +0.75$$

$$EI_0 = A_{min} - A_0 = 1 - 1 = 0$$

$$T_0 = A_{max} - A_{min} = 1.75 - 1 = 0.75$$

（3）确定各组成环的上、下偏差。

按等公差法：

由式(7.9)得

$$T = T_0/m = 0.75/5 = 0.15$$

如果完全分配，显然不合理。考虑 A_1，A_2 为箱体尺寸，按一般箱体公差等级，取 IT12，再依据标准公差表，取公差 $T_1 = 0.35$，$T_2 = 0.25$。A_3，A_5 为小尺寸，按非配合件公差处理取

IT10,则 $T_3 = T_5 = 0.048$。由于封闭环是固定的,故确定一组成环为协调环,以保证分配公差后,仍然符合前面所确定的极值法公式。现取 A_4 为协调环,则有

$$T_4 = T_0 - T_1 - T_2 - T_3 - T_5 =$$
$$0.75 - 0.35 - 0.25 - 0.048 - 0.048 = 0.054$$

按入体法则,标注各项偏差

$$A_1 = 101^{+0.35}_{0}, \quad A_2 = 50^{+0.25}_{0}, \quad A_3 = A_5 = 5^{0}_{-0.048}$$

按公式计算协调环 A_4 的上、下偏差。

由式(7.6)得

$$ES_0 = (ES_1 + ES_2) - (EI_3 + EI_4 + EI_5)$$

则

$$EI_4 = ES_1 + ES_2 - EI_3 - EI_5 - ES_0$$

$$EI_4 = (+0.35) + (+0.25) - (-0.048) -$$
$$(-0.048) - (+0.75) = -0.054$$

$$EI_0 = (EI_1 + EI_2) - (ES_3 + ES_4 + ES_5)$$

$$ES_4 = EI_1 + EI_2 - ES_3 - ES_5 - EI_0 = 0 + 0 - 0 - 0 - 0 = 0$$

所以
$$A_4 = 140^{0}_{-0.054}$$

校验计算结果

$$T_0 = T_1 + T_2 + T_3 + T_4 + T_5 =$$
$$0.35 + 0.25 + 0.048 + 0.054 + 0.048 = 0.75$$

可按标准公差取值,即 T_4 取为 0.040。

则最后结果为

$$A_1 = 101^{+0.35}_{0}, A_2 = 50^{+0.25}_{0}, A_3 = A_5 = 5^{0}_{-0.048}, A_4 = 140^{0}_{-0.040}$$

须指出的是,其他组成环之一也可以选作协调环。

用平均公差法较为简单,但要求有熟练的经验,否则主观随意性太大。此法多用于环数不多的情况。

平均公差等级法解尺寸链的步骤完全与平均公差法相同。这里只介绍用相同等级法计算组成环公差,再确定上、下偏差的方法。

由式(7.10)得

$$a = \frac{T_0}{\sum_{i=1}^{m} i_i} = \frac{750}{2.17 + 1.56 + 0.73 + 2.52 + 0.73} \approx 97$$

由公差等级因数 a 查标准公差计算公式表,知公差等级为 IT11 级,再查标准公差值得

$$T_1 = 220\ \mu m, \quad T_2 = 160\ \mu m, \quad T_3 = T_5 = 75\ \mu m$$

协调环的公差为

$$T_4 = T_0 - (T_1 + T_2 + T_3 + T_5) =$$
$$750 - (220 + 160 + 75 + 75) = 220\ \mu m$$

同样,按入体法则确定各组成环的极限偏差为

$$A_1 = 101^{+0.22}_{0}, \quad A_2 = 50^{+0.16}_{0}, \quad A_3 = A_5 = 5^{0}_{-0.075}, \quad A_4 = 140^{0}_{-0.22}$$

除了个别组成环外,均为标准公差,方便合理。

极值法可以保证完全互换，而且计算简单。但当组成环较多时，用这种方法就不合适，因此时各组成环公差将很小，加工很不经济。

7.2.2 概率法解尺寸链

极值法一般应用于 3 ～ 4 环的尺寸链，或环数虽多，但精度要求不高的场合。对精度要求较高、且环数较多的尺寸链，采用概率法求解比较合理。

概率法解尺寸链的基本出发点是以保证大多数互换为目的的，根据各组成环的实际尺寸在其公差带内的分布情况，按某一概率求得封闭环的尺寸实际分布范围，由此决定封闭环公差。概率法较为符合生产实际，在机械制造中经常采用。

极值法和概率法的比较，见表 7.2。

表 7.2 两种方法解尺寸链的对比

	极值法	概率法
出发点	各值有同处于极值的可能	各值为独立的随机变量，按一定的规律分布
优　点	保险可靠	宽裕
缺　点	要求苛刻	不合格率 $\neq 0$，要求系统较为稳定
适用场合	环数少于 4，或环数虽多，但精度低。在设计中常用此法，以保证机构正常工作	环数较多，精度较高。常用于生产加工中

1. 基本关系式

概率法基于以下假设：

(1) 各组成环为一系列独立的随机变量。

(2) 各组成环的尺寸都按正态分布，则封闭环亦按正态分布。

(3) 各组成环分布中心与公差带中心重合。

由于系统误差按代数和法合成，而偶然误差按平方和平方根法合成，则有封闭环公差与组成环公差的关系（置信概率为 99.73%）

$$T_0 = \sqrt{\sum_{i=1}^{m} \xi_i^2 T_i^2} \tag{7.11}$$

如图 7.13 所示为尺寸分布情况。在图 7.13 中，令上偏差与下偏差的平均值为中间偏差，用 Δ 来表示，即

$$\Delta = \frac{\mathrm{ES} + \mathrm{EI}}{2} \tag{7.12}$$

用 $\bar{x}$ 表示平均偏差。

当各组成环为对称分布时，封闭环中间偏差 Δ_0 为各组成环中间偏差的代数和，即

$$\Delta_0 = \sum_{i=1}^{m} \xi_i \Delta_i$$

当为直线尺寸链时

$$\Delta_0 = \sum_{z=1}^{n} \Delta_z - \sum_{j=n+1}^{m} \Delta_j \tag{7.13}$$

同时原有的各组成环的基本尺寸和极限偏差改写成

$$A_i + \Delta_i \pm T_i/2 \tag{7.14}$$

在生产实践中，各组成环往往呈偏态分布、瑞利分布、三角分布和均匀分布等，此时封闭环仍然是正态分布。

当各组成环不为正态分布，而为其他分布时，则用相对分布因数 K、相对不对称因数 e 来说明其分布特征，如表 7.3 所示。

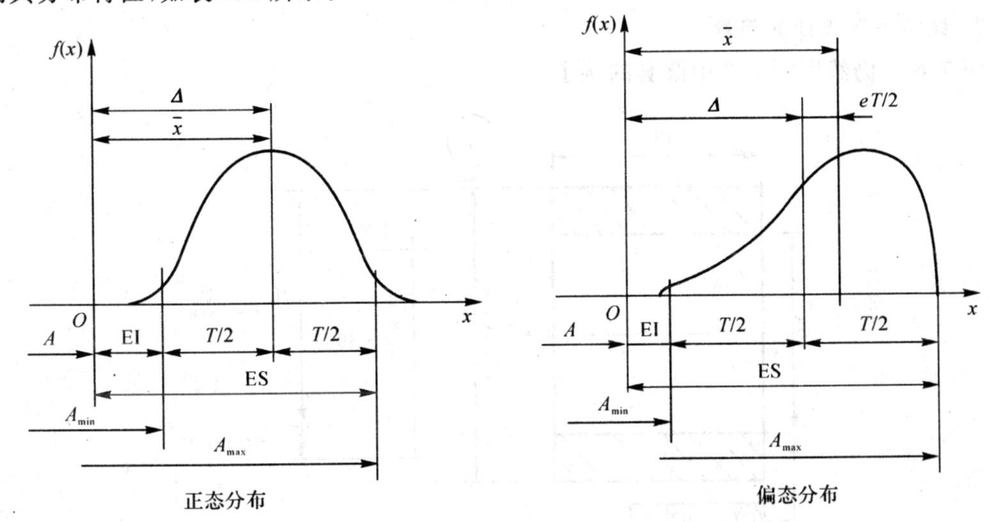

图 7.13　尺寸分布

(a) 正态分布；(b) 偏态分布

表 7.3　典型分布因数 K 与 e 值

分布特征	正态分布	三角分布	均匀分布
分布曲线	-3σ　O　$+3\sigma$	O	O
K	1	1.22	1.73
e	0	0	0

分布特征	瑞利分布	偏态分布	
		外尺寸	内尺寸
分布曲线	$eT/2$　O	$eT/2$　O	$eT/2$　O
K	1.14	1.17	1.17
e	−0.28	0.26	−0.26

这时，中间偏差应改写为

$$\Delta_0 = \sum_{i=1}^{m} \xi_i (\Delta_i + e_i T_i / 2) \tag{7.15}$$

封闭环公差应为

$$T_0 = \sqrt{\sum_{i=1}^{m} \xi_i^2 K_i^2 T_i^2} \tag{7.16}$$

2. 概率法解正计算问题

例 7.6 仍然用例 7.2 中圆套的例子。

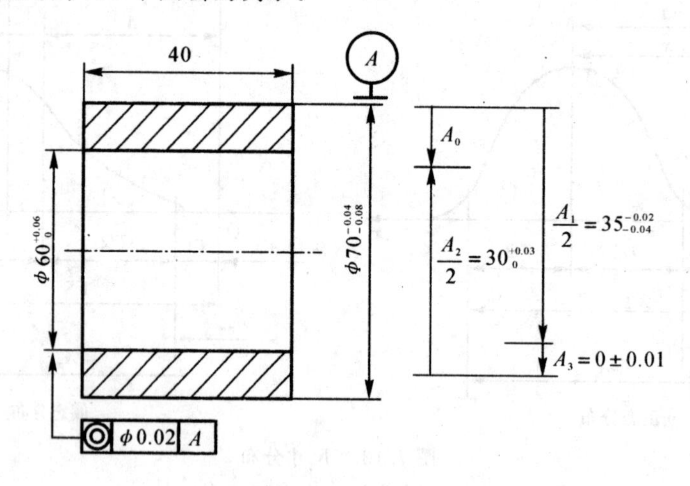

图 7.14 圆套

解 (1) 画尺寸链图。

增环：$A_1/2$，A_3。

减环：$A_2/2$。

(2) 计算壁厚的基本尺寸和上、下偏差。

1) 求增减环中间偏差和公差。

$$A_1/2 = 35^{-0.02}_{-0.04}$$

$$\Delta_1 = \frac{(-0.02)+(-0.04)}{2} = -0.03$$

$$T_1 = 0.02$$

所以 $$A_1/2 = 35 + (-0.03) \pm 0.02/2$$

同理 $$A_3 = 0 \pm 0.01,\quad \Delta_3 = 0,\quad T_3 = 0.02$$

所以 $$A_3 = 0 \pm 0.02/2$$

同理 $$A_2/2 = 30_0^{-0.03},\quad \Delta_2 = (+0.03)/2 = +0.015,\quad T_2 = 0.03$$

所以 $$A_2/2 = 30 + (+0.015) \pm 0.03/2$$

2) 求封闭环的基本尺寸。

按极值法，由式(7.3)得

$$A_0 = (A_1/2 + A_3) - A_2/2 = (35+0) - 30 = 5$$

3) 求封闭环的偏差量。

由式(7.13)得

$$\Delta_0=(\Delta_1+\Delta_3)-\Delta_2=[(-0.03)+0]-(+0.015)=-0.045$$

4) 求封闭环公差。各组成环为正态分布,由式(7.11)得

$$T_0=\sqrt{\sum_{i=1}^{m}\xi_i^2T_i^2}=\sqrt{T_1^2+T_3^2+T_2^2}=\sqrt{0.02^2+0.02^2+0.03^2}=0.04$$

则有

$$A_0=5+(-0.045)\pm0.04/2$$

取值后,即重新换回原来的形式

$$A_0=5_{-0.065}^{-0.025}$$

(3) 验算。

$$T_0=\mathrm{ES}_0-\mathrm{EI}_0=(-0.025)-(-0.065)=0.04$$

所以壁厚为

$$A_0=5_{-0.065}^{-0.025}$$

显然此公差与极值法求得的公差 0.07 相比要小得多,即壁厚的精度提高了。

3. 概率法解反计算问题

概率法的最基本的公式是 $T_0=\sqrt{\sum_{i=1}^{m}\xi_i^2T_i^2}$。当已知封闭环公差 T_0 时,欲求各组成环的公差及偏差,则与极值法一样,可用等公差法或等精度法。当偏差分配时,仍然遵守入体法则或对称分布原则。用概率法进行反计算在机械制造工艺中较为广泛应用。

(1) 平均公差法。由式(7.16)得

$$T_i=\frac{T_0}{K\sqrt{\sum_{i=1}^{m}\xi_i^2}}\quad(\text{各环具有相同的相对分布因数 }K)\tag{7.17}$$

若所有组成环为正态分布,则

$$T_i=\frac{T_0}{\sqrt{\sum_{i=1}^{m}\xi_i^2}}\tag{7.18}$$

由式(7.17)或式(7.18)可求得各组成环的平均公差。

根据基本尺寸的大小和加工的难易程度等因素,可将各组成环的公差适当调整,但应满足

$$K\sqrt{\sum_{i=1}^{m}(\xi_iT_i)^2}\leqslant T_0\tag{7.19}$$

(2) 平均公差等级。由 $T_i=ai_i$ 和式(7.16)得

$$T_0=K\sqrt{\sum_{i=1}^{m}(\xi_iai_i)^2}$$

因此有

$$a=\frac{T_0}{K\sqrt{\sum_{i=1}^{m}(\xi_ii_i)^2}}$$

若各组成环为正态分布，则

$$a=\frac{T_0}{\sqrt{\sum_{i=1}^{m}(\xi_i i_i)^2}} \tag{7.20}$$

i_i 和 a 的意义与极值法相同，求出 a 后，再查标准公差表得到各组成环的公差，各组成环的公差也应满足式(7.19)。

各组成环的极限偏差仍按入体法则或对称分布原则确定，亦应留一组成环为协调环核定其极限偏差。

例 7.7 沿用例 7.5。有一齿轮箱，如图 7.15 所示，根据使用要求，间隙 A_0 为 $1\sim1.75$。已知 $A_1=101$，$A_2=50$，$A_3=A_5=5$，$A_4=140$，求各尺寸的极限偏差和公差。

解 画尺寸链图，确定封闭环、增环、减环，同例 7.5。现用概率法计算各组成环的上、下偏差。选定 A_4 为协调环。

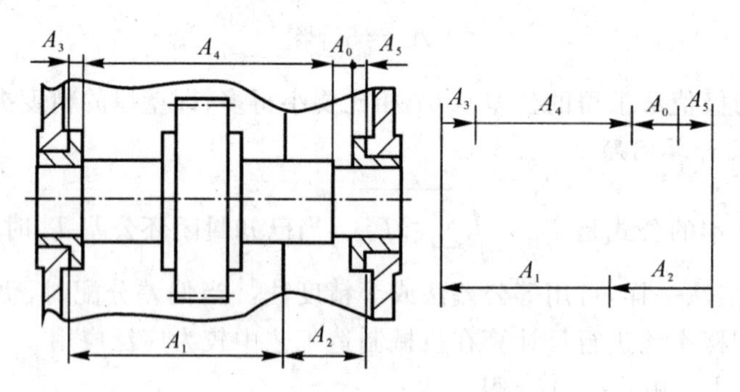

图 7.15 齿轮箱装配尺寸链

(1) 计算封闭环的基本尺寸，公差和极限偏差同例 7.5。

由式(7.3)得

$$A_0=(A_1+A_2)-(A_3+A_4+A_5)=(101+50)-(5+140+5)=1$$

由式(7.6)得

$$ES_0=A_{max}-A_0=1.75-1=+0.75$$

$$EI_0=A_{min}-A_0=1-1=0$$

$$T_0=A_{max}-A_{min}=1.75-1=0.75$$

(2) 用平均公差法确定各组成环公差。

设各组成环为正态分布，由式(7.18)得

$$T_i=\frac{T_0}{\sqrt{\sum_{i=1}^{m}\xi_i^2}}=\frac{0.75}{\sqrt{5}}\approx0.34$$

以 $T_i=0.34$ 为参考，按各组成环加工的难易程度，调整各环的公差，并尽量考虑选用标准公差，按 IT13 选用箱体尺寸公差和按 IT10 选用轴套台阶公差。

$$T_1=0.54\ ,\quad T_2=0.39\ ,\quad T_3=T_5=0.048$$

由式(7.11)得

$$T_4=\sqrt{T_0^2-(T_1^2+T_2^2+T_3^2+T_5^2)}=$$

$$\sqrt{0.75^2-(0.54^2+0.39^2+0.048^2+0.048^2)}\approx 0.34$$

（3）确定除协调环以外所有组成环的极限偏差。根据入体法则确定各组成环的极限偏差。

$$A_1=101^{+0.54}_{0},\quad A_2=50^{+0.39}_{0},\quad A_3=A_5=5^{0}_{-0.048}$$

（4）将已确定的环写成对称偏差的形式，求中间偏差。由式(7.12)得

$$A_0=1^{+0.75}_{0}=1+(0.375)\pm 0.75/2,\qquad \Delta_0=+0.375$$

$$A_1=101^{+0.54}_{0}=101+(0.27)\pm 0.54/2,\qquad \Delta_1=+0.27$$

$$A_2=50^{+0.39}_{0}=50+(0.195)\pm 0.39/2,\qquad \Delta_2=+0.195$$

$$A_3=A_5=5^{0}_{-0.048}=5+(-0.024)\pm 0.048/2,\qquad \Delta_3=\Delta_5=-0.024$$

（5）确定协调环的中间偏差和极限偏差。由式(7.13)得

$$\Delta_0=(\Delta_1+\Delta_2)-(\Delta_3+\Delta_4+\Delta_5)$$

$$\Delta_4=\Delta_1+\Delta_2-\Delta_3-\Delta_5-\Delta_0=$$

$$(+0.27)+(+0.195)-(-0.024)-(-0.024)-(+0.375)=+0.138$$

$$A_4=140+(+0.138)\pm 0.34/2=140.138\pm 0.17=140^{+0.308}_{-0.032}$$

（6）校验计算结果。由已知 $T_0=0.75$，得

$$T_0=\sqrt{T_1^2+T_2^2+T_3^2+T_4^2+T_5^2}=0.75$$

校验无误，结果为

$$A_1=101^{+0.54}_{0},\quad A_2=50^{+0.39}_{0},\quad A_3=A_5=5^{0}_{-0.048},\quad A_4=140^{+0.308}_{-0.032}$$

例 7.8 用平均公差等级法(等精度法)求例 7.7 各组成环的公差和极限偏差。

解 由式(7.20)得

$$a=\frac{T_0}{\sqrt{\sum_{i=1}^{m}(\xi_i i_i)^2}}=\frac{750}{\sqrt{2.17^2+1.56^2+0.73^2+2.52^2+0.73^2}}=196.56$$

i_i 和 a 的意义与极值法相同。

查标准公差计算公式表，a=196.55 相当于 IT12～IT13；T_1，T_2 按 IT13 查表，T_3，T_5 按 IT12 查表得

$$T_1=0.54,\quad T_2=0.39,\quad T_3=T_5=0.12$$

则

$$T_4=\sqrt{0.75^2-0.54^2-0.39^2-0.12^2-0.12^2}=0.3$$

可查标准公差表，按 IT12 取 $T_4=0.25$。

根据入体法则，各组成环的极限偏差为

$$A_1=101^{+0.54}_{0},\quad A_2=50^{+0.39}_{0},\quad A_3=A_5=5^{0}_{-0.12}$$

由式(7.13)得

$$\Delta_0=(\Delta_1+\Delta_2)-(\Delta_3+\Delta_4+\Delta_5)$$

$$\Delta_4=\Delta_1+\Delta_2-\Delta_3-\Delta_5-\Delta_0=$$

$$(+0.27)+(+0.195)-(-0.06)-(-0.06)-(+0.375)=+0.21$$

$$A_4=140+(+0.21)\pm 0.25/2=140.21\pm 0.125=140^{+0.335}_{+0.085}$$

可以看出，使用等公差法相对容易些。

综上所述，用概率法求算任意方向的公差将会更方便。

例 7.9 如图 7.16 所示为车床主轴的装配简图。设普通车床径向跳动容许偏差为 0.01，$L_1=500$，$L_2=100$，后轴承内径为 80，前轴承内径为 100。试确定轴承的公差等级。

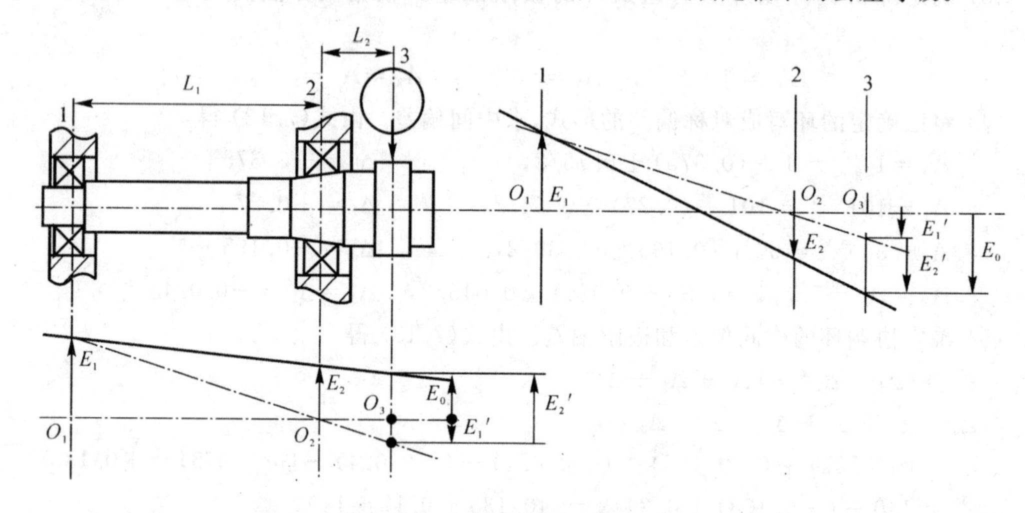

图 7.16 机床主轴径向跳动

解 应分析前后轴承的径向跳动对主轴径向跳动的影响，再根据技术要求，求出前、后轴承的内圈跳动公差，进而选取前、后轴承。

作尺寸链图。径向跳动是在任意方向上的，为计算方便，故考虑 E_1 和 E_2 之间的投影夹角分别为 0 和 π 时的尺寸链图，如图 7.16 所示。

$$E_1'=\frac{100}{500}E_1$$

所以

$$\xi_1=\frac{100}{500}=0.2$$

由相似三角形计算得

$$E_0=\frac{500+100}{500}E_2-E_1'$$

由尺寸链得

$$E_2'=E_0+E_1'=\frac{500+100}{500}E_2-E_1'+E_1'=\frac{500+100}{500}E_2$$

所以

$$\xi_2=\frac{500+100}{500}=1.2$$

由跳动反映的偏心遵循瑞利分布，$K_1=K_2=1.14$。若用等公差法决定两轴承跳动公差 T_1 与 T_2，即令

$$\xi_1K_1T_1=\xi_2K_2T_2$$

由式(7.16)得

$$T_i=\frac{T_0}{\sqrt{2}\,\xi_iK_i}$$

所以

$$T_1=\frac{0.01}{\sqrt{2}\times0.02\times1.14}=0.031$$

$$T_2 = \frac{0.01}{\sqrt{2} \times 1.2 \times 1.14} = 0.005$$

按内圈跳动公差为 0.025，后轴承取 0 级精度，而前轴承按内圈跳动公差为 0.005 取 4 级精度。

此题亦可用矢量尺寸链来解。概率法计算尺寸链公差的优点是比较符合实际，能使组成环获得较为经济合理的公差。缺点是只能保证大多数产品互换，有极少数产品不能合格。

7.2.3　尺寸链的其他解法

若用极值法和概率法求解的封闭环不能满足使用要求，或者加工较困难，而又不允许减少组成环公差时，可以使用下列方法之一解尺寸链。

1. 分组互换法

当配合精度要求较高时，直接用极值法和概率法计算的公差较小。从工艺条件来考虑，加工单个零件较困难。如果把配装零件按分组法扩大其公差，最后同样可以保证配合性质。分组法只能在同组内互换，组间不能互换。

例 7.10　结构如图 7.17(a) 所示的活塞部件，活塞销与连杆的装配间隙在 0 ～ 0.006 之间，试用分组互换法确定配合件的尺寸公差和极限偏差。

解　(1) 抽象出尺寸链如图 7.17(b) 所示。A_0 是间隙，为封闭环；A_1 是活塞销直径，为减环；A_2 是连杆孔，为增环。

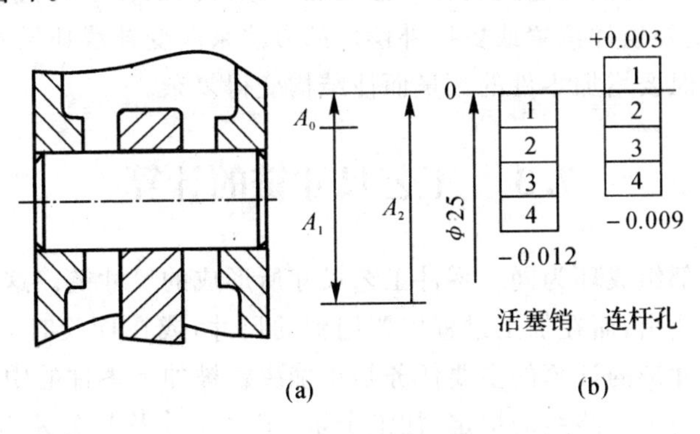

图 7.17　活塞连杆

(a) 尺寸链；(b) 公差带

(2) 求组成环公差和极限偏差。封闭环基本尺寸 $A_0 = 0$，公差 $T_0 = 0.006$，用极值法中的等公差法解得

$$T_1 = T_2 = \frac{T_0}{m} = \frac{T_0}{2} = 0.003$$

采用基轴制，按入体法则确定极限偏差为

$$A_1 = \phi 25_{-0.003}^{\ 0}$$

$$A_2 = \phi 25_{\ 0}^{+0.003}$$

(3) 确定制造公差和分组数。T_1，T_2 相当于 IT2，难于制造。试将该项公差放大 4 倍，即为0.012，相当于 IT6 较为合理。所以分组数取为 4，则制造公差即为 0.012。

(4) 计算分组尺寸如表 7.4 中所列。将 A_1，A_2 分别作为销、孔的第一组尺寸，各自不间断地往下延伸三组，分别作为第二、三、四组尺寸。分组尺寸列于表 7.4 中，分组公差带如图 7.17(b) 所示，销和孔的制造要求分别为 $\phi25_{-0.012}^{0}$ 和 $\phi25_{-0.009}^{+0.003}$。

显然此法宜用于精度要求高、批量大和环数少的场合。

表 7.4　分组尺寸表

组　别	1	2	3	4
活塞销尺寸	$\phi25_{-0.003}^{0}$	$\phi25_{-0.006}^{-0.003}$	$\phi25_{-0.009}^{-0.006}$	$\phi25_{-0.012}^{-0.009}$
连杆孔尺寸	$\phi25_{0}^{+0.003}$	$\phi25_{-0.003}^{0}$	$\phi25_{-0.006}^{-0.005}$	$\phi25_{-0.009}^{-0.006}$
极限间隙	$X_{min}=0$　$X_{max}=0.006$			

2. 修配法

当尺寸链中环数较多而封闭环精度要求很高时，采用极值法和概率法均不恰当，分组法也不适宜，可采用修配法。

修配法是指考虑到零件加工工艺的可能性，有意将公差加大到易于制造，装配时则通过修配来改变尺寸链中某一预先规定的组成环的尺寸，使之满足封闭环的要求。此预先被规定修配的组成环称做补偿环，常用修刮、研磨等加工方法修配，一般适用于高精度小批量生产。

3. 调整法

调整法的特点、计算方法及适用场合与修配法类似。区别在于，调整时不是切去多余金属层的方法，而是用改变补偿件位置或更换补偿件的方法来改变补偿环尺寸，以保证封闭环的精度要求。这种方法有时要增加零件的数量而使结构变得复杂。

7.3　工艺尺寸链的计算

工艺尺寸链是全部组成环为同一零件工艺尺寸所形成的尺寸链。这里所指的工艺尺寸是指在零件图纸上没有注出，而在加工过程中要用到的尺寸，或在检验时需要测量的尺寸，都称做工艺尺寸。工艺尺寸链的计算的主要任务是正确决定被加工零件的中间工艺尺寸与最终工艺尺寸及其公差。它与工艺路线的拟定、加工余量、工序尺寸及其公差有密切关系。同时，正确地分析与计算工艺尺寸链也是编制工艺规程不可缺少的内容。工艺尺寸链的计算可以分为如下三个方面。

(1) 在加工工艺过程中，当工艺基准与设计基准不重合时，需要进行基准的换算工作，以避免产生加工误差。

(2) 对零件毛坯表面进行加工时，根据要求的表面粗糙度与尺寸公差，必须划分几道工序或几次走刀，上道工序需要留出下道工序或下次走刀的余量，或需要确定中间工艺尺寸。

(3) 对于同一尺寸方向上具有较多尺寸、加工定位基准需要进行多次转换的零件，工序尺寸相互联系的关系较复杂，确定工序尺寸、公差就需要从整个工艺过程的角度用工艺尺寸链来作综合计算。

7.3.1　基准不重合时工艺尺寸链的计算

在零件的加工过程中，由于工艺上的要求，即为了工艺定位、调整、加工和测量的方便，而使所选择的工艺基准或测量基准与设计基准不重合，就必须进行尺寸换算，称做基准不重合时工艺尺寸的换算。这类计算在工艺尺寸链的计算中是最基本、最常用的。下面通过实例来说明工艺尺寸的换算。

1. 测量基准与设计基准不重合的尺寸换算

例 7.11 如图 7.18 所示套筒零件。设计时对大孔的深度没有明显的尺寸要求，采用一般公差，它是设计尺寸链（见图 7.18(a)）的封闭环。因为加工时测量 $10_{-0.36}^{\ 0}$ 比较困难，所以加工时常用深度游标卡尺测量大孔的深度，间接地保证尺寸 $10_{-0.36}^{\ 0}$，此时测量基准为面 2。因测量基准与设计基准不重合，所以工艺尺寸链（见图7.18(b)）的封闭环应为尺寸 $10_{-0.36}^{\ 0}$。在制定工艺规程时，就得用尺寸链原理来合理地确定设计尺寸链封闭环的公差。

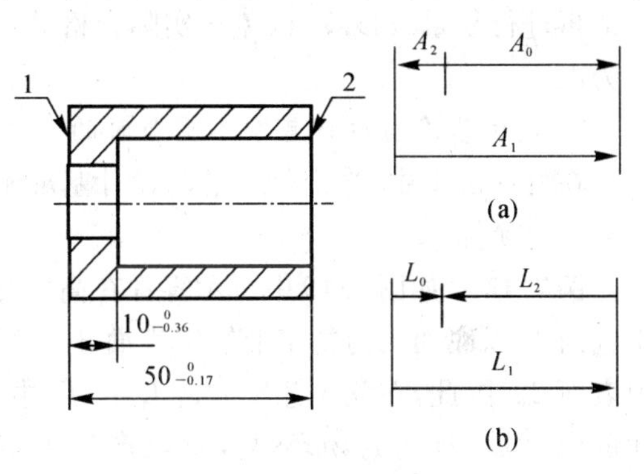

图 7.18 套筒零件

(a) 设计尺寸链；(b) 工艺尺寸链

解 (1) 画尺寸链图。在设计尺寸链 A 中，封闭环为 A_0，增环为 A_1，减环为 A_2。按极值法有

$$A_0 = A_1 - A_2 = 50 - 10 = 40$$
$$ES_0 = 0 - (-0.36) = +0.36$$
$$EI_0 = (-0.17) - 0 = -0.17$$

则有

$$A_0 = 40_{-0.17}^{+0.36}$$

(2) 在工艺尺寸链 L 中，封闭环为 L_0，增环为 L_1，减环为 L_2。按极值法求得 L_2 测量尺寸为

$$ES_2 = EI_1 - EI_0 = (-0.17) - (0.36) = +0.19$$
$$EI_2 = ES_1 - ES_0 = 0 - 0 = 0$$

得

$$L_2 = 40_{\ 0}^{+0.19}$$

(3) 验算。

$$T_0 = T_1 + T_2 = 0.17 + 0.19 = 0.36$$

与已知 $10_{-0.36}^{\ 0}$ 的公差符合。此验算结果说明测量尺寸 L_2 及其偏差的计算正确，设计尺寸 $10_{-0.36}^{\ 0}$ 是能够保证的。

讨论 (1) 尺寸换算的目的是保证原设计尺寸。此例中原设计尺寸 $10_{-0.36}^{\ 0}$ 的公差足够大，所以换算后的尺寸也容易保证。但是，有时会遇到在工艺尺寸链中封闭环的公差比较小，而个别组成环的公差比较大，这就不能保证获得规定的封闭环的精度。在这种情况下，就不得不压缩组成环的公差提高其加工精度。所以要注意检查各组成环的公差是否符合经济加工精度，如不合适，则应修改已拟定的工艺过程。从工艺过程的合理性考虑，应尽量使工艺尺寸与设计尺寸一致，即尽量符合基准重合的原则。

(2) 工艺尺寸链换算的多数问题是根据给定的工艺尺寸链封闭环的大小，去求工艺尺寸链中组成环的尺寸。实质上就是封闭环的公差如何分配的问题。所以在尽可能的条件下，应选择设计尺寸链中公差最大的尺寸作为工艺尺寸链中的封闭环。同时，组成环的数目应尽量减少，符合最短尺寸链原则，以免造成加工上的困难。

(3) 按换算后的工序尺寸进行加工以保证原设计的尺寸要求时，可能出现“假废品”，即工

序检验时发现工件尺寸超出换算后允许的尺寸范围，但仍不能肯定它是废品。在此例中若 L_2 测量尺寸为设计尺寸链 $A_0=40^{+0.36}_{-0.17}$ 中的 A_0 的最小极限尺寸 39.83 时，在工序检验中将认为该零件为废品。但当测量 L_1 时，L_1 刚好为最小极限尺寸 49.83，此时 L_0 的实际尺寸为 $L_0=L_1-L_2=49.83-39.83=10$，为 L_0 尺寸的最大极限尺寸，封闭环尺寸 L_0 仍为合格。同理，当尺寸 L_1 刚好为最大极限尺寸 50，而此时 L_2 测量尺寸为 40.36，则 L_0 的实际尺寸为 $L_0=L_1-L_2=50-40.36=9.64$，仍为合格产品。在实际加工中如果换算后的测量尺寸超差，只要它的超过量小于或等于工艺尺寸链中另一组成环的公差，就可能是“假废品”，应按设计尺寸链再进行复量或核算，以免将实际合格的零件报废而造成浪费，即合格与否仍应以设计尺寸链为准。

2. 定位基准与设计基准不重合时的尺寸换算

在机械加工中，当定位基准与设计基准不重合时，为达到零件的原设计精度，也需要进行工艺尺寸换算。

例 7.12　如图 7.19 中所示零件在高度方向的设计尺寸为 $60^{\ 0}_{-0.1}$ 和 $25^{+0.25}_{\ 0}$。工艺过程是先铣底面 1，以底面 1 为精基准铣削表面 3，在工艺上按同一基准的原则，仍以底面 1 为精基准铣削表面 2。因此，在此工艺尺寸链 L 中，尺寸 $25^{+0.25}_{\ 0}$ 成了封闭环，而在设计尺寸链 A 中，工艺尺寸链中的 L_2，即为封闭环 A_0，这就产生了定位误差。在这种情况下，也需要进行工艺尺寸的换算。

解　画尺寸链图，如图 7.19 所示。

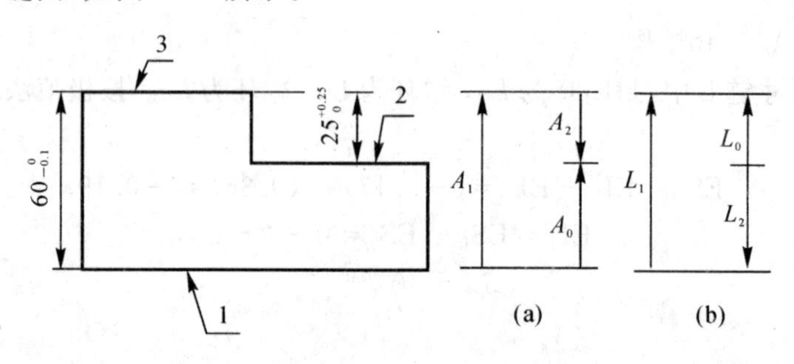

图 7.19　台阶板

(a) 设计尺寸链；(b) 工艺尺寸链

增环 L_1，减环 L_2。

由式 $L_0=L_1-L_2$ 得

$$L_2=L_1-L_0=60-25=35$$

由式(7.6)得

$$EI_2=ES_1-ES_0=0-(+0.25)=-0.25$$

$$ES_2=EI_1-EI_0=(-0.1)-0=-0.1$$

得
$$L_2=35^{-0.10}_{-0.25}=34.9^{\ 0}_{-0.15}$$

即求得加工时调整铣刀的位置尺寸。铣削表面 3 后，按工艺尺寸 $34.9^{\ 0}_{-0.15}$ 调整铣刀即可以铣削表面 2。从加工的角度来看，显然方便多了。

例 7.13　有一连杆如图 7.20 所示，要求加工完后，两轴线的平行度小于 0.05/100，试求精加工中车端面和镗孔工序中应保证的位置精度。

分析 两轴线的平行度小于0.05/100是技术要求，是设计尺寸链要求的。但是，在此设计尺寸链中，该技术要求是互为基准，即以大孔为基准要求平行度小于0.05/100，或以小孔为基准要求平行度小于0.05/100，这在加工中办不到。实际工序是，按先面后孔的原则，车完某一端面后，以该端面为精基准，精车另一端面，再镗孔至所要求的尺寸。于是就有了定位基准与设计基准不重合的问题，需要进行工艺尺寸的换算。

与前面的问题不同的是，该公差的方向应该是任意方向的，故不宜用极值法来解，这里用概率法求解。作为工艺人员，应仔细分析技术要求及其影响因素，建立合理的工艺尺寸链图，按工艺要求考虑直接影响设计尺寸链中的技术要求的下列因素：

(1) 大头孔轴线对大头端面的垂直度，令其公差为 T_1；

(2) 小头孔轴线对小头端面的垂直度，令其公差为 T_2；

(3) 大、小头端面互相平行的平行度，令其公差为 T_3。

封闭环公差即为设计尺寸链中的技术要求

$$T_0=0.05/100$$

解 (1) 画尺寸链图。按定义来判断增、减环：T_1，T_2，T_3 皆为增环，其基本尺寸为零，如图7.20所示。

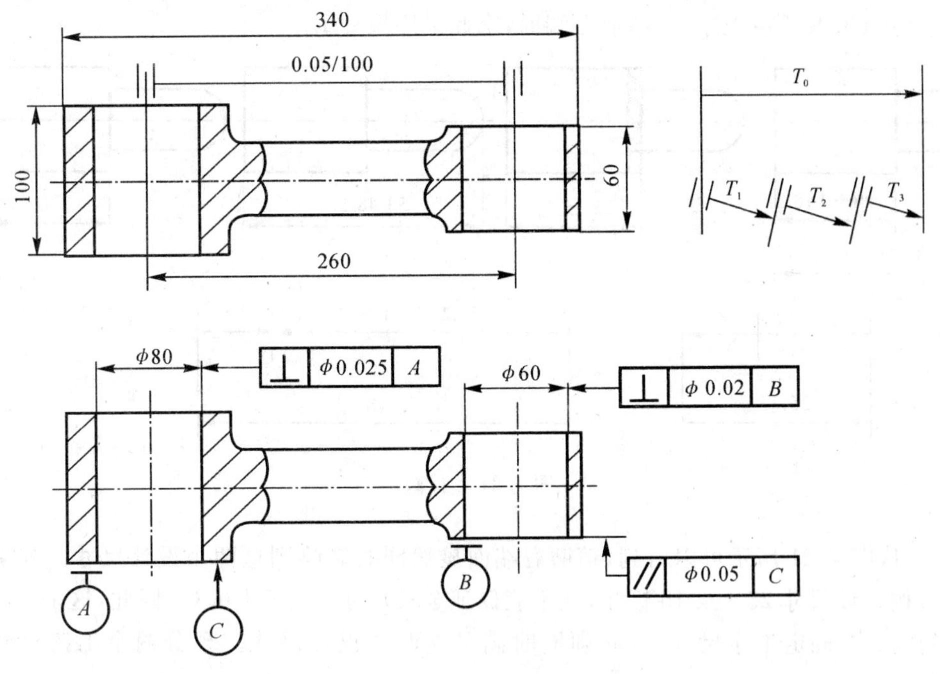

图7.20 连杆

(2) 确定各组成环公差。由式(7.11)，因 ξ_1，ξ_2，ξ_3 皆为+1，所以 $T_0=\sqrt{T_1^2+T_2^2+T_3^2}$。按等公差法来确定

$$T_0=\sqrt{3}\,T_i,\quad T_i=T_0/\sqrt{3}=(0.05/100)/\sqrt{3}=0.029/100$$

$$T_1=0.029\text{（主参数为 100）}$$

$$T_2=0.029\times 60/100=0.017\text{（主参数为 60）}$$

$$T_3=0.029\times 340/100=0.10\text{（主参数为 340）}$$

也可按 0.029/100 查公差等级：现查公差等级为 IT6 级，则有

$T_1=0.025$（主参数为 100），　$T_2=0.020$（主参数为 60），　$T_3=0.050$（主参数为 340）

按换算过的各位置精度，标注如图 7.20 所示。这就是工装夹具和调刀时应该保证的各位置精度。夹具设计和安装只能占有相应项公差的 1/2 或 1/3（这里没有尺寸精度）。

7.3.2　中间工序尺寸及其公差的计算

工艺尺寸链解算中间工序尺寸及其公差也是基本的计算，应用较多。实际上，这种计算就是尺寸链原理中的中间计算，即求工序中某一工序的尺寸，所以这里只是简单地介绍一下。中间工序尺寸及其公差的计算包括两方面的内容：一方面，标注工序尺寸的基准是尚待继续加工的设计基准的情况下工序尺寸和公差的计算；另一方面，一次加工后需要同时保证多个设计尺寸及公差的情况下工序尺寸和公差的计算，亦称多尺寸保证。第一种情况就是中间计算，如例 7.4 中铣键槽 A_2 尺寸是从尚待继续加工的粗车外圆 $A_1=\phi70.5_{-0.1}^{\ 0}$ 作为设计基准开始计算，而得到所求的 A_2 工序尺寸。现用实例介绍第二种情况。

例 7.14　如图 7.21 所示为针阀零件，其在长度方向部分工序是这样的：工序一，以阀体右端面为基准精车左台阶端面，保证尺寸 $25.25_{-0.05}^{\ 0}$；工序二，仍然以右端面为基准精车针阀头，保证尺寸 $53.48_{-0.1}^{\ 0}$；工序三，精磨右端面，求此工序尺寸 L。

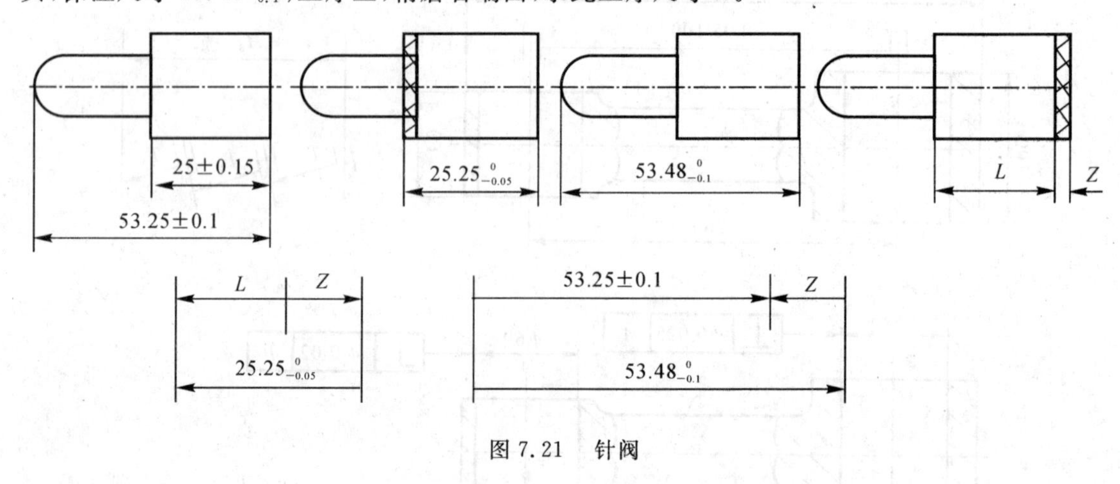

图 7.21　针阀

解　从图 7.21 所示可以看到，精磨右端面显然同时影响到这两个设计尺寸。如果将工序尺寸 L 按设计尺寸 25 ± 0.15 标注，就不能保证全长尺寸 53.25 ± 0.1。因此，这是一个多尺寸保证问题。要确定工序尺寸 L，必须同时满足这两个设计尺寸。现分两个工艺尺寸链来考虑。

设精磨余量为 Z，与工序一尺寸 $25.25_{-0.05}^{\ 0}$、工序尺寸 L 一起构成一个工艺尺寸链。在此工艺尺寸链中，如图 7.21 所示，工序尺寸 L 是保证尺寸，即通过测量 L 来看该工序是否完成。所以精磨余量 Z 为该尺寸链中的封闭环，L 为减环，工序一尺寸为增环。依据式(7.5)有关系式

$$\left.\begin{aligned} Z_{\max}&=25.25-L_{\min}\\ Z_{\min}&=25.2-L_{\max}\end{aligned}\right\}\tag{1}$$

同理，再考虑精磨余量 Z 与工序二中的尺寸 $53.48_{-0.1}^{\ 0}$、设计尺寸 53.35 ± 0.1 构成第二个

工艺尺寸链。在此工艺尺寸链中，设计尺寸 53.25±0.1 是最后自然获得的，而且具有较大公差，所以为封闭环，Z 为减环，工序二尺寸为增环。依据式(7.5)又有关系式

$$\left.\begin{aligned} 53.35 &= 53.48 - Z_{\min} \\ 53.15 &= 53.38 - Z_{\max} \end{aligned}\right\} \quad (2)$$

解方程组(1)(2)得

$$L_{\max} = 25.07, \quad L_{\min} = 25.02$$

所以工序尺寸为

$$L = 25^{+0.07}_{+0.02}, \quad Z = 0.13 \sim 0.23$$

7.3.3 工序尺寸的综合解法

前面介绍的工序尺寸解法是相对单个工序尺寸而言的，或者是二三个工序尺寸在同一方向上需要同时保证的情况下进行的工序尺寸的计算。当然，这些是最基本的工序尺寸解法。但是，实际零件可能远比这些情况复杂得多，可能是二维或三维的尺寸链。在这种情况下，要将这些尺寸链分解为在某一个方向上的尺寸链来求解。

如果在同一位置方向上具有较多的尺寸，如在 X 方向上或在 Y 方向上，同时，加工时定位基准又需要多次转换的零件，各工序间的尺寸关系仍然显得较为复杂。常常是工序余量的变化不仅与相邻两工序的尺寸公差有关，而且同相关的若干个工序的工序余量有关。此时，各工序尺寸、公差、余量的确定，就需要从整个工艺过程来考虑，要画出整个工艺过程中的全部工艺尺寸链，然后，找出要求解的各工序尺寸的相关尺寸链，来分别求解各个工序的尺寸和公差。工序尺寸的综合解法可以借助于图表来分析计算。显然，综合解法不仅与尺寸原理有关，而且与加工余量和工艺过程有关，因此，这里总是假定加工余量和工艺过程是已知的。现举两个例子，一个是径向方向上的，另一个是高度方向上的。

例 7.15 某零件有一通孔，孔径为 $\phi 70^{+0.03}_{0}$，表面粗糙度是 0.8 μm，须淬硬。该零件毛坯为模锻件，有预制底孔，材料为 45 钢，如图 7.22 所示。

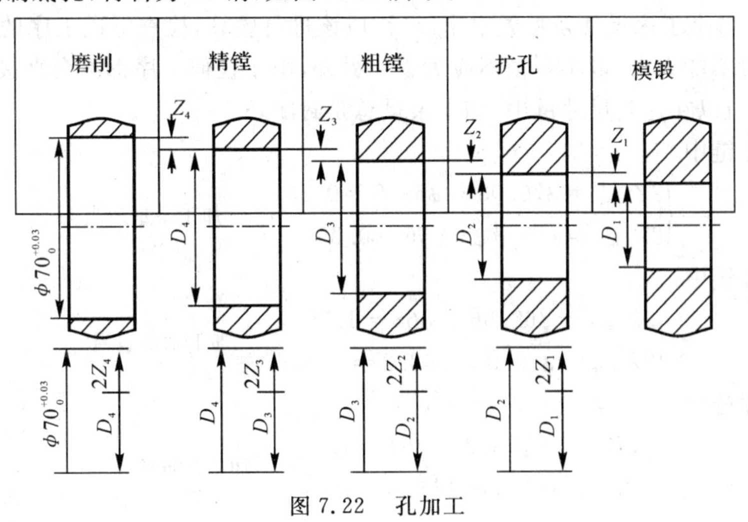

图 7.22 孔加工

该零件在加工过程中使用同一基准——孔轴线，对孔表面进行多次加工而达到尺寸要求，因此不必进行基准换算工作。且各工序留有加工余量，这些加工余量就是工艺尺寸链中的

封闭环，可以补偿二次装夹带来的安装误差和调刀误差。按工艺规程的顺序，求出各工序尺寸及其公差。

工艺过程为模锻；工序一扩孔；工序二粗镗；工序三精镗；工序四磨削。根据工艺手册，粗查(计算中可以进行调整)各工序加工余量为：磨削单边余量，$Z_4=0.25$；精镗单边余量 $Z_3=0.75$；粗镗单边余量 $Z_2=2$；扩孔单边余量 $Z_1=2.5$。总余量 $Z=11$。

试求各工序的尺寸和公差。

解 (1) 画各工艺尺寸链图。在各个工序中，每个工序尺寸都是靠测量保证的，而工序中的加工余量就成了每道工序的封闭环，故可画出尺寸链图如图 7.22 所示。

(2) 求各工序尺寸。求这类工序尺寸时，应该从最终工序入手，往前推，直到最先开始的工序。因为在最先工序中，往往求不出该工序的尺寸，而该工序的尺寸总是与后道工序尺寸有关。这里就从磨削着手。

在磨削尺寸链中，$D_4=\phi70-2\times0.25=\phi69.5$，即为精镗尺寸。

在精镗尺寸链中，$D_3=\phi69.5-2\times0.75=\phi68$，即为粗镗尺寸。

在粗镗尺寸链中，$D_2=\phi68-2\times2=\phi64$，即为扩孔尺寸。

为保证精镗余量均匀，粗镗可以进行两次，但不影响尺寸链的计算。在扩孔尺寸链中，$D_1=\phi64-2\times2.5=\phi59$，即为模锻尺寸。

(3) 确定各工序尺寸的公差和偏差。确定各工序尺寸的公差是按加工方法可以达到的经济加工精度查公差表得到，一般来说公差等级不要超过两级。

确定偏差时可按入体法则进行，调刀尺寸可按对称分布来标注。

磨削：保证达到零件图的要求，按图纸 IT7，为 $\phi70^{+0.03}_{0}$

精镗：在满足要求的前提下尽量选用低的公差等级，取 IT9＝0.062，取值为$\phi69.5^{+0.06}_{0}$。

粗镗：取 IT11＝0.190，但是粗镗两次，取值后为 $\phi68^{+0.2}_{0}$。

扩孔：按一般公差取 IT12＝0.3，取值后为 $\phi64^{+0.4}_{0}$。

模锻：$\phi59\pm2$。

(4) 验算。各个工序尺寸及偏差求出以后，应该进行验算，检查每道工序的加工余量是否恰当。最大余量不能太大，最小余量不应为零。另外，由于任何工序都不会直接去测量加工余量的实际数值，所以在这类尺寸链中，加工余量总是封闭环。

在磨削尺寸链中

$$\begin{cases}2Z_{4\max}=\phi70.03-\phi69.5=0.53\\2Z_{4\min}=\phi70-\phi69.56=0.35\end{cases}\quad\text{加工余量适当}$$

在精镗尺寸链中

$$\begin{cases}2Z_{3\max}=\phi69.56-\phi68=1.56\\2Z_{3\min}=\phi69.5-\phi68.2=1.30\end{cases}\quad\text{加工余量适当}$$

在粗镗尺寸链中

$$\begin{cases}2Z_{2\max}=\phi68.2-\phi64=4.2\\2Z_{2\min}=\phi68-\phi64.4=3.6\end{cases}\quad\text{加工余量适当}$$

在扩孔尺寸链中

$$\begin{cases}2Z_{1\max}=\phi64.4-\phi57=7.4\\2Z_{1\min}=\phi64-\phi61=3\end{cases}\quad\text{加工余量适当}$$

在余量验算中，发现模锻的公差有点大，使扩孔的最大余量偏大。

例 7.16 CA6140 车床床头箱箱体如图 7.23 所示，在加工其顶面、底面和主轴承孔时，按下述工艺路线进行：

工序一：为保证主轴承孔加工余量均匀，以主轴承孔为粗基准定位，粗铣顶面 R。

工序二：以顶面 R 为定位基准，粗铣底面 M。

工序三：以底面 M 为定位基准，磨削顶面 R，磨削余量 $Z_3=0.35$。

工序四：以顶面 R 为精基准定位，镗主轴承孔，同轴度公差为 $\phi 1$（补偿安装、定位、调刀、加工的误差），在计算工艺尺寸链时应该考虑进去。

工序五：仍以顶面 R 为精基准定位，保证尺寸 355 ± 0.05，磨削余量 $Z_4=0.25$。

试求出各工序尺寸和极限偏差。

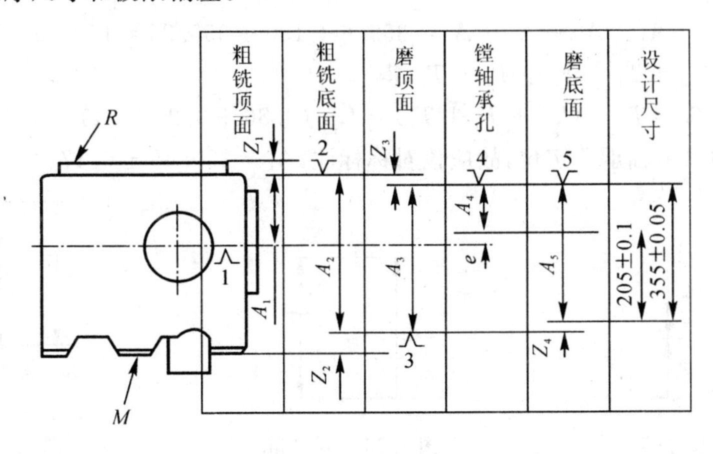

图 7.23　床头箱

解　整个工艺过程的尺寸链如图 7.23 所示，相对于例 7.15 而言，该例在给定方向上具有较多的工序尺寸，且相互影响。为了清晰起见，每求解一个工艺尺寸链，就画一个尺寸链图。

根据图 7.23 所示各工序尺寸的联系，逐一找出有关的尺寸链，先从最后的工序向前计算。

（1）计算 A_4：从整个工艺尺寸链图中取出尺寸链，如图 7.24 所示。

由图 7.23 知，A_5 的尺寸为 355 ± 0.05，是保证尺寸，A_4 是工序保证尺寸，所以封闭环是 205 ± 0.1。

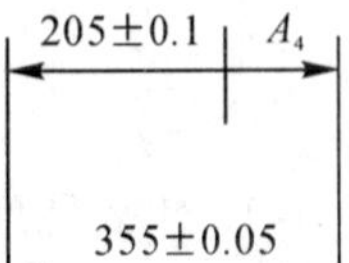

A_4 基本尺寸为

$$A_4=355-205=150$$

公差

$$T_4=0.2-0.1=0.1$$

A_4 的调刀尺寸，对称标注

$$A_4=150\pm0.05$$

图 7.24　尺寸链

（2）计算 A_3：从整个工艺尺寸链图，取出尺寸链如图 7.25 所示。在该工艺尺寸链中，$A_5=355\pm0.05$，是最终保证尺寸，A_3 是磨顶面时要保证的工序尺寸，所以，封闭环是 Z_4，增环为 A_3。依尺寸链原理，有

$$A_3=355+Z_4=355+0.25=355.25$$

因为 $A_5=355\pm0.05$ 的公差等级约为 8 级，取 A_3 的公差 T_3 为 IT10 $=0.23$，取值后

$A_3=355.25\pm0.1$。按入体法则 $A_3=355.35_{-0.2}^{\ 0}$。

(3) 计算 A_2:从整个工艺尺寸链图中,取出尺寸链如图7.26所示。在该工艺尺寸链图中,A_2 是粗铣底面时所要保证的尺寸,所以封闭环是 Z_3。按尺寸链原理,有

$$A_2=355.25+Z_3=355.25+0.35=355.6$$

取 A_2 的公差 T_2 为 IT11 $=0.36$,则 $A_2=355.6\pm0.18$,按入体法则,$A_2=355.78_{-0.36}^{\ 0}$。

(4) 计算 A_1:在整个工艺尺寸链图中,取出尺寸链,如图7.27所示。同理,A_1,A_2,A_3,A_4 均为工序尺寸,在加工中应该得到保证,所以,同轴度公差 e 为封闭环,A_1,A_3 为增环,A_2,A_4 为减环。按尺寸链原理,e 的基本尺寸为零,有方程

$$0=A_1+A_3-A_2-A_4$$

所以

$$A_1=A_2+A_4-A_3=355.6+150-355.25=150.35$$

e 的公差为 $T_0=T_1+T_2+T_3+T_4$,得

$$T_1=T_0-(T_2+T_3+T_4)=1-(0.36+0.2+0.1)=0.34$$

在工序一中以主轴承孔定位,故应该对称标注,$A_1=150.35\pm0.17$。

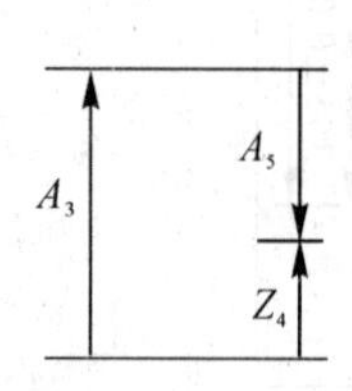

图 7.25　尺寸链

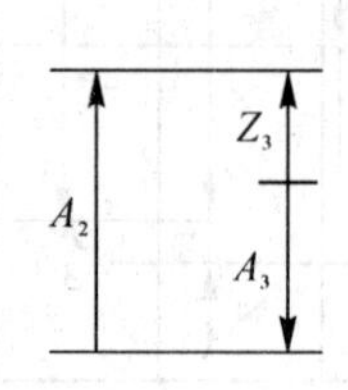

图 7.26　尺寸链

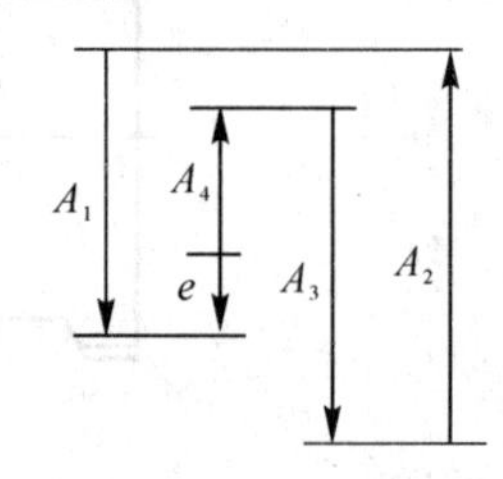

图 7.27　尺寸链

(5) 余量验算。在各个工序尺寸及偏差求出以后,也应该验算一下每道工序的加工余量是否恰当。但在例7.15中已经作过验算工作,这里不再重复。验算时,各封闭环就是该工艺尺寸链的补偿环。全部工序尺寸结果如下:

$$A_1=150.35\pm0.17\ ,\quad A_2=355.78_{-0.36}^{\ 0},$$

$$A_3=355.35_{-0.2}^{\ 0},\quad A_4=150\pm0.05$$

制定工艺规程时,将这些工艺尺寸标注在相应的工序图上。

复习思考题

1. 什么是尺寸链?尺寸链中的环、封闭环、组成环、增环、减环各有何特性?

2. 在一个尺寸链中是否必须同时具有封闭环、增环和减环三种环?并举例说明。

3. 按功能要求,尺寸链分为设计尺寸链、工艺尺寸链和装配尺寸链,它们各有什么特征?并举例说明。

4. 画尺寸链图的具体步骤是什么?解算尺寸链的主要作用是什么?

5. 什么是尺寸链的正计算、中间计算和反计算问题?

6. 建立尺寸链时,为什么要遵循"最短尺寸链原则"?

7. 用极值法和概率法解算尺寸链各有什么特点?它们的应用条件有何不同?

8. 某套筒零件的技术要求如图 7.28 所示，已知加工顺序为先车外圆至 $\phi30_{-0.04}^{\ 0}$，再钻内孔至 $\phi20_{\ 0}^{+0.06}$，内孔对外圆的同轴度公差为 $\phi0.02$，试计算套筒的壁厚尺寸。

9. 如图 7.28 所示套筒零件外圆上还需进行镀铬处理，问镀层厚度应控制在什么范围内才能保证镀厚的壁厚为 5 ± 0.05？

10. 如图 7.29 所示，设计上要求轴的直径和键槽深度完工后尺寸分别为 $A_3=\phi45_{+0.002}^{+0.018}$ 和 $A_0=39.5_{-0.2}^{\ 0}$。该轴的加工顺序为：先按工序尺寸 $A_1=\phi45.6_{-0.1}^{\ 0}$ 车外圆，再按工序尺寸 A_2 铣键槽，淬火和低温回火后，磨外圆至设计上所要求的轴径，并得到设计上所要求的轴键槽深度。试计算工序尺寸 A_2 及其极限偏差。

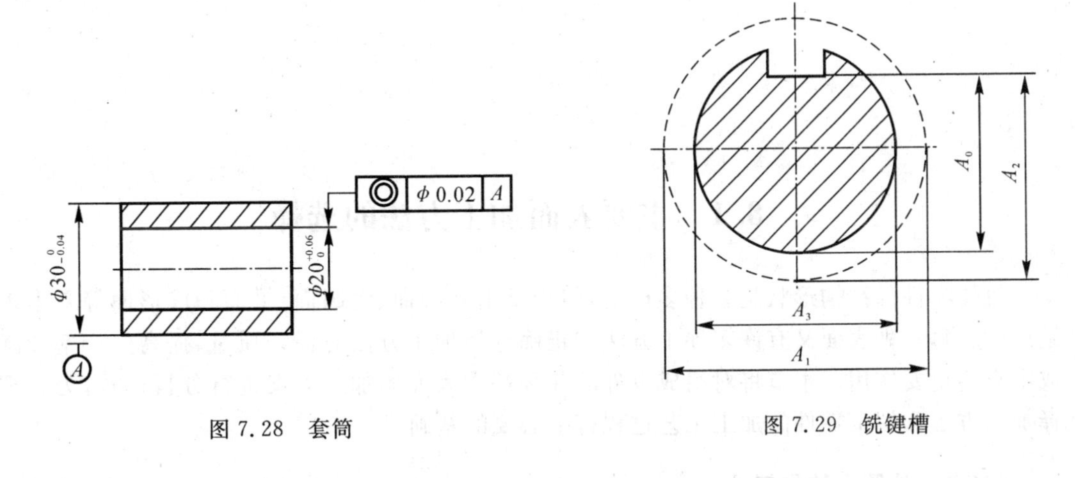

图 7.28　套筒　　　　图 7.29　铣键槽

11. 如图 7.30 所示为链传动机构简图。按技术要求，链轮左端面与右侧套筒右端面之间应保持 0.5～1 的间隙。试确定影响该间隙的有关尺寸及其极限偏差。

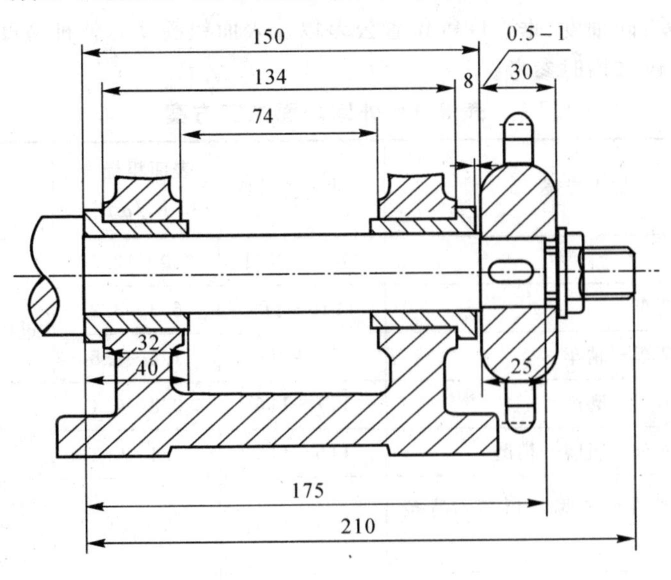

图 7.30　链传动机构

第 8 章

机械加工工艺过程

8.1 主要表面加工方法的选择

机器零件的结构形状是多种多样的，但均是由外圆面、内圆面、平面和成形面等基本表面组成的。每一种表面又有许多加工方法。正确选择加工方法对保证质量、提高生产率和降低成本有着重要作用。本节将对组成零件的几种基本表面的加工方案进行分析比较，为合理选择加工方法和拟定零件的加工工艺过程打下必要的基础。

8.1.1 外圆面的加工

外圆面是轴、套、盘类零件的主要表面之一，其技术要求一般包括尺寸公差、相应的圆度、圆柱度等形状公差，同轴度、垂直度等位置公差以及表面粗糙度。各种精度的外圆表面加工方法如表 8.1 所示，供选用时参考。

表 8.1 外圆表面加工方案

序号	加工方案	尺寸公差等级	表面粗糙度 $R_a/\mu m$	适用范围
1	粗车	IT13～IT11	50～12.5	适用于各种金属（经过淬火的钢件除外）
2	粗车—半精车	IT10～IT9	6.3～3.2	
3	粗车—半精车—精车	IT7～IT6	1.6～0.8	
4	粗车—半精车—磨削	IT7～IT6	0.8～0.4	适用于淬火钢、未淬火钢、铸铁等，不宜加工硬度低、塑性大的有色金属
5	粗车—半精车—粗磨—精磨	IT6～IT5	0.4～0.2	
6	粗车—半精车—粗磨—精磨—高精度磨削	IT5～IT3	0.1～0.008	
7	粗车—半精车—粗磨—精磨—研磨	IT5～IT3	0.1～0.008	
8	粗车—半精车—精车—精细车	IT6～IT5	0.4～0.1	适用于有色金属

对于一般的钢铁零件，外圆表面加工的主要方法是车削和磨削。要求粗糙度值小、精度高时，还需要进行研磨、超级光磨等光整加工。对于塑性较大的有色金属（如铜、铝等）零件，由于其精加工不宜用磨削，故应采用精细车削；对于某些精度要求不高，仅要求光亮的表面，可以通过抛光来获得。

8.1.2 孔的加工

孔也是组成零件的基本表面之一，其技术要求与外圆表面基本相同。零件上的孔很多，常见的有紧固螺钉孔、套筒、法兰盘、齿轮等零件轴线上的孔以及箱体零件上的轴承支承孔等。由于孔的作用不同，致使孔径、深径比以及孔的精度和粗糙度等方面的要求差别很大。为适应不同的需要和不同的生产批量，孔的加工方法很多。各种精度孔的加工方案如表 8.2 所示。

表 8.2 孔加工方案

<table>
<tr><th>序号</th><th>加工方案</th><th>尺寸公差等级</th><th>表面粗糙度 $R_a/\mu m$</th><th>适用范围</th></tr>
<tr><td>1</td><td>钻</td><td>IT13～IT11</td><td>12.5</td><td>用于加工除淬火钢以外的各种金属的实心工件</td></tr>
<tr><td>2</td><td>钻—铰</td><td>IT9</td><td>3.2～1.6</td><td>同钻的适用范围，但孔径 $D<10$</td></tr>
<tr><td>3</td><td>钻—扩—铰</td><td>IT9～IT8</td><td>3.2～1.6</td><td rowspan="2">同钻的适应范围，但孔径为 $\phi10\sim\phi80$</td></tr>
<tr><td>4</td><td>钻—扩—粗铰—精铰</td><td>IT7</td><td>1.6～0.4</td></tr>
<tr><td>5</td><td>钻—拉</td><td>IT9～IT7</td><td>1.6～0.4</td><td>用于大批大量生产</td></tr>
<tr><td>6</td><td>（钻）—粗镗—半精镗</td><td>IT10～IT9</td><td>6.3～3.2</td><td rowspan="2">用于除淬火钢外的各种材料</td></tr>
<tr><td>7</td><td>（钻）—粗镗—半精镗—精镗</td><td>IT8～IT7</td><td>1.6～0.8</td></tr>
<tr><td>8</td><td>（钻）—粗镗—半精镗—粗磨</td><td>IT8～IT7</td><td>0.8～0.4</td><td rowspan="3">用于淬火钢、不淬火钢和铸铁件。但不宜加工硬度低、塑性大的有色金属</td></tr>
<tr><td>9</td><td>（钻）—粗镗—半精镗—粗磨—精磨</td><td>IT7～IT6</td><td>0.4～0.2</td></tr>
<tr><td>10</td><td>粗镗—半精镗—精镗—珩磨</td><td>IT7～IT6</td><td>0.4～0.025</td></tr>
<tr><td>11</td><td>粗镗—半精镗—精镗—精细镗</td><td>IT7～IT6</td><td>0.4～0.1</td><td>用于有色金属件的加工</td></tr>
</table>

对于孔的加工，如果在实体材料上加工中小孔，由钻孔开始，若是对已铸出或锻出的大中型孔，则可直接采用扩孔或镗孔。

孔的精加工，如果是未淬硬中小直径的孔，可以采用铰孔和拉孔；中等直径以上的孔，则采用粗镗或精磨；淬硬的孔只能用磨削进行精加工。

在孔的光整加工方法中，珩磨多用于直径稍大的孔，研磨则对大孔和小孔都适用。

由于拉刀制造成本高，只有大批大量生产，且孔的精度要求又较高时才采用拉削的方法。

加工孔时，刀具处在工件材料的包围之中，散热条件差，切屑不易排除，切削液难以进入切削区。因此，加工同样精度和表面粗糙度的孔，要比加工外圆面困难，成本也高。

8.1.3 平面的加工

平面是零件上常见的表面之一。平面本身没有尺寸精度要求，只有表面粗糙度以及平面度、直线度等形状精度要求。根据平面不同的技术要求及其所在零件的结构特点，可分别采用用车、铣、刨、磨、拉等加工方法。平面加工的常用方案如表 8.3 所示。表中所列的尺寸公差等级是指平行与平面之间距离尺寸的公差等级。

表 8.3 平面加工方案

序号	加工方案	两平行平面之间尺寸公差等级	表面粗糙度 $R_a/\mu m$	适用范围
1	粗车—半精车	IT10～IT9	6.3～3.2	用于加工回转体零件的端面
2	粗车—半精车—精车	IT7～IT6	1.6～0.8	
3	粗车—半精车—磨削	IT9～IT7	0.8～0.2	
4	粗铣(粗刨)—精铣(精刨)	IT9～IT7	6.3～1.6	用于加工不淬火钢、铸铁
5	粗铣(粗刨)—精铣(精刨)—刮研	IT6～IT5	0.8～0.1	
6	粗铣(粗刨)—精铣(精刨)—宽刀细刨	IT6	0.8～0.2	
7	粗铣(粗刨)—精铣(精刨)—磨削	IT6	0.8～0.2	用于加工淬火钢、铸铁
8	粗铣(粗刨)—精铣(精刨)—粗磨—精磨	IT6～IT5	0.4～0.1	
9	粗铣—精铣—磨削—研磨	IT5～IT4	0.4～0.025	
10	拉	IT9～IT6	0.8～0.2	用于大批大量生产除淬火钢以外的各种金属
11	粗铣—半精铣—高速精铣	IT7～IT6	0.8～0.2	用于有色金属件的加工

铣削、刨削是平面加工的主要方法。加工精度要求不高的非配合平面，一般粗铣或粗刨即可；要求较高的平面常采用粗铣(粗刨)—精铣(精刨)—磨削的方案加工；要求更高时，可以用刮研、研磨等光整加工进行；回转体零件的端面，多采用车削和磨削加工；对于各种导向平面，由于有较高的直线度及较低的粗糙度要求，需在粗刨、精刨之后采用宽刀细刨或磨削、刮研的方法。拉削仅适用于大批大量生产中加工技术要求较高且面积不太大的平面。而塑性较大的有色金属不宜磨削，刨削也容易扎刀，宜采用粗铣—精铣—高速精铣的加工方案。

8.1.4 成形面的加工

成形面可以用车削、铣削、刨削等方法加工。使用成形刀具加工成形面方法简单，生产率高，但是刀具的主切削刃必须与零件的轮廓一致。因此，刀具制造难度大，成本高，工作时还容易产生振动。这种方法多用于在大批量生产中加工尺寸较小的成形面。尺寸较大的成形面常需要使用靠模加工(这里不作介绍)及数控加工。

8.2 机械加工工艺过程的基本概念

8.2.1 生产过程和工艺过程

1. 生产过程

机器的生产过程是指由原材料到成品之间各个相互关联的劳动过程的总和。它包括原材料的运输保存、生产的准备工作、毛坯制造、毛坯经机械加工而成为零件、零件装配成机器、检验及试车、机器的油漆和包装等。

2. 工艺过程

工艺过程是指直接改变生产对象的形状、尺寸、相对位置和机械性能等,使其成为成品或半成品的过程。它包括铸造工艺过程、压力加工工艺过程、焊接工艺过程、机械加工工艺过程和装配工艺过程等。

3. 机械加工工艺过程

在工艺过程中,用机械加工的方法,改变毛坯或原材料的形状、尺寸和表面质量,使之成为产品零件的过程称为机械加工工艺过程。

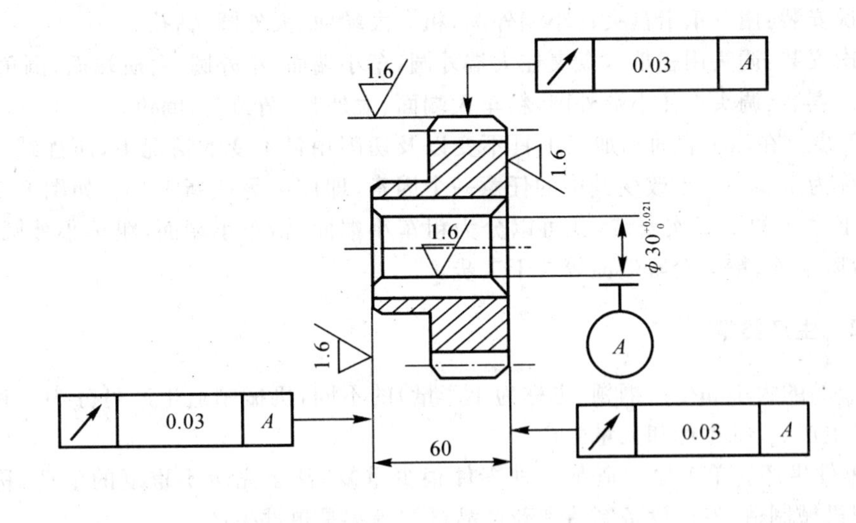

图 8.1 齿 轮

(1) 工序。指在一个工作地点对一个或一组工件所连续完成的那部分工艺过程称为工序。一个零件往往是经过若干个工序才制成的。如图 8.1 所示的齿轮,在单件生产中可按表 8.4的加工顺序,分为四道工序;在大批量生产中,可按表 8.5 的加工顺序,分为八道工序。由此可见,只有在连续完成的那部分工艺过程之后,才能依次加工下一个工件,则该部分工艺过程称为一道工序。

表 8.4　单件小批生产加工齿轮的工序

工序号	工　序　内　容	工作地点
1	粗车大端面，大外圆，钻孔；调头粗车小端面，小外圆，台阶端面。精车小端面，小外圆，台阶端面，倒角；调头精车大端面，大外圆，精镗孔，倒角	车床
2	滚　齿	滚齿机
3	插键槽	插　床
4	检　验	检验台

表 8.5　大批量生产加工齿轮的工序

工序号	工　序　内　容	工作地点
1	粗车大端面，大外圆，钻孔，内倒角	车床 1
2	粗车小端面，小外圆，台阶端面，内倒角	车床 2
3	拉　孔	拉床
4	精车小端面，小外圆，台阶端面，外倒角	车床 3
5	精车大端面，大外圆，外倒角	车床 4
6	拉键槽	拉床
7	滚　齿	滚齿机
8	检　验	检验台

(2) 安装。工件安装的实质，就是在机床上对工件进行定位和夹紧，一道工序可以包含一次或多次安装。如图 8.1 所示的齿轮在单件生产中的加工工序 1 就有 3 次安装。

第 1 次安装：用三爪卡盘夹住小端外圆，粗车大端面、大外圆，钻孔。

第 2 次安装：调头用三爪卡盘夹住大端外圆，车小端面、小外圆、台阶端面，倒角。

第 3 次安装：调头夹住小端外圆，精车大端面、大外圆，精镗孔，倒角。

(3) 工步。在加工表面和加工工具不变以及切削用量不变的情况下，所连续完成的那一部分工序称为工步。如果改变其中的任意一个因素，即成为另一新工步。如图 8.1 所示的齿轮加工的工序 1 的第 2 次安装，就可以分为粗车小端面，精车小端面，粗车小外圆，精车小外圆，粗车台阶端面，精车台阶端面等若干工步。

8.2.2　生产类型

根据产品的大小和生产纲领(也称为年产量)的不同，机械制造生产可分为三种不同的类型，即单件生产、成批生产和大量生产。

(1) 单件生产。单个地制造某一种零件很少重复，甚至完全不重复的生产，称为单件生产，如重型机械制造、专用设备制造和新产品试制等都是单件生产。

(2) 成批生产。成批地制造相同零件的生产，称为成批生产，如机床制造就是比较典型的成批生产。每批所制造的相同零件的数量称为批量，根据批量的大小、产品的特征，又可分为小批生产、中批生产和和大批生产。

(3) 大量生产。当同一产品的制造数量很大时，在大多数工作地点经常是重复地进行一种零件某一工序的生产，称为大量生产，如汽车、拖拉机、轴承等制造通常都是大量生产。

当生产类型不同时，同一种零件所采用的加工方法、机床设备、工夹量具、毛坯以及对工人的技术要求等都有所不同。因此，拟定的工艺过程也有很大不同。生产类型的划分及各种生产类型的工艺特征，如表 8.6 和表 8.7 所示。

表 8.6　生产类型的划分

生产类型		同一零件的年产量/件		
		重型	中型	轻型
单件生产		＜5	＜10	＜100
成批生产	小批生产	5～100	10～200	100～500
	中批生产	100～300	200～500	500～5 000
	大批生产	300～1 000	500～5 000	5 000～50 000
大量生产		＞1 000	＞5 000	＞50 000

表 8.7　各种生产类型的工艺特征

	单件生产	成批生产	大量生产
机床设备	通用的（万能的）设备	通用的和部分专用的设备	广泛使用高效率专用设备
夹　具	通用夹具，很少用专用夹具	广泛使用专用夹具	广泛使用高效率专用夹具
刀具和量具	一般刀具和通用量具	部分地采用专用刀具和量具	高效率专用刀具和量具
毛　坯	木模铸造和自由锻	部分采用金属模铸和模锻	机器造型，压力铸造，模锻，滚锻等
对工人的技术要求	需要技术熟练的工人	需要比较熟练的工人	要求调整工技术熟练、操作工熟练程度较低

8.3　工件的安装和夹具

8.3.1　工件的安装

工件在机床上安装，必须保证两个基本要求：首先，在加工之前，工件相对于刀具和机床要保持正确位置，即工件应正确定位；其次，在加工过程中，作用于工件上的各种外力不应破坏工件原有的正确定位，即工件应正确夹紧。安装工件的目的就是通过定位和夹紧使工件在加工过程中始终保持其正确的加工位置。

根据定位的特点不同，一般工件在机床上安装方法可分为两种。

(1) 在夹具中安装。机床夹具是指在机械加工工艺过程中，用以装夹工件的机床附加装置。它能使工件迅速而且正确地定位与夹紧，不需找正就能保证工件与机床、刀具间正确的相对位置。在夹具中安装，由于能有效地保证加工精度、提高劳动生产率，所以一般在批量生产中广泛使用。

(2) 找正安装。找正安装是指定位时根据待加工表面与其他表面间的尺寸或位置关系，用指示表或测量仪器直接测量(或用划针目测判断)，使工件处于正确位置。这种安装方法所用的支承表面，不一定是工件的定位基准。找正安装法的定位精度与所用量具、测量仪器的测量精度和工人技术水平有关。由于找正的时间长，找正结果也不稳定，只适于单件、小批生产。

现举例说明两种安装方法的区别，如图8.2中的套筒，要求加工内孔A。如果安装在自动定心的卡盘上，外圆B是支承面(定位基准)同时又是夹紧面。加工出孔的位置由B,C表面所确定，这是在夹具中安装。也可用四爪卡盘根据B,D表面找正，加工出孔的位置决定于找正方法的精度，这是找正安装。此外，用四爪卡盘夹紧，根据内孔表面A来找正。此时定位基准是内孔表面A，而外圆B只起支承作用，这种找正安装的定位基准与支承面就不是同一个表面。所以，找正安装法的支承面与工件的定位基准不一定是同一个表面。而在夹具中安装，支承面就是工件的定位基准。

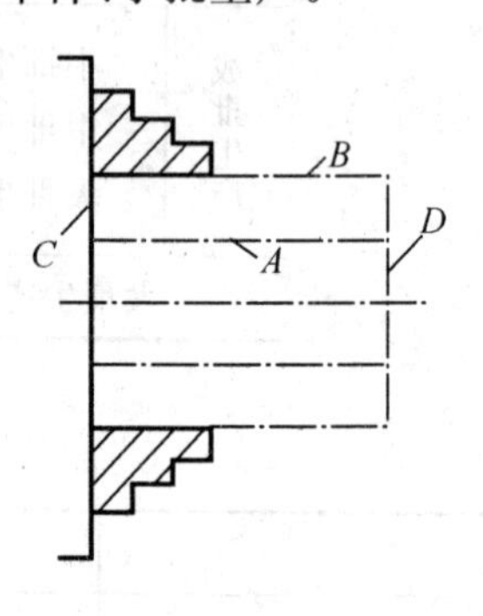

图8.2 套筒安装示意图

8.3.2 夹具简介

夹具是加工工件时，为完成某道工序，用来正确而迅速地安装工件的装置。

1. 夹具的种类

(1) 通用夹具。这种夹具用得最广泛，如三爪卡盘、四爪卡盘、虎钳、回转工作台和分度头等。目前它们都已标准化，具有一定的通用性，可以用来安装一定尺寸范围的各种工件，而不需进行调整或者只需稍加调整。通用夹具往往作为机床的附件，与机床配套交给用户使用，以保证机床的使用性能。因为它们都具有一定的通用性，所以，称为通用夹具。

(2) 专用夹具。它是专门为某一工件的工序设计制造的夹具。如图8.3的钻床夹具，它只能用于该工件的钻、铰孔工序，所以，称为专用夹具。

(3) 组合夹具。它是由各种标准元件组(拼)装而成的一种专用性夹具。其设计和制造特点与上述专用夹具不同。

除上述分类外，夹具还可按机床类型分类，如车床夹具、磨床夹具、钻床夹具等。按夹具结构特点分类，有回转式夹具、固定式夹具等。按夹具动力来源分类，有手动夹具、气动夹具、液压夹具、气液联动夹具、电磁夹具和真空夹具等。

2. 夹具的主要组成部分

如图8.3所示是在套筒上钻、铰$\phi 6H8$孔用的钻床夹具。工件以内孔和端面在定位销上定位，拧紧螺母，通过开口垫圈即可将工件夹紧。加工时是由装在钻模板上的快换钻套、铰套引导钻头或铰刀进行钻孔或铰孔。定位销、钻模板等元件都装在夹具体上。钻套的位置保证了工件径向孔到端面的距离

$$L=37.5\pm 0.02$$

机床夹具的构造各不相同，通过对图8.3所示钻床夹具的分析，任何一套完整的夹具概括起来都由以下几个部分组成：

(1) 定位元件。它是与工件定位基准面接触使工件相对于机床、刀具有正确位置的夹具元件。图8.3所示夹具上的定位销属于定位元件。

(2) 夹紧机构。它是用来紧固工件的机构，以保证在加工过程中不因外力和振动而破坏工件定位时所占有的正确位置。图 8.3 所示夹具上的夹紧螺母和开口垫圈，就是夹紧机构中的一种。

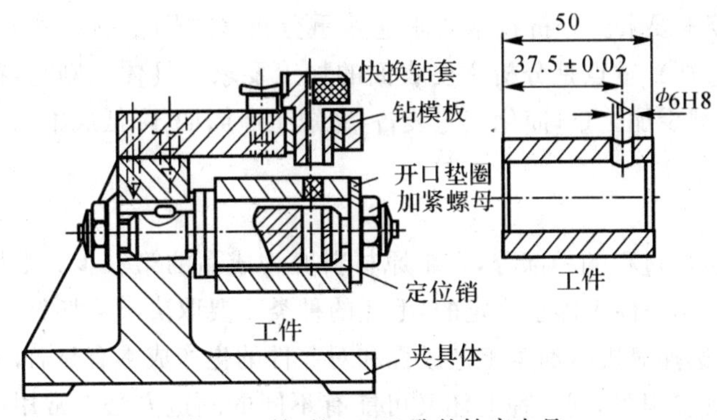

图 8.3　钻、铰 ϕ6H8 孔的钻床夹具

(3) 对刀元件和导向元件。对刀元件是用来保证刀具相对于夹具具有准确位置的元件，如铣床夹具的对刀块等。导向元件能引导刀具并使刀具位置和方向都保持正确，如钻套、镗套等。图 8.3 所示夹具上的钻套就是导向元件。对刀元件和导向元件都是夹具中的精密元件，其公差值约为零件公差值的 1/3。

(4) 夹具体。它是整个夹具的基础件，夹具的所有元件和机构都安装在它的上面，使其成为一个整体，如图 8.3 所示中的夹具体。

(5) 其他元件和机构。除上述主要元件和机构外，有的夹具还有定向元件、分度机构、锁紧机构、连接件、弹簧、销子和衬套等。

工件的加工精度在很大程度上决定于夹具的精度和结构。因此，整个夹具及其零件都要具有足够的精度和刚度，并且结构要紧凑、形状要简单、装卸工件和清除切屑要方便。

8.4　工艺规程的拟定

从现有生产条件出发，确定出最恰当的工艺并用文件形式固定下来，即是工艺规程，也称为工艺文件。工艺规程是企业生产中保证产品质量和提高生产效率的技术文件，是企业指导生产、组织生产和管理生产的基本文件。

国内外已开始采用计算机辅助编制工艺规程，使工艺规程的制定工作进一步科学化、最优化和系统化。

8.4.1　零件的工艺分析

制定工艺规程时，首先要做两方面的工作：一是了解零件在机器中的作用，对零件图进行工艺分析，即从工艺角度分析讨论零件的生产方法和难易程度，并调查研究工厂的生产条件；二是了解加工同类零件的工艺情况和先进经验。

对零件工艺分析时，应考虑以下几个问题。

(1) 检查零件图纸的完整性和正确性。检查零件图纸的完整性和正确性包括检查视图、尺寸标注、技术要求是否齐全与合理。若有问题应提出，与有关设计人员共同研究，以采取适当的措施。

(2) 检查零件材料的选择是否合理。材料的选择是否合理对零件的使用性能和加工工艺性有很大影响，因此要满足使用性要求和经济性要求。

(3) 分析零件的技术要求。分析技术要求应着重分析零件图上的尺寸公差、形位公差以及表面粗糙度是否过高过严。重点是分析主要表面的加工要求。具体原则是，在能够满足使用性能要求的前提下，尽量减少加工量，简化工艺装备，缩短生产周期，降低成本。

8.4.2 毛坯的选择

毛坯制造是零件生产过程的一部分，是由原材料变为成品的第一步。毛坯的材料是由零件的结构、尺寸、用途和工作条件等因素决定的，毛坯的种类主要取决于毛坯材料、形状和生产性质等因素。因此，毛坯的选择对机械加工工艺过程和对零件的生产成本有显著的影响。

机械加工的毛坯种类很多，同一种毛坯又可能有不同的制造方法。常用的毛坯大致有下列几种。

(1) 铸件毛坯。形状复杂、强度要求不高的零件毛坯，用铸造的方法比较适宜。铸件的材料可以是铸铁、铸钢或有色金属。根据零件的产量和精度要求，可以采用不同的铸造方法。

(2) 锻件毛坯。强度要求很高的零件毛坯采用锻造最合适。主要材料是各种碳钢和合金钢。制造方法有自由锻、胎模锻、模锻和精密模锻造等。在大批、大量生产中，一般用模锻毛坯，这种锻件的精度和生产率都很高；单件、小批生产用自由锻造；中批生产，可部分采用胎模锻件，部分采用模锻件。

(3) 轧材毛坯。轧制毛坯包括各种冷拉和热轧材料，其截面有圆形、六角形、方形和各种异型截面。自动车床上所用的各种截面棒料，均为冷拉钢。

(4) 挤压件毛坯。用于塑性变形较好的某些有色金属和钢材。冷挤压(包括冷镦)广泛用于挤压各种螺栓、螺母、销钉等。冷挤压(或热挤压)用于某些齿轮类和壳罩类零件，适用于大批、大量生产。

(5) 冲压毛坯和非金属毛坯。

由于毛坯种类和制造方法不同，毛坯的精度也不同，正确选择零件的毛坯，对机床的选用，工艺装备的设计和选用，机械加工劳动量、生产率、材料、工具、动力的消耗，加工成本、工艺方案的制定，以及工艺水平的提高等都有很大影响。目前，毛坯的发展前景很广泛，少、无切削加工的新技术、新工艺越来越多地得到推广和应用，如精铸、精锻、粉末冶金以及特种轧制等。这些新工艺具有效率高、质量好、用料省、成本低的优点。

8.4.3 加工余量的确定

毛坯尺寸与零件图的相应设计尺寸之差，称为加工总余量。相邻两工序的工序尺寸之差，称为工序余量。在工件上留加工余量的目的，是为了切除上一道工序所留下来的加工误差和表面缺陷(例如，铸件表面的硬质层、气孔、夹砂层、锻件及热处理表面的氧化皮、脱碳层、表面裂纹、切削加工后的内应力和表面粗糙度等)，从而提高工件的精度和减小表面粗糙度。

1. 工序余量及总余量

工序余量有最小余量、公称余量及最大余量之分。

(1) 最小余量。它是保证该工序加工精度和表面质量所需切除金属层的最小厚度。外表面加工余量，是上工序最小工序尺寸和本工序最大工序尺寸之差。

(2) 公称余量。它是相邻两工序基本尺寸之差。

(3) 最大余量。它是上工序最大工序尺寸和本工序最小工序尺寸之差。

如图 8.4 所示为外表面加工顺序图。从图中可以看出

$$Z = Z_{\min} + T_1$$

$$Z_{\max} = Z + T_2 = Z_{\min} + T_1 + T_2$$

式中 Z—— 本工序的公称余量；

$Z_{\min}$—— 本工序的最小余量；

T_1—— 上工序的工序尺寸公差；

T_2—— 本工序的工序尺寸公差。

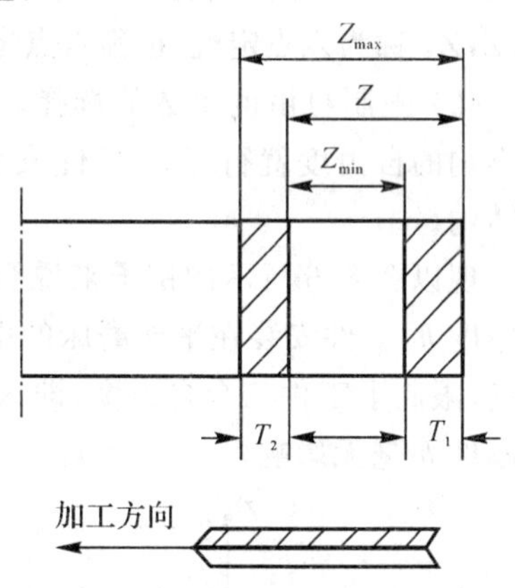

图 8.4 外表面加工顺序示意图

内表面的加工余量，其概念与外表面相同。但要注意，平面的余量是单边的，圆柱面的余量是双边的。余量是垂直于被加工表面计算的。在手册上查出的以及通常所说的“余量”或“加工余量”这些术语，如无特殊说明，均指公称余量。

总余量等于各工序的公称余量的总和。总余量不包括最后一道工序的公差。

2. 确定余量的方法

在毛坯上所留的加工余量不应过大或过小。如果余量过大，不仅会使材料的消耗增加，而且会降低生产率，增加机床和刀具的损耗及电能的消耗，从而增加成本；如果余量过小，也会造成加工时的困难而易出废品，所以要合理地确定加工余量。决定余量的方法有以下三种。

(1) 估计法。这种方法是由具有丰富经验的技术人员和工人，估计确定工件表面的总余量和工序间余量。估计时可参考类似工件表面的余量大小。它适用于单件、小批生产。

(2) 查表法。根据各种工艺手册中的有关表格，结合具体的加工要求和条件，确定各工序的加工作余量。这种余量的数值是统计资料，所以，对一般的加工余量均能适用。

(3) 计算法。它是通过对影响加工余量的因素逐项计算的，参见第 7 章尺寸链的计算。

8.4.4 定位基准的选择

1. 定位原则

工件安装的第一步是定位，定位的方法在理论上是依据六点定位原理来考虑的。

(1) 六点定位原理。任何一个没有约束的物质，在空间都有六个自由度，即沿三个互相垂直的坐标轴的移动(用 $\vec{X}$, $\vec{Y}$, $\vec{Z}$ 表示) 和绕这三个坐标轴转动(用 $\widehat{X}$, $\widehat{Y}$, $\widehat{Z}$ 表示)，如图 8.5 所示。因此，要使物体在空间占有确定的位置(即定位)，就必须约束这六个自由度。

在工件定位以前，存在着六个自由度。六点定位原理是用合理布置的六个支承点来限制工件的六个自由度的，使工件在夹具中的位置完全确定。如图 8.5 所示，三个支承点 1,2,3 在坐标系 OXY 平面上，限制了 $\widehat{X}$, $\widehat{Y}$, $\vec{Z}$ 三个自由度。两个支承点 4,5 在坐标系 OYZ 平面上，限制了 $\vec{X}$, $\widehat{Z}$ 两个自由度。一个支承点 6 在坐标系 OXZ 平面

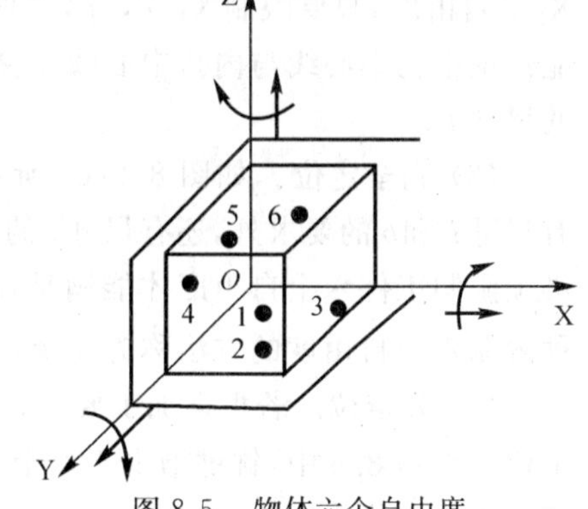

图 8.5 物体六个自由度

上，限制了 $\vec{Y}$ 一个自由度。因此，用这六个支承点就完全限制了六个自由度，即限制了 $\vec{X}$, $\widehat{X}$, $\vec{Y}$, $\widehat{Y}$, $\vec{Z}$, $\widehat{Z}$，称为六点定位，也称六点定则。

(2) 限制自由度个数的选择。根据工件加工的具体要求，一般只要限制那些对加工精度有影响的自由度就行了。工件安装定位时并非必须限制六个自由度，这样可以简化夹具的结构。

现以图 8.6 所示的例子来说明这个问题。在平面磨床上磨一板状工件的上平面，要求保证厚度 h，工件安装在平面磨床的电磁工作台上（被吸住）。从定位观点看，相当于三个定位支承点，限制了工件三个自由度，即 $\widehat{X}$, $\widehat{Y}$, $\vec{Z}$，剩下三个自由度 $\vec{X}$, $\vec{Y}$, $\widehat{Z}$ 未加以限制，因为这对保证厚度 h 毫无影响。

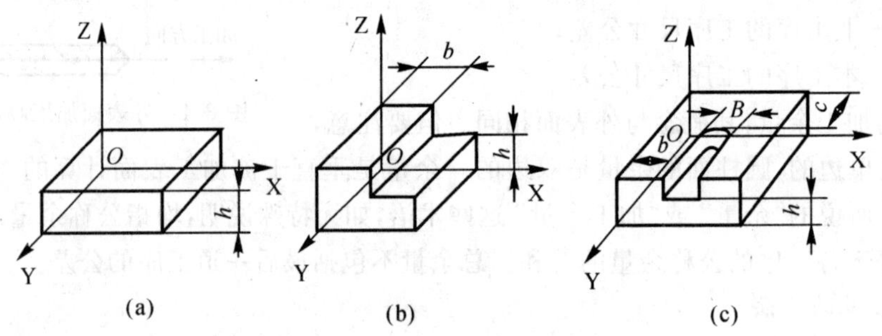

图 8.6　限制自由度的选择

(a) 磨平面；(b) 铣台阶；(c) 铣键槽

工件定位有以下四种情况：

(1) 不完全定位。如图 8.6(a) 所示，在磨削上平面的加工中，影响加工尺寸 h 的自由度是 $\widehat{X}$, $\widehat{Y}$, $\vec{Z}$，因此只要限制这三个自由度即可。又如图 8.6(b)，工件在铣削台阶面的加工中，影响尺寸 h 和 b 的自由度是 $\vec{X}$, $\vec{Z}$, $\widehat{X}$, $\widehat{Y}$, $\widehat{Z}$，故只要限制这五个自由度就可以了，工件沿 Y 轴的移动 $\vec{Y}$ 对加工质量并无影响。这种不需要限制工件六个自由度，即能满足加工要求的定位称为不完全定位。

如图 8.7 所示为套筒加工时的定位图，当加工内孔 D 时，必须限制 $\vec{X}$, $\vec{Y}$, $\vec{Z}$, $\widehat{Y}$, $\widehat{Z}$ 五个自由度，才能保证孔的中心线的位置和孔深 L。而当加工套筒上的小孔 d 时，因小孔是通孔，不必限制 $\widehat{X}$, $\vec{Z}$ 自由度，只要限制 $\vec{X}$, $\vec{Y}$, $\widehat{Y}$, $\widehat{Z}$ 四个自由度就能保证小孔中心线与内孔中心线正交以及到端面的尺寸 l。

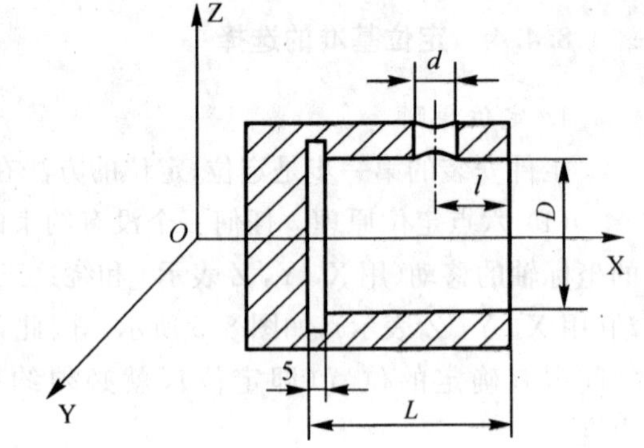

图 8.7　套筒加工时的定位

(2) 完全定位。如图 8.6(c) 所示，工件除了有尺寸 h 和 b 的要求外，还有尺寸 c 的要求。因此，必须限制工件六个自由度才能满足加工要求。这种限制六个自由度的方法称为完全定位。

(3) 欠定位。若根据加工要求，工件在夹具中应该限制的自由度而没有得到限制，称为欠定位。在图 8.6 中，铣键槽少于六个支承点；磨平面少于三个支承点；铣台阶少于五个支承点都属于欠定位。

按欠定位方式进行加工，必然会导致工件的部分技术要求不能得到保证，因此，欠定位在加工工件时是不允许的。

(4) 过定位。若安装工件的定位点多于应限制的自由度数目，或者说同一个自由度用了两个或两个以上定位点来限制时，这种重复限制的定位称为过定位或超定位。当定位基准是粗基准(指工件与支承点接触的表面为未加工的不规则毛面)时，若用四个支承点为支承工件的粗面，则实际上只能有三个支承点与工件接触，从而限制$\widehat{X}$，$\widehat{Y}$，$\vec{Z}$三个自由度。如果强行使第四个支承点与工作定位面接触，夹紧时势必引起工件变形。在这种情况下，一个平面上布置四个支承点限制三个自由度的过定位是不允许的。如果工件的定位面是平面度较高的精基准(如经过磨削的平面)，采用过定位是允许的。这时，工件支承在较多的点上反而使工件更稳定、牢固，可以减少工件在加工时的受力变形，增加工艺系统的刚性。有时为了给工件的传递运动或传递动力，也可以使用过定位，如用顶尖-三爪卡盘装夹工件车削外圆表面等。

综上所述，六点定位原理是分析和决定工件定位方案所必须遵守的一般原则。

2. 工件的基准

在零件和部件的设计、制造和装配过程中，必须根据一些指定的点、线或面来确定另一些点、线、面的位置，这些指定的点、线或面称为基准。

按作用不同，基准的分类如下所示：

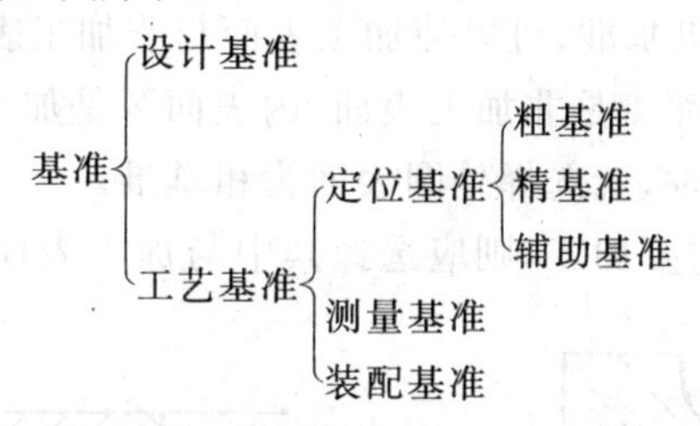

(1) 设计基准。设计零件图上所使用的基准，如图 8.8 所示。齿轮的内孔 ϕ85H5 轴线是齿顶圆 ϕ227.5 h11、分度圆 ϕ220.5 的设计基准，在轴线方向 A 端面是两端面的设计基准。

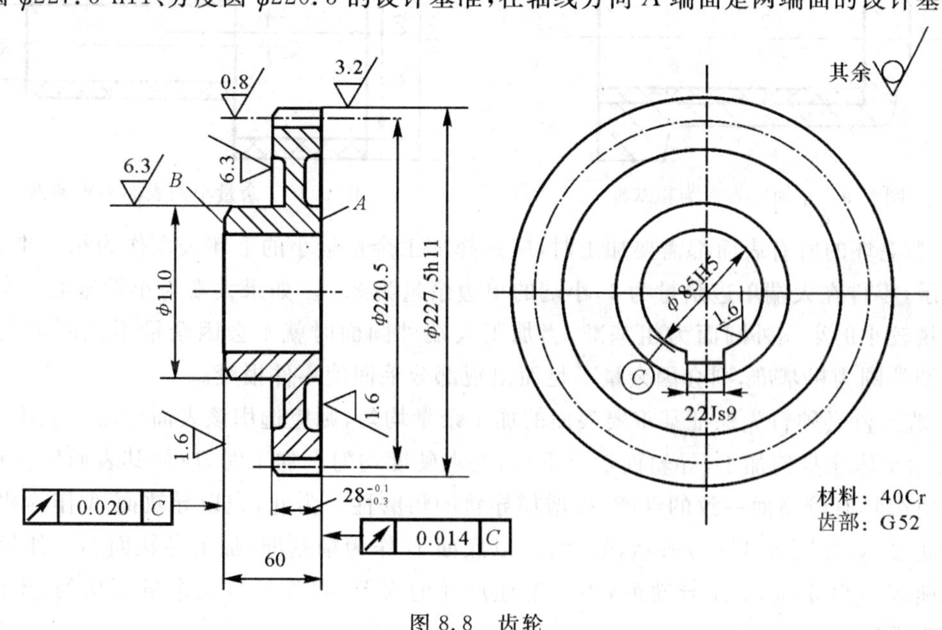

图 8.8　齿轮

(2) 工艺基准。工艺基准是零件在加工、度量和装配过程中所使用的基准，其中包括：

1) 定位基准。工件在机床或夹具中定位时所用的基准称为定位基准。如图 8.8 所示齿轮，在切齿加工中以孔轴线和 A 端面定位，孔轴线和 A 端面就是定位基准。

2) 测量基准。测量工件尺寸和表面相对位置时所用的基准称为测量基准。如图 8.8 所示齿轮，在测量齿轮的径向跳动中，是相对于孔轴线而测量的。因此，孔轴线又是测量基准，表面 A 是长度尺寸 60 和 28 的测量基准。

3) 装配基准。装配时，用来确定零件或部件在机器中位置的表面称为装配基准。在图 8.8中，齿轮的孔轴线和 A 端面为装配基准。

应当指出，某些作为基准的点、线、面，在工件上并不具体存在，必须由某些具体表面来体现，这些表面称为基面。例如，齿轮的轴线是通过其孔的内表面来体现的。所以选择基准就是选择基面。

3. 定位基准的选择

定位基准分为粗基准和精基准。没有经过切削加工就用做定位基准的表面，称为粗基准。经过切削加工才用做基准的表面，称为精基准。从有位置精度要求的表面中选择工件的定位基准，是选择定位基准的总原则。

(1) 粗基准的选择原则。

1) 选择非加工表面作为粗基准，可以使加工表面与非加工表面之间的位置误差最小。如图 8.9 所示套筒零件，外圆表面 1 是非加工表面，内表面 2 是加工表面。为保证镗孔后壁厚均匀，即内圆表面与外圆表面同轴，就选择外圆表面为粗基准。

若工件上有几个表面不需要加工，则应选择其中与加工表面之间相互位置要求较高的表面作为粗基准。

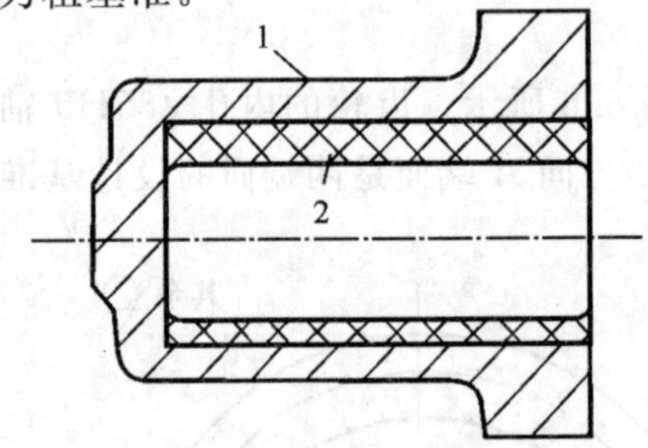

图 8.9 非加工表面为粗基准

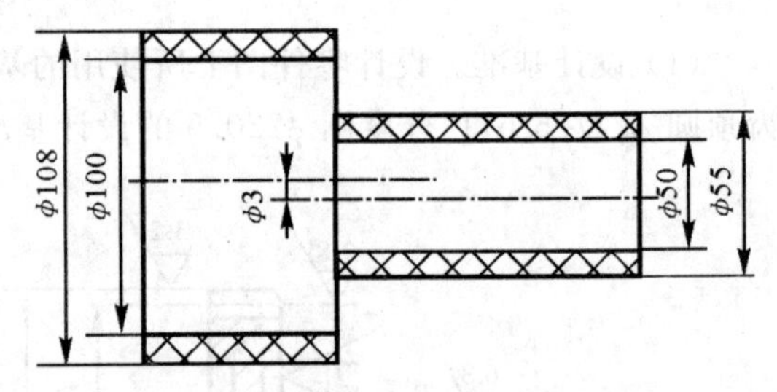

图 8.10 余量小的表面为粗基准

2) 当毛坯的所有表面都需要加工时，应选择加工余量最小的毛坯表面作为粗基准。如图 8.10所示，零件在大端单边余量为 4，小端的单边余量为 2.5。如果大端与小端轴心线偏离 3，则以余量较小的小端外圆面为粗基准，当加工大端外圆面时就不会因余量不足而出现毛面。若以大端外圆为粗基准，则会因余量不足而出现部分毛面使零件报废。

3) 若工件必须首先保证某重要表面的加工余量均匀，则应选用该表面作为粗基准。如图 8.11 所示车床床身的加工，导轨面最为重要，要求硬度均匀。加工时，应使其表面层保留均匀的金相组织具有较高而一致的性能，以增加导轨的耐磨性。为此，先以导轨面 A 作为粗基准，加工床腿底 B，如图 8.11(a)所示，然后，再以底面 B 作为精基准，加工导轨面 A。如果反之，先以床腿底面 B 定位，加工导轨面，由于毛坯尺寸的误差，将使导轨面余量不均匀，不能获得较高的表面质量。

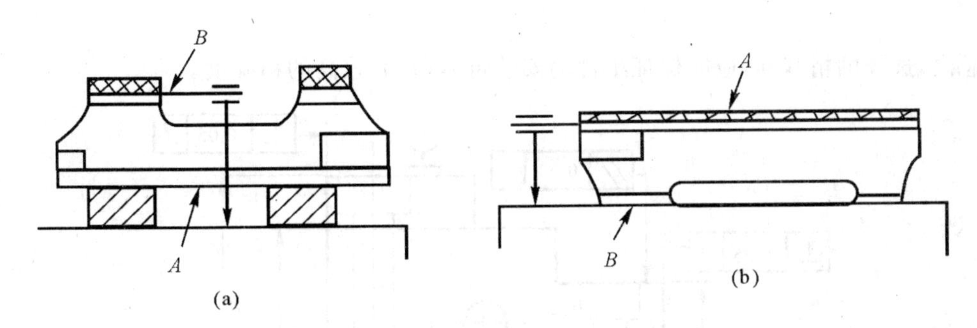

图 8.11　床身加工的定位基准分析

(a) 以毛面 A 作粗基准；(b) 以加工面 B 作精基准

4) 粗基准的表面应尽可能平整、光洁、有足够大的面积，不应有毛边、浇口冒口或其他缺陷，使定位稳定，夹紧可靠。

5) 由于毛坯上的表面都比较粗糙，所以同一尺寸方向上的粗基准表面只能使用一次，重复使用会使相应的加工表面间产生较大的位置误差，如图 8.12 所示小轴加工表面 A 和 C，若重复使用表面 B 为粗基准，则必然使加工后的表面 A 和 C 产生较大的同轴度误差。

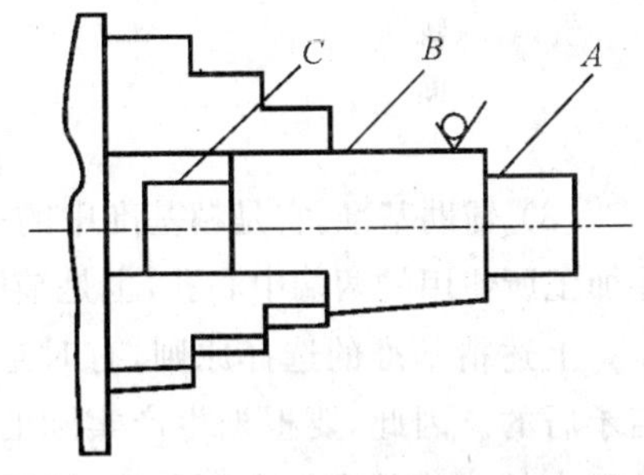

图 8.12　不应重复使用粗基准

在某些情况下，并不要求工件的定位必须保证加工表面对于零件的其他表面的位置精度，例如，无心磨削、珩磨、浮动铰刀铰孔等。此时是利用被加工表面本身作为定位基准的。

上述各项原则，实际应用时常常不能同时满足，应根据具体情况灵活掌握，以保证主要技术要求。

(2) 精基准的选择原则。

1) 基准重合原则。确定精基准时，应尽量用设计基准作为定位基准，即定位基准与设计基准重合，以消除基准不重合误差，提高零件表面的位置精度和尺寸精度。例如，在图 8.13 所示机体示意图中，以底面 A 定位(高度方向上)加工孔 2，再以孔 2 轴线定位加工孔 1，这就符合基准重合原则。如果加工孔 1 时，以底面 A 作为定位基准，而孔 1 的设计基准是孔 2 轴线，这就是基准不重合，这样两孔距的公差，除了包括刀杆轴线到定位面 A 的加工误差外，还引入了一个从设计基准孔 2 轴线到定位基准 A 面之间的尺寸公差，这就是基准不重合误差。

2) 基准同一原则。某些精确的表面，其相互位置精度有较高的要求，则这些表面的精加工工序最好能在同一定位基准上进行，即尽可能使基准单一化。

在加工较精密的阶梯轴中，往往以中心孔为定位基准车削各处表面，而在精加工之前再将中心孔加以修研，仍以中心孔定位磨削各表面。这样有利于保证各表面的位置精度，如同轴度、垂直度等。

3) 互为基准。两个有位置精度要求的表面，可认为彼此互为设计基准，例如，齿轮的加工，在用高频淬火把齿面淬硬后须进行磨齿。在图 8.1 所示因其硬化层较薄，磨削余量应小而且均匀，因此往往先以齿面为基准磨内孔，然后再以内孔为定位基准磨齿面以保证齿面余量均匀。

总之,选择的精基准,应能保证工件的安装可靠,且有较高的精确度。

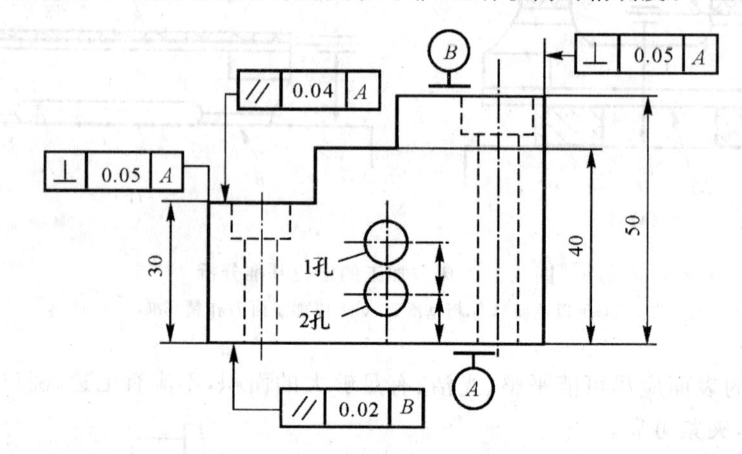

图 8.13　机体示意图

(3) 辅助基准。它是精基准中的一种特例,专为加工时的定位而加工出来的表面,如轴类零件加工所使用的两端中心孔,也是辅助基准。它在零件工作和装配时均无作用,仅作加工定位用。

上述精基准的选择原则,有时是互相统一的,但要同时保证"重合"和"同一"等,有时是互相矛盾的。因此,要根据生产实际的具体情况,从解决最主要的问题考虑,应对整个加工工艺过程中的工艺基准作全面分析,然后选择较合理的定位基准。

8.4.5　定位元件及其所限制的自由度

工件在机床上或夹具中定位时,其影响加工精度所要求的自由度是通过工件的定位基准与机床或夹具定位元件接触或配合而被限制的。不同的定位基准与不同的定位元件接触或配合,所能限制的自由度是不同的。

工件上常见的定位基准主要有平面、内圆、外圆、内锥面、外锥面及成形面等。

夹具中常用的定位元件主要有以下几种:支承钉、支承板、定位销(芯轴)、定位套、V形块等。

由于夹具定位元件是确定工件正确位置的元件,且要经常与定位基准接触,因此,必须对夹具定位元件提出以下几点要求。

(1)一定的精度。定位元件的精度直接影响工件的加工精度。因此,对定位元件的尺寸及形位公差都应提出严格的要求。

(2)良好的耐磨性。定位元件与定位基准直接接触,易引起磨损。为能较长期地保证其精度,必须具有良好的耐磨性。

(3)足够的刚性。为保证在受到夹紧力、切削力等力的作用下,不致发生较大的变形而影响加工精度,定位元件必须具有足够的刚性。

1. 工件以平面定位

工件以平面作为定位基准是最常见的一种形式,如箱体零件、盘状零件等。定位元件以平面支承的,通常称为支承件,可分为基本支承和辅助支承两类。前者是用来限制工件自由度的，即是具有独立定位作用的定位元件；而后者则是用来加强工件的支承刚性的，它不起限制工件自由度的作用。这两类定位元件的结构和尺寸均已标准化，设计时可直接选用。

(1)支承钉。如图 8.14(a)(b)(c)列出三种支承钉的结构形式，其中 A 型是平头支承钉，用于支承精基准平面；B 型是球头支承钉，用于支承粗基准平面；C 型是齿纹平面支承钉，它与定位面间的摩擦因数较大，从而增大了定位的可靠性，但槽中易积屑，用于侧面定位。

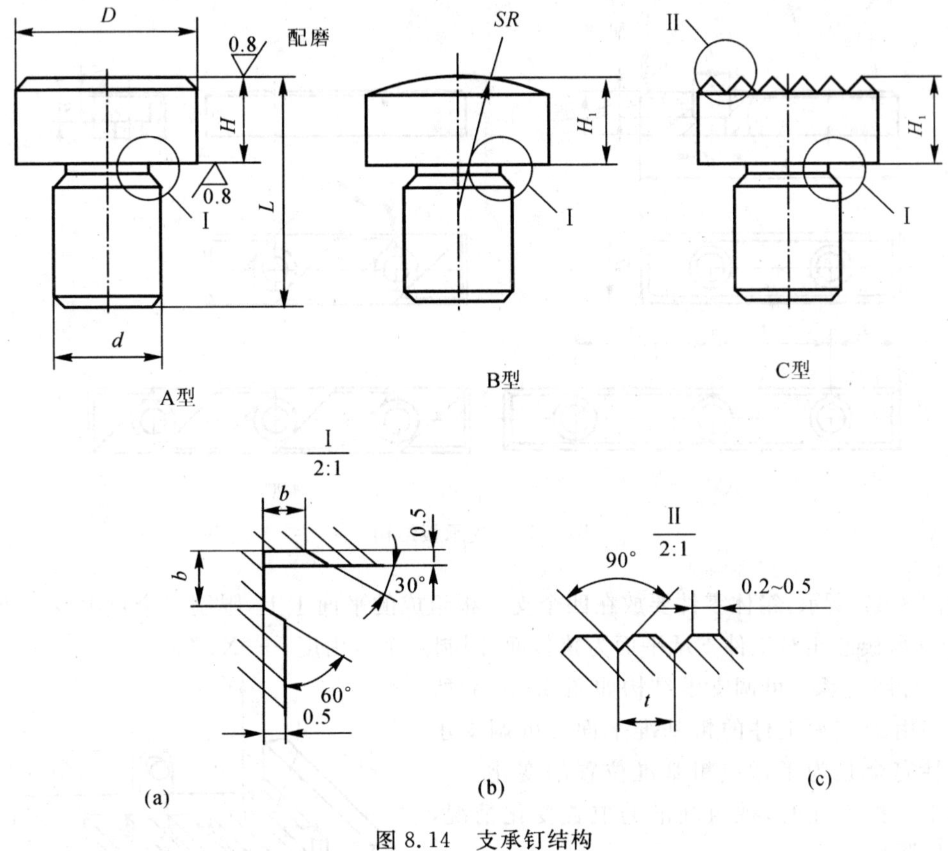

图 8.14　支承钉结构

用支承钉支承较大平面时，通常每一个支承钉可视为一个点，能限制一个自由度。根据支承钉分布的位置不同而产生不同的作用。如图 8.15(a)所示工件的定位情况，其轴线位置平行于 X 轴时，支承钉限制 $\vec{X}$，而如图 8.15(b)中的支承钉则限制 $\overset{\frown}{X}$。

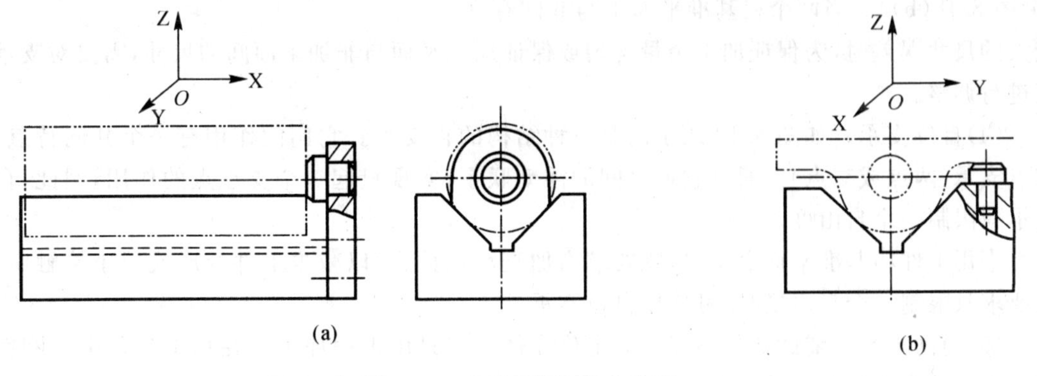

图 8.15　支承钉限制的自由度

(2)支承板。支承板的结构形式如图 8.16 所示。A 型结构简单,但埋头螺钉处清理切屑比较困难,适用于侧面和顶面定位;B 型支承板,在螺钉孔处带有斜凹槽,易于保持工作面清洁,适用于底面定位。支承板多用于支承已加工过的平面。当支承定位基准平面较大时,常用几块支承板组合一个平面,为保持几块支承板(支承钉亦同)在同一平面上,在组装到夹具体上之后,应将其工作面一起再磨一下。

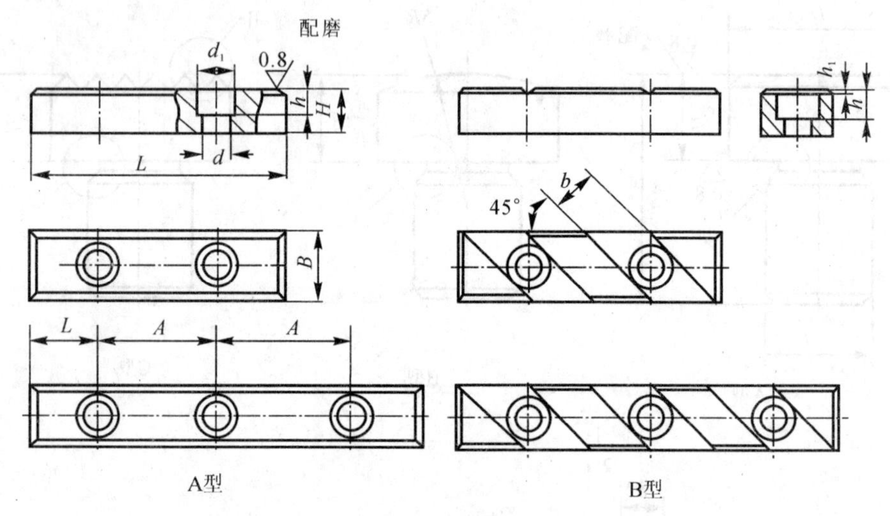

图 8.16　支承板结构

如图 8.17 所示,箱体零件要放在四个支承板组成的平面Ⅰ上,限制三个自由度——$\vec{Z}$,$\hat{X}$,$\hat{Y}$;一个支承板Ⅱ相对工件支承平面为狭长面,限制两个自由度——$\vec{X}$,$\hat{Z}$。

(3)可调支承。可调支承结构如图 8.18(a)所示。它多用于支承工件的粗基准平面。可调支承的可调性完全是为了适应粗基准位置的变化。一般每加工一批毛坯时,视粗基准的位置变化情况,相应加以调整。

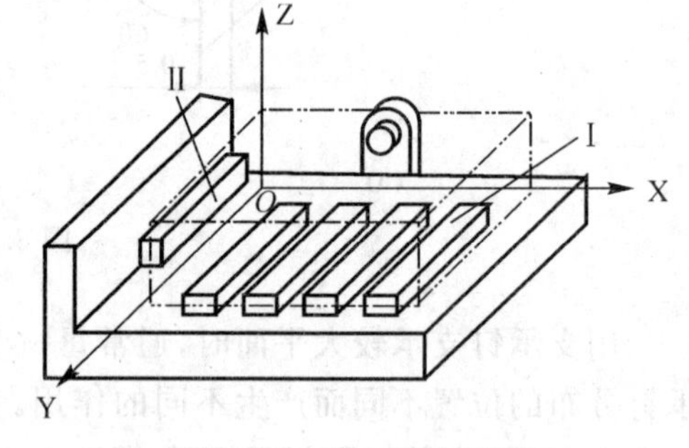

图 8.17　平面定位简图

当工件用两个未加工过的阶梯平面Ⅰ及Ⅱ作为粗基准时,在工件粗基准平面Ⅰ上用两个固定支承钉定位,在平面Ⅱ处就须用一个可调支承来定位(见图 8.18(b))。当两个粗基准平面Ⅰ与Ⅱ间存在较大的尺寸误差时,为保证加工余量均匀或保证加工平面与非加工面间的尺寸,需要对支承高度进行调整。

(4)自位支承。如图 8.19 所示的是三种结构的自支承。它们的作用有一个共同特点,即多点支承(两点或三点)。通过它们之间的浮动联系,实现只起一个支承点的作用,因此,自位支承只限制一个自由度。

当用工件粗基准平面定位时,既要求增加支承点数目,以减少工件变形或减小接触应力,又要求只限制一个自由度时,可使用自位支承。

(5)辅助支承。辅助支承不能作为定位元件。它只用来增加工件在加工过程中的刚性作用。对辅助支承的要求是不允许破坏基本支承已确定好的工件位置。

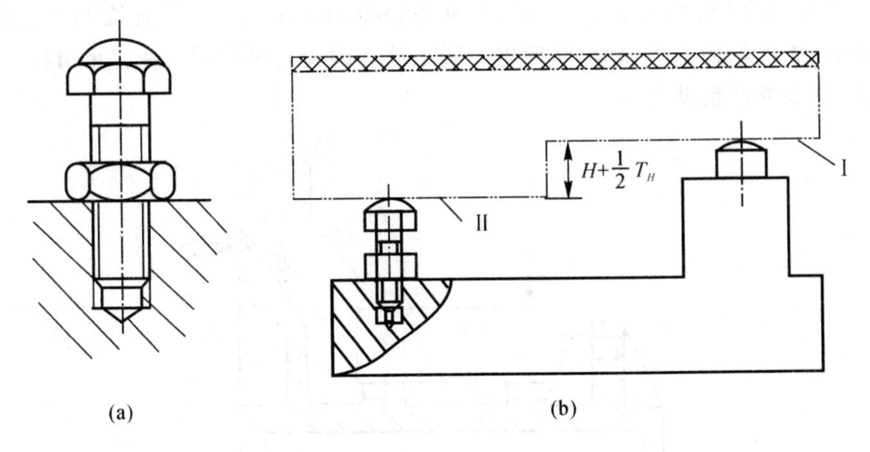

图 8.18　可调支承的应用

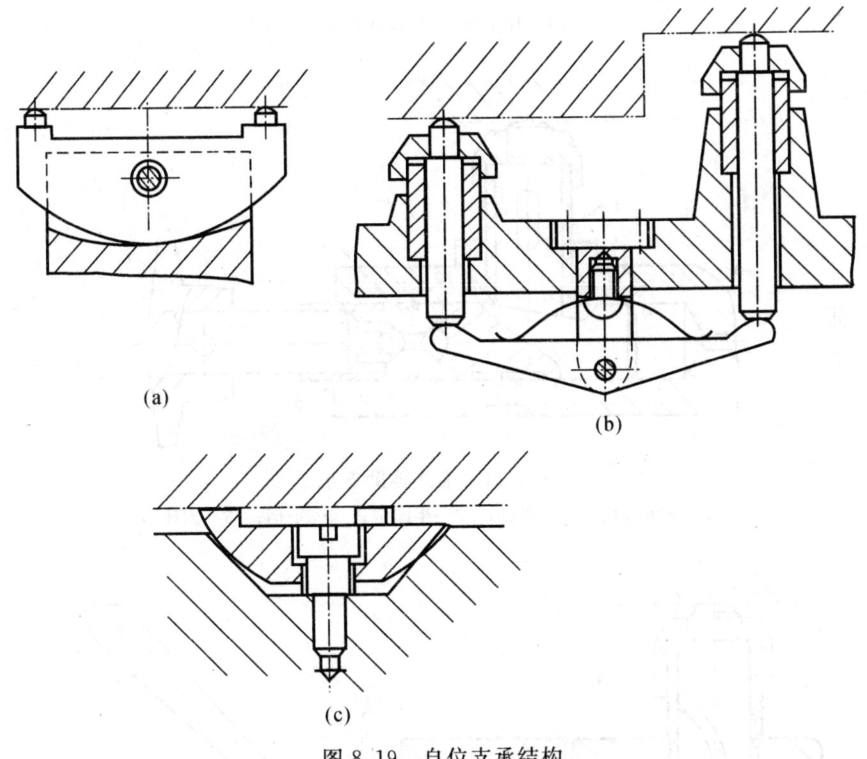

图 8.19　自位支承结构

如图 8.20 所示为工件以两个相互垂直的平面定位，并在其上部夹紧，加工面远离定位基准和夹紧点。由于加工部位悬伸较大，刚性差，加工时工件易产生变形和振动。因此，必须在悬伸处设置辅助支承，并在辅助支承相对应处施加夹紧力 F_{c2}。这样就提高了工件的刚性和稳定性。

从上述实例可知，使用辅助支承时，其高低位置必须按工件已确定好的位置进行调节。

辅助支承常见的有两种结构形式。一种如图 8.21 所示，它的支承工件面在非工作位置时，低于工件位置，不与工件接触。工作时，将支承滑柱 1 推上，与工件接触，然后用锁紧机构锁紧。这种辅助支承都是在工件定位夹紧后，才推出支承顶在工件表面上，所以称为推式辅助支承。另外一种，如图 8.22 所示，工作时，借助弹簧力使支承滑柱的工作面与工件保持接触。在工件定位后，先把辅助支承锁紧，然后再夹紧工件。因为它是靠弹力使支承滑柱与工件保持接触的，所以称为弹性辅助支承。

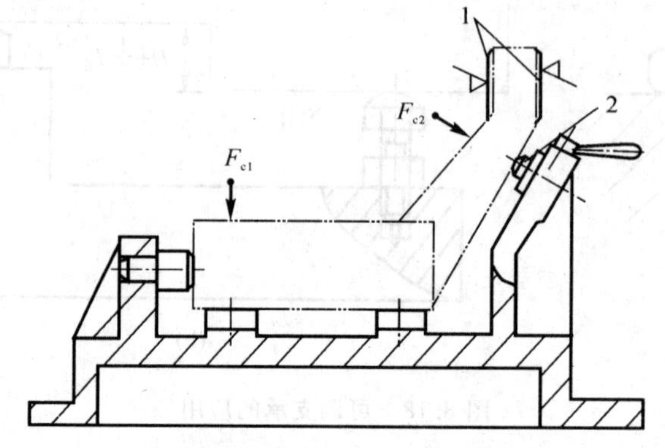

图 8.20　辅助支承应用示意图

1—加工面；　2—辅助支承

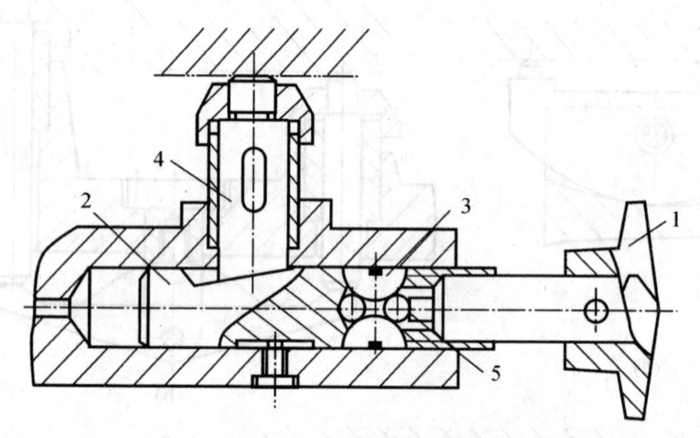

图 8.21　推式辅助支承

1—支承滑柱；　2—推杆；　3—半圆键；　4—手柄；　5—钢球

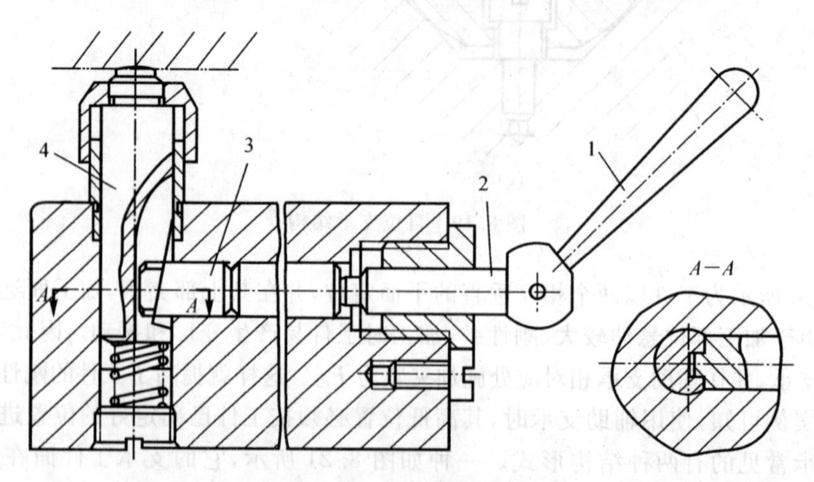

图 8.22　弹性辅助支承

1—手柄；　2—螺杆；　3—滑块；　4—支承滑柱

2. 工件以内孔定位

工件以内孔来定位是常见的，如盘类零件、杆叉类零件常以内孔作为定位基面。常用的定位元件有芯轴和定位销。

(1)芯轴。常用的芯轴有下列三种形式。

1)锥形芯轴(见图 8.23(a))。锥形芯轴的锥度，一般为 1/1 000～1/5 000。工件定位是依靠芯轴的锥体定心和胀紧的。锥形芯轴所能限制的自由度是五个，即除绕芯轴本身转动的自由度不能限制外，其余的自由度都受到限制。

2)过盈配合圆柱芯轴(见图 8.23(b))。芯轴的定位部分 3 是与工件过盈配合的，工件须经压力机将其压入芯轴定位部分上。一般最大过盈配合不超过 H7/r6，以免压入工件的压力过大和工件过分变形。为了使工件易于迅速而准确地套入，在芯轴前端设置导向部分 1。芯轴末端为传动部分 2。这种芯轴定心精度较高，能传递一定转矩，常用于多刀床精车盘套类零件。过盈配合芯轴能限制四个自由度：$\vec{Y}$,$\vec{Z}$,$\hat{Y}$,$\hat{Z}$。

3)间隙配合芯轴(见图 8.23(c))。芯轴定位部分与工件定位孔为间隙配合，其配合可按 H7/h6 或 H7/g6 或 H7/f7。芯轴轴肩作轴向定位。间隙配合芯轴装卸工件较为方便，但定心精度较差。工件是靠芯轴右端的螺母夹紧的，为装卸工件迅速，还采用了开口垫圈。这种芯轴能限制 $\vec{X}$,$\hat{Y}$,$\vec{Z}$,$\hat{Y}$ 和 $\hat{Z}$ 五个自由度。

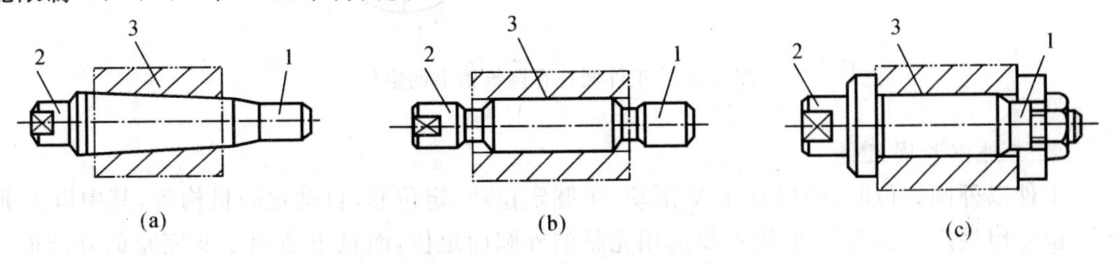

图 8.23 常用的刚性芯轴结构

1—导向部分； 2—传动部分； 3—定位部分

(2)定位销。如图 8.24 所示为常用的定位销结构。图(a)为固定式结构，可直接以 H7/r6 过盈配合压入夹具体孔内。图(b)为可换式结构，在大量生产中为方便地更换磨损了的定位销，在夹具体中压有固定衬套，定位销以 H7/h6 配合安装在衬套内，并用螺母拉紧。

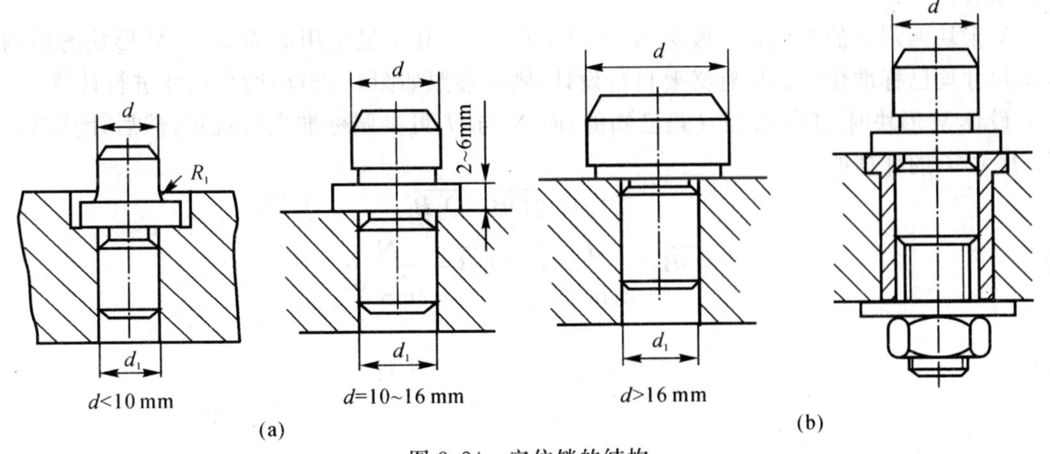

图 8.24 定位销的结构

当芯轴或定位销与工件圆孔配合定位时，定位元件所能限制的自由度，一般可根据工件定位面与定位元件（芯轴或定位销）工件表面相接触的长度 L 与孔（工件）的直径 D 之比而定。当 $L/D \geqslant 1$ 时，可认为是长芯轴、长定位销与圆孔配合，它们限制了四个自由度：$\vec{X}$，$\vec{Y}$，$\widehat{X}$ 和 $\widehat{Y}$；当 $L/D < 1$ 时，是短芯轴、短定位销配合，限制两个自由度：$\vec{X}$ 和 $\vec{Y}$。

除了工件圆孔在芯轴或定位销上定位之外，也常遇见工件以圆孔在如图 8.25 所示的平头推销上定位。两者接触的迹线是一个圆。这类定位方式限制三个自由度：$\vec{X}$，$\vec{Y}$ 和 $\vec{Z}$。

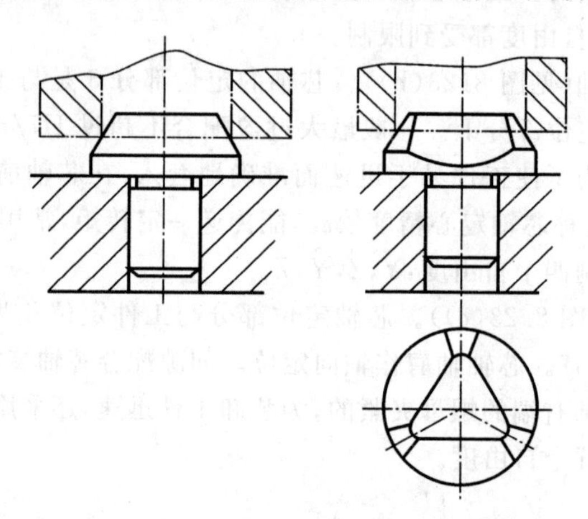

图 8.25　工件圆孔在圆锥销上的定位

3. 工件以外圆定位

工件以外圆定位时，一般常用 V 形块、半圆定位块、定位套、自动定心机构等，其中以 V 形块定位应用最广。因为 V 形块不仅适用完整的外圆面定位，而且也适用于非完整的外圆面定位。下面只介绍 V 形块定位。

常用的 V 形块如图 8.26 所示，图(a)结构为整体式，用于以精基准定位时；图(b)结构可用于定位面较长或两段定位基面（直径可不相同）分布较远时。当工件定位的外圆直径很大时，可以采用铸铁基体上镶淬硬的支承板结构。

V 形块在对工件定位时，主要起对中作用，即能使工件外圆轴线与 V 形块两斜面的对称平面重合。

V 形块两斜面的夹角 α 一般选用 60°，90°和 120°，其中最常用的为 90°。V 形块的结构和基本尺寸均已标准化。如果有必要自行设计，则可参照如图 8.26(a)所列尺寸进行计算。

设计 V 形块时，工件直径 d 是已知的，而 N 与 H 可参照标准先行规定，然后计算出尺寸 T。尺寸 T 的计算如下。

$$T - H = \overline{OB} - \overline{O_1B}$$

而

$$\overline{OB} = \frac{d}{2\sin\frac{\alpha}{2}};\quad \overline{O_1B} = \frac{N}{2\tan\frac{\alpha}{2}}$$

所以

$$T = \frac{d}{2\sin\frac{\alpha}{2}} - \frac{N}{2\tan\frac{\alpha}{2}} + H$$

当 $\alpha=90°$时，$T=H+0.707d-0.5N$；当 $\alpha=120°$时，$T=H+0.578d-0.289N$。而尺寸 N：当 $\alpha=90°$时，$N=1.41d-2a$；当 $\alpha=120°$时，$N=2d-3.46a$。式中 $a=(0.14\sim0.16)d$。尺寸 H：用于大直径定位时，取 $H\leqslant0.5d$；用于小直径定位时，取 $H\leqslant1.2d$。

工件在V形块中定位时，当工件外圆与V形块接触线较长时，相当于长V形块与外圆接触，它限制四个自由度：$\vec{X}$，$\hat{Z}$，$\hat{X}$ 和 $\hat{Z}$。当接触线较短时，相当于短V形块，限制两个自由度：$\vec{X}$，$\hat{Z}$(单独使用时)。

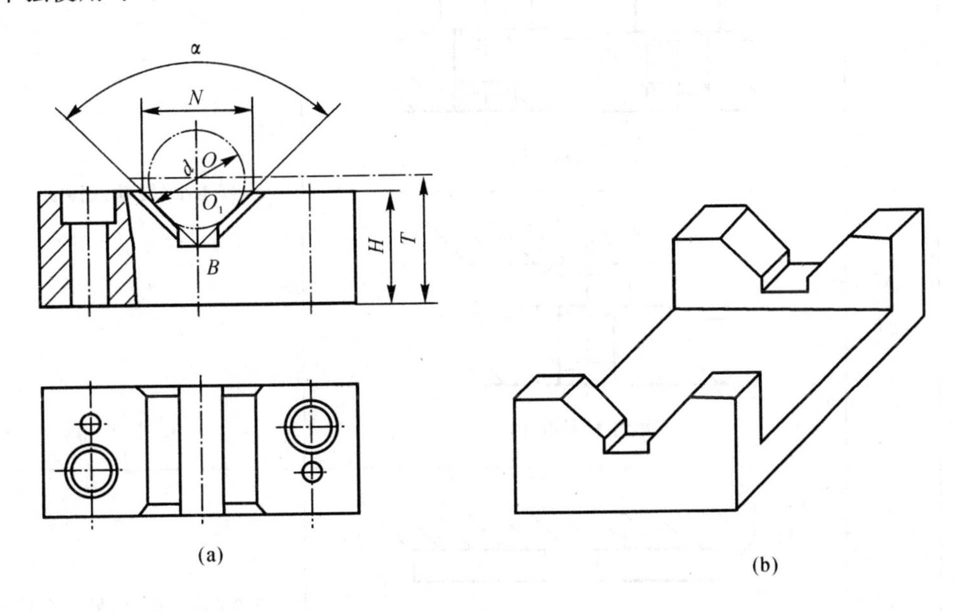

图 8.26　V形块的结构

起定位作用的V形块，通常都是做成固定式的。但是，V形块有时还兼起夹紧作用，或者用做定位的同时，还要求它能补偿毛坯尺寸变化对定位的影响。这时，所用的V形块常常做成可移动式的，其典型应用实例如图 8.27 所示。图中加工的是一个杠杆类零件(双点画线所示)，要求钻两个孔，且保持两孔轴线在工件杆身纵向对称平面上。工件以其底面和两端弧面为定位基准(基面)，并分别在两个支承环上和两个V形块中定位。工件底面与支承环平面接触，限制三个自由度；工件左端圆弧与固定V形块1接触(短V形块)，限制两个自由度；工件右端圆弧面与可移动V形块3接触，限制一个自由度。在这里，可移动V形块起到消除转动自由度($\hat{Z}$)的作用，而且利用其在X方向可移动的特点来补偿毛坯尺寸变化对定位的影响，同时又借助于螺杆而起夹紧元件的作用。

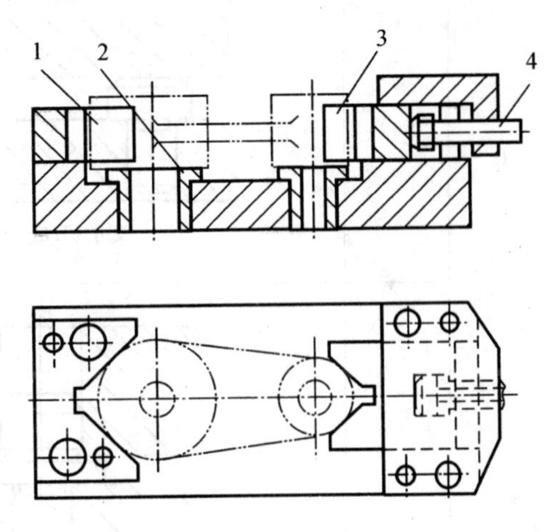

图 8.27　可移动式V形块应用实例

1—固定V形块；　2—支承环；　3—可移动V形块；　4—夹紧螺杆

综上所述，常用的一些定位元件所能限制的

自由度列举在表 8.8 中，供参考。

表 8.8 常见定位元件限制的自由度

类型	序号	定位方式简图及定位元件名称	限制自由度
Ⅰ	(1)	支承钉(粗基准用)	1 个(转动或移动)
	(2)	支承钉(精基准用)	
Ⅱ	(3)	支承板(成一直线)	2 个(一个移动，另一个转动)
	(4)	支承钉(成一直线)	2 个(一个移动，另一个转动)
	(5)	短圆柱销	2 个(移动)

续表

类型	序号	定位方式简图及定位元件名称	限制自由度
Ⅱ	(6)	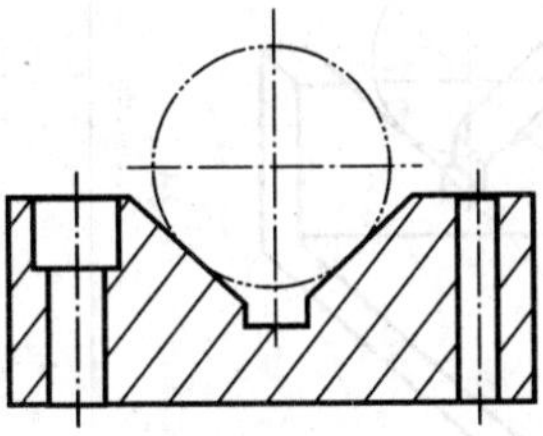 短V形块	
Ⅲ	(7)	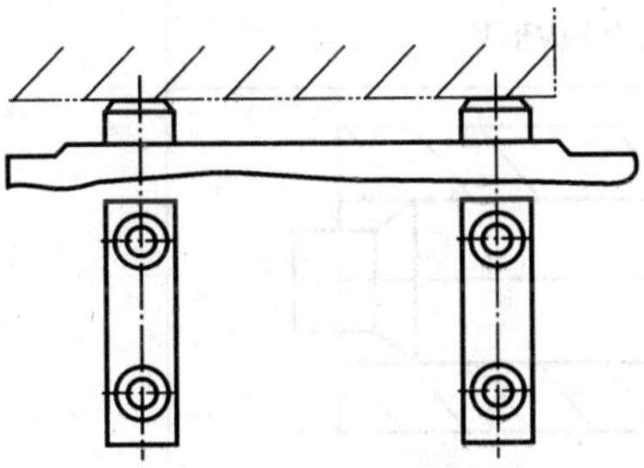 组成一平面的支承钉(精基准用)	3个(一个移动,两个转动)
	(8)	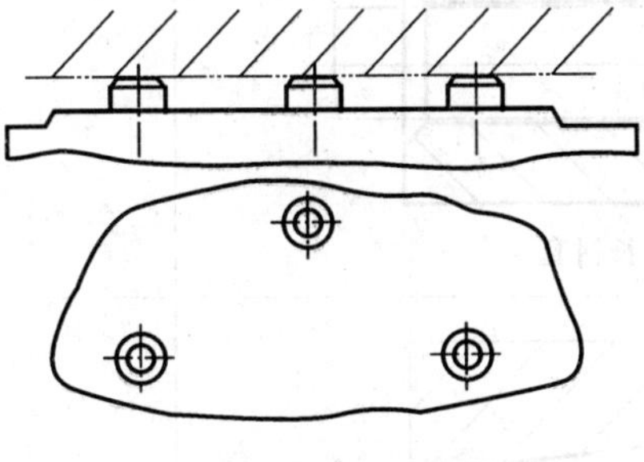 组成一平面的支承钉	
	(9)	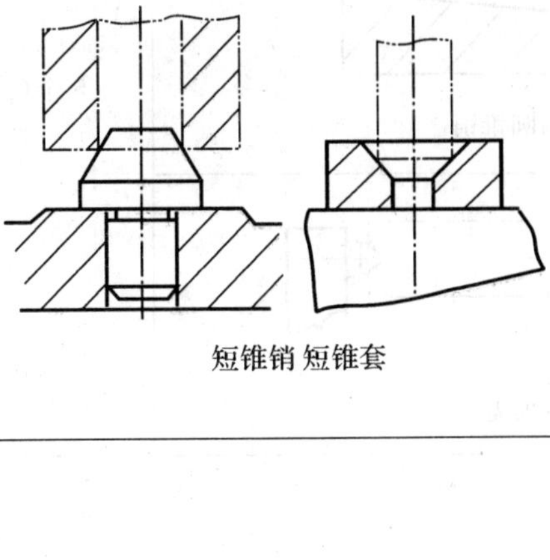 短锥销 短锥套	3个(移动)

续 表

类型	序号	定位方式简图及定位元件名称	限制自由度
Ⅳ	(10)	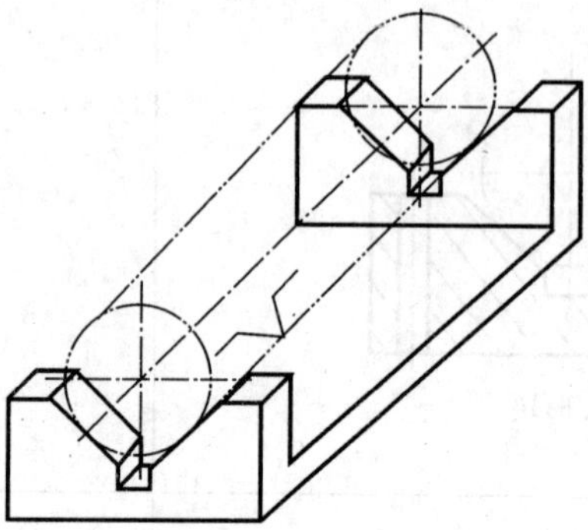 长V形块或两个短V形块	4个(两个移动,两上转动)
	(11)	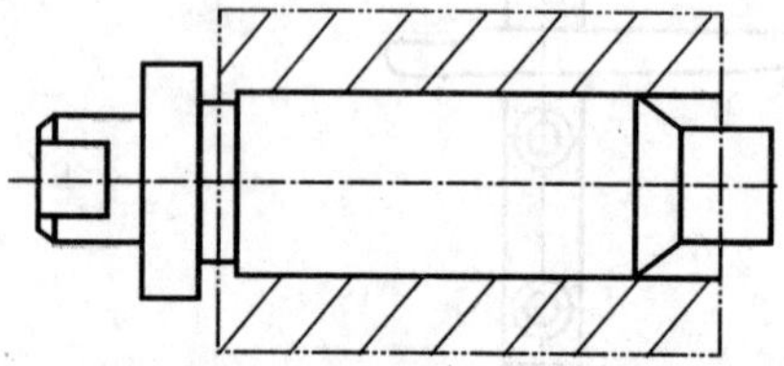 长圆柱销	
	(12)	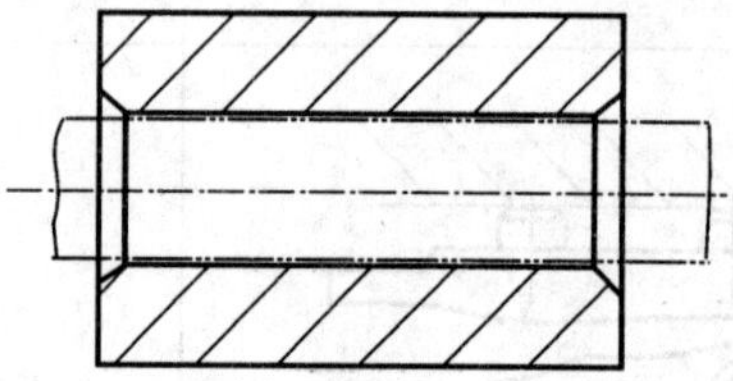 长衬套	
Ⅴ	(13)	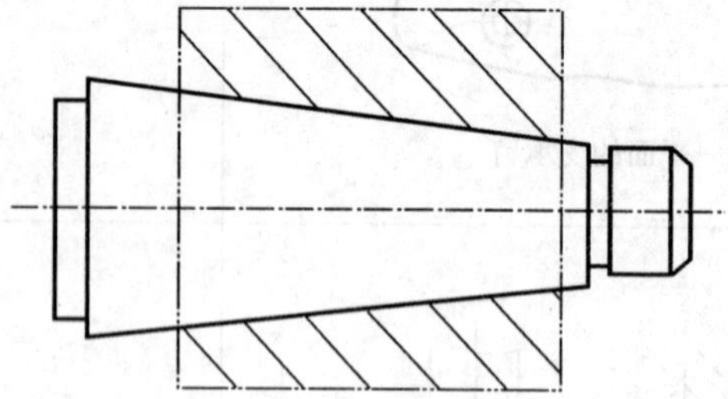 长圆锥销	5个(三个移动,两个转动)
	(14)	 前后顶尖	

续表

类型	序号	定位方式简图及定位元件名称	限制自由度
V	(15)	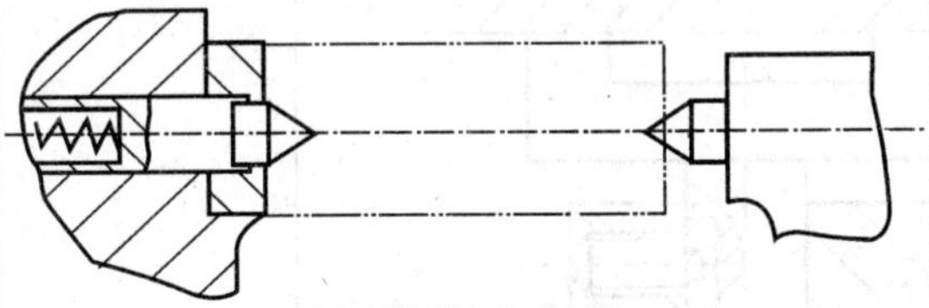 浮动前顶尖和后顶尖	5个(三个移动,两个转动)
VI	(16)	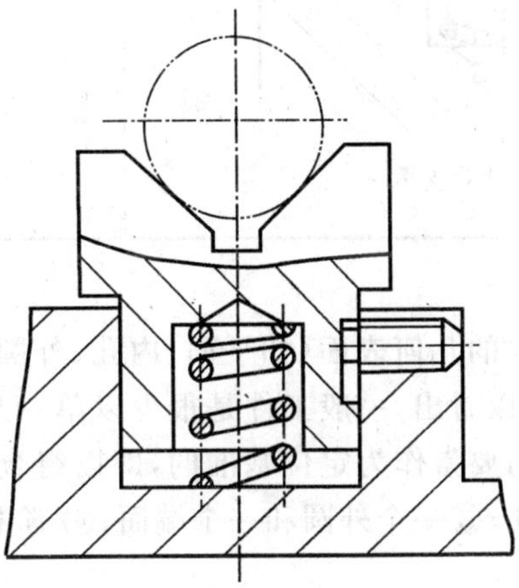 浮动短V形块	1个(移动或转动)
	(17)	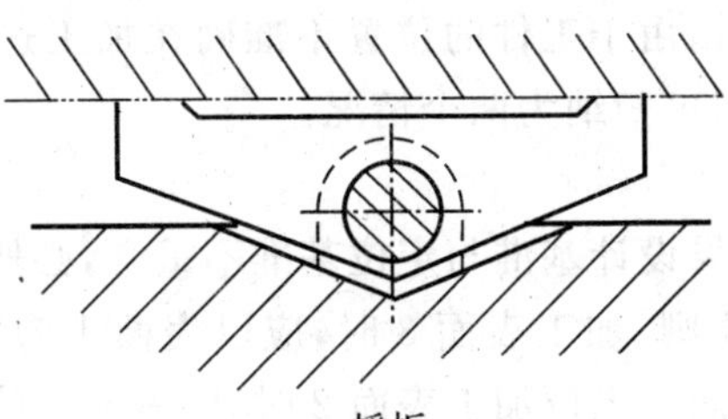 摇板	1个(移动)
	(18)	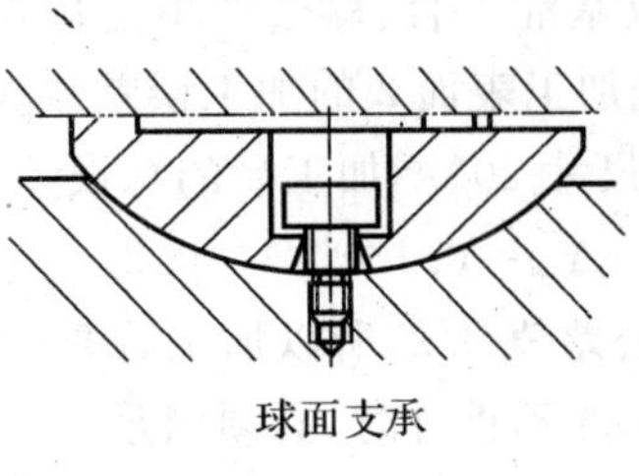 球面支承	

续表

类型	序号	定位方式简图及定位元件名称	限制自由度
Ⅵ	(19)	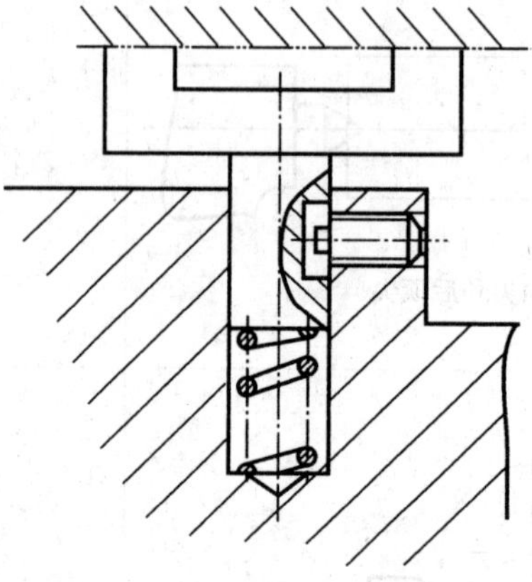 浮动双支承	1个(转动)

4. 工件以组合表面定位

以上所述的定位方式，都是以单一的几何表面(如平面、内孔、外圆)作为定位基准的。从上面列举的一些工件定位实例中也可以看出，一般工件是很少以单一几何要素作为定位基准来定位的，通常都是以两个以上的几何要素作为定位基准的，即以组合表面定位：①一个孔和一个端面；②一个平面及其上的两个孔；③一个外圆和一个端面；④ 阶梯轴的两个外圆和一个端面定位等。

8.4.6 定位误差分析

所谓定位误差是指工件在定位时，由于工件的位置不准确在加工过程中引起工序尺寸变化的加工误差。产生定位误差的原因可归纳为两个情况。

1. 基准不重合误差

在前述精基准的选择原则中，如果设计基准与定位基准不重合，必然会产生定位误差。如图 8.28 所示的工件，根据基准重合原则，加工表面 3 时，应以表面 1 为定位基准；加工表面 2 时，应以表面 3 为定位基准。但以表面 3 定位加工表面 2 时，因表面 3 的面积小，不易夹紧，在切削力作用下工件容易松动，或产生振动，定位夹紧比较复杂，因此，应以面积较大的表面 1 为定位基准。这时由于设计基准不与定位基准重合，就会产生定位误差，一般称基准不重合误差。影响 $20^{+0.2}_{0}$ 这一尺寸的，除了有精铣加工表面 2 的加工误差 Δ_{jg}(现设 $\Delta_{jg}=0.1$)以外，还包括了尺寸 50 的公差($\Delta_{dw}=0.1$)。因此，尺寸 $20^{+0.2}_{0}$ 加工后的总误差 $\Delta_{总}$ 将为

$$\Delta_{总}=\Delta_{jg}+\Delta_{dw}=0.1+0.1=0.2$$

$\Delta_{总}$ 为 0.2，恰好满足 $20^{+0.2}_{0}$ 尺寸的公差值 0.2，所以加工后 $20^{+0.2}_{0}$ 的尺寸可以保证。

根据上述分析，当定位基准与设计基准不重合时，必须满足

$$\Delta_{总}=\Delta_{jg}+\Delta_{dw}\leqslant\delta$$

才不致产生废品。

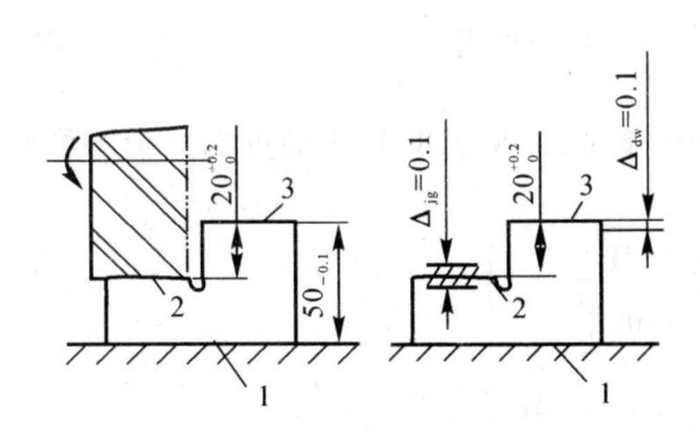

图 8.28　加工平面时的定位误差

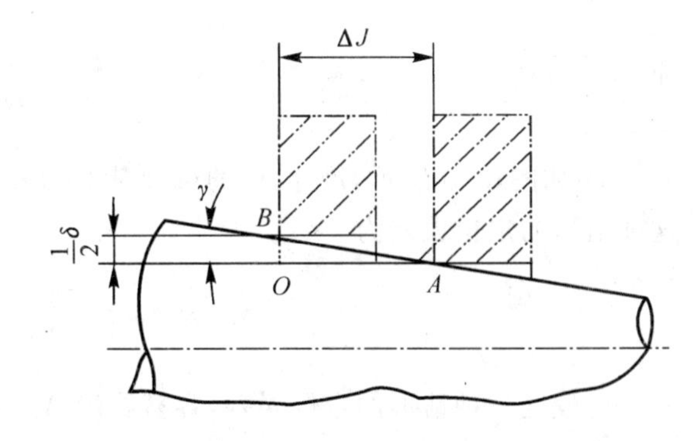

图 8.29　工件在锥形芯轴上定位

2. 定位元件和定位基面本身有误差

(1) 工件以圆柱孔定位时的定位误差。当工件以圆柱孔在静配合的圆柱芯轴、锥形芯轴或胀开式芯轴上定位时，由于孔与芯轴之间没有间隙，因此在径向没有定位误差。但是工件孔径的尺寸误差，在轴向会有定位误差。如图 8.29 所示，工件的孔径公差为 δ，装有芯轴后，其轴向位置在 ΔJ 范围内变动，此 ΔJ 即为轴向定位误差。由图可知，$\Delta J=\delta/(2\tan\gamma)$。

此外，圆柱孔与芯轴锥体仅在大头部分接触，而小头部分仍有间隙，故工件可能偏斜。当芯轴锥度很小时，将工件轻轻压上芯轴，使定位基面产生弹性变形后在一定长度上与芯轴接触，从而使工件的偏斜很小，达到可以忽略不计的程度。但是，当芯轴锥度大时，轴向的定位误差将很大。因此，当用调整法加工要求控制轴向尺寸的零件时，不宜采用这种芯轴。

(2) 工件以外圆在 V 形块上定位时的定位误差。当工件以外圆在 V 形块上定位时，根据设计基准的不同，可分三种情况来讨论。

1) 如图 8.30 所示，尺寸 A_0 的设计基准是外圆的中心 O_1，定位基准是外圆的两条母线，两者不合。由于工件外圆直径有误差，它在 V 形块上的中心位置是变化的，变化范围从 O_1 到 O_2，这就是定位误差。设工件外圆直径的公差为 δ，最大极限尺寸为 D_{max}，最小极限尺寸为 D_{min}，在这两种情况下，工件外圆与 V 形块支承表面的切点分别为 A_1 及 A_2。从 O_2 作 O_1A_1 的垂线交于 B 点。

因
$$\overline{O_1A_1}=\frac{D_{max}}{2},\quad \overline{O_2A_2}=\frac{D_{min}}{2}$$

故
$$\overline{O_1B}=\overline{O_1A_1}-\overline{A_1B}=\overline{O_1A_1}-\overline{O_2A_2}=\frac{D_{max}-D_{min}}{2}=\frac{\delta}{2}$$

所以定位误差为

$$\Delta_{W_1}=\overline{O_1O_2}=\frac{\overline{O_1B}}{\sin\frac{\alpha}{2}}=\frac{\delta}{2\sin\frac{\alpha}{2}}$$

由此式可以看出，在一定的外圆精度的情况下，α 角愈大，则定位误差愈小。当 $\alpha=180°$ 时，定位误差最小，其值为$\frac{\delta}{2}$。但此时已不是 V 形块而失去了对中作用。

2) 如图 8.31 所示，尺寸 A_1 的设计基准为外圆的上母线(见图 8.31 中的点 1)。此时，定位基准仍是工件外圆的另外两条母线，所以也有基准不重合误差。定位误差由两部分合成，一部分是由基准不重合引起的，另一部分是由工件定位基面本身的误差引起的。

即 $$\Delta_{W_2}=\frac{\delta}{2}+\Delta_{W_1}=\frac{\delta}{2}+\frac{\delta}{2\sin\frac{\alpha}{2}}=\frac{\delta}{2}\left(\frac{1}{\sin\frac{\alpha}{2}}+1\right)$$

3）如图8.31所示，尺寸A_2的设计基准为外圆的下母线（见图8.31中的点2）。由图可见，这种情形的定位误差为

$$\Delta_{W_3}=\Delta_{W_1}-\frac{\delta}{2}=\frac{\delta}{2}\left(\frac{1}{\sin\frac{\alpha}{2}}-1\right)$$

比较这三种情形的定位误差，容易看出 $\Delta_{W_3}<\Delta_{W_1}<\Delta_{W_2}$。

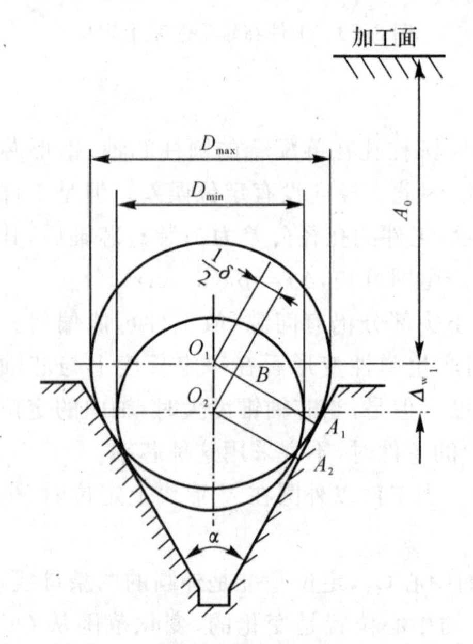

图8.30 工件在V形块中的定位误差

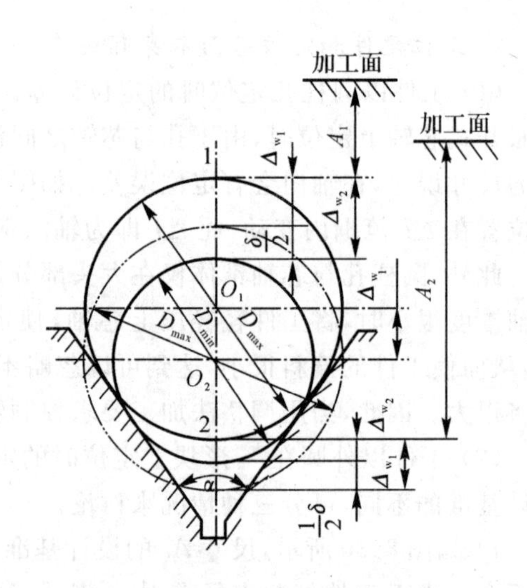

图8.31 工件在V形块中的定位误差

8.4.7 工艺路线的拟定

工艺路线的拟定是制定工艺规程的总体布局，其主要任务是选择各个表面的加工方法和加工方案，确定各个表面的加工顺序以及整个工艺过程中工序数目的多少等，以协调各工种形成流水作业。

1. 选择加工方法及方案

在分析研究零件图的基础上，根据工件结构形状、尺寸精度、形位精度、表面粗糙度、生产类型、零件材料及硬度，结合制造厂具体生产条件、加工方法及其组合加工后所能达到的经济精度和表面粗糙度，最后选择合适的加工方法和方案。必要时，通过技术经济分析来确定。

2. 工序的集中与分散

工序的集中是使每一工序中包含尽可能多的加工内容，而使总的工序数目减少。通常是采用多轴、多面、多工位和复合刀具等方法来集中工序，在一台机床上完成复杂的加工内容。其特点是缩短工艺路线，减少设备量，以利保证各加工面之间相互位置精度，简化生产组织。

工序分散则相反，整个工艺过程的工序数目较多，而每道工序所完成的加工内容较少。其

特点是被采用的设备和工艺比较简单，对工人的技术要求也较低。

在制定工艺过程中，应恰当地选择工序集中与分散的程度，针对具体问题，具体分析。如箱体零件各面上有严格位置精度要求的孔系，精加工应集中在一台机床进行，粗加工最好也集中在一台机床上进行。这样，有位置精度要求的各表面加工是在一次安装时完成的，其位置精度决定于机床的精度。而要分散加工的话，箱体各表面的位置精度主要决定工件在加工过程中的定位精度，应采用工序集中。如图 8.11 所示机床床身，因为安装搬运困难，应尽可能在不影响加工精度的前提下，减少安装次数和运输工作量，也应采用工序集中。单件、小批生产因为不采用高生产率的专用设备和工艺装备，所以，工序集中程度受到限制。由于计算机控制的数控机床及加工中心的出现，使得现代生产发展的趋势也是工序集中。

3. 工序顺序的安排

(1) 加工阶段的划分。当安排各个工序的顺序时，常常把整个工艺过程划分成几个阶段来考虑，确定各阶段的主要加工内容。

1) 粗加工阶段。其主要任务是为各主要表面精加工提供一个合适的定位基准。根据所选定的粗基准，在前几道工序中把精基准加工出来。加工余量较大的表面的粗加工，都应在这一段完成。

2) 半精加工阶段。它是为主要表面的精加工作好准备，保证合适的精加工余量，同时完成一些次要表面的加工。

3) 精加工阶段。其主要任务是进行为保证表面能获得所要求的尺寸、形状及位置精度的一些终加工工序。

4) 光整加工阶段。对某些要求特别高的零件表面(IT6 级以上精度，R_a 值在 0.2 μm 以下)还须进行光整加工。其主要任务是改善主要加工表面的表面质量，适当提高尺寸精度。光整加工一般不用于提高形状精度和位置精度。

(2) 切削加工工序的安排。根据加工阶段的划分，一般零件大致的加工顺序：

1) 精基准面的加工。主要加工表面的精基准应首先安排加工，以便后续工序使用它定位。例如，齿轮类零件的精基准面一般为内孔和一端面，箱体类零件的精基准面一般为底面，轴类零件的精基准面一般为中心孔。这些精基准都应安排第一道工序加工，并应对它们提出一定的精度要求。

2) 主要表面的粗加工。这里的主要表面是指装配表面、工作表面等。由于加工余量较大，需要的切削力很大，产生的切削热多，工件的内应力和变形较大，可选择精度低、刚性好、动力大的机床。

3) 次要表面的加工。零件的次要表面一般是指键槽、紧固螺钉用的光孔、螺孔、润滑油孔等。因为次要表面的加工工作量较少，又常常与主要表面之间有位置精度要求，所以，次要表面的加工一般安排在主要表面加工之后或穿插在主要表面的加工过程中进行。

4) 主要表面的精加工。精加工表面的工序排在最后，可保护这些表面少受损伤或不受损伤，并且可以选用精度高的机床进行精加工。

(3) 热处理工序的安排。热处理的目的不同，其安排顺序也不同。

1) 预先热处理。预先热处理的目的在于改善金属的切削加工性能，消除毛坯制造时的内应力，所以，应安排在切削加工工序的前面进行。例如，对于含碳质量分数超过 0.5% 的碳钢要用退火降低硬度，以保证刀具的耐用度；对于含碳质量分数低于 0.3% 的碳钢，则采用正火提高硬度，以保证断屑顺利。因此，退火、正火一般安排在粗加工之前进行。

2）最终热处理。最终热处理主要指整体淬火、表面淬火、渗碳、氮化等。其目的在于提高零件的强度、硬度和耐磨性。通常安排在半精加工之后，磨削加工之前，以便减少磨削工作量。热处理产生少量变形和表面氧化层，故需用磨削进行精加工予以去除。

3）中间热处理。中间热处理包括调质处理和时效处理。调质处理（淬火后再进行 500～650℃的高温回火）的目的在于获得具有良好综合机械性能的回火索氏体组织。为使零件上保留尽可能多的优良组织，调质通常安排在粗加工之后，半精加工之前。时效处理的目的在于消除工件的内应力。对于大而复杂的铸件必须在粗加工、半精加工、精加工之前各安排一次时效处理。对于一般铸件，只须在粗加工前后进行一次时效处理即可。

热处理工序在加工顺序中的安排，如图 8.32 所示。

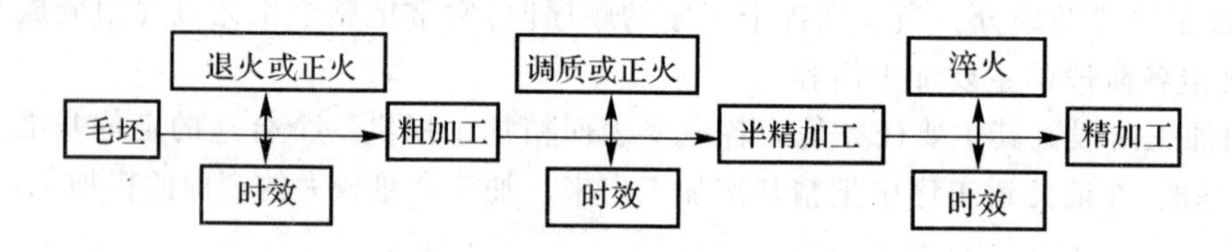

图 8.32 热处理工序的安排

（4）检验工序的安排。合理安排各种检验工序是编制工艺规程重要内容之一。检验工序安排的原则：

1）因工艺或设备不稳定容易产生废品的工序之后，应安排中间检验。

2）精加工前，一般应对工序尺寸和余量等进行检验。

3）对尺寸和位置精度有严格要求的大型关键零件，在加工前要进行某些检验。

4）工件加工结束之后，都要按照零件图纸和技术要求，逐项进行全面的最后检验。

5）某些特殊的检验项目如磁力探伤、动平衡、渗漏等，一般安排在精加工之后进行。

（5）其他辅助工序的安排。零件机械加工的每个工艺过程，编制零件工艺过程时不允许有遗漏，尤其是对一些辅助工序，如零件的表面处理、电镀、涂防锈油，还有去毛刺、倒棱边、去磁、清洗等非机械加工工序。这些工序都是在主要工艺过程确定之后，适当地穿插在各个阶段之间或安排在工艺过程最后形成一个完整的工艺过程。

8.4.8 工艺文件的编制

把制定工艺过程的各项内容归纳起来，以图表或文字的形式写成工艺文件，一般称为工艺规程。由于生产的多样性，所用的工艺文件的名称也不同，常见的工艺规程有三种形式：工艺过程卡片、工艺卡片和工序卡片。

1. 工艺过程卡片

工艺过程卡片是针对一个零件的全部加工过程编写的，它说明零件的加工路线，经过的车间、工段，列出工序名称、使用设备及主要的工艺装备等。其格式如表 8.9 所示。主要用于单件、小批生产。

表 8.9 机械加工工艺过程卡

<table>
<tr><td rowspan="10"></td><td colspan="4">厂</td><td colspan="5" rowspan="3">机械加工工艺过程卡片</td><td>产品名称</td><td></td><td rowspan="3">编号</td><td></td></tr>
<tr><td colspan="2"></td><td colspan="2">年 月 日编</td><td rowspan="2">零件名称</td><td rowspan="2"></td><td rowspan="2"></td></tr>
<tr><td colspan="2">使用单位</td><td colspan="2">车间 工段</td></tr>
<tr><td rowspan="2">车间</td><td rowspan="2">工段</td><td rowspan="2">工序号</td><td rowspan="2">工序名称</td><td colspan="3">设 备</td><td colspan="2">主要工艺装备</td><td rowspan="2">单件工时/min</td><td rowspan="2">准备与结束</td><td colspan="2" rowspan="2">备 注</td></tr>
<tr><td>型号</td><td>名称</td><td>编号</td><td>编号</td><td>名称</td></tr>
<tr><td>1</td><td></td><td></td><td></td><td></td><td></td><td></td><td></td><td></td><td></td><td></td><td colspan="2"></td></tr>
<tr><td>2</td><td></td><td></td><td></td><td></td><td></td><td></td><td></td><td></td><td></td><td></td><td colspan="2"></td></tr>
<tr><td>3</td><td></td><td></td><td></td><td></td><td></td><td></td><td></td><td></td><td></td><td></td><td colspan="2"></td></tr>
<tr><td>4</td><td></td><td></td><td></td><td></td><td></td><td></td><td></td><td></td><td></td><td></td><td colspan="2"></td></tr>
<tr><td>5</td><td></td><td></td><td></td><td></td><td></td><td></td><td></td><td></td><td></td><td></td><td colspan="2"></td></tr>
<tr><td></td><td>6</td><td></td><td></td><td></td><td></td><td></td><td></td><td></td><td></td><td></td><td></td><td colspan="2"></td></tr>
<tr><td>工艺表( )</td><td>7</td><td></td><td></td><td></td><td></td><td></td><td></td><td></td><td></td><td></td><td></td><td colspan="2"></td></tr>
<tr><td>装订 页</td><td>8</td><td></td><td></td><td></td><td></td><td></td><td></td><td></td><td></td><td></td><td></td><td colspan="2"></td></tr>
<tr><td>总 页</td><td>9</td><td></td><td></td><td></td><td></td><td></td><td></td><td></td><td></td><td></td><td></td><td colspan="2"></td></tr>
<tr><td>描 图</td><td>10</td><td></td><td></td><td></td><td></td><td></td><td></td><td></td><td></td><td></td><td></td><td colspan="2"></td></tr>
</table>

<table>
<tr><td></td><td rowspan="3">修改</td><td>标记</td><td>修改依据</td><td>签字</td><td>日期</td><td>标记</td><td>修改依据</td><td>签字</td><td>日期</td><td>编制</td><td>校对</td><td>审核</td><td>会签</td><td>批准</td><td rowspan="3">第 页
共 页</td></tr>
<tr><td>描 校</td><td></td><td></td><td></td><td></td><td></td><td></td><td></td><td></td><td rowspan="2"></td><td rowspan="2"></td><td rowspan="2"></td><td rowspan="2"></td><td rowspan="2"></td></tr>
<tr><td></td><td></td><td></td><td></td><td></td><td></td><td></td><td></td><td></td></tr>
</table>

2. *工艺卡片*

工艺卡片是针对整个零件全部加工过程编写的，它比工艺过程卡片详细。工艺卡片既要说明工艺路线，又要说明各工序的主要内容，因此，工艺过程更加确定。成批生产中多采用它。

3. *工序卡片*

工序卡片是按零件的每一道工序编制的，它说明该工序内的详细操作要求。工序卡片附有工序简图、注明基准、安装方法及注意事项等，以表示本工序完成后工件的形状、尺寸及技术要求。其格式如表 8.10 所示，主要用于大批、大量生产。

表 8.10 机械加工工序卡片

厂		机械加工工序卡片	材料代号		每台件数		零件名称
	年 月 日						
使用单位	车间 工段		硬 度		毛坯类型		零件编号

设备型号	设备名称	切削液	工时/min	工序名称	工序号	工艺装备					
						种类	工步	编号	名称	规格	数量
						1					
						2					
						3					
						4					
						5					
工艺表( )						6					
装订 页						7					
总 页						8					
描 图						9					
描 校						10					

修改	标记	修改依据	签字	日期	标记	修改依据	签字	日期	编制	校对	审核	会签	批准	第 页
														共 页

8.5 典型零件工艺过程

8.5.1 轴类零件

在机器中,轴类零件是用于支承传动零件(如齿轮、皮带轮等)和传递转矩的。按结构形状的不同,轴类零件可分为简单轴(见图 8.33(a)(d))、阶梯轴(见图 8.33(b)(e))和异形轴(见图 8.33(c)(f)(g))。

轴类零件的结构和使用条件不同,其毛坯可有不同的形式。例如,光滑轴的毛坯一般采用热轧圆钢;阶梯轴的毛坯根据各阶梯直径差,可选用圆钢或锻件;某些大型、结构复杂的异形轴一般采用球墨铸铁铸件;当要求其具有较高的机械性能时,则采用锻件。

轴类零件在相同的生产条件下,都有相似的工艺过程。阶梯轴的加工过程较为典型,可以反映出轴类零件加工的基本规律。如图 8.34 所示以车床的传动轴为例,说明在单件、小批生产中一般轴类零件的工艺过程。

1. 零件各主要部分的作用及技术要求

(1) 在 $\phi30_{-0.014}^{\ 0}$ 和 $\phi20_{-0.014}^{\ 0}$ 的轴段上安装滑动齿轮,为传递运动和动力开有键槽;$\phi24_{-0.04}^{-0.01}$

和 $\phi22_{-0.04}^{-0.02}$ 的两段为轴颈，支承于箱体的轴承孔中。表面粗糙度 R_a 均为 0.8 μm。

(2) 各圆柱配合表面对轴线的径向圆跳动公差为 0.02。

(3) 工件材料为 45 钢(w_C 为 0.004 5)，淬火硬度为 HRC40～45。

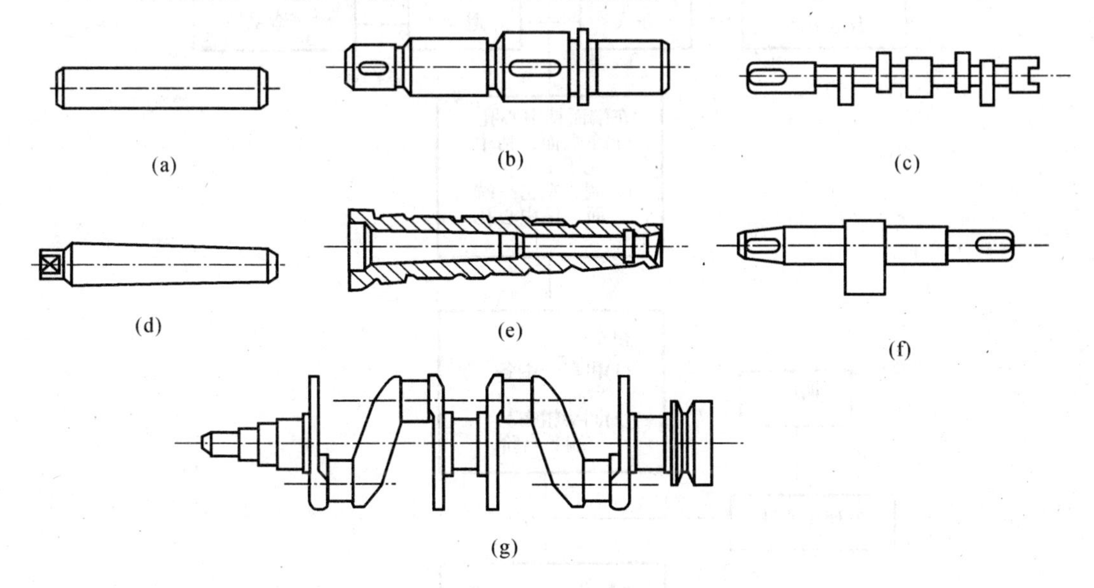

图 8.33 轴类零件举例

(a) 光滑轴； (b) 传动轴； (c) 凸轮轴； (d) 锥度芯轴； (e) 立铣头主轴； (f) 偏芯轴； (g) 曲轴

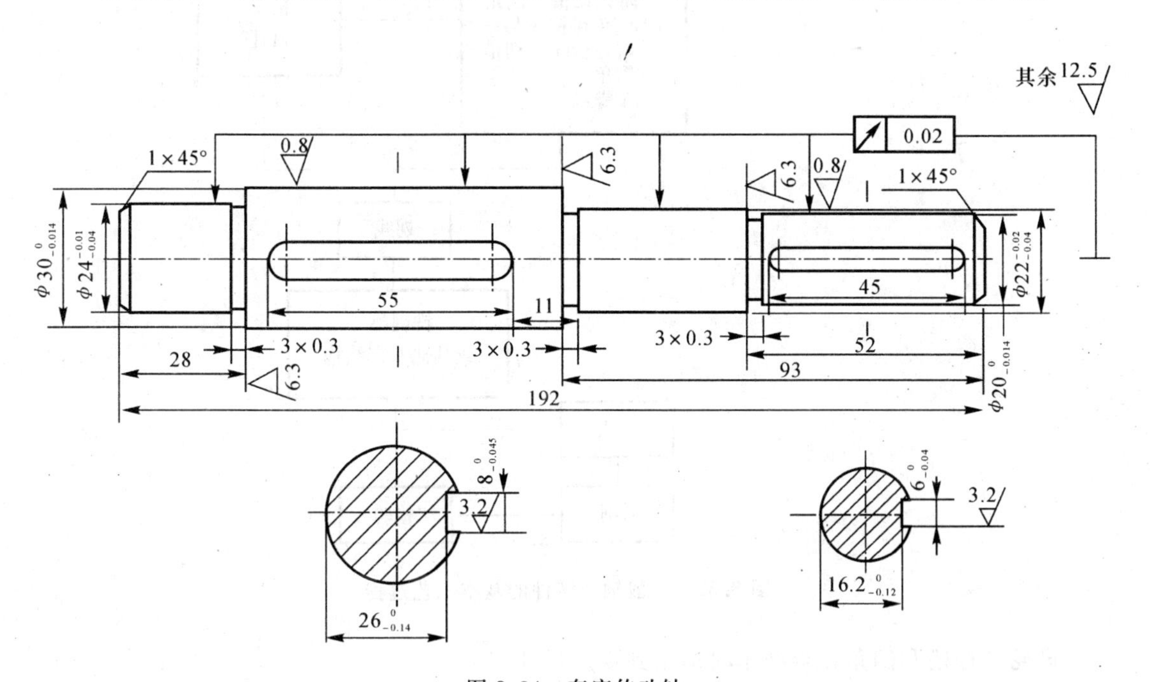

图 8.34 车床传动轴

2. 工艺分析

该零件的各配合尺寸精度为 IT7，粗糙度 R_a 为 0.8 μm。因此各表面的加工方案(工艺过程如图 8.35 所示)为粗车—半精车—热处理—粗磨—精磨。

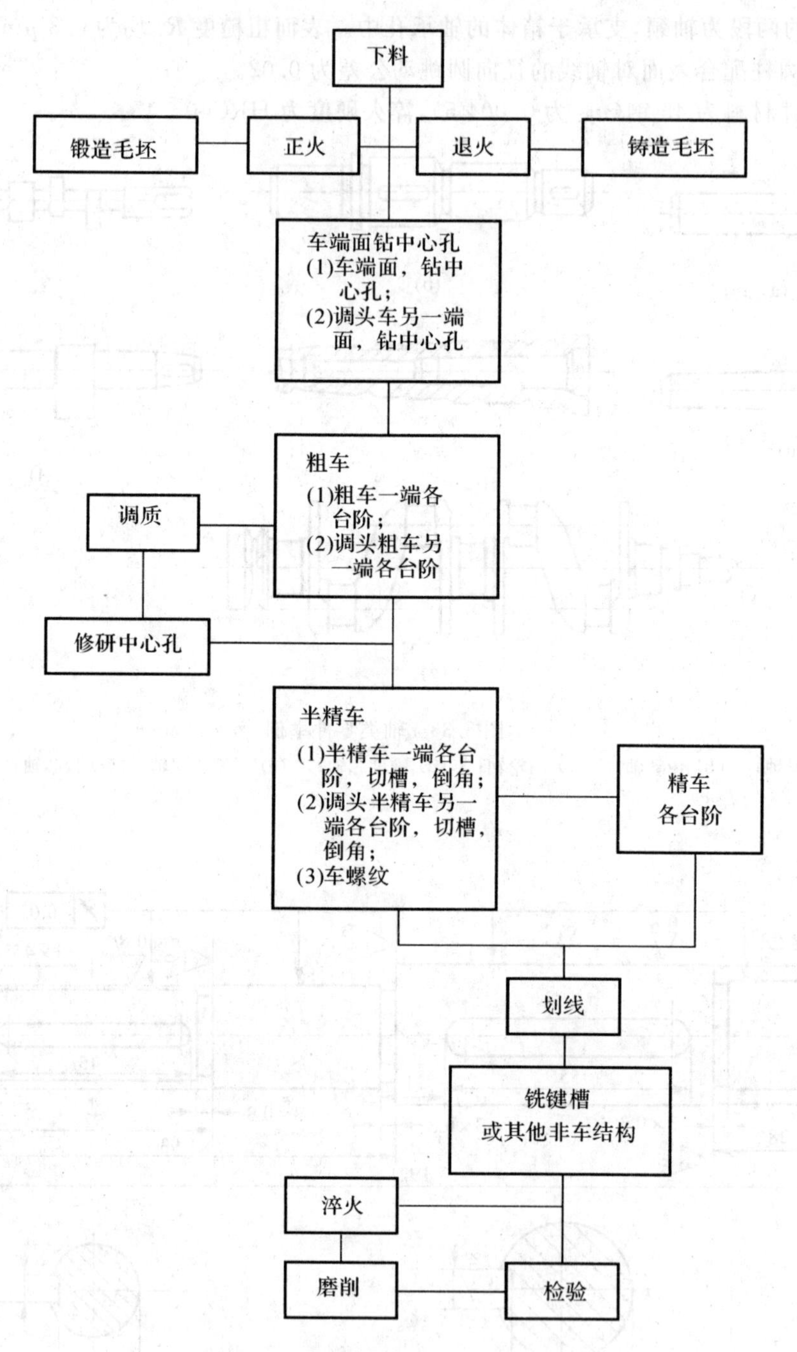

图 8.35 一般轴类零件的基本工艺过程

砂轮越程槽和倒角在半精车时加工到规定尺寸。

轴上的键槽可在热处理之前划线之后，用键槽铣刀在立式铣床上铣出。

3. 基准选择

该零件各配合表面对轴线和径向圆跳动有一定要求。为了保证各配合表面的位置精度，以轴两端的中心孔作为粗、精加工的定位基准。这样既符合基准同一原则和基准重合原则，也有利于生产率的提高。为了保证定位基准的精度和粗糙度，热处理后应修研中心孔。

4. 工艺过程

该轴的毛坯用 $\phi 35$ 圆钢料。在单件、小批生产中，其工艺过程可按表 8.11 所示安排。

一般轴的基本工艺过程如图 8.35 所示。图中有些内容如退火、正火、调质等应根据零件的具体要求决定取舍。在拟定轴的工艺过程中，根据复杂程度和具体要求，在此基础上增减一些工序或作某些调整即可。

表 8.11 单件、小批生产轴的工艺过程

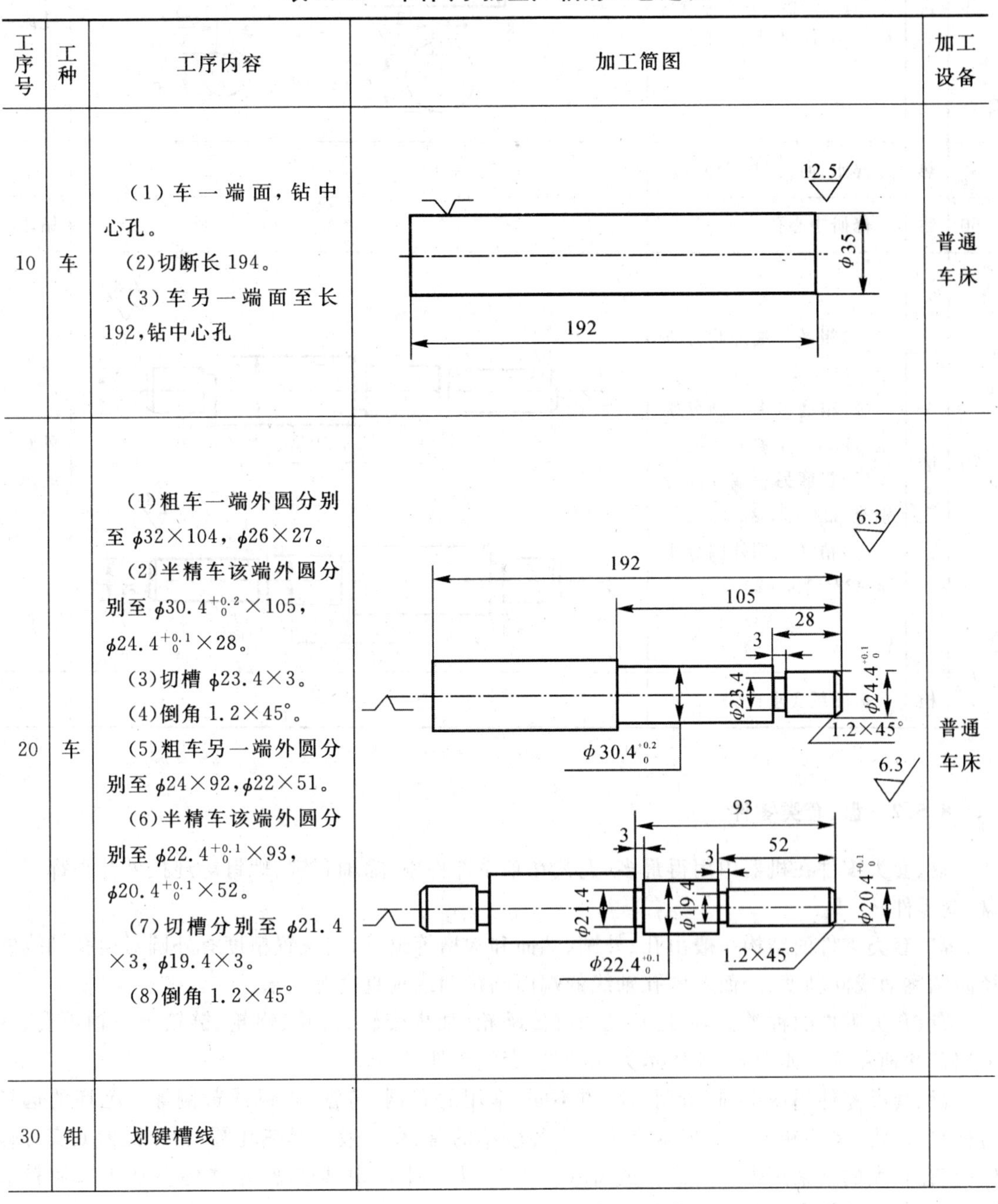

工序号	工种	工序内容	加工简图	加工设备
10	车	(1)车一端面，钻中心孔。 (2)切断长 194。 (3)车另一端面至长 192，钻中心孔		普通车床
20	车	(1)粗车一端外圆分别至 $\phi 32\times 104$，$\phi 26\times 27$。 (2)半精车该端外圆分别至 $\phi 30.4^{+0.2}_{0}\times 105$，$\phi 24.4^{+0.1}_{0}\times 28$。 (3)切槽 $\phi 23.4\times 3$。 (4)倒角 1.2×45°。 (5)粗车另一端外圆分别至 $\phi 24\times 92$，$\phi 22\times 51$。 (6)半精车该端外圆分别至 $\phi 22.4^{+0.1}_{0}\times 93$，$\phi 20.4^{+0.1}_{0}\times 52$。 (7)切槽分别至 $\phi 21.4\times 3$，$\phi 19.4\times 3$。 (8)倒角 1.2×45°		普通车床
30	钳	划键槽线		

续表

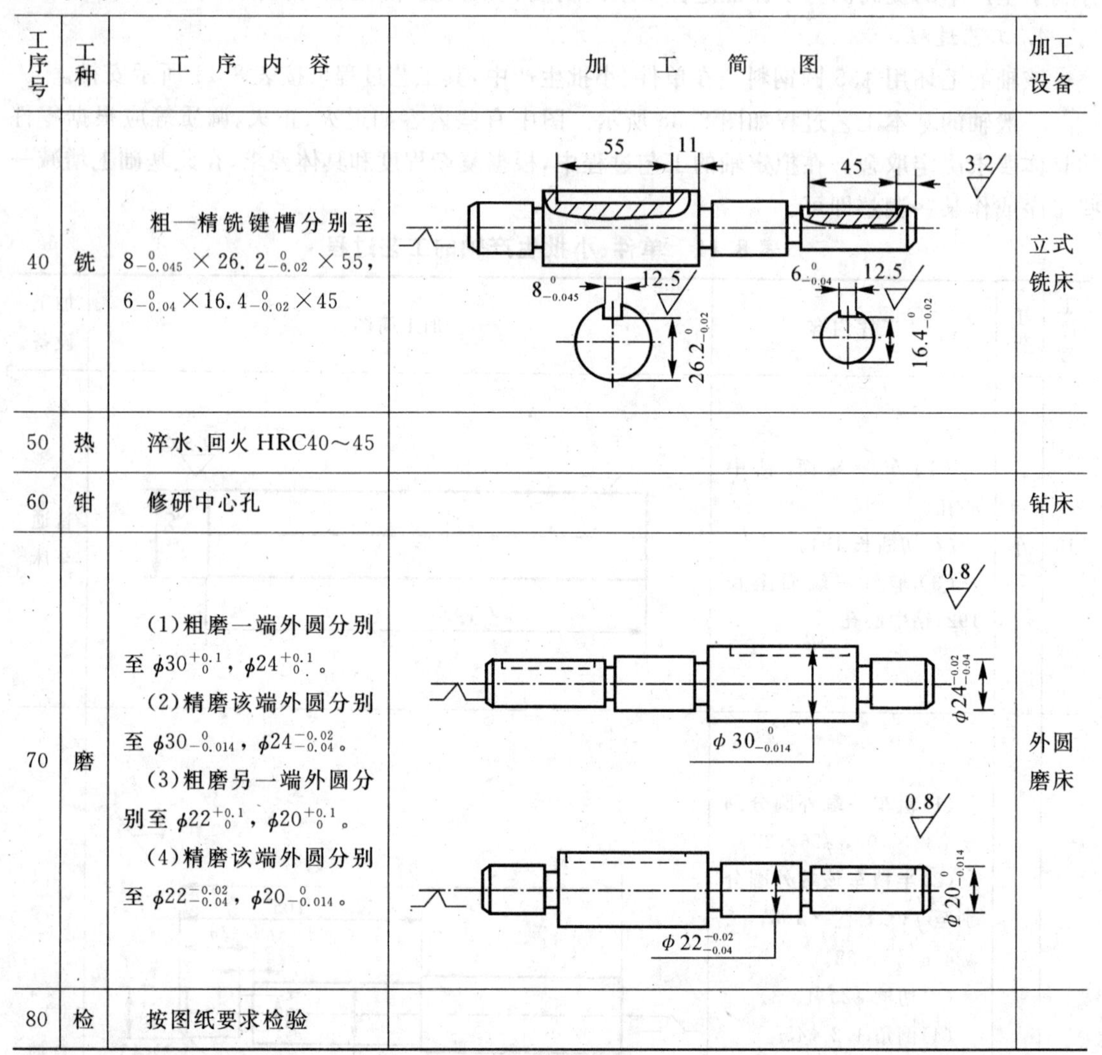

工序号	工种	工序内容	加工简图	加工设备
40	铣	粗—精铣键槽分别至 $8_{-0.045}^{0}\times26.2_{-0.02}^{0}\times55$，$6_{-0.04}^{0}\times16.4_{-0.02}^{0}\times45$		立式铣床
50	热	淬水、回火 HRC40～45		
60	钳	修研中心孔		钻床
70	磨	(1)粗磨一端外圆分别至 $\phi30_{0}^{+0.1}$，$\phi24_{0}^{+0.1}$。 (2)精磨该端外圆分别至 $\phi30_{-0.014}^{0}$，$\phi24_{-0.04}^{-0.02}$。 (3)粗磨另一端外圆分别至 $\phi22_{0}^{+0.1}$，$\phi20_{0}^{+0.1}$。 (4)精磨该端外圆分别至 $\phi22_{-0.04}^{-0.02}$，$\phi20_{-0.014}^{0}$。		外圆磨床
80	检	按图纸要求检验		

8.5.2 盘、套类零件

盘、套类零件在机器中用得最多，尤其在轴系部件中，除轴和键、螺钉等连接外几乎都属于盘、套零件。

盘、套类零件的结构一般由孔、外圆、端面和沟槽等组成，其位置精度有外圆对内孔轴线的径向圆跳动或同轴度、端面对内孔轴线的端面圆跳动或垂直度等要求。

盘、套类零件的种类很多，最常见的有传动轮（如皮带轮、齿轮、蜗轮、链轮等）、轴承套、轴承端盖和轴套等。如图 8.36 所示为几种盘、套类零件。

盘、套类零件用途不同，所用材料也不同，常用的有钢、铸铁、青铜或黄铜等。毛坯的选择与材料、结构、尺寸和批量等因素有关。直径较小的盘、套一般选择热轧圆钢料、铜棒或实心铸件；直径较大的常采用带孔的锻件或铸件。大批、大量生产中某些盘、套类零件还可采用粉末冶金件，这样既提高生产率又节约金属材料。

盘、套类零件的结构基本类似，但由于用途不同，技术要求也不完全一样，因此，工艺过程既有相似之处又有各自的特点。现以图 8.37 所示的法兰端盖为例，说明盘、套类零件的工艺过程。

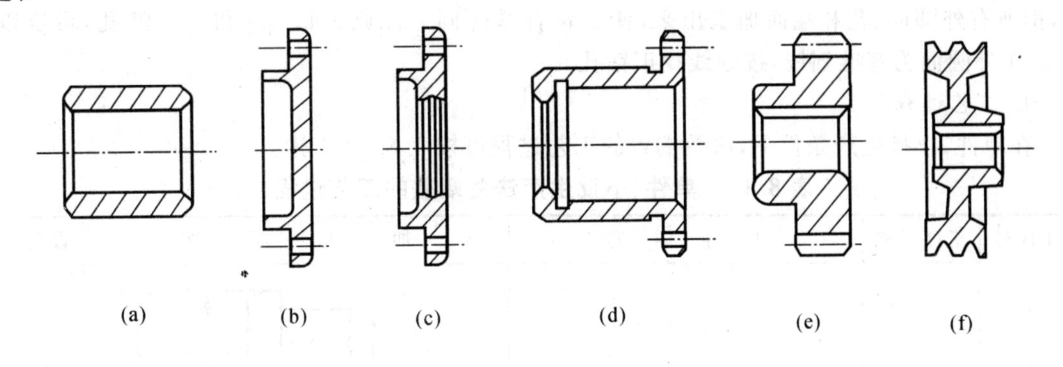

图 8.36　盘、套类零件举例

(a) 轴套；(b) 闷盖；(c) 透盖；(d) 轴承套；(e) 齿轮；(f) 皮带轮

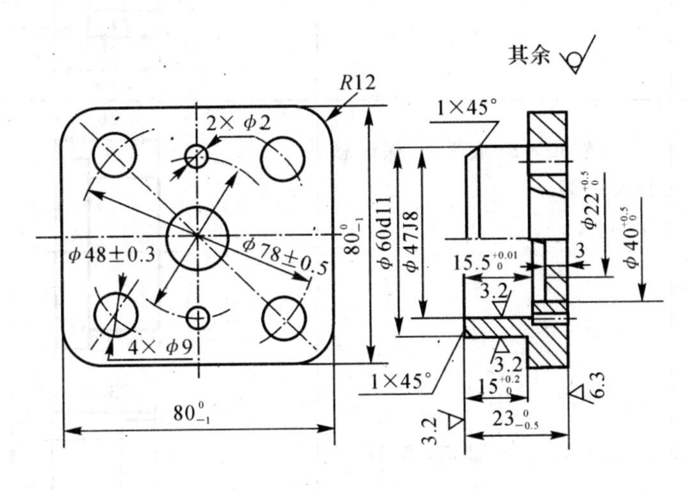

图 8.37　法兰端盖

1. 零件各主要部分的技术要求

(1) ϕ60d11 外圆面为基孔制配合的轴，其基本偏差为 d，公差等级为 IT11，R_a 值为3.2 μm。

(2) ϕ47J8 内孔为基轴制配合的孔，其基本偏差为 J，公差等级为 IT8，表面粗糙度 R_a 值为 3.2 μm。

(3) 工件材料为 HT150，单件、小批生产，毛坯为铸件。

2. 工艺分析

根据图纸技术要求，这个零件所要求的精度较低，采用一般的加工工艺即可保证。毛坯可采用整模砂型铸造，这就保证了外圆面的轴线与正方形底板中心的相对位置，不会在造型时因错箱产生偏差。为保证要求的精度和表面粗糙度，可用粗车—半精车进行加工。底板 $80_{-1}^{0}\times 80_{-1}^{0}$的精度可直接由铸造保证，无须机械加工。

3. 基准选择

加工法兰端盖时，先以 ϕ60d11 处的毛坯面为粗基准，加工正方形底板的底平面。再以这个底平面和正方形底板的侧面为定位基准，采用四爪卡盘夹紧，在一次安装中按工序集中原则，把所有外圆面、孔和端面加工出来，使之符合基准同一原则。4×ϕ9 和 2×ϕ2 孔，可以以 ϕ60d11 外圆面为基准划线，按划线找正钻孔。

4. 工艺过程

在单件、小批生产条件下，法兰端盖的工艺过程可按表 8.12 安排。

表 8.12　单件、小批生产法兰端盖的工艺过程

工序号	工序名称	工序内容	加工简图	设备
10	铸造	铸造毛坯、尺寸如附图所示，清理铸件	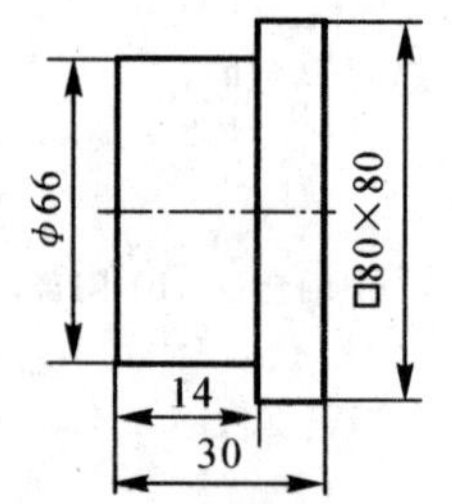	
20	车削	(1)车 80×80 底平面，保证总长尺寸 26。 (2)车 ϕ60 端面，保证尺寸 $23_{-0.5}^{0}$。 (3)车 ϕ60d11 及□80×80 底板上端面，保证尺寸 $15_{0}^{+0.2}$。 (4)钻 ϕ20 通孔。 (5)镗 ϕ20 孔至 $\phi 22_{0}^{+0.5}$，镗 $\phi 22_{0}^{+0.5}$ 至 $\phi 40_{0}^{+0.5}$，保证尺寸 3。 (6)镗 $\phi 40_{0}^{+0.5}$ 至 ϕ47J8，保证 $15.5_{0}^{+0.01}$。 (7)倒角 1×45°	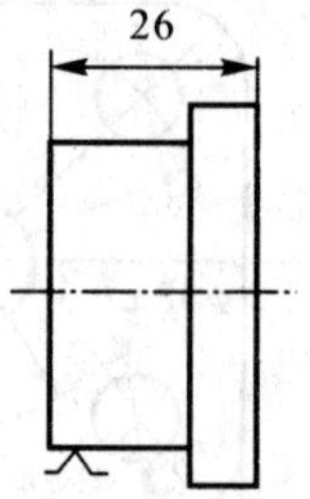 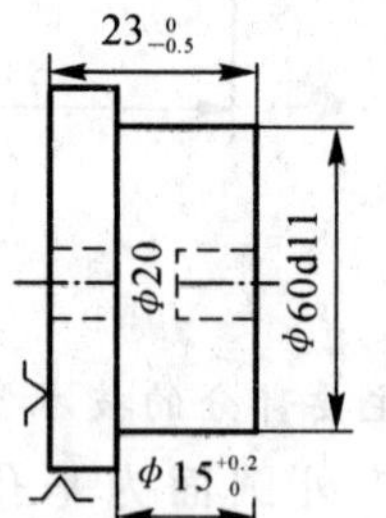 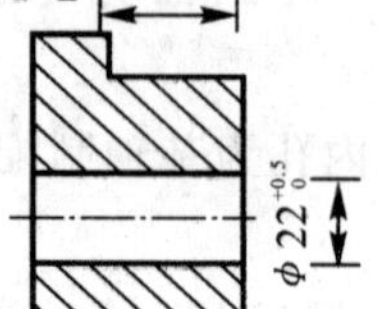 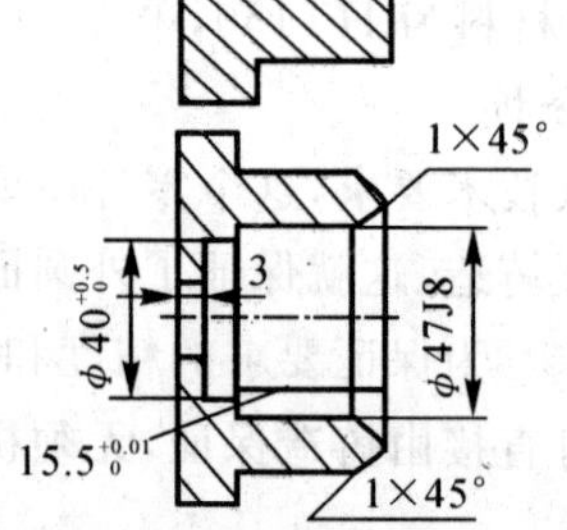	普通车床

续表

工序号	工序名称	工序内容	加工简图	设备
30	钳工	按图纸要求，划 4×ϕ9 及 2×ϕ2 孔的加工线		平台
40	钻孔	根据划线找正安装，钻 4×ϕ9 及 2×ϕ2孔		立式钻床
50	检验	按图纸要求检测零件		

注：“∨”符号指定位基准。

8.5.3 支架箱体类零件

支架箱体类零件是机器的基础件之一，它将轴、套、传动轮等零件组装在一起，使各零件之间保持正确的位置关系。支架形状结构简单，箱体结构比较复杂，可以看做是支架的组合，如图 8.38 所示。

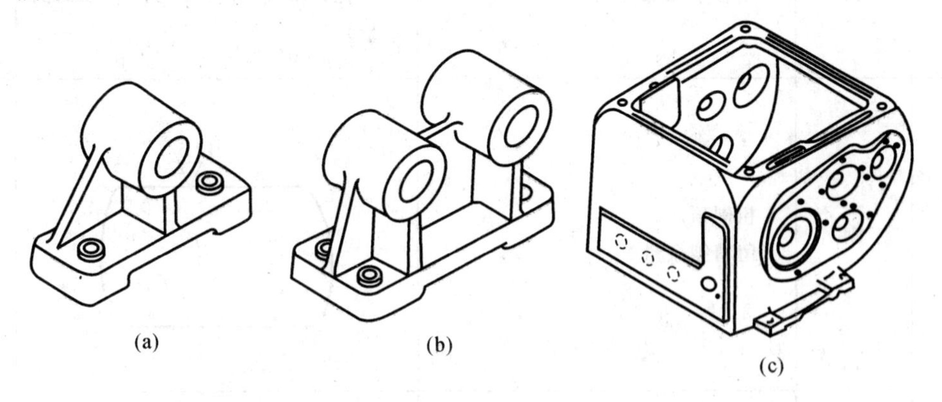

图 8.38 支架箱体类零件举例

(a) 单孔支架； (b) 双孔支架； (c) 箱体

支架主要由安装轴承的支承孔和机座连接的主要平面所组成。其位置精度主要有支承孔轴线与主要平面平行度的要求。支架通常都是成对使用的。箱体主要由许多精度较高的支承孔和平面，以及许多精度较低的紧固孔、油孔和油槽等组成。其位置精度除要求支承孔轴线与底平面平行外，还应保证同一轴线支承孔的同轴度和各平行孔轴线的平行度。

根据支架箱体零件的结构特点，其材料通常采用灰口铸铁(最常用的牌号为 HT200)铸造成件。单件生产时，也可采用碳素钢焊接件。

当拟定支架箱体零件的工艺过程时，一般应遵循“先面后孔”和“粗精分开”的加工原则。

(1) 先面后孔原则。支架箱体零件应先加工主要平面(也可能包括一些次要的较大平面)，后加工支承孔。以平面为精基准加工孔，可以为孔加工提供稳定可靠的定位基准面，容易保证孔的加工精度及有关技术要求。此外，主要平面是支架和箱体在机器上的装配基准，先加工主要平面可使定位基准与装配基准重合，从而消除因基准不重合而引起的定位误差。

(2) 粗精分开原则。对于精度较高的、刚性较差的支架箱体零件，为了减少加工后的变形，一般要粗、精加工分开进行，即在主要平面和支承孔粗加工之后，再进行各表面的精加工。这样既有利于在粗、精加工之间进行时效处理，又有利于保证加工精度。对于精度不太高、刚性比较好的支架箱体零件，粗、精加工可不必分开。

根据上述两条原则，精度较高的箱体零件的工艺过程为铸造毛坯—退火处理—划线—粗加工主要平面—粗加工支承孔—时效处理—划线—精加工主要平面—精加工支承孔—加工其他次要表面—检验。表 8.13 所示为卧式车床床头箱体的工艺过程，箱体结构如图 8.38(c)所示。

表 8.13　单件、小批生产箱体的工艺过程

工序号	工序名称	工序内容	加工简图	设备
10	铸	清理，退火		
20	钳	划各平面加工线	(以主轴轴承孔和与之相距最远的一个孔为基准，并照顾底面和顶面的余量)	
30	刨	粗刨顶面； 留精刨余量 2	12.5	龙门刨床
40	刨	粗刨底面和导向面，留精刨和刮研余量 2～2.5	12.5	龙门刨床

续 表

工序号	工序名称	工序内容	加工简图	设备
50	刨	粗刨侧面和两端面，留精刨余量2	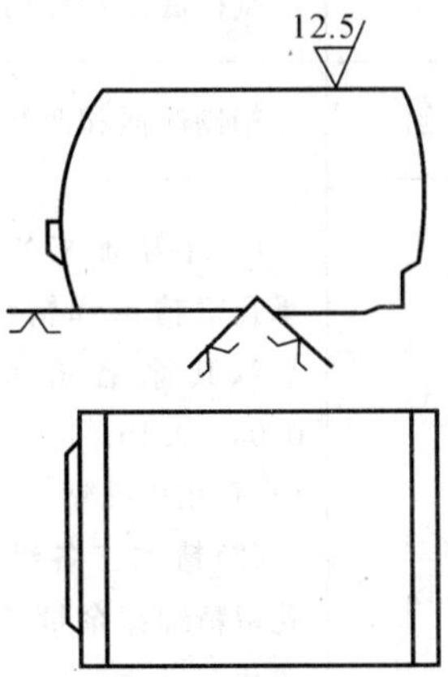 12.5	龙门刨床
60	镗	粗加工纵向各孔、主轴轴承孔，留半精镗、精镗和精细镗余量 2～2.5，其余各孔留半精、精加工余量1.5～2（小直径孔钻出，大直径孔用镗刀加工）	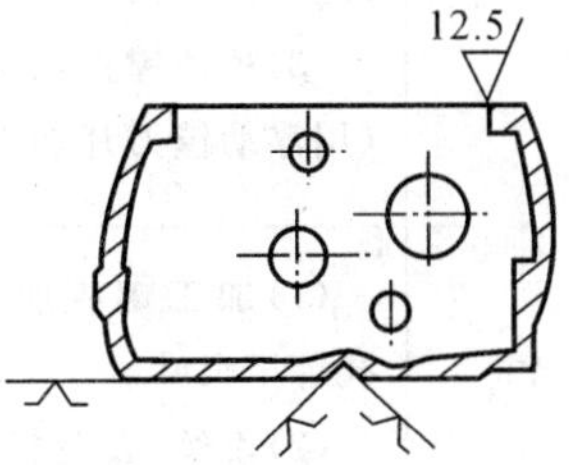 12.5	（镗模）卧式镗床
70	（时效）			
80	刨	精刨顶面至尺寸	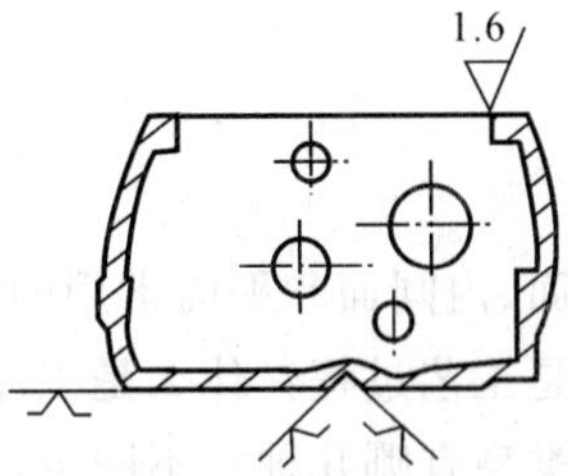 1.6	龙门刨床
90	刨	精刨底面和导向面，留刮研余量0.1	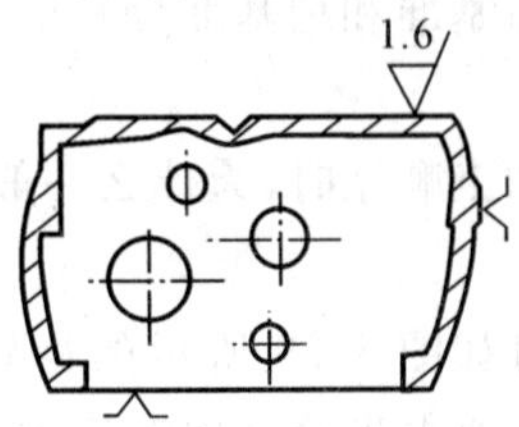 1.6	龙门刨床

续表

工序号	工序名称	工序内容	加工简图	设备
100	钳	刮研底面和导向面至尺寸	(25×25 内 8～10 个点)	
110	刨	精刨侧面和两端面至尺寸	同工序 5(R_a 为 1.6 μm)	龙门刨床
120	镗	(1)半精加工各纵向孔,主轴轴承孔留精镗和精细镗余量 0.8～1.2,其余各孔留精加工余量 0.05～0.15。 (小孔用扩孔钻,大孔用镗刀加工) (2)精加工各纵向孔,主轴轴承孔留精细镗余量 0.1～0.25,其余各孔至尺寸。 (小孔用铰刀,大孔用浮动镗刀片加工)。 (3)精细镗主轴轴承孔也至尺寸(用浮动镗刀片加工)	同工序 6(R_a 为 1.6～0.8 μm)	卧式镗床
130	钳	(1)加工螺纹底孔、紧固孔及油孔等至尺寸。 (2)攻丝、去毛刺	(底面定位)(R_a 为 12.5～6.3 μm)	钻床
140	检	按图纸要求检验		

复习思考题

1. 外圆面、内圆面和平面常用的加工方法各有哪些?

2. 什么是工艺过程? 什么是工序?

3. 生产类型有哪几种? 不同生产类型对零件的工艺过程有哪些主要影响?

4. 什么是六点定位原理? 工件常见的定位方式有哪几种?

5. 选择粗基准和精基准分别应遵循哪些原则? 如何选择轴、盘套、箱体三类零件的精基准? 简述理由。

6. 安排加工顺序时,为什么一般需进行加工阶段的划分,把加工阶段划分为粗、半精和精加工阶段?

7. 试拟订如图 8.39 所示的齿轮轴单件小批量生产的机械加工工艺过程。齿轮轴采用 42CrMo 材料,要求齿轮精加工后进行氮化处理,表面硬度 HV600,渗层深度 0.3 以上。

8. 试拟订如图 8.40 所示的法兰盘的单件小批量生产加工工艺过程。

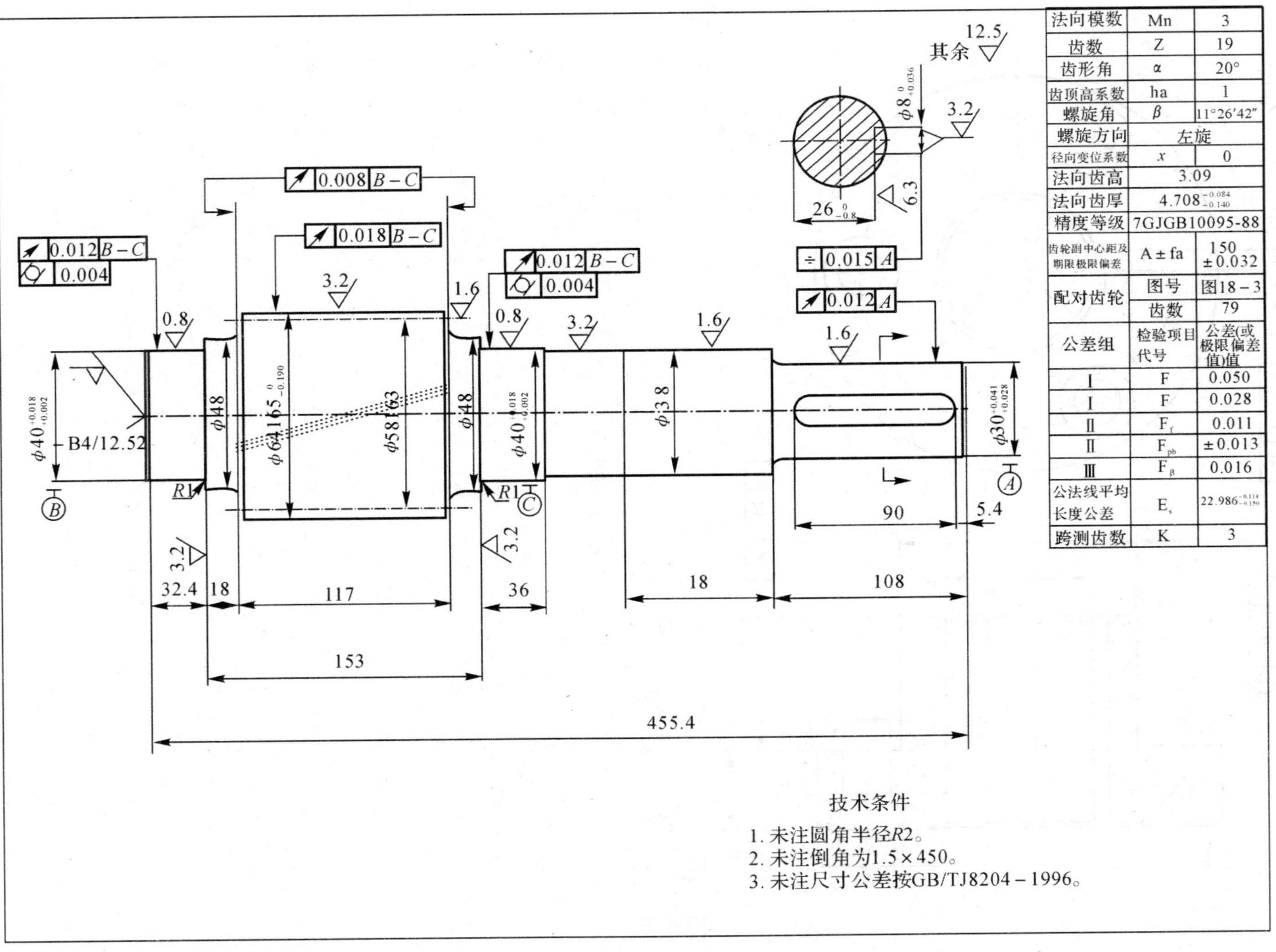

法向模数	Mn	3
齿数	Z	19
齿形角	α	20°
齿顶高系数	ha	1
螺旋角	β	11°26′42″
螺旋方向	左旋	
径向变位系数	x	0
法向齿高	3.09	
法向齿厚	$4.708^{-0.084}_{-0.140}$	
精度等级	7GJGB10095-88	
齿轮副中心距及期限极限偏差	A ± fa	150 ±0.032
配对齿轮	图号	图18-3
	齿数	79
公差组	检验项目代号	公差(或极限偏差值)值
Ⅰ	F	0.050
Ⅰ	F	0.028
Ⅱ	F_f	0.011
Ⅱ	F_{pb}	±0.013
Ⅲ	$F_β$	0.016
公法线平均长度公差	E_s	$22.986^{-0.114}_{-0.150}$
跨测齿数	K	3

技术条件

1. 未注圆角半径$R2$。
2. 未注倒角为1.5×450。
3. 未注尺寸公差按GB/TJ8204－1996。

图 8.39　齿轮轴

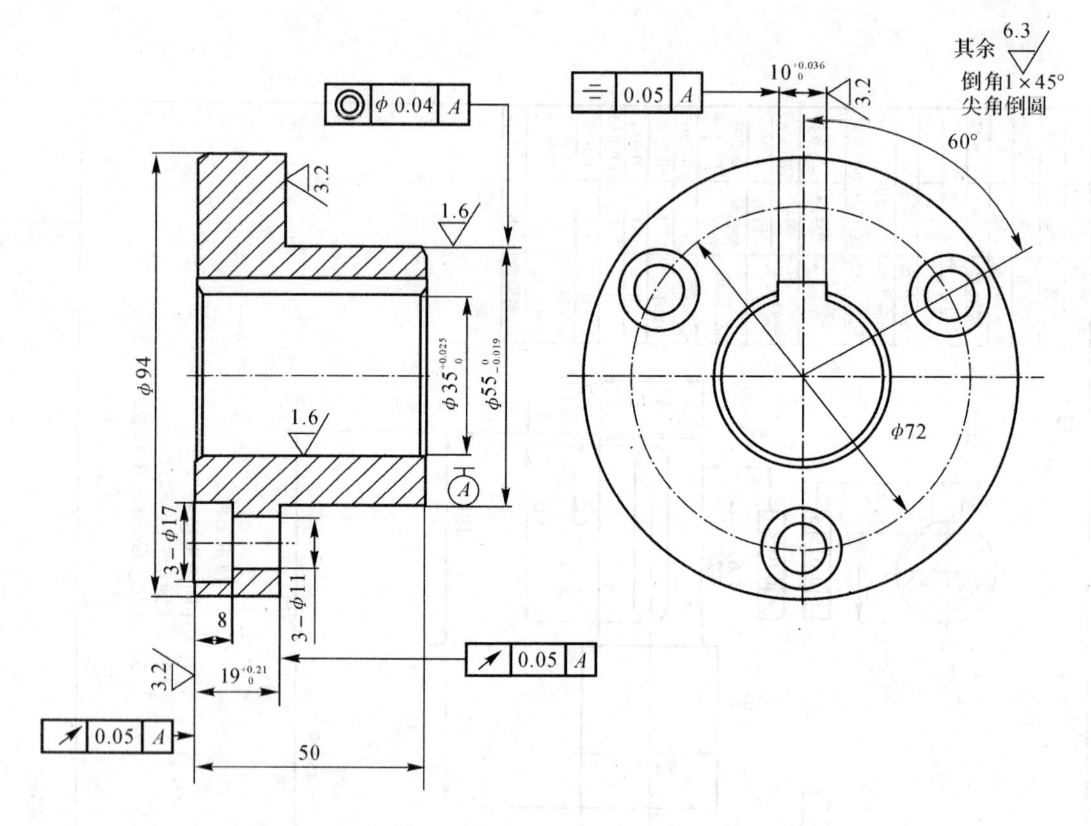

其余 6.3
倒角1×45°
尖角倒圆
φ 0.04 A
0.05 A
10 +0.036 0
3.2
60°
1.6
φ94
φ35 +0.025 0
φ55 0 -0.019
φ72
A
3−φ17
3−φ11
8
19 +0.21 0
0.05 A
0.05 A
50

图 8.40 法兰盘

第9章

零件的结构工艺性

9.1 零件的结构工艺性的基本概念及要求

零件具有较好的结构工艺性是指在一定的生产条件下，能方便而经济地生产出来，并便于装配成机器这一特性。故零件的结构工艺性应从毛坯的制造、机械加工、装配等几个生产环节综合加以考虑。

零件结构设计首先应满足使用要求，这是设计、制造零件的根本目的，是考虑零件结构工艺性的前提，除要求零件的使用性能外，还要从工艺、经济、检修、维护等要求出发，保证所设计的零件用料最少，成本最低，制造、装配最容易，使用、检修、维护等方面最为方便。

在零件的整个制造过程中，切削加工过程所消耗的工时和费用最多，因此切削加工对零件的结构工艺性要求就显得特别重要。为了使零件在切削加工过程中具有良好的工艺性，对零件结构设计除满足使用要求外，提出以下要求：

(1) 合理地选择零件的精度和表面粗糙度。不需要加工的表面或要求不高的表面，不要设计成加工面或高精度加工表面。

(2) 应能定位准确，夹紧可靠，便于安装和加工，易于测量。有相互位置精度要求的表面，最好能在一次安装中加工，以保证质量。

(3) 零件结构尺寸应标准化和规范化，便于使用标准刀具和通用量具，以减少专用刀具、量具的设计与制造。

(4) 加工表面的几何形状应尽量简单，尽可能布局在同一轴线或同一平面上，以便于加工，提高生产率。

9.2 零件的机械加工结构工艺性示例

零件的结构工艺性与其加工方法对工艺过程有着密切的关系。在进行零件的结构设计中，设计人员要熟悉常见加工方法的工艺特点、典型表面的加工方案，以及工艺过程的基本知识等，尽量满足零件的切削加工工艺性的一般原则。

9.2.1 减少机械加工的工作量

减少切削加工的工作量可以减少材料和刀具的消耗,降低生产成本而提高生产率。表9.1所示为减少加工表面面积的一些例子。

表 9.1 减少加工表面的面积

序 号	改进前	改进后	说 明
1	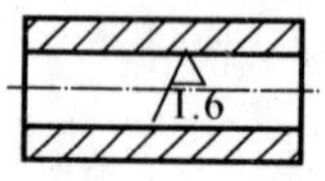 1.6	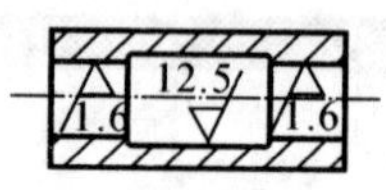 12.5 1.6 1.6	将中间部位多粗镗一些,减少精镗长度
2	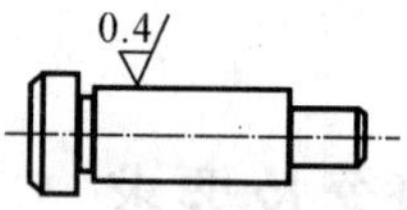 0.4	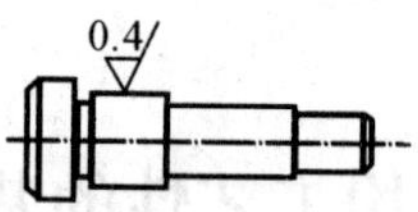 0.4	如只有一小段有公差要求,则可设计成阶梯形,以减少磨削面积
3	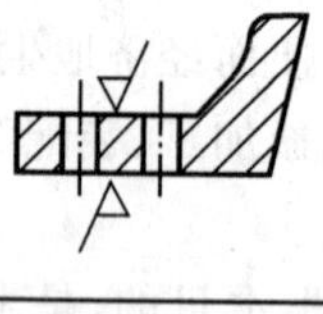	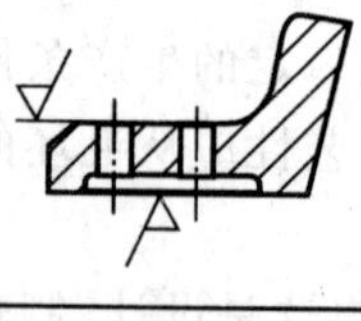	铸出凸台,以减少切去金属的面积

9.2.2 工件要有足够的刚度

工件要有足够的刚度,以承受夹紧力和切削力的作用而不致产生变形,从而减少加工误差,保证加工精度。表 9.2 所示为加强工件刚度的一些例子。

表 9.2 工件要有足够的刚度

序 号	改进前	改进后	说 明
1	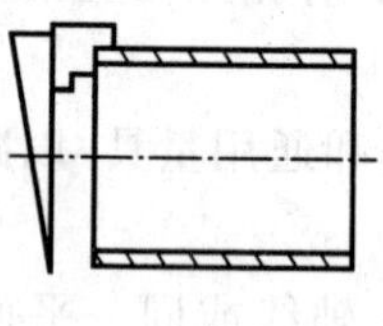	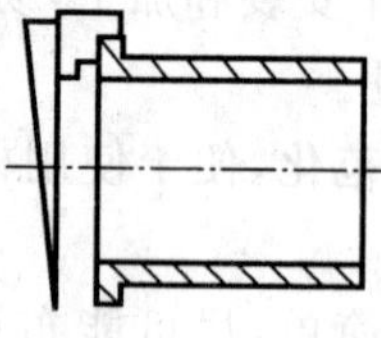	车床加工薄壁套筒时,应增加夹紧刚性
2	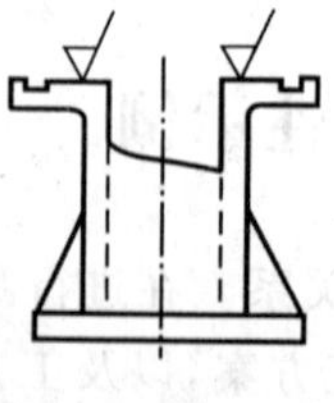	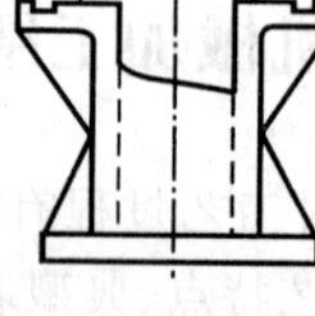	刨削加工时,增设加强肋板,以免工件的边缘损坏

续表

序号	改进前	改进后	说明
3	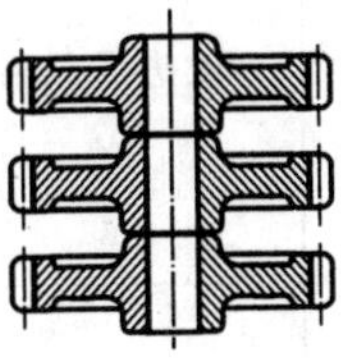	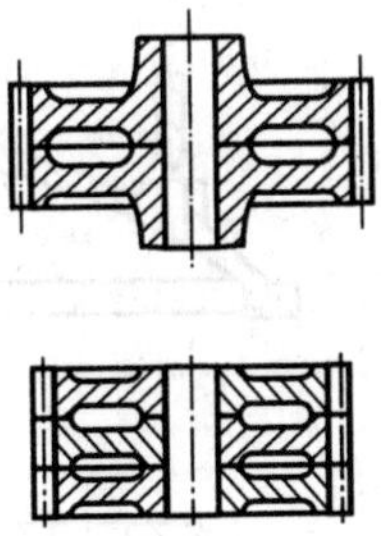	多件齿轮加工时，要增加连接刚度

9.2.3 工件要便于安装

设计零件时工件安装的稳定性必须加以考虑，同时还应减少安装次数以减轻劳动强度和提高生产率。表9.3、表9.4为使工件便于在机床或夹具上安装、或减少工件安装次数的一些例子。

表9.3 工件要便于在机床或夹具上安装

序号	改进前	改进后	说明
1	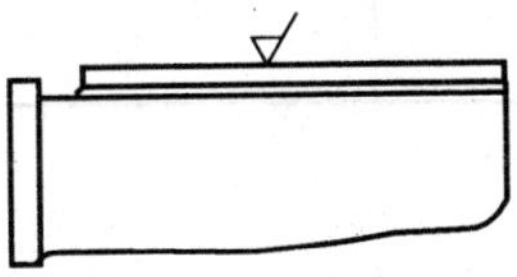	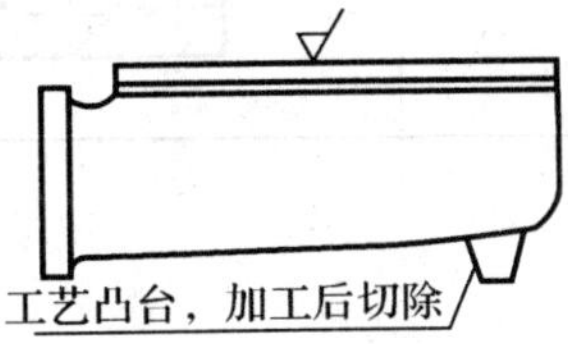 工艺凸台，加工后切除	为了安装方便，在零件上设计了工艺凸台，可在精加工后切除
2	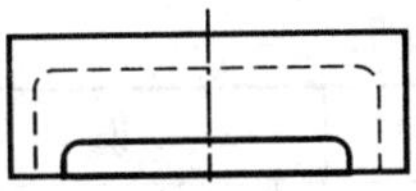	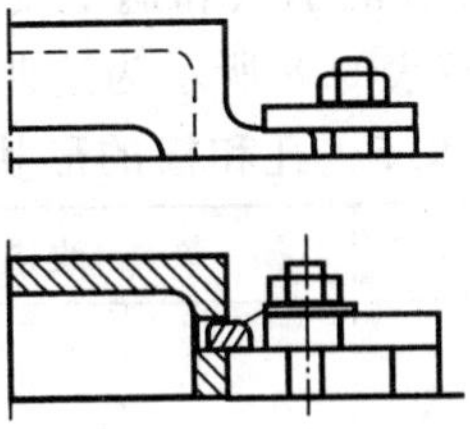	增加夹紧边缘或夹紧孔
3		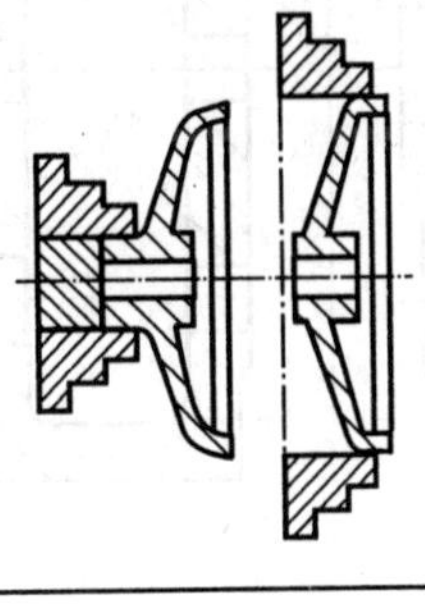	改进后，工件与卡爪的接触面积增大，安装较易

表 9.4 减少工件的安装次数

序号	改进前	改进后	说明
1	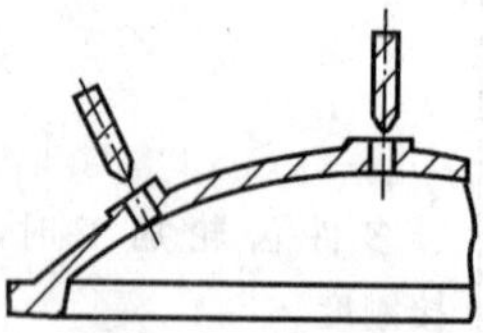	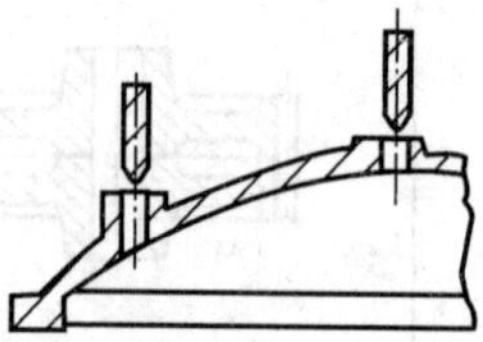	改进后只需一次安装
2	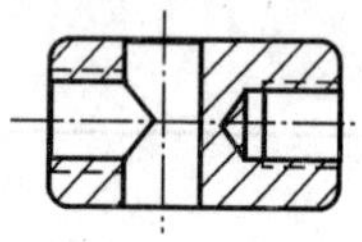	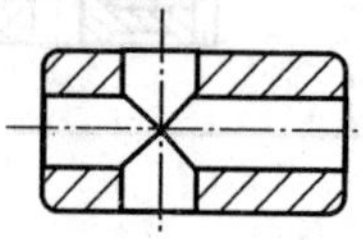	改为通孔，可减少安装次数，保证孔的同轴度
3	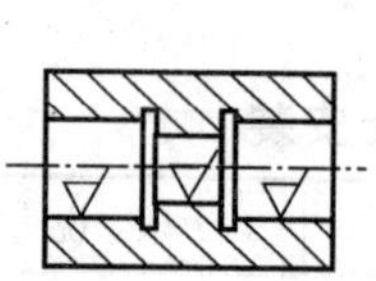	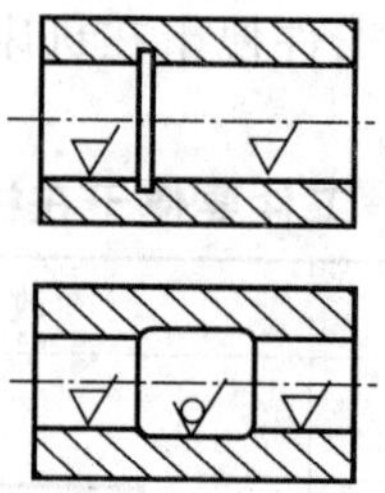	原设计须从两端进行加工，改进后可省去一次安装

9.2.4 工件要便于加工

零件上的孔和槽的形状要便于加工，孔的轴线应与其端面垂直，等等，以提高钻头的刚性和寿命，保证钻孔质量。同时，刀具的引入和退出要方便，零件加工面的形状要设计得尽量简化，以使工件便于加工。表 9.5～表 9.8 所示为这四个方面的一些例子。

表 9.5 孔和槽的形状要便于加工

序号	改进前	改进后	说明
1	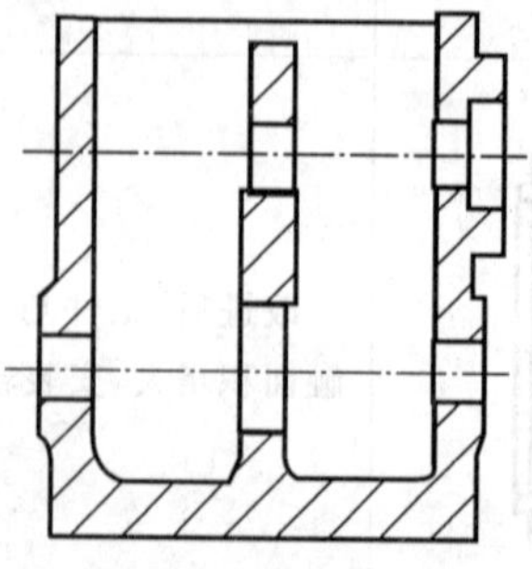	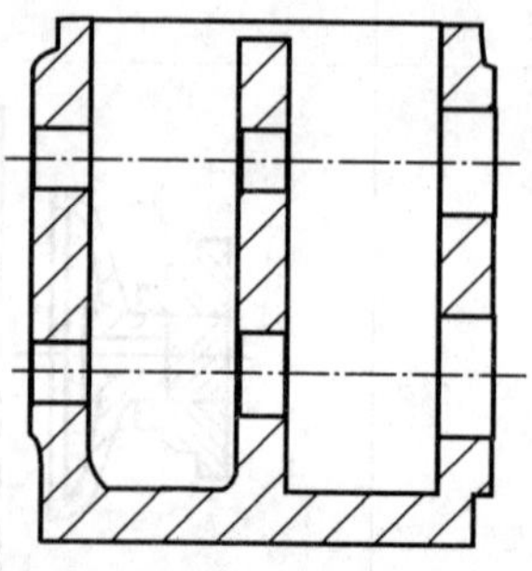	箱体上同一轴线各孔，应都是通孔、无台阶；孔径向同一方向递减（也可以从两边向中间递减）；端面在同一平面上

续表

序号	改进前	改进后	说明
2	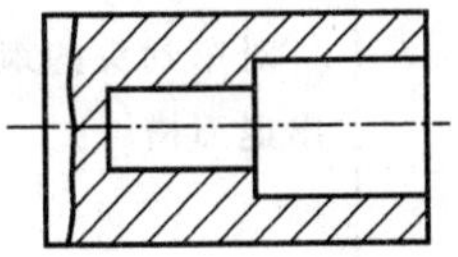	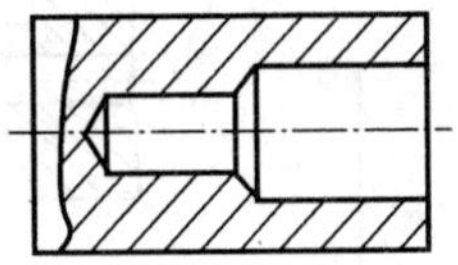	不通孔或阶梯孔的孔底形状,应与钻头形状相同
3	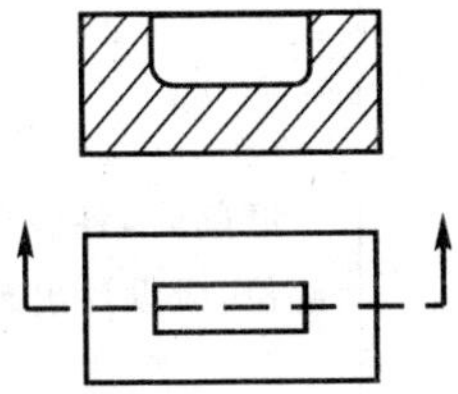	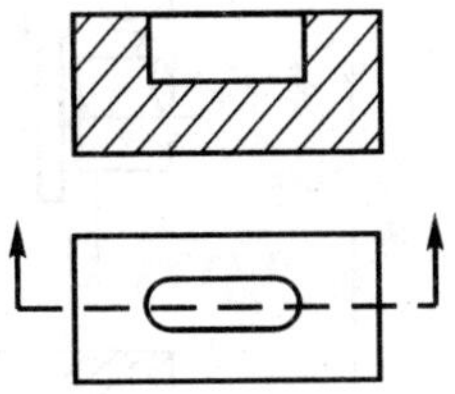	槽的形状(直角、圆角)和尺寸应与立铣刀形状相符

表 9.6 简化零件的加工面形状

序号	改进前	改进后	说明
1	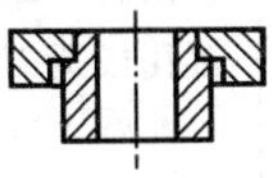	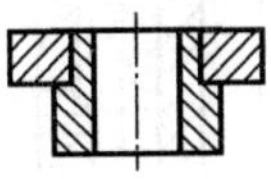	把阶梯孔改成简单的孔,减少了加工的劳动量
2	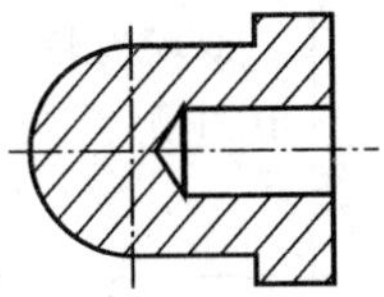	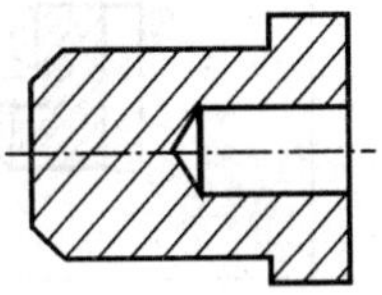	尽量避免或减少曲面的加工
3	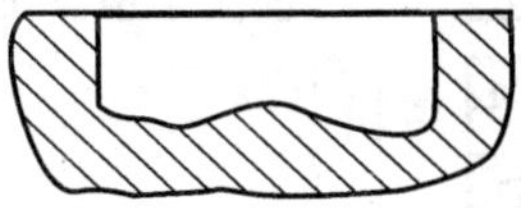	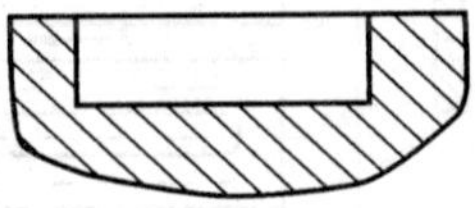	避免成形的槽底

表 9.7 加工时要便于进刀和退刀

序号	改进前	改进后	说明
1	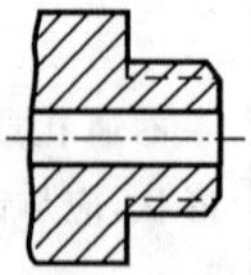	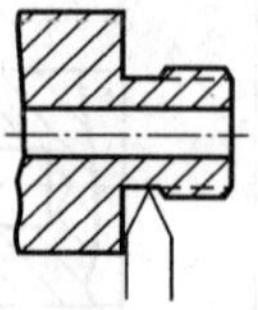	对车到头的螺纹,应设计出退刀槽
2	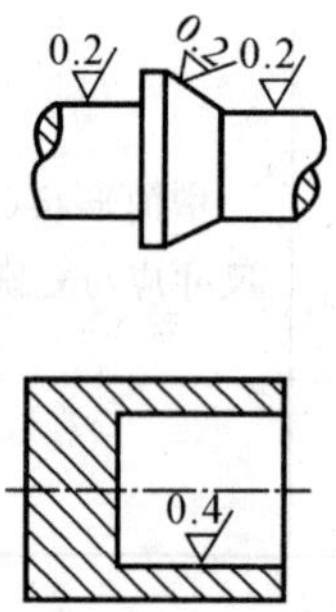 0.2 0.2 0.2 0.4	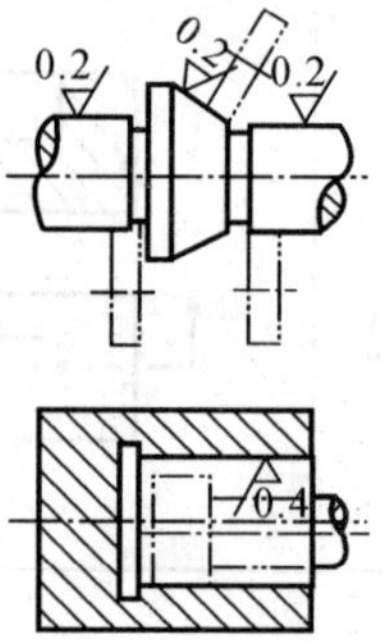 0.2 0.2 0.2 0.4	磨削时,各表面间的过渡部位,应设计出越程槽
3	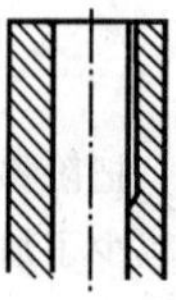	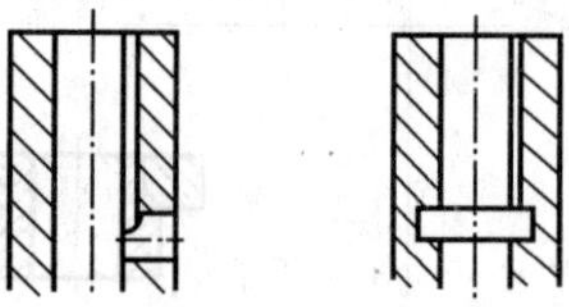	孔内中断的键槽,应设退刀孔或退刀槽
4	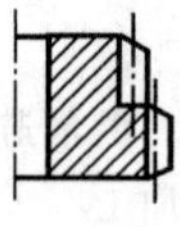	 插齿刀	双联齿轮中间必须留有让刀槽
5	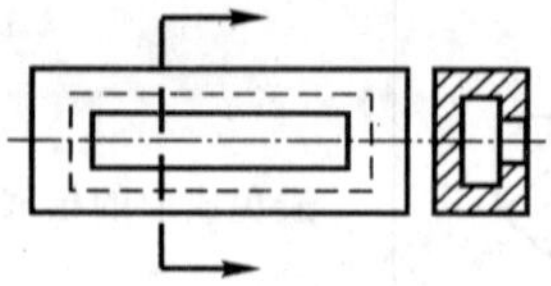	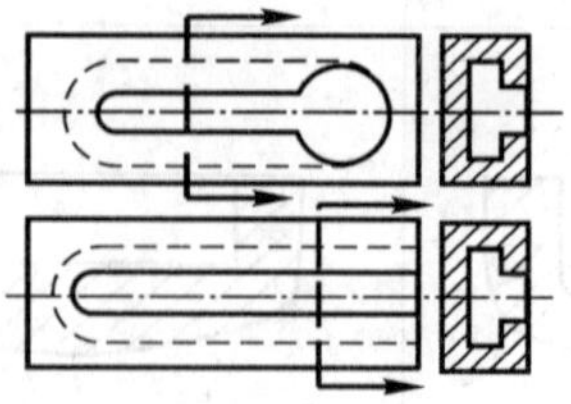	铣 T 形槽要便于刀具的引入

表 9.8 要便于钻削加工

序号	改进前	改进后	说明
1			避免在斜面上钻孔，钻头进出口处表面应与孔的轴线垂直
2			油孔最好设计成与工件的轴线垂直
3			尽量避免弯曲的孔
4			钻孔的地方要与铸件的壁离开一定的距离

续表

序号	改进前	改进后	说明
5	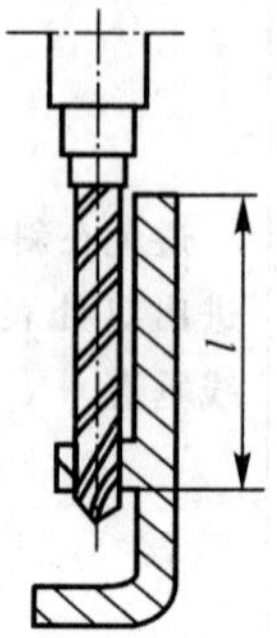 $s>\dfrac{D}{2}+(2\sim5)$ 当 $s<\dfrac{D}{2}+(2\sim5)$ 时，建议采用的 l 值：	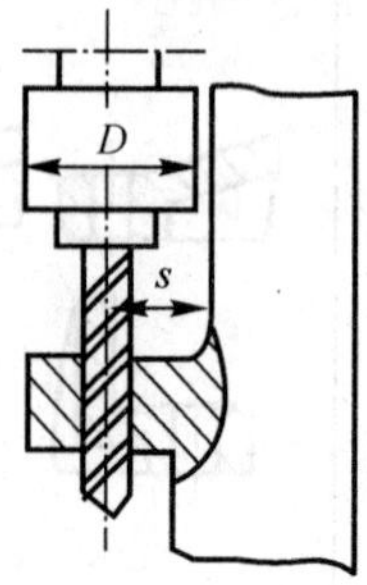	孔的位置应使标准长度的钻头可以工作

钻头	孔的直径/mm			
	6～10	10～15	15～25	25～35
标准长	25～35	35～45	45～65	65～70
加长	35～55	55～75	55～75	55～75

9.2.5 提高切削效率

表 9.9 为减少刀具种类、减少刀具调整次数，提高切削加工效率的一些例子。

表 9.9 减少刀具种类和减少刀具的调整次数

序号	改进前	改进后	说明
1	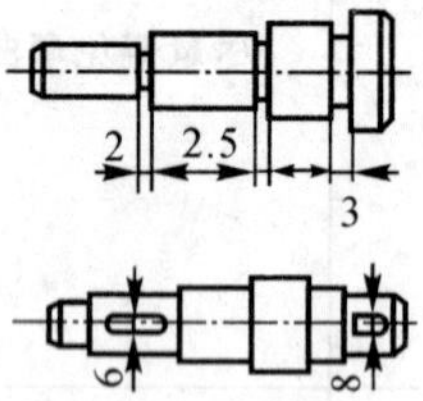	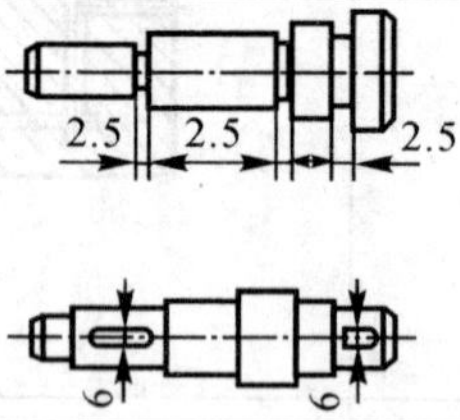	轴的沉割槽或键槽的形状与宽度尽量一致，并设计在同一直线上
2	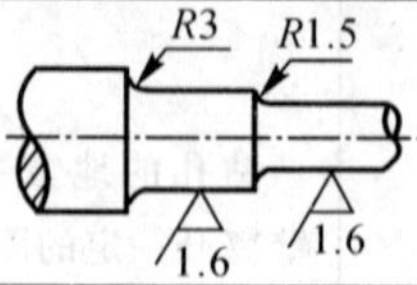	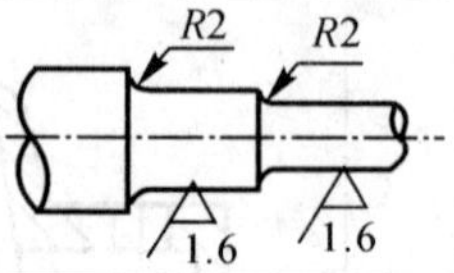	精车时，轴上的过渡圆角应尽量一致
3	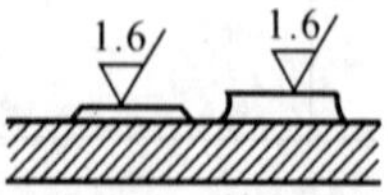	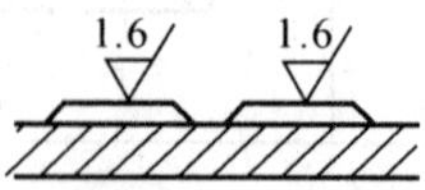	距离远的凸台应尽量设计同一高度，距离近的几个凸台可合为一个大凸台
4	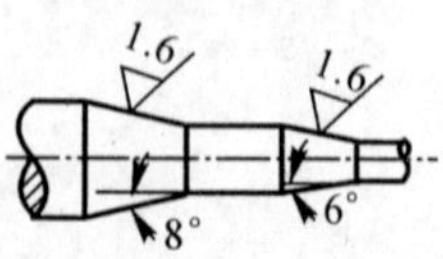	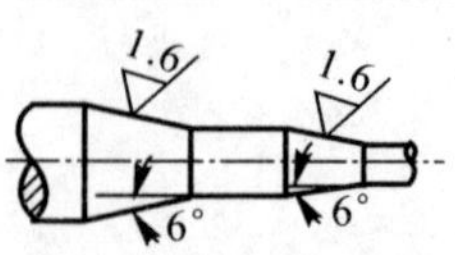	锥度相同，只须作一次调整

复习思考题

1. 改进如图 9.1 所示零件的结构，以利于加工和装配。

2. 分析如图 9.2 所示零件的结构工艺性，将不合理之处改正过来，并说明理由。

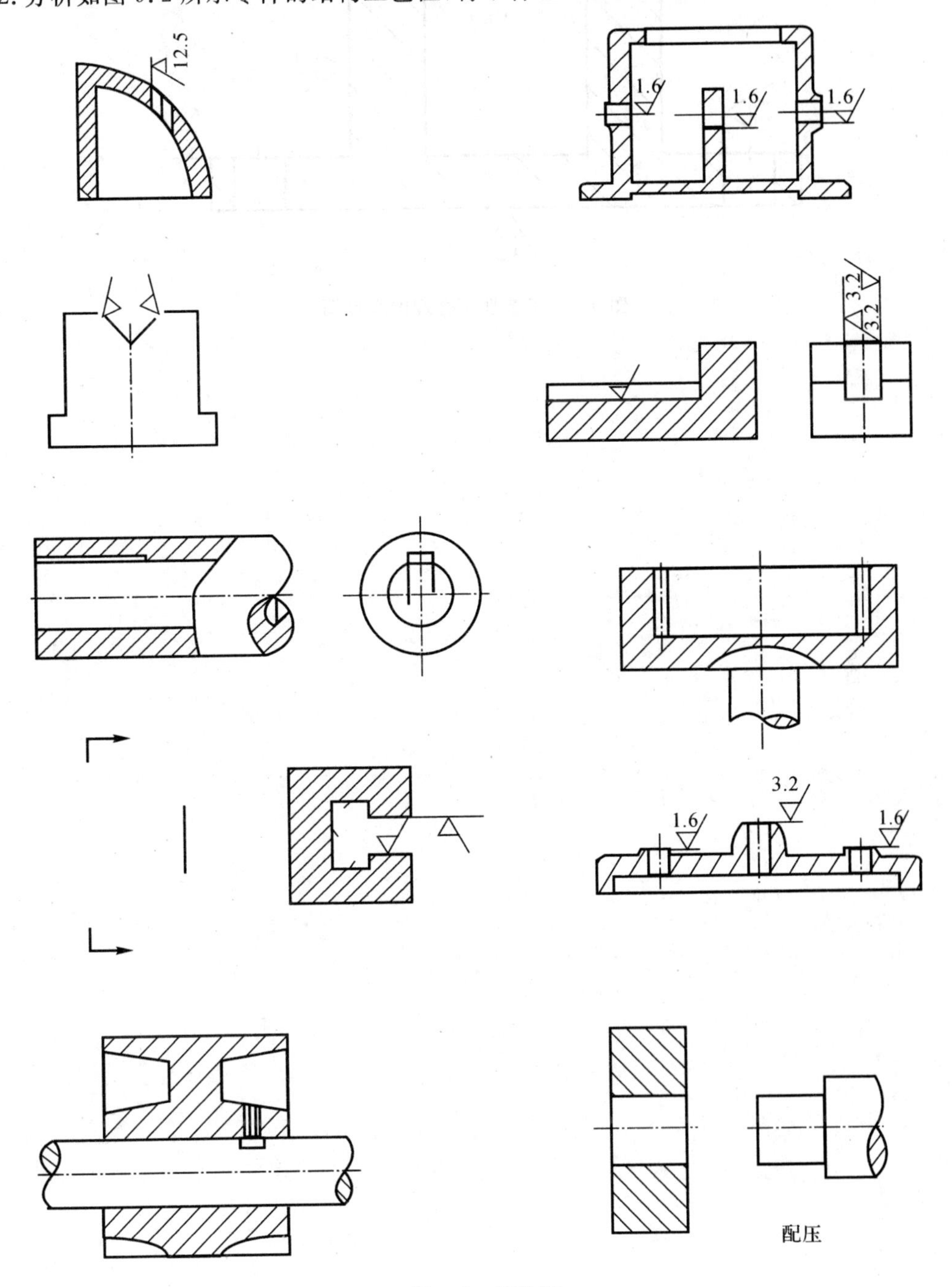

图 9.1 零件图

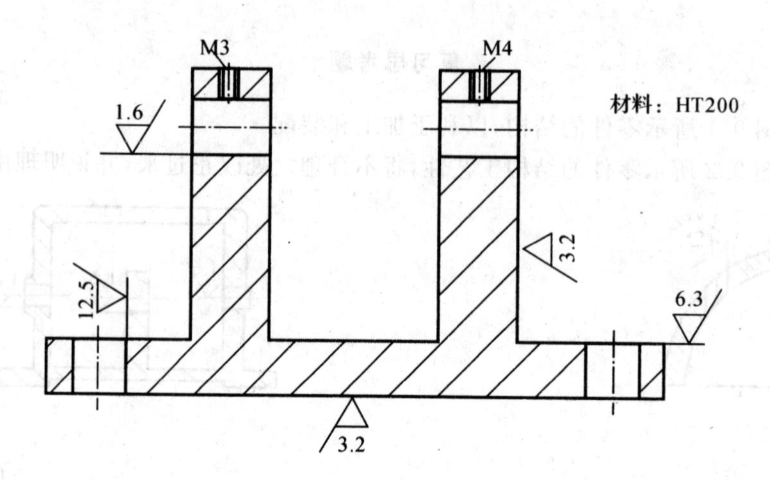

图 9.2　工艺性不合理的零件图

第 10 章

先进制造技术

10.1 先进制造技术简介

先进制造技术(Advance Manufacturing Technology,AMT)是传统的制造技术、信息技术、计算机技术、自动化技术与管理科学等多学科先进技术的综合,并应用于制造工程之中所形成的一个学科体系。它的发展趋势是向精密化、柔性化、网络化、虚拟化、智能化、清洁化、集成化、全球化的方向发展。

10.1.1 现代制造业的发展方向

随着工业的发展,制造业市场出现以下特征:

(1)买方市场。这是科学技术与生产力发展的必然结果。

(2)多变性市场。由于科技发展快,技术更新快,产品换代快,因而出现产品小批量、分散化、个性化的生产越来越强,竞争日趋激烈,不确定因素猛增,市场变化很快。

(3)国际化市场。市场打破国界,走向区域化和国际化。

(4)新兴产品市场。不仅涉及对传统产品用高新技术加以改造与发展而成的产品,而且更涉及前所未有的新类型的"产品",从而导致如技术、软件、环保等产业的出现。

(5)虚拟市场。信息化的进一步是网络化网上的产品广告、商品展示、商品交易、客户关系、代理制等均属于虚拟市场。

为了与此市场相应,制造企业的发展需要具备以下特征:

(1)满足客户化要求,这是"买方市场"必然导致的结果,"顾客就是上帝"。

(2)对市场的快速响应,对生产的快速重组,从而要求生产模式必须有高度柔性,有足够敏捷性,这是"客户化"导致的必然结果。

(3)既竞争、又合作地参与市场以走向"双赢""多赢",这是"纳什方程"给出的结果,而不一定是或"鱼死"或"网破"或"两败俱伤"的结局。

(4)本土化与国际化交互,走向全球化,既竞争,又合作。

(5)应用虚拟技术,以加快企业有关活动的节奏,提高产品品质,节约成本。

(6)以人为本,加强企业人文文化建设。应该说,这是现代企业成败的关键。

与市场接轨的同时，制造技术还应与时俱进。所谓的“先进制造技术”，其实就是“制造技术”加“信息技术”“管理科学”，再加上有关的科学技术交融而形成的。

10.1.2 先进制造业的发展趋势

先进制造业的发展趋势，可以分成三类：一是产品的发展趋势，二是制造过程的发展趋势，三是制造方法的发展趋势。这三个发展趋势又可以用12个字概括之，即产品要“精”“极”“文”；过程要“绿”“快”“省”“效”；方法要“数”“自”“集”“网”“智”。这些方面彼此渗透、相互支持，形成整体并且扎根在“机械”与“制造”的基础上，服务于制造业的发展。

(1)产品的制造要实现“精”“极”“文”3个字。其中，精密化是关键核心。

1)“精”是“精密化”，它一方面是指对产品零件的精度要求越来越高；另一方面，它是指对产品零件的加工精度要求越来越高。“精”是指加工精度及其精密加工、细微加工、纳米加工等。20世纪七八十年代，超精密加工的误差达到了0.01 μm，至今，则达到了1 nm。

2)“极”，极端化是发展的焦点。“极”就是极端条件，就是指在极端条件下工作的或者有极端要求的产品，从而使这类产品的制造技术有“极”的要求。在高温、高压、高湿、强磁场、强腐蚀条件下工作的或有高硬度、大弹性要求的，或在几何形体上极大、极小、极厚、极薄、奇形怪状的。显然，这些产品都是科技前沿的产品。

3)“文”，人文化是发展的新意。社会进步到今天，产品不仅是一个工业产品，只解决“实用”的问题，满足物质层面上的需要，还应该是一个艺术产品，文化含量高，特别是人文文化含量高，真正解决“物美”问题，满足精神层面上的需要。工业设计等学科即由此而生。工业设计就是一个为“文”服务的学科，因为一个工业产品还应该有文化层面上的意义。

(2)工业制造过程要实现“绿”“快”“省”“效”4个字。“绿”是绿色化，它是工业发展的必然趋势。

1)“绿”就是绿色，这是从环境保护领域中引用的。人类社会的发展必将走向人类社会与自然界的和谐。科学的发展观就是要可持续发展，可持续的首要条件就是要整个生产过程不能伤害自然。人与人类社会本质上也是自然世界的一个组成部分，不能脱离整体，更不能对抗与破环整体。

制造业的产品从构思开始，到设计阶段、制造阶段、销售阶段、使用与维修阶段，直到回收阶段、再制造各阶段，都必须充分考虑到环境保护。作为“绿色”制造产品，应给人以高尚的精神享受，体现着物质文明、精神文明与环境文明的高度交融。

2)“快”，快速化是发展的动力。快速化是指对市场的快速响应，对生产的快速重组，这两个快速必然要求生产模式有高度柔性与高度敏捷性。这一点是市场经济走向“买方市场”“多变市场”“顾客是上帝”的“客户化”的必然结果。

“商场就是战场”，现代企业如果不能迅速对市场变化做出反应，就必然会被市场淘汰。在对市场做出反应后，如果不能立刻把生产过程重组，也还是会落后，最终被淘汰。正是这一“快”的结果，强有力地推动着制造技术的进步与制造方法的发展。所以，“快”可以讲是先进制造技术发展的“动力”。

3)“省”，节省化是发展的原则。节省是指制造过程必须节省、节约、节俭，这是市场经济必然的要求。任何一个经济行为，都不同程度地讲节省、讲成本市场经济，尤其是中国这么一个并不富裕的大国的市场经济。制造过程就更是不能不讲节省，不能不讲成本，不能不讲资源的优化配置，不能不讲制造过程各有关环节的优化配置。

4)“效”，高效率，是指高生产率，即指单位时间内生产的产品数量多。固然市场经济与科技的发展，导致不确定性因素猛增，市场的需求变化加快使得产品非大量化、分散化、个性化的生产越来越强，但决不意味着单位时间内产品生产数量减少，相反，还应增加。高效、低耗、无污染应是生产过程所追求的目标。所以“效”可以看做是先进制造技术发展的追求。

(3)制造方法方面，要实现“数”“自”“集”“网”“智”5个字。

1)“数”就是“数字化”。数字城市、数字工厂、数字制造、数字装备等，数字化的趋势锐不可当。

数字化绝对是制造的核心，起着决定性的作用。制造领域需要数字化，它是制造技术、计算机技术、网络技术与管理科学的交叉融和发展与应用的结果，也是制造企业、制造系统与生产过程、生产系统不断实现数字化的必然趋势。数字化制造包含了三大部分：以设计为中心的数字制造、以控制为中心的数字制造和以管理为中心的数字制造。毫无疑问，数字化推进了人类社会的深刻变革。

2)“自”，自动化是发展的条件。自动化是减轻人的劳动，强化、延伸、取代人的有关劳动的技术或手段。确切地说，机械是一切技术的载体，也是自动化技术的载体。第一次工业革命，以机械化这种形式的自动化来减轻、延伸或取代人的有关体力劳动。第二次工业革命，电气化进一步促进了自动化的发展。信息化、计算机化与网络化，不但极大地解放了人的体力劳动，而且更为关键的是有效地提高了脑力劳动自动化的水平，解放了人的部分脑力劳动。

3)“集”，集成化是发展的方法。它包括几个方面：①技术的集成；②管理的集成；③技术与管理的集成。其本质是知识的集成，亦即知识表现形式的集成。如前所述，先进制造技术就是制造技术、信息技术、管理科学与有关科学技术的集成。

4)“网”，网络化是发展的道路。制造技术的网络化是先进制造技术发展的必由之路。制造业走向整体化、有序化，这同人类社会发展是同步的。制造技术的网络化是由两个因素决定的：一是生产组织变革的需要；二是生产技术发展的可能。

制造技术的网络化不可阻挡，它的发展会导致一种新的制造模式即虚拟制造的产生。通过组织异地分布的、平等独立的多个企业，在谈判协商的基础上，建立密切合作关系形成动态的“虚拟企业”或动态的“企业联盟”。此时，各企业致力于自己的核心业务，实现优势互补，实现资源优化动态组合与共享。

5)“智”，智能化是发展的前景。近20年来，制造系统正在由原先的能量驱动型转变为信息驱动型。这就要求制造系统不但要具备柔性，而且还要表现出某种智能，以便应对大量复杂信息的处理、瞬息万变的市场需求和激烈竞争的复杂环境。因此，智能制造越来越受到高度的重视。

精、极、文、快、绿、省、效、数、自、集、网、智这12个方面，彼此渗透，相互依赖，相互促进，形成一个整体，而且它们是服务于制造技术的。这12个方面是一定要扎根在“机械”和“制造”这个基础上的。这就是说，要研究和发展“机械”本身与“制造”本身的理论与机理，而且这12个方面的技术要以此理论与机理为基础来研究、来开发、来发展，要与此基础相辅相成，最终是要服务于制造业发展的。

10.2 并行工程

10.2.1 并行工程定义

1988 年,美国防御分析研究院(IDA)组织召开了第一届并行工程专题研讨会,通过大量的企业调研与分析研究,确定了并行工程(Concurrent Engineering,CE)的定义:并行工程是集成、并行地设计产品及其相关过程(包括制造过程和支持过程)的系统化方法,以改变传统的产品设计方式,如图 10.1 所示。它要求产品开发人员从设计一开始就考虑产品全寿命周期中从概念设计到报废回收的各种因素,包括质量、成本、进度计划和用户需求,从而形成了并行设计过程,如图 10.2 所示。

并行工程在实现上述目标中,主要通过以下方法:

(1)设计质量改进——使早期生产中工程变更次数减少 50%以上。

(2)产品设计及其相关过程并行——使产品开发周期缩短 40%~60%。

(3)产品设计及其制造过程一体化——使制造成本降低 30%~40%。

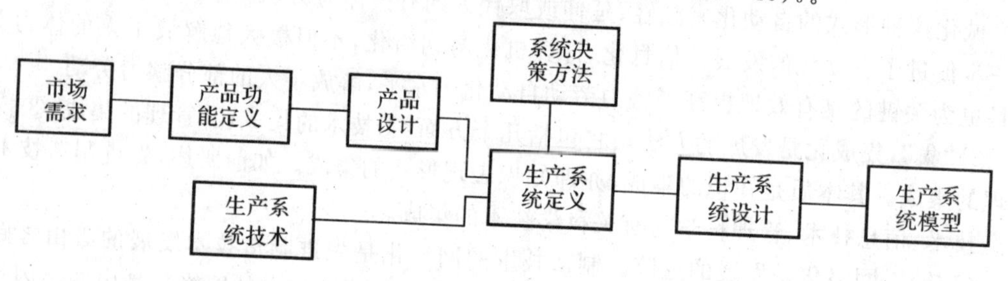

图 10.1 传统设计方式

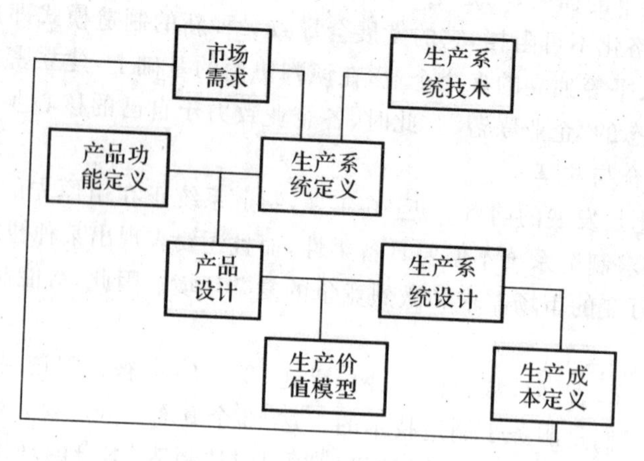

图 10.2 并行设计过程

并行工程强调多学科专家协同工作,集成并行地开发产品,所谓集成是指将产品设计的各个环节有机地组织结合,统一各种信息的描述和传递,协调各环节有效运行;并行是指设计人员在产品开发前期就全面考虑后期的各种因素,包括产品的可制造性、可装配性等。

10.2.2 并行工程核心方法及关键技术

并行工程是一种系统化、集成化的产品开发模式，其核心方法就是建立人员集成的产品开发团队和产品开发过程重构。

(1)人员集成的产品开发团队(IPT)。IPT 打破了传统的以功能部门划分组织人员的产品开发模式，其成员来自不同的功能部门，他们代表产品全寿命周期的各个环节，在产品开发过程中作出决策，并对产品的整个开发过程负责。一般认为，IPT 包括产品设计人员、产品经理、制造工程师、材料专家、装配工程师、质量保证/控制专家、供应商代表以及其他的辅助人员等。这些领域的专家集成在一起，通过有效的组织和管理，形成一个多功能的产品开发团队，实现产品开发效率的最大化和结构的最优化，如图 10.3 所示为 IPT 的管理决策模式。

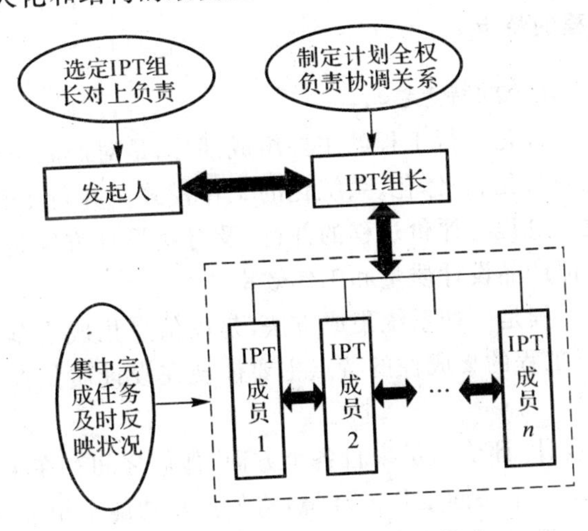

图 10.3 IPT 的管理与决策模式

(2)产品开发过程重构。所谓产品开发过程重构是指并行工程从产品的全局优化角度出发，对集成过程进行有效管理和控制，并且对已有的产品开发过程进行不断的改进与提高，由于 IPT 打破了传统的功能部门的界限，因此，产品开发过程之间也没有了严格的界限，这使得产品开发过程中的活动具有了高度的随机性。

(3)产品数据交换技术(STEP)。CE 产品开发过程的实现依靠的是各种计算机辅助工具，由于不同企业往往应用的是不同的计算机辅助设计平台，相互之间很难实现产品数据信息的交换，因此，有必要建立一个统一的、支持不同应用系统的产品信息和交换标准，即产品数据描述和交换规范，这使得 STEP(Stand for the Exchange of Product Model Data)技术应运而生。STEP 的 ISO 代号为 ISO10303，是一个关于产品信息表达与交换的国际标准，目的是提供一种不依赖于具体系统的中性机制，用来建立包括产品整个寿命周期的、完整的、语义一致的产品数据模型，从而实现不同应用系统之间的数据交换，其基本内容包括体系结构、EXPRESS 语言建模等。

(4)产品数据管理技术(PDM)。CE 产品开发过程中必然会产生一些中间的数据、图形、文档等，企业强烈需要一种有效的管理系统来对全企业范围内的产品数据进行管理，以达到信息的共享，这就是产品数据管理系统产生的背景。PDM 技术是用来管理与产品相关的所有信息，包括工程图样、文本文档、产品配置、产品规范说明等，控制与产品相关的所存过程，包括产品的设计、制造、装配过程以及设计人员的组织等；PDM 是一个连接多个领域的集成化工具，是实施并行工程的基础技术，其作用是在整个企业范围内管理产品数据，以确保正确的信息，在正确的时间，以正确的形式提供给用户。

(5)面向工程的设计工具(DFx)。目前，只能实现单一功能的 CAx(多元化计算机辅助技术集成如 CAD,CAM,CDE 和 CAPP 等)技术已不能满足并行工程的需要，而是需要一个广义的计算机辅助设计，应该满足产品整个设计过程中的各个计算机辅助工具之间的信息集成、功能集成和过程集成，其应用应该涵盖产品设计、制造、装配以及质量保证和环境保护的整个寿命周期。现有的 DFx 技术的支持工具包括 DFA(面向装配的设计)、DFM(面向制造的设计)、DFQ(面向质量的设计)、DFE(面向环保的设计)。

10.2.3 并行工程的特点

并行工程具有以下几个的特点：

(1)并行性。并行设计是并行工程的主要组成部分，是对产品设计及相关过程进行并行处理，也是设计相关过程并行化、一体化、系统化的工作模式。并行工程在强调产品设计过程并行进行的同时，强调设计过程与评价过程的并行，及时对设计方案进行全面的评价，产生阶段性的评价结论，从而保证产品设计质量和工作效率。

(2)集成性。并行工程是一种系统集成方法，是以信息集成为基础，逐步向产品开发过程集成的方向发展。并行工程的集成性的特点主要体现在设计质量评价过程中的信息集成、人员集成和过程集成。

(3)分布性。由于设计、评价人员来自各个方面，他们之间存在组织机构、地域和时间的分布性。因此，需要营造出一个协同工作的环境，将他们从功能上组成统一、协调的整体。

(4)渐进性。并行工程环境下的产品设计过程是一个渐进的过程，设计方案、设计思想及设计信息是个逐步完善和充实的过程。因此，经常需要在信息方案不完整和不确定的情况下进行设计质量评价与决策。随着设计过程的不断推进，设计信息不断地得到充实和完善，从而保证设计质量评价得以不断地拓展和细化。

并行工程以网络作为平台的工作方式，如图 10.4 所示。

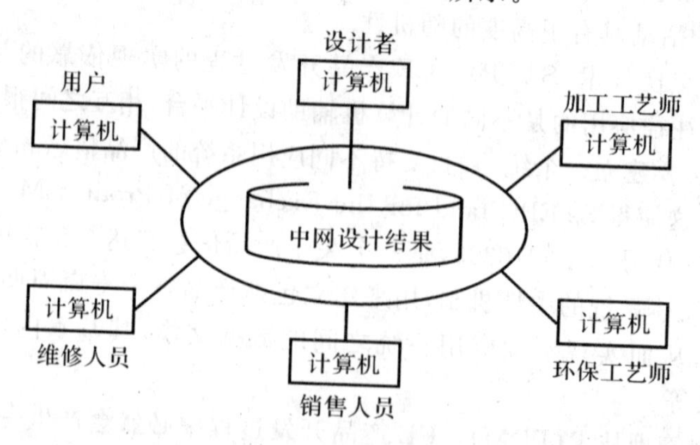

图 10.4　借助计算机网络的工作方式

并行工程强调对设计结果及时进行审查，并及时反馈给设计人员。这样可以大大缩短设计时间，还可以保证将错误消灭在“萌芽”状态。并行工程的组成及信息流如图 10.5 所示，在图中未画出计算机、数据库和网络，但是，它们都是并行工程必不可少的支承环境。

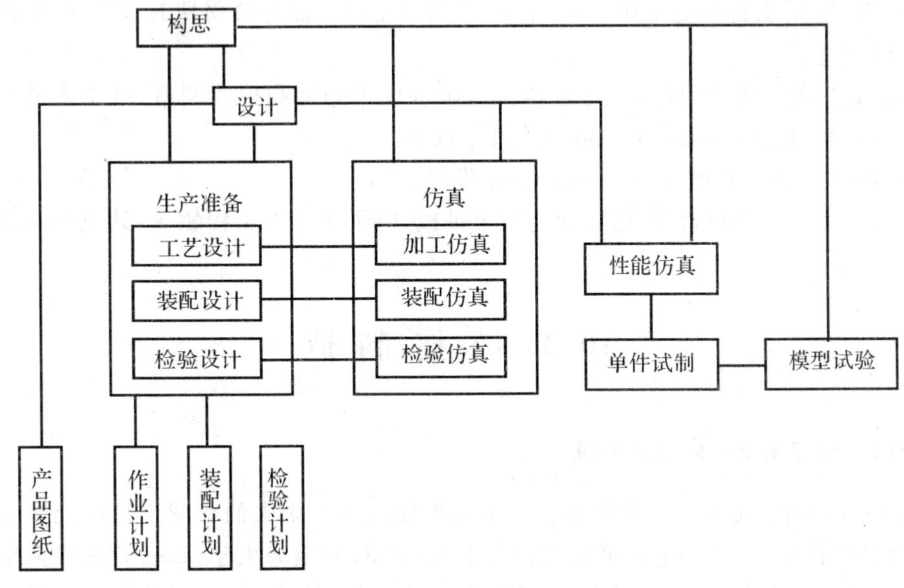

图 10.5 并行工程组成及信息流

10.2.4 并行工程的发展方向

在机械制造业中，并行工程得到了广泛的应用，如图 10.6 所示为 CAD/CAPP 集成体系结构模型，根据图中的功能模型，在进行产品设计的同时，工艺部门就可以通过网络传输系统读取设计信息，在网络环境中实现设计、工艺信息集成化，进而优化。

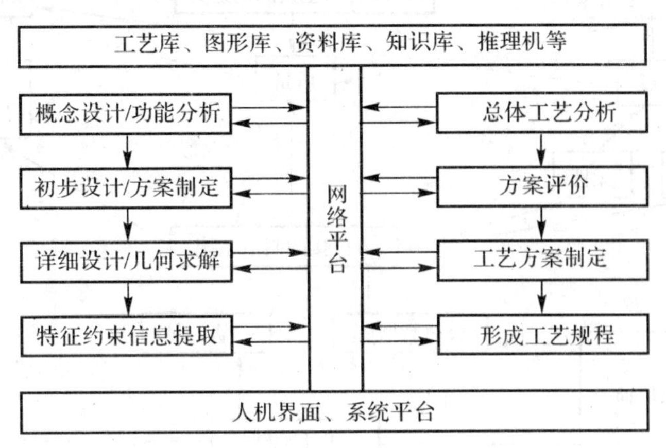

图 10.6 CAD/CAPP 集成体系结构模型

基于 CAD/CAPP 的集成软件系统中，以并行工程思想为指导，较理想地解决了串行工作模式中存在的信息“集中”转移的问题，将串行工作模式中各部门之间信息转移和理解消化的这段独立时间融于部门之间的周期重叠之中去，缩短产品上市周期、实现信息和过程的集成与优化。

CE作为现代制造技术的发展方向，引起美国、欧洲及日本等工业国家的高度重视，近几年来正在迅速发展，其进一步的研究和发展主要有以下几方面：

(1)目前CE的支持环境是建立在“集成”基础之上的产品寿命周期的宏循环，正向理想的方式即微循环进军。

(2)CE是一种有生命的哲理，越来越多地融合虚拟制造和拟实制造，这将为进一步实现企业向集成和经营过程重构等的敏捷制造打下基础。

(3)PDM是实现CE的关键，有待进一步发展。

(4)CE作为一种哲理，目前已成功地用于机械、电子化工等工程领域，其应用范围尚须进一步扩大。

10.3 敏捷制造

10.3.1 敏捷制造的内涵及特征

20世纪90年代，美国为了在世界经济中重振雄风并在未来的全球市场中处于竞争的优势地位，由国防部牵头，组织了美国通用汽车公司(GM)和里海大学(Leigh)的雅柯卡研究所(Iacocca)等百余家企业和公司，提出《21世纪制造企业战略》的报告。该报告明确提出了敏捷制造(Agile Manufacturing，AM)的概念，向社会半公开以后，立即受到世界各国的重视。如图10.7所示为敏捷制造系统的框架。1992年，美国政府将敏捷制造这种全新的制造模式作为21世纪制造企业的战略。

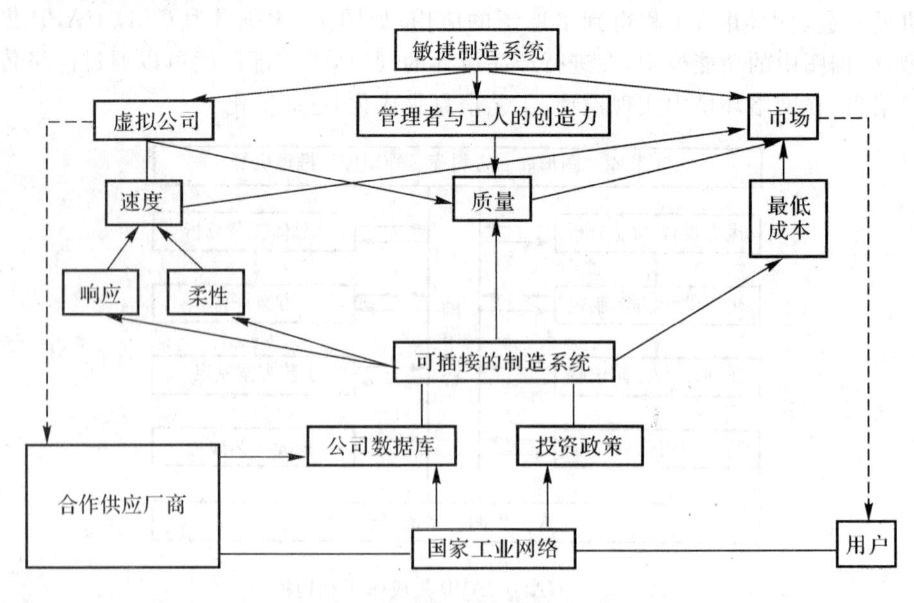

图10.7 敏捷制造系统的框架

着眼于小规模、模块化组合和企业间合作生产，发挥众多特长企业的优势来适应变化多端的市场需求，把宏观的国际市场需求与具体公司生产密切结合，充分发挥人的因素，及时抓住机遇，快速响应市场，形成了敏捷制造的新概念。

敏捷制造的敏捷性体现在持续变化性（产品、技术、管理模式）、快速反应性（以适应市场的变化）、质量高标准、低费用。从综合特征来说，敏捷制造指的是制造企业能够把握市场机遇，及时动态地重组生产系统，用最短时间向市场推出最有利润的、用户认可的、高质量的产品，其发展的最终结果是实现大批量定制的生产模式。

敏捷制造的基本定义：以柔性生产技术和动态联盟结构的特点，以高素质、协同良好的工作人员为核心，实施企业间的网络集成，形成快速响应市场的社会化制造体系。

敏捷制造指的是制造企业能够快速响应市场，及时动态地重组生产系统，向市场推出有利可图的、用户认可的、高质量的产品。每个敏捷企业能够与其他企业组成一个具有竞争力的临时性联盟。用计算机网络将本地的、异地的，甚至异国的制造企业或制造资源、设备、产品设计或工艺规程/联成一个整体，为共同的目的，进行协调的努力。敏捷制造强调企业之间的集成与信息交流。

敏捷制造企业具有如下基本特征：

(1)产品产量与成本无关。通过可重组、可重用和可扩充的设备，动态多变的组织方式等措施来保证。

(2)新产品快速面市。通过并行工程、虚拟产品制造、动态联盟、创新的技术水平等措施来完成这一目标。

(3)全生命周期顾客满意。通过并行设计、质量功能配置、价值分析、仿真等手段，在产品的设计、制造、销售、服务、维修、回收等整个生命周期内的各个环节使顾客满意。

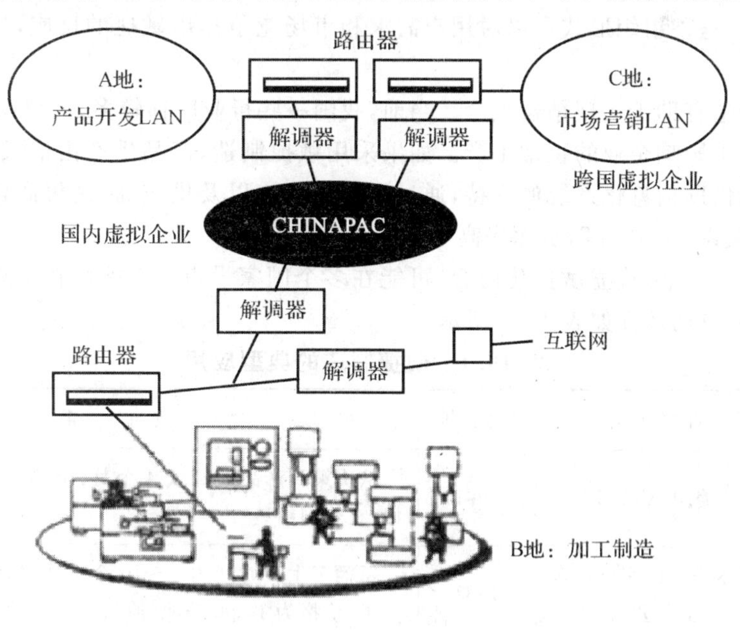

图 10.8　一个跨国虚拟企业的结构

10.3.2　敏捷制造的意义

敏捷制造的定义，比较确切和完整地指出：不断采用最新的标准化和专业化的网络及专业手段，以高素质、协同良好的工作人员为核心，在信息集成及共享的基础上，以分布式结构动态联合各类组织，构成优化的敏捷制造环境，快速高效地实现企业内外部资源合理集成及生产符合用户要求的产品。

其中，敏捷制造环境里的主体是虚拟企业(Vertual Enterprise)，也叫动态联盟。它是指某组织经过市场调研后完成某一产品的概念设计并建立相应的项目，然后联合其他在此项目中各有所长的组织(企业)组成动态联盟，快速完成该项目的设计加工，抢占市场。项目完成后，联盟解散。盟友(各联盟组织)间通过现代通信技术相互联系，由盟主(创立项目的组织)协同工作，实现同地或异地设计制造过程。如图10.8所示为一个跨国虚拟企业的结构。虚拟企业的特点是功能的虚拟化、组织的虚拟化和地域的虚拟化。

敏捷制造的意义，主要体现在以下四个方面：

(1)企业在战略管理模式下，需要与之相适应的职能战略。敏捷制造作为一种生产战略，有利于提高企业市场应变能力，能够对市场需求作出快速及时的反应，从而可以帮助企业把握每个稍纵即逝的市场机会，在竞争中占有优势。

(2)在经济全球化的今天，敏捷制造有利于增强企业产品开发、制造能力。采用敏捷制造，一方面通过并行工程、同步生产，可以缩短产品开发和制造周期；另一方面，可以通过"虚拟企业"，从全球调集开发、生产某种产品所需的各种资源。这样，一方面可使合作各方充分利用资源，避免重复投资，降低成本；另一方面，可以充分整合合作企业的核心竞争力。

(3)敏捷制造有利于提高企业的组织效率。敏捷制造要求企业组织机构减少层次、扁平化、权力下放；并能利用动态组织方式，重构人员职能、各部门之间的关系、新的工作小组配置和合作方式等。这种组织形式可以对用户需求和市场竞争作出敏捷的反应，从而达到最佳的组织工作状态。

(4)敏捷制造有助于实现精益生产。当前，我国一些行业库存较多，产品积压严重，流动资金周转困难，严重影响企业的正常生产。如果采用敏捷制造，产品生产由推式转变为拉式，让市场推动制造，借助信息化系统的支持，通过企业与顾客以及供应商、销售商建立一种长期稳定的全面合作关系，实现JIT，从而提高生产的效率和效益。

目前欧洲正在酝酿成立敏捷化协会，可能在多个国家设点。AM已在全球范围内受到广泛重视。AM的成功例证如表10.1所示。

表10.1 敏捷制造的典型应用

项　目	生产单位	时间/年	效　　果
笔记本式计算机	美国AT&T	1991	从决策到产品展览仅4个月，全部元件由国外企业承担，在美国组装
自行车	日本松下国家自行车工业公司	1987	每辆车生产时间为8～10个工作日，为大批量生产的一半，价格为1 300美元(原需2 500～3 500美元)
空气压缩机	美国空气压缩机公司	1988	耗资12.5～25万美元(原50万美元)，时间为原来的1/3～1/2
匹兹堡万能夹具	通用汽车公司	1991	与原来相比，成本为3/70，时间为1/37，可伸缩重用、重构，适应性好

10.3.3 敏捷制造的实现

企业敏捷制造的实现是一项系统工程，它需要转变企业制造理念，需要进行企业组织再造，同时还要进行企业信息化和组织建设。

(1)企业制造理念的转变。在敏捷制造模式下，实现目标不仅仅依靠供应者自身的努力，而且要与购买者合作。顾客在与供应商的长期合作中寻求购买其技能、知识和专业经验，并能适时地参与制造。在这种新模式中，制造理念已由大规模标准化制造方式向大规模定制化制造方式转变。在市场营销上，从用户的需求出发，为用户提供最合理的解决方案，树立"双赢"的企业合作观念。在产品设计上，更注重消费者个性化的需求。在制造上，适应大规模定制化的转换要求，不断提升制造设备和操作人员的柔性，以适应多品种产品生产过程中不断轮换的动态的生产环境。成功的关键是领导层、团队工作和雇员的人际交往能力，以及能为顾客提供可靠的超出用户预料的服务。

(2)构建虚拟企业。虚拟企业是敏捷制造战略中一个最为核心的部分，它是各自独立的、具有适应性的企业，针对某一产品组成的具有自组织性质的暂时性系统。虚拟企业突破了传统企业的边界，充分整合和利用内部和外部资源，建立一个动态的柔性的开放的系统，从而降低了市场交易成本，形成产品开发、制造与消费的敏捷能力。作为竞争力更强的组织，它将代替单个企业。在经济全球化环境下，合作比竞争具有更重要的意义，因为在快速变换的世界市场中，每个企业的核心能力都很有限，单靠个别企业的资源无法满足市场需求。为了以最少的投入、最快的速度响应顾客的要求，需要企业与其供应商、经销商甚至竞争对手建立互赢、互相协调、共同合作的长期伙伴关系，只有这样才能使企业充分利用整个社会各方面的资源，实现社会资源的最优配置。

虚拟企业是开放性的组织形式，它具有如下特点：

1)虚拟组织的人、财、物是跨企业的，不仅仅局限于某个企业内部。

2)相互关系。相互关系是建立在相互信任、获得授权、共担风险、共享利益的基础之上的。这种关系常常通过一体化的信息和人员间的交流以及通过技术得到加强。

3)合作。面向全球的合作者存在社会文化、政策等诸多方面的差异。因此，应建立一体化的、积极合作、广泛交流、相互依赖的团队。团队必须为相互之间的需要而工作，共同开发新的机遇。

(3)企业信息化建设。企业信息化是指企业在生产和经营、管理和决策、研究和开发、市场和销售各个方面全面应用信息技术，建设应用系统和网络，通过对信息和知识资源的有效开发利用，调整或重构企业组织结构和业务模式，服务企业发展目标，提高企业竞争力的过程。

敏捷化要求企业具备完善的信息系统并大量采用通用的信息技术，用信息技术及系统的优势(信息传递快速，对庞杂的信息能够进行整合、分析并做出最优化的决策等)，提升企业敏捷性。而敏捷制造能否实现，关键是能否构建一个通用、成本低、操作简便的连接整个供应链的网络系统。

首先，依靠 Internet，Extranet，Intranet 来建立供应链各环节之间的信息交流框架。以网络技术和电子商务为平台，建立高效的数据交换/共享网络的敏捷制造系统。

其次，通过数据交换/共享网络传递包括产品设计、生产计划、资源分配、市场动态、组织协调等方面的大量信息。例如:①共享合作企业的技术;②将企业的质量、性能及价格信息及时沟通;③借助互联网开展商务谈判;④通过互联网完成资金结算。

最后,应大力加强计算机辅助制造、计算机辅助设计、计算机集成制造系统在制造过程中的应用;运用管理信息系统、全球定位系统;加强对知识资源的编码化、网络化建设;最大限度地开发和利用企业内部、供应商、用户以及终端消费者的信息和知识资源。

(4)建立新的组织方式。实施敏捷制造的企业要求组织机构减少层次、扁平化,组织方式应是动态的、柔性的,能根据市场变化调整组织机构、人员的设置和目标管理。

由此,敏捷制造提倡人性化管理,强调高素质人员的全面集成,将分散决策和集权相结合,用协商机制代替递阶控制机制,以便充分发挥人的主动性和积极性。

10.3.4 敏捷制造的前景

到目前为止,AM 的研究刚兴起不久,完整的理论体系尚未形成,其实施方法、手段和途径仍有待进一步探索。在实施 AM 过程中,尚有许多问题有待解决。

为此,美国等国政府对 AM 的开发及应用给予了高度重视,资助许多研究机构开发实现 AM 的参考模型和支持工具,并鼓励在不同行业进行 AM 示范应用,以期在边研究边应用的过程中积累经验,完善工具产品,为更多的行业、企业应用 AM 打下基础。

在开发实现 AM 的参考模型及支持工具方面,首先要建立并完善敏捷化工程模型;其次,进一步加强经营决策工具和实验性实施设计策略开发工作;第三,探索企业敏捷因素的评价准则和分析技术将受到广泛的重视;第四,进一步开发支持实施 AM 的各种技术和工具。

在典型行业应用示范方面,由于现有的大批量生产模式与变批量、多品种生产模式之间存在很大的差距,同时现有的生产过程又不具备足够的柔性等限制因素的存在,所以 AM 示范项目仍有待于探索和改进。企业一方面需要充分利用现有的制造能力和技术经验有效地改进生产过程配置;另一方面需要建立企业信息网,完善各种数据库系统,同时开发先进的并行基础结构,提供协同工作中人员、工具及产品实现环境的三维集成,以促进企业集成的实现,这样才能尽快完成从当前生产方式向 AM 生产方式的转变。

由于 AM 具有资源、技术等集成优势,为此美国 AM 协会的专家认为,受资源限制的中小企业将成为应用 AM 的重要力量。今后,敏捷的概念、内涵及实践都将得到更深入的研究和发展,以便更好地应用于中小企业。

由于产品市场总的发展趋势将从当今的标准化和大批量到未来的多元化和个体化,因此,与产品发展多元化、个体化相应的是未来产品的利润和成本结构也将发生变化。在大批量生产占据主要地位的今天,决定产品成本及利润的主要因素是制造过程中的多种消耗;而 AM 的倡导者则认为,决定产品成本、利润和竞争能力的主要因素是开发、生产该产品所需的知识的价值。正是基于这一出发点,动态联盟(虚拟企业)成为一种越来越受到重视的新的组织结构。它使企业能够在不增加厂房、设备和人员投资的情况下,与动态联盟的其他成员共享各种知识、技能、信息和资源,迅速获得广大范围的资源、技术及人员的最优配置,有效地扩充了生产能力。这样就使企业生产技术含量超出其生产能力的产品成为可能,从而形成超出自身的竞争优势。

10.4 基于网络的设计制造

10.4.1 网络化制造内涵

随着信息技术、Web 技术和 Internet 技术的迅速发展和应用，世界经济进入了网络经济时代。

网络经济使制造环境发生了根本性的变化，制造业面临全球性的市场、资源、技术和人员的竞争。个性化、多样化的消费需求使市场快速多变，不可捉摸，无法预测。客户化、小批量、多品种、快速交货的生产要求不断增加，市场的动态多变性迫使制造企业改变其制造模式来适应这种趋势。同时，先进制造模式如敏捷制造、并行工程、虚拟制造、精益生产等不断涌现，EC，SCM，CRM 等管理思想不断成熟，企业间协作成为制造业的主旋律。这两方面的因素促使了网络制造技术向纵深方向发展，并且逐渐成为制造业信息化的主流。

网络制造是指企业利用计算机网络，面对市场机遇，针对某一市场需要，利用以因特网为标志的信息高速公路，灵活而迅速地组织社会制造资源，把分散在不同地区的现有生产设备资源、智力资源和各种核心能力，按资源优势互补的原则，迅速地组合成一种没有围墙的、超越空间约束的、靠电子手段联系的、统一指挥的经营实体业(网络联盟企)，以便快速推出高质量、低成本的新产品。其实质是通过以计算机网络为平台的生产经营业务活动各个环节的合作实现企业间的资源共享、优化组合和异地制造。如图 10.9 所示为网络化制造的组成结构。

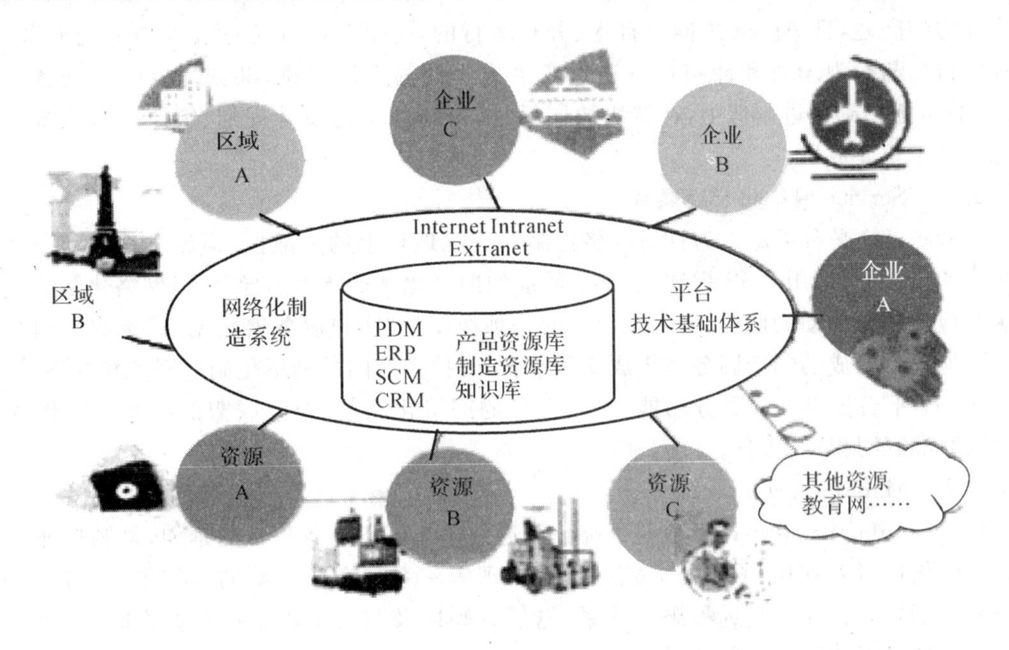

图 10.9　网络化制造的组成结构

网络制造作为一种全新的制造模式，以数字化、柔性化、敏捷化为基本特征。柔性化与敏捷化是快速响应客户化需求的前提，表现为结构上的快速重组，性能上的快速响应，过程中的并行性与分布式决策。这意味着系统必须具有动态易变性，能通过快速重组，快速响应市场需求的变化。在网络制造环境下,企业的组织形态、经营模式和管理机制需要有全方位的创新,使之适应网络化制造的要求。制造企业不再是孤立的个体,而是社会化大系统中的一个成员,并作为动态的制造环境中一个可以使用的制造个体资源,以企业集成的形式,通过合作与竞争,参与动态的制造系统重组。

网络制造与传统制造不是对立的,网络制造不是对传统制造的取代,网络只是使信息的传递更快、更准确,使传递的信息更多。网络制造并不能代替传统制造业中的许多功能,如产品的创新设计需要人的创造性劳动,零件的加工和装配需要相应的设备和人员,产品的销售需要物流系统等。具体地讲,网络制造具有以下三种能力:

(1)快速地、并行地组织不同部门或集团成员将新产品从设计转入生产。

(2)快速地将产品制造厂家和零部件供应厂家组合成虚拟企业,形成高效经济的供应链。

(3)在产品实现过程中各参加单位能够就用户需求、计划、设计、模型、生产进度、质量以及其他数据进行实时交换和通信。

10.4.2 网络化制造关键技术

1. 多Agent技术

Agent技术在计算机领域的研究和应用源于20世纪70年代美国麻省理工学院研究人员开展的一系列关于分布式人工智能的研究。多Agent系统是指一些Agent通过协作完成某些任务或达到某些目标的计划系统,即一组Agent的松散组合,这些Agent要协作解决超过单个能力的问题,且Agent之间是自主、分布运行的,每个Agent之间相互协同与服务,彼此之间的目标与行为矛盾和冲突可以通过竞争或磋商等手段协调,共同完成一个任务。将多Agent技术运用到先进制造中,在解决协同设计、分布式工艺设计规划、敏捷制造系统重构问题等取得了重要成果。

2. E-Service网络化制造集成

E-Service平台可定义为针对网络化制造资源地理上的分散性、构建过程的动态性和制造过程的集成性,采用ASP哲理,以基于活动的网络化制造流程为导航、以网络化制造活动等价为对应的服务活动为前提,所开发出来的一种在新型“客户服务器数据库”集成架构下的由一组使能工具构成的制造服务和集成支承平台,支持企业间的网络化制造服务是其终极目标。E-Service平台提供3种服务功能:企业自身的网络化制造、企业联盟的组建与运作和各类软、硬件资源的封装与服务。

3. E-Manufacturing

E-Manufacturing可以看成是网络化制造技术与电子商务技术的延伸,是制造业在数字化和网络化环境下,用电子化的方式、经营、管理等一系列企业活动的运作模式。E-Manufacturing通过其使能工具远程服务体系、电子后勤以及装备工程支持企业之间的知识联盟,并使供应链之间的协作也变得更加紧密。

另外,国外已经对网络化制造的使能技术进行了广泛、深入的研究,研究范围覆盖了开发、设计、管理、制造和维护的产品全生命周期。许多研究机构在基于WEB的协同设计、零件库、协同制造、供应链管理等方面开展了众多的研究工作,开发了一些软件产品,在集成平台技术方面也具有较高的水平,但大部分产品仅是支持某个局部问题的解决方案,如IBM公司的

Plantworks 等是面向车间监控层的平台产品。这些技术的研究极大地推动了网络化制造的发展，也为网络化制造引导了发展方向。

4. 网络化制造系统应用层的十个主要功能平台

(1)共享信息平台。共享信息平台提供企业信息、产品信息和供求信息的发布机制，同时提供信息检索、供求配对导航、智能信息代理服务及各种个性化服务。

(2)敏捷企业协作平台。敏捷企业协作平台提供产品工程图纸和技术资料的传送与在线浏览、生产任务的异地进度监控与信息管理、虚拟会议室等功能。

(3)产品协同设计制造系统。该系统为企业开展异地产品协同设计制造提供支持，包括跨企业产品数据管理、跨企业的产品并行设计制造、产品的虚拟设计与制造、产品研制的项目与过程管理和跨企业的产品可视化系统联盟，并使供应链之间的协作也变得更加紧密。

(4)在线远程制造服务。在线远程制造服务通过对制造设备进行封装，实现制造设备的上网，能够为需要制造服务的其他企业提供在线和远程的制造工作。

(5)资源共享系统。该系统提供共享资源的注册、删除、修改和查询等功能，通过建立系统共享模型，实现对共享信息的维护。

(6)供应链管理系统。采用供应链管理的方法，建立面向产业链的物流管理和信息管理系统。

(7)电子商务系统。结合企业、行业或区域的经济特色，建立为企业、行业或区域经济服务的电子商务系统，提供方便和低价的电子商务服务。

(8)虚拟采购中心。建立面向行业性的中小企业虚拟供应链和区域性网络化供应系统，使企业能够通过网络在动态供应链中进行合作，实现从订货合同获取、执行，到完成整个过程的集成化管理与优化。

(9)产品虚拟展示与销售中心。建立产品展示和销售的集成系统，采取集中与分散链接相结合、实物产品和虚拟产品并存的方案，为展示和推销企业产品提供一个良好的平台。

(10)技术支援中心。网络化制造系统仅依靠企业的参与是不够的，还应该依托大专院校、科研院所、系统咨询公司、中介服务公司和生产力促进中心等建立起技术支援中心，为各制造企业提供强大的技术支持。

目前网络化制造的应用日趋深入，已经从早期侧重于电子商务向支持设计、制造和管理方向发展；其突出表现是各种面向服务的网络制造系统的蓬勃发展。在这种方式下，企业将不需要支出大笔启动资金和配备内部的专业队伍，而是按月支付租赁费用以获得应用系统的使用权或者获取特定的专业服务。据此可以将网络化系统的集成分为三个阶段：信息集成、过程集成和服务集成。

所谓信息集成是指实现企业不同的应用系统之间的数据共享和集成，正如前面所提到的共享信息平台，即信息集成功能已经趋于成熟。而过程集成是指利用计算机集成支持软件工具高效、实时地实现企业间数据、资源的共享和应用间的协同工作，将一个个孤立的应用集成起来，形成一个协调的企业集成系统。它是在信息集成平台基础上，通过增加过程建模、过程分析与优化、过程集成与运行等相关的功能，从而达到企业协同、资源共享、供应链管理以及虚拟采购等。也就是说，部分网络制造平台已经从过去的支持信息集成过渡到当前的过程集成。

10.4.3 网络化制造发展趋势

1. 制造硬件的研究

网络制造的发展在很大程度上依赖于硬件技术的发展，它不仅依赖于计算机设备，而且也和制造装备相关的制造硬件的发展密切相关，主要包括制造装备、围绕制造装备的相关监控与检测装置、计算机与网络设备、所形成的制造执行系统等。这些因素是实施网络制造的硬件基础，决定着网络制造的应用层次。近年来，网络数控的研究已经成为学术界及企业界的研究热点之一。

2. 智能技术的运用

智能化网络制造为企业提供智能化公共信息服务，包括基础数据、基本的公共信息、信息自动采集、分类与匹配等服务，其主要内容包括智能化制造网络平台、智能公共信息服务系统、智能化企业数据与资源管理系统、分布式智能协商(冲突消除)处理系统、生产管理知识表示与知识获取技术、智能化企业组织与管理模型、基于多智能主体的群体决策支持系统、基于智能优化方法的企业管理信息系统、智能化生产车间的组织形式与体系结构、智能化车间生产过程重组与配置技术等。

3. CAPP 系统技术

实施网络制造必须获得工艺设计理论及其应用系统的支持，新的制造环境给 CAPP 系统提出了新的要求，因此，研究和开发适用于网络制造环境下的 CAPP 系统是网络制造的重要发展方向之一。

4. 信息交换标准协议的研究

由于网络制造的全球化趋势正在形成，作为网络制造基础之一的信息交换标准协议的重要性日益突出。目前与网络制造相关的部分信息交换协议已经出现，但是整个网络制造标准协议规范还远远不够，并且有些标准还在讨论之中，因此网络制造中的信息交换标准协议还需要深入研究、开发和发展。此外，资源的物流规划与集成、企业的组样模式、信息的共享技术、数据传输和交换的信息安全等方面的研究也会越来越受到重视。

10.5 面向环境的绿色设计制造

10.5.1 绿色制造的内涵

20 世纪人类的文明和进步达到了前所未有的高度，生产力水平得到了极大的提高，科学技术飞速发展，为人类社会创造了大量的财富。但是人类生产力的飞速发展也是一把双刃剑，导致了世界范围的自然资源和能源危机，环境污染严重，生态平衡遭到破坏，人口急剧增长，对人类的生存甚至地球形成了极大的威胁，世界的发展与生态环境之间存在着越来越紧张的关系。这直接导致了绿色制造的产生，绿色制造是人类可持续发展的必然需要。

绿色制造的有关研究可以追溯到 20 世纪 80 年代，但是直到 1996 年发表的关于绿色制造的蓝皮书《Green Manufacturing》才比较系统地提出绿色制造的概念、内涵和主要内容。1998 年，美国制造工程学会又在互联网发表了绿色制造发展趋势的主题报告，对绿色制造的重要性和有关问题做了进一步的介绍。

所谓的绿色制造(Green Manufacturing,GM),又称环境意识制造(Environmentally Conscious Manufacturing,ECM)或面向环境的制造(Manufacturing For Environment,MFE),是指在保证产品的功能、质量、成本的前提下,综合考虑环境影响和资源效率的现代制造模式。它使产品在从设计、制造、使用到报废的整个产品生命周期中环境污染最小化,使资源利用率最高,使能源消耗最低。

绿色设计涉及机械制造学、材料学、管理学、社会学以及环境学等诸多学科的内容,具有较强的多学科交叉特性。显而易见,单凭现有的某一种设计方法是难以适应绿色设计的要求的。绿色设计是一种集成设计,它是设计方法集成和设计过程集成。因此,绿色设计是一种综合了面向对象技术、并行工程和寿命周期设计的一种发展中的系统设计方法,是集产品的质量、功能、寿命和环境为一体的设计系统。绿色产品设计则是采用并行的闭环设计过程,是可持续发展思想的具体体现。如图10.10所示为绿色产品设计的系统框图。绿色产品设计应着眼于产品生命周期全过程,而不应该着眼于某一阶段、某一部门或某一环节。

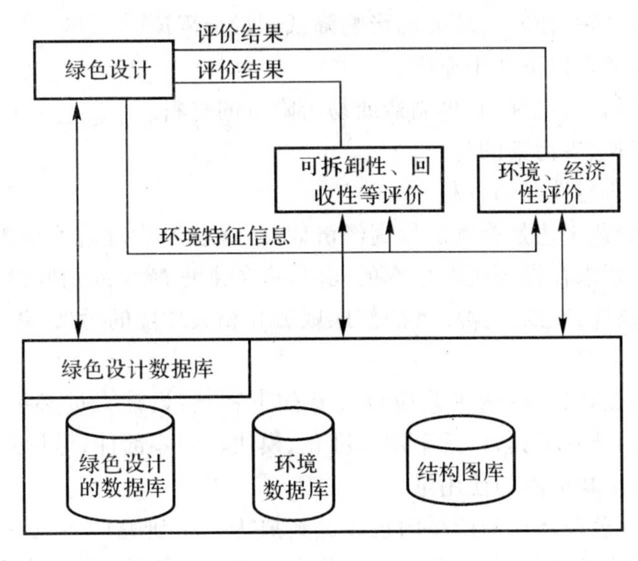

图10.10 绿色产品设计系统框图

10.5.2 绿色制造的主要内容和技术支承

绿色制造技术从内容上应包括绿色设计、绿色材料、绿色工艺、绿色包装和绿色处理五个方面。

(1)绿色设计。绿色设计是以环境资源保护为核心概念的设计过程,它要求在产品及其整个生命周期内,把产品的基本属性和环境属性紧密结合,优化各有关设计因素,除满足产品的物理目标外,使产品及其制造过程对环境的总体负影响减到最小。在绿色制造实施问题中,绿色设计是关键。绿色设计应遵循以下基本原则:

1)资源最佳利用原则。在选用资源时尽可能选择可再生资源及所选用资源在产品的整个生命周期中能够得到最大限度的利用。

2)能量消耗最小原则。在选择能源时尽可能选用最清洁能源,如太阳能、风能,并使消耗能量最小。

3)污染最小原则。

4)技术先进原则。产品设计要求采用最先进技术，使其在市场上有巨大的竞争力且避免对人的身心健康造成危害。

5)生态效益最佳原则。绿色设计产品不仅要考虑经济效益，而且要考虑环境效益，要求得到最佳的生态经济效益。

(2)绿色材料。绿色材料也被称为生态环境材料、环境意识材料或环境协调材料。绿色材料选择要求产品设计人员改变传统的选材程序和步骤，选材时不仅要考虑产品的使用条件和性能，而且应考虑环境约束准则，同时必须了解材料对环境的影响，选用无毒、无污染材料及易回收、可重用、易降解材料。绿色设计对材料的要求也为材料科学的发展提出了新的挑战，即能提供或生产出适合绿色产品设计的绿色材料。除合理选材外，同时还应加强材料管理。

绿色产品设计的材料管理包括两方面内容：一方面不能把含有有害成分与无害成分的材料混放在一起；另一方面，达到寿命周期的产品，有用部分要充分回收利用，不可用部分要采用一定的工艺方法进行处理，使其对环境的影响降低到最低限度。

选择绿色材料应遵循以下几个原则：

1)尽量选用易于回收、再利用、再制造或易于降解的材料。

2)尽量选用低能耗、少污染的材料。

3)尽量选择环境兼容性好的材料。

(3)绿色工艺。绿色工艺是指既能提高经济效益，又能减少环境影响的加工技术，它与清洁生产密切相关。它要求在提高生产效率的同时，必须兼顾减少或消除危险废物及有毒化学品的用量，改善劳动条件，减少对操作者的健康威胁和相关环境的污染，并能生产出安全的、与环境兼容的产品。

根据制造业的特点，绿色制造工艺应该具有如下特点：设计人员必须具有良好的环境意识，能够掌握现代化的技术工具；广泛采用标准化、模块化的零部件；尽量简化工艺、优化配置；减少不可再生资源和短缺资源的使用量。

(4)绿色包装。绿色包装作为产品的包装已经成为一个研究的热点。各种包装材料占据了废弃物的很大一部分份额，这些包装材料在使用和废弃后的处置给环境带来了极大的负担。因此，产品应简化包装，或尽量选择无毒、无公害、可回收或易于降解的材料，如纸等，既可减少资源的浪费，又可减少对环境的污染和废弃后的处置费用。目前这方面的研究很广泛，大致可以分为报纸材料、包装结构和包装废物回收处理三个方面。当今世界主要工业国应要求包装做到“3R1D”原则，即 Reduce 减量化、Reuse 回收重用、Recycle 循环再生和 Degradable 可降解。

(5)绿色处理。绿色处理(即回收)在产品的生命周期中占有重要的位置，正是通过各种回收策略，使产品的生命周期形成了一个闭合的回路，寿命终了的产品最终通过回收又进入下一个生命周期的循环之中。它们包括重新使用或利用、继续使用或利用。为了便于产品的绿色处理，一般在设计中主要考虑产品的材料和结构设计。

10.5.3 绿色制造的特点和相关技术

绿色制造具有以下特点：

(1)系统性。绿色制造系统与传统的制造系统相比，其本质特征在于绿色制造系统除保证一般的制造系统功能外，还要保证环境污染最小化。

(2)突出预防性。绿色制造对产品生产过程中的环境污染问题，强调以预防为主，杜绝废弃物产生或使废弃物最小化。

(3)保持适合性。绿色制造必须结合产品的特点和工艺要求，使绿色制造目标既符合预期发展的需要，又不损害生态环境，且能保持资源的合理使用。

(4)符合经济性。绿色制造技术的应用，可节省原材料，减少能源的消耗，降低废弃物处理、处置费用，降低生产成本，提高产品的经济性以增强市场竞争力。

(5)注意有效性。绿色制造从产品末端治理转向对产品及生产过程的连续控制，综合利用再生资源和能源、物料的循环利用技术，有效防止二次污染。

绿色制造的相关技术：

(1)现代设计技术。绿色制造的关键是绿色设计，因此现代设计技术将是绿色制造的主要相关技术。

(2)先进制造工艺与设备。先进制造工艺与设备是绿色制造系统的装备与工艺基础，是实现优质、高效、低耗、清洁生产的基础，是保证产品质量和市场竞争的基础，是绿色制造的重要支柱。

(3)环境工程技术。绿色制造的目的是最有效地利用资源和最低限度地产生废弃物，从根本上减少对环境的负面影响，因此，环境工程技术将是绿色制造领域重要的支承技术。

(4)环境技术标准及资源利用政策法规。随着制造生产向网络化、集成化、智能化方向发展，绿色制造的环境技术标准及资源利用政策法规工作已显得越来越重要。绿色制造涉及的政府行为首先是立法和行政规定问题，其次是政府可制定经济政策，用市场经济的机制对绿色制造实施导向。

(5)系统工程技术。实施绿色制造是一个复杂的系统工程问题。测算和评估制造系统中资源消耗对环境污染的程度，评估绿色制造实施的状况和程度均要涉及系统工程方法。

(6)通信网络及数据库支承技术。为了满足绿色设计与制造需求，必须在发展通信网络的基础上建立相应的绿色设计数据库与知识库，并进行管理和维护。

(7)并行工程技术。并行工程对绿色设计有着特殊的意义。绿色设计要求从产品设计一开始就要把降低资源消耗、易于拆卸回收、保护生态环境与保证产品的性能、质量、寿命、成本的要求列为同等的设计目标，并保证在生产过程中能够顺利实施。

10.5.4 绿色制造的必然化趋势

1.政治政府的压力

国内外对绿色制造的关注不断增加，很大程度上取决于政治原因。污染和环境废物已成为一个国家发展的政治问题。环境废物和污染往往都是国家政府使用政治手段制定法规和条例来解决，而不是商业团体或企业的自身技术改革。欧盟相继出台了 WEEE，RoHS 和 EuP 三大绿色指令，利用政府和政治的压力制定法规制度，对符合环保要求的绿色制造给予支持，制定经济机制、市场策略，有效引导绿色制造的实施和发展。很多国家都已经出台环境条例来约束和引导制造业的发展，通过法规条文从立法制度上推进制造业绿色化进程，这必然导致企业的绿色化进程。

2. 社会支承系统的逐步形成

可持续发展已经成为社会发展的必然趋势。可持续发展可以定义为“发展既满足当代人的需求又不对子孙后代满足其需要之能力构成威胁的系统和过程”。可持续发展需要每一代、每个国家和每个公司管理好自己的系统，使得其环境影响为中性或正面的。绿色制造是可持续发展的一个重要组成部分，隶属于可持续发展。在推行可持续发展中，必须拥有绿色制造的位置。

3. 全球化特征和企业自身压力

随着世界经济全球化，绿色产品的市场竞争将在全球范围内展开。如今欧盟已经出台一系列法规对进口产品要进行绿色认证，制定苛刻的产品环境指标来限制国外产品进入本国市场，设置“绿色贸易壁垒”。绿色制造将为企业提高产品的绿色水平提供技术手段，为企业消除国际贸易壁垒进入国际市场提供有力的支承。现今世界各国都在制定切合自身国情的制造业环保条文和法规，我国作为一个制造业大国，发展绿色制造，制定一系列的绿色法规认证是势在必行的，我国进行制造业的改革，改变传统的思维理念，实施绿色制造已迫在眉睫。

作为制造业产品出口大国，虽然欧盟 EuP 指令对我们大多数制造出口企业的影响暂时没有突显出来，但随着指令法规的逐步实施，其影响是巨大的。如果不及早改变自身，迎接已经来临的挑战，我国制造业的发展将受到极大的负面影响。

参 考 文 献

[1] 谈荣生,刘增尝,庆怀信,等. 金属工艺学. 南京:江苏科学技术出版社,1981.

[2] 邓文英. 金属工艺学. 北京:高等教育出版社,1990.

[3] 金问楷,张学政. 金属工艺学. 北京:中央广播电视大学出版社,1995.

[4] 赵一善. 机械加工工艺基础. 天津:天津大学出版社,1993.

[5] 裴崇斌. 机械加工工艺. 西安:西北工业大学出版社,1996.

[6] 孙键,曾庆福. 机械制造工艺学. 北京:机械工业出版社,1982.

[7] 齐世恩. 机械制造工艺学. 哈尔滨:哈尔滨工业大学出版社,1989.

[8] 郑品森,刘文芳. 机械制造工艺学. 北京:中央广播电视大学出版社,1987.

[9] 王雅然. 金属工艺学. 北京:机械工业出版社,1994.

[10] 韩秋实. 机械制造技术基础. 2版. 北京:机械工业出版社,2006.

[11] 杨克冲,陈吉红,郑小平. 数控机床电气控制. 武汉:华中科技大学出版社,2005.

[12] 宋放之. 数控机床多轴加工技术应用教程. 北京:清华大学出版社,2010.

[13] 陈蔚芳,王宏涛. 机床数控技术及应用. 2版. 北京:科学出版社,2008.

[14] 孙清茂. 数控机床实现. 北京:机械工业出版社,2010.

[15] 刘书华. 数控机床与编程. 北京:机械工业出版社,2007.

[16] 杨叔子. 制造、先进制造技术的发展及其趋势(上). 装备制造, 2008(4):52-27.

[17] 杨叔子. 制造、先进制造技术的发展及其趋势(下). 装备制造, 2008(5):38-42.

[18] 荣烈润. 先进制造哲理——并行工程. 航空精密制造技术,2007,43(2):3-9.

[19] 楼锡银. 基于并行工程的绿色机电产品设计方法研究. 机械制造,2009,47(541):25-26.

[20] 丁立军. 网络化制造环境下实施并行工程关键技术研究. 机电工程技术,2008,37(6):13-17.

[21] 荣烈润. 面向21世纪的敏捷制造. 航空精密制造技术,2007,43(4):1-5.

[22] 何永红. 推行敏捷制造模式,提高企业市场竞争力. 冶金管理,2008,6:41-44.

[23] 张丹丹. 从敏捷制造的国内外研究动向看现代制造的技术特征. 内蒙古民族大学学报,2008,14(4):67-69.

[24] 刘勇. 网络化制造系统配置环境及其实现途径. 计算机集成制造系统,2006,12(1):85-92.

[25] 赵峰,杨文潮,李木子. 网络化制造实现技术研究. 鲁东大学学报:自然科学版. 2007,23(4):323-327.

[26] 刘念聪,李宏穆,方方. 网络制造的若干技术分析及其发展趋势. 制造技术与机床, 2006,9:17-20.

[27] 刘飞. 基于产品生命周期主线的绿色制造技术内涵及技术体系框架. 机械工程学报, 2009,45(12):115-121.

[28] 徐滨士. 绿色再制造工程及其关键技术. 再生资源与循环经济,2009,2(11):5-10.

参考文献